D1499786

für Gesa
mein Gänseblümchen
mit sehr herzlichem Gruß

Ludwig

am 12. April 78

Ludwig Harig
Rousseau

Der Roman vom Ursprung
der Natur im Gehirn

Carl Hanser Verlag

ISBN 3-446-12502-7
Alle Rechte vorbehalten
© 1978 Carl Hanser Verlag München Wien
Umschlag Klaus Detjen
Herstellung Mühlberger, Augsburg
Printed in Germany

Inhaltsverzeichnis

Rousseau und der Autor wenden sich an den Leser   7

Rousseau geht weiter als irgendein anderer   19

Rousseau wirft seine calvinistischen Wörter ins Treffen   32

Rousseau reist mit dem Flaschengeist   42

Rousseau und Frau von Warens pflücken das Immergrün   55

Rousseau ringt mit seinem Herzpolypen   71

Rousseau und Therese Levasseur schlafen in einem und
demselben Bett   85

Rousseau speist mit den Enzyklopädisten zu Abend   100

Rousseau besucht Diderot im Turme von Vincennes   115

Rousseau sieht das Weiße im Auge des Königs   128

Rousseau begegnet dem schönen Wilden im Wald
von Saint-Germain   151

Rousseau und Therese fahren mit Herrn von Gauffecourt
nach Lyon   165

Rousseau schreibt einen Brief an Herrn von Voltaire   181

Rousseau umarmt Frau von Houdetot unter der Akazie
von Eaubonne   199

Rousseau und Emil suchen den Garten des Paradieses   214

Rousseau und Emil gehen in der Natur   226

Rousseau und der Prinz von Conti spielen das
Königsgambit   243

Rousseau und Mandeville beschwören den Geist des
Bienenstocks   256

Rousseau und Jean Paul wittern die Morgenluft   268

Rousseau sät den Wind und erntet den Sturm   286

Rousseau spricht mit Boswell und schweigt mit
Bernardin de Saint-Pierre   300

Rousseau und David Hume untersuchen den menschlichen
Verstand   314

Rousseau geht bis ans Ende seines Lebens   326

Rousseau und Robespierre tanzen unter dem Maibaum   341

Rousseau

und der Autor wenden sich an den Leser

Rätsel
Ich bin ein Kind der Kunst und der Natur zugleich,
An Tagen mirs gebricht, und trotzdem sterb ich nicht.
Je wahrer ich auch bin, je mehr betrüg ich euch,
Ich werde noch ganz jung vor lauter Alterung.

Ich gehe in den Zirkus und sehe mir den Clown an. Der
Clown steht in der Mitte der Manege und weint. Sogleich er-
faßt mich eine tiefe Neigung für ihn. Der Clown tritt sich auf
den Hosenbund und fällt über seine eigenen Beine. Sogleich
steigt mein Blutdruck an. Der Clown sitzt im Sand und lacht.
Sogleich befällt mich eine plötzliche Eingebung: er weint, weil
er fröhlich, und er lacht, weil er traurig ist. Wer weiß, damit
könnte ich vielleicht die ganze Welt erklären. Aber ich gehe gar
nicht in den Zirkus, und ich mag auch keine Clowns, wie
Rousseau, der gesagt hat, er schreibe nicht für Leute, denen
man alles erklären muß.

Die tiefen Neigungen, der hohe Blutdruck und die plötzlichen Eingebungen, es ist ein eigentümliches Ding um dieses
Dreierlei, denn es braucht gar kein weinender Clown zu sein,
der meine tiefen Neigungen weckt, es braucht auch kein lachen-
der Clown zu sein, der meine plötzlichen Eingebungen hervor-
ruft, jedes menschliche Mißgeschick läßt meinen Blutdruck an-
steigen, es braucht gar nicht erst jemand auf seinen Hosenbund
zu treten und über seine eigenen Füße zu fallen.

Aber nicht jeder sieht die Welt und den Menschen so an wie
ich mit meinen tiefen Neigungen, meinem hohen Blutdruck und
meinen plötzlichen Eingebungen. Denn außer den hypertoni-
schen Glückspilzen gibt es noch die Sonntagskinder, die zwar
auch mit dem hohen Blutdruck begabt sind, aber ihre Neigungen sind plötzlich und ihre Eingebungen sind tief. Ist der Blutdruck dagegen plötzlich, dann handelt es sich um Giftmichel,
wenn die Neigungen hoch und die Eingebungen tief sind, und
es handelt sich um Hitzköpfe, wenn die Neigungen tief und die

Eingebungen hoch sind. Ist der Blutdruck dagegen tief, dann haben wir es, wenn die Neigungen plötzlich und die Eingebungen hoch sind, mit Hundeschnauzen, und wir haben es, wenn die Neigungen hoch und die Eingebungen plötzlich sind, mit Stockfischen zu tun.

Verhängnisvoll ist die Durchgängigkeit. Wenn die Neigungen, der Blutdruck und die Eingebungen durchgängig tief, durchgängig hoch oder durchgängig plötzlich sind, dann ist es für den Menschen schädlich, weil er zur Einseitigkeit neigt und an das Absolute glaubt. Wenn allerdings die Neigungen, der Blutdruck und die Eingebungen durchgängig normal sind, dann ist diese durchgängige Normalität dem Menschen völlig unzuträglich, weil er zur Vielseitigkeit neigt und nur an das Relative glaubt. Ja, die Ungleichheit unter den Menschen ist ein schweres Erbe.

Ich gehe also nicht in den Zirkus und sehe mir keine Clowns an, und so sind meine tiefen Neigungen, mein hoher Blutdruck und meine plötzlichen Eingebungen nicht auf erklärende Weise mit dem Lachen und dem Weinen und dem menschlichen Mißgeschick befaßt. Nein, ich erzähle dieses Mißgeschick. Ich erzähle es am Beispiel Jean-Jacques Rousseaus, was mich im Hinblick auf den Fortgang der Geschichte fröhlich stimmt, weil ich ja mit ihm dieses eigentümliche Dreierlei von tiefen Neigungen, hohem Blutdruck und plötzlichen Eingebungen teile. Ich erzähle es für alle Normalen und für alle Psychopathen, für alle Manischen und für alle Depressiven, für die Giftmichel und die Hitzköpfe, für die Hundeschnauzen und die Stockfische, für weiße Raben und blinde Hühner.

Dieses Mißgeschick, sich fortwährend auf den Hosenbund zu treten und über seine eigenen Beine zu fallen, ist so allgemein, daß es jedermann tagtäglich passieren kann. Es ist das Mißgeschick, das auf der menschlichen Beschaffenheit beruht, und zwar auf der Beschaffenheit des Gehirns und der Eingeweide. Das menschliche Gehirn und die menschlichen Eingeweide sind nämlich so eigenartig zusammengesetzt, daß ihr Mechanismus gar nie auf die erwartete Weise funktioniert. In den Gehirnen gibt es Webfehler und lockere Schrauben, und in den Eingeweiden rumort und schlingert es dumm und wunderlich. Diese Beschaffenheit des Gehirns und der Eingeweide hat es im Laufe der Zeiten zu Wechselwirkungen kommen lassen, die ganz anders zusammenspielen wie gemeinhin geglaubt und auch gelehrt wird.

Immer noch gilt die alte Kopf- und Bauchtheorie, nach der sich im Bauch die Natur befindet und im Kopf sich Kunst und Wissenschaft bemerkbar machen. Aber wenn es so wäre, dann wäre es ja kein Mißgeschick, wenn der Mensch sich immerzu auf den Hosenbund tritt und über seine Füße fällt. Die Natur im Bauch und Kunst und Wissenschaft im Kopf würden dieses Straucheln zu verhindern wissen; mit der Natur im Bauch und mit Kunst und Wissenschaft im Kopf würde der Mensch lachen, wenn er fröhlich und weinen, wenn er traurig ist. Oh, daß niemand so leichtgläubig sein möchte, das Lachen für Fröhlichkeit und das Weinen für Traurigkeit zu halten! Gut, es mag vorkommen, daß jemand lacht, weil er fröhlich, und daß er weint, weil er traurig ist, aber halte niemand diese Normalität für das verläßliche Wechselspiel von Gehirn und Eingeweiden.

Der Zirkusclown, mit dem ich dieses menschliche Mißgeschick so gut erklären könnte, bleibt aus meiner Beschreibung und aus meiner Erzählung heraus. Dafür aber tritt Jean-Jacques Rousseau auf, und auch er wendet sich an den Leser. Er lacht, wie der Clown, wenn er traurig und er weint, wie der Clown, wenn er fröhlich ist, und wenn er sich auf den Hosenbund tritt und über seine Füße fällt, dann lachen auch die Barone und die Komtessen, die törichten Grafen und die gescheiten Enzyklopädisten. Jean-Jacques Rousseau tritt an die Stelle des Clowns, und ich, mit den tiefen Neigungen, dem hohen Blutdruck und den plötzlichen Eingebungen wie er, zeichne sein Porträt und erzähle seine Geschichte.

Sogleich wendet sich auch Rousseau an den Leser und sagt: »Ein Porträt hat immer seinen Wert, wenn es nur gleicht, aber in einem Gemälde der Einbildungskraft muß jede Figur die Züge haben, die dem Menschen gemein sind, oder das Gemälde taugt nichts. Beide sollen gleich gut sein: dann bleibt noch der Unterschied, daß das Porträt wenig Menschen interessiert, das Gemälde allein dem Publikum gefallen kann.« So zeichne ich ein Porträt, das zwar ähnlich ist, aber nicht interessiert, und würde wohl besser ein Gemälde malen, das jedermann den Menschen allgemein erscheinen läßt, auch wenn es Rousseau

nicht gleicht. Was also muß ich tun. Da ist schon von vorneherein guter Rat teuer.

Rousseau war der Mensch in seinem Widerspruch. Er lachte,
wenn er traurig, und er weinte, wenn er fröhlich war. Er dachte
über die Natur nach und nannte sie ein Buch. Er dachte über
die Kultur nach und nannte sie einen Misthaufen, wo doch viel
eher die Natur als Misthaufen und die Kultur als ein Buch angesehen werden müßte. Aber er dachte, wenn er über die Natur
nachdachte, mit dem Herzen, und er dachte, wenn er über die
Kultur nachdachte, mit dem Kopf nach. Das Nachdenken mit
dem Herzen aber brachte ihn dahin, den Kopf zu vernachlässigen. Die Vernachlässigung des Kopfes beim Denken ist aber
verhängnisvoll. So brachte er sich, als er mit dem Herzen über
die Freundschaft nachdachte, um alle seine Freunde. Das Nachdenken mit dem Kopf dagegen brachte ihn dahin, das Herz zu
vernachlässigen. Die Vernachlässigung des Herzens beim Denken aber führt zur Ruchlosigkeit. So brachte er, als er über die
Familie nachdachte, alle seine Kinder ins Findelhaus. Guter
Rousseau, wie hast du dich geplagt mit deinem Widerspruch!

Er war auf eine weise Art närrisch, und er war auf eine närrische Art weise. Rousseau nahm sich des Menschen an, und zugleich verachtete er ihre Gesellschaft. Er nannte den Menschen
in den Wäldern dumm und den Menschen in den Städten vernünftig, wie überhaupt die Anthropologen die Menschheit in
zwei Teile zerfallen lassen. So gibt es Menschen mit Wiegen
und Menschen ohne Wiegen, es gibt die Menschen mit Betten
und die Menschen mit Hängematten, es gibt die Menschen mit
Kopfkissen und die Menschen mit der Rolle unter dem Kopf,
es gibt die hockende und die sitzende Menschheit, den Sauhau-
fen und den Gänsemarsch, o du großer Marcel Mauss!

Es gibt aber auch die Menschen, die handeln, und es gibt die
Menschen, die betrachten. Rousseau hätte so gern gehandelt,
wenn er nicht immerzu hätte betrachten müssen. »Nach dem
Beispiel vieler anderer lege ich die Hand nicht ans Werk selber,
sondern greife zur Feder«, sagt er in seinem Erziehungsroman
»Emil«, und im »Gesellschaftsvertrag« ruft er aus: »Man wird
mich fragen, ob ich Fürst oder Gesetzgeber sei, weil ich über
Politik schreibe. Nein, antworte ich, gerade deswegen schreibe
ich über Politik. Wenn ich Fürst oder Gesetzgeber wäre, würde

ich meine Zeit nicht damit verlieren, zu sagen, was getan werden müßte. Ich würde es tun oder schweigen.«

O du braver Rousseau, wie sorgst du dich um die praktischen Dinge und kannst doch nur die Feder führen! Daß die Menschen immer alles gleich in die Tat umsetzen wollen! Wie ist doch das Betrachten so schwer! Kein Wunder, wenn die Menschen immer nur handeln wollen. Braver Rousseau, du hast die Natur geliebt, aber du wolltest ihre Arroganz brechen; du hast die Zivilisation verachtet, aber du wolltest ihre Jovialität erhalten. Ja, die Natur ist ernst und anmaßend, die Kultur dagegen ist heiter und leutselig. Rousseau ergriff die Feder, aber viel lieber hätte er den Spaten und die Gießkanne in die Hand genommen, wie es später der kleine Emil und die brave Levana taten. Oder sah er das Handeln so respektvoll an, weil er gern heiter und leutselig gewesen wäre und sah er andererseits das Betrachten so geringschätzig an, weil er nicht ernst und anmaßend sein mochte?

Aber er verachtete die Kultur und die jovialen Macher, auch wenn er das Handeln für nützlich hielt, und er liebte die Natur und die arroganten Beschaulichen, auch wenn ihm das Betrachten geringer erschien. Er handelte nicht, er betrachtete. Während die Macher in ihrer tätigen Wollust die Wirklichkeit schaffen, erfinden die Beschaulichen in ihrer gravitätischen Engelsgeduld die Möglichkeiten. »Nie haben die wollüstigen Naturen solche Wonnen gekannt«, schreibt Rousseau an Herrn von Malesherbes, »hundertmal mehr habe ich mich mit Luftgespinsten ergötzt als sie mit Wirklichkeiten.«

Rousseau, mit seinen tiefen Neigungen, seinem hohen Blutdruck, seinen plötzlichen Eingebungen und allen seinen Widersprüchen, steht im Zwielicht der Geschichte und blinzelt mit den Augen. Ich zeichne sein Porträt und erzähle seine Geschichte. Es ist die Geschichte vom Ursprung der Natur im Gehirn und vom Ursprung der Kultur in den Eingeweiden. Rätselhaftes Wechselspiel von Kopf und Bauch! Die Natur entspringt im Gehirn, die Kultur entspringt in den Eingeweiden! Das läßt sich aber nur erzählen, wiewohl es vielleicht sogar besser wäre, wenn ich es erklären könnte. Aber nicht jeder Mensch denkt mit den grauen Zellen und kann erklären, es gibt auch solche, die mit den roten Zellen denken und erzählen müssen.

Die ersteren denken mit dem Kopf. Sie denken in grauen Begriffen. Die zweiten denken mit dem Herzen. Sie denken in bunten Bildern. Das ist eine eigenartige Verschiedenheit, worüber schon Heinrich Heine an der Nordsee eine Betrachtung angestellt hat, daß nämlich, was die einen durch langsames Nachdenken und lange Schlußfolgerungen erkennen, die anderen in einem einzigen Momente anschauen und sogleich begreifen. Die einen müssen sich der Mühe unterziehen, mit Hilfe der deduktiven Denkmethode zu Schlüssen oder mit Hilfe der induktiven Denkmethode zu Beweisen zu gelangen; sie müssen Untersätze und Oberbegriffe, sie müssen Voraussetzungen und Folgerungen in ihrem Gehirn hin und her bewegen. Was das alles Zeit verschwendet! O ja, das Denken mit dem Kopf braucht seine Zeit. Was man aber mit dem Denken an Zeit verschwendet, das geht alles am Leben ab. O ja, die Zeitverschwendung ist ein großes Übel, wenn es ums Denken geht. Um wieviel ökonomischer ist das Denken mit dem Herzen.

Nun ist es ein leichtes, sich über das denkende Herz lustig zu machen. Und tatsächlich, da stehen die grauen Kopfmenschen, bewegen die Voraussetzungen und die Folgerungen, die Untersätze und die Oberbegriffe in ihren Gehirnen hin und her und machen sich lustig über das denkende Herz. Sie zeigen mit dem Finger auf die Menschen mit den tiefen Neigungen, dem hohen Blutdruck und den plötzlichen Eingebungen und schütteln ihre grauen Köpfe. Ein denkendes Herz! rufen sie aus, hat man so etwas schon gesehen. Und sie fassen sich an ihre analytischen Köpfe, worin die Untersätze und die Oberbegriffe in heftige Denkbewegungen verstrickt sind. Ein denkendes Herz! rufen sie, hat man je von vernünftigen Gedanken eines denkenden Herzens gehört? Mache sich niemand über ein denkendes Herz lustig, er könnte das Wahre für falsch und das Falsche für wahr halten.

Aber was ist wahr, und was ist falsch? Es gibt die einfache Wahrheit, die reine Wahrheit und die lautere Wahrheit. Was aber ist zum Beispiel mit der nackten Wahrheit, und welche Wahrheiten sind die Adenauerschen Wahrheiten gewesen? Rousseau sagt am Anfang seiner »Bekenntnisse«: »Ich will meinen Mitgeschöpfen einen Menschen in seiner ganzen Naturwahrheit zeigen.« Über alle Wahrheiten hinaus gibt es noch die Naturwahrheit, wie man sieht, und Rousseau setzt hinzu: »Und dieser Mensch werde ich selbst sein.« Die Pythagoräer nennen das Gute bestimmt und begrenzt, das Böse unbegrenzt und unbestimmt; und Montaigne folgert daraus, daß die Wahrheit nur ein Gesicht, die Unwahrheit aber hunderttausend Gesichter und einen unendlich weiten Spielraum habe. Rousseau aber hatte ein Gesicht und zugleich hunderttausend Gesichter dazu, und auch sein unendlich weiter Spielraum war zugleich ein ganz eng eingezäunter Vorgarten mit lauter Immergrün. Wenn ich mich nun anschicke, dieses Gesicht zu zeichnen, und wenn ich die Geschichte dieses weiten Spielraums erzähle, dann brauche ich mich eigentlich nur auf die Geschichte dieses Gärtchens mit dem Immergrün zu beschränken. Diese Geschichte ist nämlich die Geschichte vom Ursprung der Natur im Gehirn und vom Ursprung der Kultur in den Eingeweiden, und es ist zugleich die ganze Lebensgeschichte von Jean-Jacques Rousseau.

Nun hat aber die alte Kopf- und Bauchtheorie, die im Gegensatz zu Rousseau den Ursprung der Natur im Bauch und den Ursprung der Kultur im Kopf vorsieht, das Leben Rousseaus gänzlich übersehen. Infolgedessen konnte sie weder die Bedürfnisse des gegenwärtigen noch die Notwendigkeiten des zukünftigen Lebens in ihre grauen Voraussetzungen einbeziehen. Rousseau ließ nämlich die gesamte Kultur und ihre Bedürfnisbefriedigungen zur Verderbnis des Menschen in den Eingeweiden entspringen, weil er die gegenwärtigen Bedürfnisse am eigenen Bauch erfahren hatte; und er ließ die Natur und ihre Notwendigkeit zur Rettung des Menschen im Gehirn entspringen, weil sich ihre zukünftige Notwendigkeit auf einen Schlag in seinem Kopf bemerkbar gemacht hatte. Aber diese Geschichte vom Leben und vom Denken Rousseaus ist keine Biographie eines Intellekts, der eine klare Theorie für den Lauf der Welt besaß. O nein, es ist die Geschichte eines Instinkts, der ein sicheres Gefühl für den Gang des Lebens hatte. Die Geschichte Rousseaus ist die Geschichte der Schwärmerei, der Begeisterung, der Verzückung. Es ist die Geschichte des Enthusiasmus, und der Autor muß oftmals selbst in schwärmerische Anrufungen ausbrechen, er muß sich in begeisterten Ausführungen ergehen, und er muß verzückte Empfindungswörter benutzen.

Voltaire, ganz Intellekt, huldigt dem Papst freiwillig, wenn auch auf ironische Art, indem er ihm seinen »Mahomet« widmet; Rousseau aber, ganz Instinkt, »kann nicht dazu gebracht werden, sich dem König präsentieren zu lassen — sein Instinkt leitet ihn richtig; es war der Enthusiasmus, der sich nicht abfinden kann«, wie Heinrich Heine sagt. Während Voltaire, ein Intellektueller und Zyniker, die Sprache benutzt, um Blasphemien zu sagen und Verachtung zu zeigen, nimmt Rousseau, ein Instinktiver und Enthusiast, die Sprache zu Hilfe, um mit ihr in aller Andacht die einfache Liebe zu lehren. Rousseau wendet sich an den Leser und sagt: »Wie der Enthusiasmus der Andacht die Sprache der Liebe leiht, so leiht der Enthusiasmus der Liebe die Sprache der Andacht.« Wie aber auch der Enthusiasmus der Andacht die Liebe der Sprache leiht, so leiht der Enthusiasmus der Sprache die Liebe der Andacht. Und wie schließlich der Enthusiasmus der Sprache die Andacht der Liebe leiht, so leiht der Enthusiasmus der Liebe die Andacht der Sprache. Willige Menschen sitzen in werktätigen Arbeitskreisen und in sonntäglichen Matineen und lauschen der Sprache des Dichters, sie sitzen auf den kalten Felsen von Knokke und auf dem warmen Muschelkalk der schwäbischen Alb und sind, mit den Worten des Dichters im Ohr, auf dem Weg zurück zur Natur.

Da springt aber Rousseau enthusiastisch in die Höhe und erklärt, »daß es hier nicht darauf abgesehen ist, Daphnis, Sylvander, arkadische Schäfer, Geßnersche Hirten, vornehme Bauern zu bilden, die mit eigner Hand ihre Felder bauen und über die Natur philosophieren«, o nein, Rousseau denkt an die Natur im Herzen, die im Gehirn ihren Ursprung hat und eine zukünftige Notwendigkeit ist, und er sagt, »daß die süßesten Gefühle des Herzens eine Gesellschaft freundlicher beleben können, als die Feiertagssprache der Zirkel, wo unser beißendes und höhnisches Lächeln der traurige Lückenbüßer der Fröhlichkeit ist«, und das denke ich auch. Ja, ihr Gesellschaftsspiele und ihr Gruppentherapien, der Mensch nimmt jetzt wieder ein Buch zur Hand und kehrt zurück zur Natur, indem er sich aus der Gesellschaft entfernt. Rousseau ist es um die Notwendigkeit zu tun, und so sagt er: »Wenn man einsam lebt, hastet man sich nicht im Lesen ab, um mit seiner Lektüre zu prunken, wechselt daher auch weniger mit ihr und überdenkt sie mehr; und da sie kein so großes Gegengewicht nach außen findet, wirkt sie um vieles mehr nach innen.«

Lieber andächtiger Leser, nimm also dieses Buch, ziehe dich aus der Gesellschaft zurück und lies es, wie ein Buch gelesen sein soll, vom Anfang bis zum Ende. Laß dich nicht abschrecken von Clownerien und von Widersprüchen, von diesen Überlegungen über schöne Reden und gute Taten, über das Heilsame und Nützliche der Literatur. So wie ich mit dir, so spricht auch Rousseau mit seinem Freund, der auch sein Buch nicht zu Ende lesen will, weil sich in ihm die Menschen fortwährend auf den eigenen Hosenbund treten.

Der Freund sagt: »Das Böse ärgert, ehe das Gute erbauen kann; kurz, der unwillig gemachte Leser verliert die Lust und legt das Buch zur Seite in dem Augenblick, wo er Nutzen daraus ziehen sollte.« Aber da antwortet der Schriftsteller und sagt: »Ich denke umgekehrt, das Ende der Sammlung ist Lesern überflüssig, die am Anfang die Lust verlieren, und eben dieser Anfang muß für diejenigen anziehend sein, welchen das Ende nützlich sein kann. Die, welche das Buch nicht zu Ende bringen, verlieren also nichts, denn es ist nicht auf sie berechnet; und die, für welche es heilsam sein kann, hätten es nicht gelesen, wenn es ernster begonnen hätte. Wer mit dem, was er sagt, Nutzen stiften will, muß sich zunächst bei denen Gehör verschaffen, denen es nützen soll.«

Rousseau und der Autor sind keine Philosophen, die es mit der Erklärung der Welt aufnehmen können, sie fragen gar nicht erst wie Plato: »Was ist der Mensch?« sondern sie deuten auf die Inschrift, die sich auf dem Tempel von Delphi befindet, und die lautet: »Erkenne dich selbst.« Da steht nämlich der Mensch in seiner natürlichen Nacktheit und friert; er hat nur notdürftig die Verkleidungen der Natur über seine Gänsehaut geworfen, aber schon beim ersten mutwilligen Schritt tritt er sich auf den Hosenbund und fällt über seine eigenen Füße. Da liegt er nun am Boden und lacht, wo er eben noch traurig war, und weint sogleich, weil er nun fröhlich ist, und eigentlich möchte er doch nur glücklich sein.

Rousseau und der Autor haben dieses Glück des Menschen im Sinn, und bei allem, was sie sagen, fragen sie: »Wozu nützt

das?« Ja, so praktisch sind wir beiden! Aber unser Nützlichkeitsstandpunkt ist nicht einfach ein grober Utilitarismus, wo
die Menschen einander die einzelnen Schädel einschlagen, weil
sie die allgemeine und gesellschaftliche Wohlfahrt im Schilde
führen; nein, unser Nützlichkeitsstandpunkt ist ein feiner Eu-
dämonismus, wo die Menschen sich in allgemeiner Friedfertigkeit die Hände reichen und dabei nur die einzelne Lust im Auge
gehabt haben. Ist aber ein Buch imstande, das Leid zu verklei-
nern und seinen Leser frei und gesund zu machen?

Rousseau wendet sich an die lesenden Väter und Mütter, an
die unverheirateten und verwitweten Leser, an die Hagestolze
mit dem Roman und an die Blaustrümpfe mit dem Traktat in
der Hand, und dann sagt er von ihnen: »Wenn sie das Buch
weglegen, werden sie nicht über ihren Zustand betrübt, nicht
ihrer Geschäfte überdrüssig sein. Umgekehrt: alles rings um sie
wird eine lachendere Gestalt anzunehmen scheinen, ihre Pflichten werden sich in ihren Augen veredeln, sie werden neuen Geschmack an den Freuden der Natur gewinnen.«

Da sitzt nun der Autor, ein beflissener Schriftsteller, und
schreibt ein Buch über das Schreiben eines anderen Schriftstellers, in dessen Kopf die Natur und in dessen Eingeweiden die
Kultur entsprungen ist. Mißachte niemand diese kopflastige
Natur, mißtraue aber jedermann dieser bauchseitigen Kultur,
die mit wissenschaftlichen Kniffen und mit künstlerischem Geschick das eine auf die andere Seite kehrt und das andere zum
einen und einzigen macht, als gäbe es nur dieses. Rousseau wendet sich zum vorletzten Mal an den Leser und sagt: »Die Natur
ändert oft, ohne Furcht, daß man sie mißkenne, ihre Außen-
seite, und oft gibt sich die Kunst bloß, wenn sie natürlicher
sein will als jene; sie ist der Grunzer der Fabel, der die Tier-
stimme besser macht als das Tier selbst.« Dieser Grunzer ist
der Stil des Schriftstellers. Es gibt den flüssigen Stil und den
trockenen Stil, den knappen Stil und den weitschweifigen Stil,
den natürlichen Stil und den künstlichen Stil, und alle diese Stile
ahmen etwas nach oder erfinden etwas neu. Da saß der Graf
von Buffon mit seiner Brustkrause aus Spitzen und schrieb seine
36 Bücher über die Naturgeschichte. Am Samstag, den 25. August 1753 trat er vor die Mitglieder der Académie Française,
um dort seine Antrittsrede zu halten. Er schaute über die gepu-

derten Köpfe und sagte: »Der Stil ist der Mensch selbst«, und dieser Satz trug, wie Buffon, eine gediegene Brustkrause aus Spitzen, so daß alle glaubten, Buffon leite aus seiner soliden Schreibweise ganz und gar menschliche Eigenschaften ab, obwohl er doch nur hatte sagen wollen, daß nicht die Natur und alle ihre Dinge, sondern allein die Kunst und ihre Weisen in der Macht des Menschen stehn. Ja, soweit kann es führen, wenn man es zu Stilfragen kommen läßt!

Und so wendet sich Rousseau noch ein letztes Mal an den Leser, und er sagt: »Dieses Buch ist nicht gemacht, in der großen Welt umzulaufen ... Der Stil wird die Leute von Geschmack abstoßen, der Inhalt die Strengen in Harnisch bringen, die Gefühle werden außer der Natur sein für die, welche nicht an die Tugend glauben. Es muß den Frommen, den Wüstlingen, den Philosophen mißfallen; galanten Weibern ein Anstoß, und ehrbaren ein Ärgernis sein.« Rousseau fragt: »Wem wird es denn also gefallen?« und er antwortet: »Vielleicht mir allein«, und das glaubt der Autor auch, der sich nun anschickt, die Geschichte vom Ursprung der Natur im Gehirn und vom Ursprung der Kultur in den Eingeweiden und damit die ganze Lebensgeschichte Jean-Jacques Rousseaus aufzuschreiben.

Dabei verwandeln sich die Wortwörtlichkeiten Rousseaus und seiner Deuter in Prämissen und Motive des Autors. Der Leser aber, der sich in den Wörtern Rousseaus und in all diesen Verballhornungen verfängt, soll in ein Spiel verwickelt werden, das der Autor mit den Wörtern treibt. Und wenn der Leser plötzlich das Gefühl hat, als würde der Autor ihn wie ein Kind behandeln und er befinde sich in einem Märchen und nicht in einer wahren Lebensgeschichte, dann braucht er sich gegen dieses Gefühl gar nicht zu sträuben. Im Gegenteil, auch der Autor ist ja wieder zum Kind geworden, und er erzählt die Lebensgeschichte deshalb als Märchen, weil das Märchen gewöhnlich gut ausgeht und an eine schönere Zukunft denken läßt, worin alle am Leben geblieben sind, außer den Bösen, und weiterleben, wenn sie nicht gerade sterben. Man soll nämlich das Geschriebene für das nehmen, was es ist, und den Schreibenden für den, der er ist; denn wenn am Ende hinter dem Beschriebenen das Bild des Schreibenden zum Vorschein kommt, dann löst sich auch das Rätsel vom Anfang. Das Geschriebene ist Geschriebenes, ein Machwerk der Kunst, auch wenn es noch so natürlich sein will, und der Schreibende ist Schreibender, ein Erzeugnis der Natur, auch wenn er noch so künstlich auftritt. Der vom Schreibenden Beschriebene erscheint im Geschriebenen, wie der Schreibende selbst im geschriebenen Beschriebenen erscheint: das Porträt wird so zum Doppelporträt. Das ist des Rätsels Lösung: das Porträt. Wahre und zugleich falsche Kinder der Kunst und der Natur treten auf, lachende und weinende Clowns, die sich fortwährend auf ihren eigenen Hosenbund treten.

Aber noch ist Hoffnung, daß sie sich retten.

Rousseau
geht weiter als irgendein anderer

*Ein König sitzt auf seinem Thron und spricht: »Alle meine
Straßen sind gepflastert — kein Steinchen kann meine Schritte
hemmen — alle meine Straßen sind gefegt — kein Stäubchen kann
meine Kleider beschmutzen — alle Straßen sind mit Baldachinen
überdeckt — keine Regenpfütze kann mich zum Ausgleiten ver-
leiten — doch was hilft das alles gegen die furchtbare Erkenntnis:
Man könne über sich selber stolpern. — Herr Geheimrat, es tut
mir leid, wir müssen zu Hause bleiben — man könnte über sich
selber stolpern.*

Als ob man jemals jemanden gesehen hätte, der als Erwach-
sener nicht gehen könnte! Aber wieviele sieht man, die ihr ganzes Leben lang schlecht gehen, weil man ihnen das Gehen
schlecht beigebracht hatte.

Jean-Jacques Rousseau wurde am 28. Juni 1712 in Genf, in
der Grand-Rue, geboren. Seinem Vater fehlte das Sitzfleisch. Er
war zwar Uhrmacher, aber er gab auch Tanzstunden, er arbei-
tete im Serail von Konstantinopel, floh später nach einer Schlä-
gerei von Genf nach Nyon, aber er verheiratete sich wieder und
kehrte nie mehr zurück. Seine Mutter dagegen war seßhaft. Sie
sang und begleitete sich auf der Theorbe, sie zeichnete und
machte Verse, aber sie starb bei seiner Geburt. So war der kleine Jean-Jacques recht früh ohne Vater und Mutter, er hatte
keinen Vater zu fürchten und keine Mutter zu lieben, und doch
blieben ihm die Kastrationsangst und der Ödipuskomplex und
damit die ganze Psychoanalyse nicht erspart.

»Meine Damen und meine Herren!« rief Professor Laforgue vor der wissenschaftlichen und vor der philosophischen
Studiengruppe aus, »meine Damen und meine Herren, eine
psychoanalytische Untersuchung ist nicht dasselbe wie eine psy-
chologische Studie, o nein. Hier geht es nicht um die verschlei-
erte Wahrheit, hier geht es um die nackten Tatsachen.«
Professor Laforgue rief: »Aber, meine Damen und Herren, ich
möchte nicht nur Jean-Jacques, ich möchte auch meine eigene

Person Ihrer besonderen Nachsicht empfehlen, denn ich muß sehr ausführlich von der Sexualität sprechen.« Und so operierte Professor Laforgue schonungslos mit den nackten Tatsachen der Psychoanalyse.

O ihr heilsamen Traumata, ihr nützlichen Verdrängungen in den guten Familien, was dem kleinen Jean-Jacques erspart blieb, das wurde dem großen Rousseau bitterlich ins Gegenteil verkehrt. Sein Onkel, der Bruder seiner Mutter, wurde sein Vater, seine Tante, die Schwester seines Vaters, wurde seine Mutter, und sein Vetter, der Sohn seiner zur Mutter gewordenen Tante, wurde sein Bruder. Onkel Bernard liebte, wie sein Vater, das Vergnügen, und er trank, Tante Suzon war, wie seine Mutter, eine Frömmlerin, sie sang Psalmen. O heilige Psychoanalyse, was war da zu erwarten?

Rousseau hatte seine Mutter bei seiner Geburt getötet und damit schließlich auch seinen Vater aus dem Haus getrieben. Da saß er nun bei den Eltern gewordenen Onkeln und Tanten und bei einem Bruder, der sein Vetter war. Der Vetter hatte Jean-Jacques unter den Augen derer, die sie beaufsichtigten, dadurch etwas voraus, daß sie ihn begünstigten. Jean-Jacques hatte dem Vetter unter vier Augen dadurch etwas voraus, daß er ihm stets zu Hilfe kam. Der Vetter war passiv, er war begünstigt. Jean-Jacques war aktiv, er half. Es war eine ungleiche Vetternschaft.

In dieser Familie wuchs Jean-Jacques heran, aber das immer fehlende eine Teil des Ganzen, das auf eigenartige Weise ersetzt und damit das Ganze auch immer wieder vervollständigt wurde, blieb ihm sein Leben lang das fremde Teil, das er mißtrauisch beobachtete, aber vertrauensvoll beschrieb. So blieb er einsam aus lauter Menschenfreundlichkeit, so wurde er menschenfeindlich aus zu warmem, zu liebenswürdigem, zu zärtlichem Herzen.

Er hat nie etwas in der Wirklichkeit, aber er hat alles in der Einbildung besessen. Er war vom wirklichen Leben weit entfernt, aber er hat die Wirklichkeit der Welt beeinflußt. Er lebte in einer eingebildeten Welt, aber er hat sich von der Einbildung des Lebens zurückgehalten. Wenn er handeln sollte, dann war er sogleich gelähmt, wenn er sprechen sollte, dann war er sogleich stumm. Wenn er sich mit einem kleinen Gedanken beschäftigte, dann wurde das Weltall bedeutungslos. Er war sein Leben lang kurzsichtig, und er mußte sich bücken, um eine Pflanze zu betrachten, sein teures Immergrün. Zugleich war er aber auch weitsichtig, und indem er die Pflanze betrachtete, faßte er die Zukunft der ganzen Natur ins Auge. So ging er durch das Leben, kurzsichtig und weitsichtig, ein lebender Widerspruch.

Es gibt das einfache Leben, und es gibt das schwierige Leben. Das einfache Leben ist einfach, aber es ist kein leichtes Leben. Das schwierige Leben ist schwierig, aber es braucht kein schweres Leben zu sein. Ein einfaches Leben ist oft ein schweres Leben, und ein schwieriges Leben wird oft leicht genommen. Rousseau hatte es mit seinem schweren einfachen Leben nicht leicht.

Da stand er nun mitten in diesem Leben und litt an einer wirklich-moralischen und an einer phantastisch-moralischen Kastrationsangst. Ja, er hatte seine Mutter im Kindbett umgebracht, und jetzt mußte er sie ein ganzes Leben lang immer wieder verlieren. Wie viele Liebhaber würden noch daherkommen und ihm immer wieder die Mutter streitig machen? Der rohe Claude Anet wird ihm seine Frau von Warens, der böswillige Grimm wird ihm seine Frau von Epinay, und der schlaue Saint-Lambert wird ihm seine Frau von Houdetot wegnehmen, und er selbst wird zu allem Überfluß den ehrenwerten Herrn von Wolmar erfinden, damit ihm dieser dann seine Neue Heloise rauben kann. O ja, es werden denkende Menschen sein, die ihm die Mutter nehmen werden, und er, ein fühlendes Wesen, wird daneben stehen müssen und kann gar nichts tun.

Es gibt Menschen, die fühlen, und es gibt Menschen, die denken. Beides schließt sich gegenseitig aus, denn ein fühlender Mensch, der denkt, wird rasch zum Gespött der denkenden Menschen, und ein denkender Mensch, der zu fühlen beginnt, verdient sich bald das Mitleid der fühlenden Menschen. Ein denkender Mensch verliert sich in den Herzensergießungen der fühlenden, und ein fühlender Mensch ängstigt sich in den Kopfanstrengungen der denkenden Menschen. So rettet sich der denkende Mensch vor dem Mitleid durch vermehrtes Denken, und der fühlende Mensch rettet sich vor dem Spott durch verstärktes Fühlen.

Rousseau besaß von Kind an ein empfindsames Herz. Das schloß aus, daß er einen klaren Kopf bekam. Begriffen hatte er nichts, aber alles gefühlt. So hatte er schon sehr früh schwärmerische Gefühle statt nüchterne Gedanken. Die nüchternen Gedanken hätten ihm richtige Begriffe über das Leben vermitteln können. Doch die schwärmerischen Gefühle gaben ihm falsche Vorstellungen ein.

Aber ein empfindsames Herz ist oft zu mehr gut als ein klarer Kopf, und ein klarer Kopf findet nicht immer die richtige Lösung. Ein klarer Kopf ist zwar immer kühl, aber die Kälte ist ein arger Feind des Lebens. Ein empfindsames Herz dagegen ist warm, und die Wärme ist ja geradezu die Quelle des Lebens. Diese Wärme ist die sogenannte Lebenswärme, von der Henry David Thoreau sagt, das größte Bedürfnis für unseren Körper bestehe im Warmbleiben, nämlich im Erhalten dieser Lebenswärme.

Diese Wärme kommt nun als äußere Wärme und als innere Wärme vor. Die äußere Wärme ist die Körperwärme, die innere Wärme ist die seelische oder die Herzenswärme. Die Körperwärme kommt dadurch zustande, daß der Körper ein Ofen und die Nahrung das Brennmaterial ist, welches die Heizung besorgt; die Herzenswärme dagegen kommt dadurch zustande, daß das Herz gleichfalls ein Ofen, aber die Gefühle das Brennmaterial sind, und die Gefühle machen oft mehr Feuer als Kuchen und Wein. Während aber die äußere Wärme durch eine innere Verbrennung entsteht, ist der Mensch mit einer inneren Wärme oft von außen her befeuert. Diese äußere und diese innere Wärme sind beides Erscheinungen, die geeignet sind, tiefe Neigungen, einen hohen Blutdruck und plötzliche Eingebungen zu veranlassen.

Die tiefen Neigungen Rousseaus sind eine Folge seiner starken Warmherzigkeit, sein hoher Blutdruck ist die Folge seiner starken Wärmekörperlichkeit gewesen. Als empfindsamer Mensch litt er an der Zivilisationskrankheit, die auf so verhängnisvolle Weise die Warmkörperlichkeit und auch die Warmherzigkeit verstärkt. Die Zivilisationskrankheit ist ein schlimmes Übel, das aus dem Vervollständigungs- und aus dem Vervollkommnungsstreben entstanden ist, und es ist nicht verwunderlich, daß Rousseau die Zivilisation so gehaßt hat.

Obwohl die Zivilisation ihm sein Leben lang einen warmen Körper und ein warmes Herz gemacht hat, so hat er sich doch diesen warmen Körper und dieses warme Herz gern bewahrt, und zeitlebens hatte er den Wunsch, dieses Wärmebedürfnis immer wieder zu befriedigen. Die Befriedigung dieses Bedürfnisses kommt aber durch die Berührung zustande.

Nun gibt es auch bei der Berührung wie bei der Wärme eine äußere und eine innere, aber auch eine mittelbare und eine unmittelbare Berührung, und zwar eine mittelbare und unmittelbare äußere und eine mittelbare und unmittelbare innere Berührung. Rousseau, als empfindsamer Mensch, begehrte und suchte die Unmittelbarkeit. Das ging bis in sein Verhältnis zum Geld. Rousseau fühlte schon als Kind, daß das Geld, welches der Mensch besitzt, der Hebel der Freiheit ist; deshalb hält er es am besten fest. Er fühlte aber auch, daß das Geld, welchem der Mensch nachjagt, der Hebel der Sklaverei ist; deshalb jagt er ihm nach. Rousseau fühlte, daß man das Geld umwandeln muß, damit man es genießen kann.

Ja, der Genuß, dieser wunde Punkt! Auf der einen Seite ist nämlich das Geld, und auf der anderen Seite ist der Genuß. In der Mitte dazwischen gibt es die Sache, und nur ihr Besitz schafft den Genuß. So stahl Rousseau, als er ans Stehlen kam, nicht das Geld, sondern ein hübsches Blatt Zeichenpapier oder ein paar schöne Spargel oder eine Theaterkarte, die Herr von Francueil ihm zwar geschenkt hatte, Rousseau sie aber wieder verkaufte, nicht um sie zu Geld zu machen, sondern um ihre Verwendung zu stehlen.

Rousseau sehnte sich nach der Berührung, und eine unmittelbare Berührung mit einem Blatt Papier, mit ein paar schönen Spargeln befriedigte sein Bedürfnis mehr als ihre mittelbare Berührung über das Geld es vermocht hätte. Als er die leidige Theaterkarte losgeworden war, wurde ihm warm ums Herz, und er schritt zu einem Spaziergang aus. Auf diese Weise führte er seine Spitzbubereien mit der größten Ehrlichkeit aus, und es besteht keine Veranlassung, ihn einen Dieb zu nennen.

Die folgenschwerste Berührung aber verschaffte ihm das Fräulein Lambercier. Das Fräulein war die Schwester des Pfarrers von Bossey, zu dem Jean-Jacques und sein Vetter in Pflege kamen. Eines Tages züchtigte sie ihn, und es tat ihm wohl. Er fühlte Schmerz und Scham, aber auch eine Verwirrung und eine Erregung seiner Sinne und seiner Begierden. O ja, verehrter Professor Laforgue, seitdem hatte sich alle Welt in lauter Fräulein Lamberciers verwandelt, und alle Schläge, die er von den Damen und auch von den Herren der Gesellschaft empfing, hätte er so gern eigenhändig von Fräulein Lambercier selbst erhalten. Aber sie hatte ihn nur ein einziges Mal geschlagen, ein Unglück für ihn, aber ein Glücksfall für die Psychoanalyse. Da steht nun Professor Laforgue hinter seinem Katheder, ein riesenhaftes Über-Ich, und rechnet dem armen Jean-Jacques alle seine Verfehlungen an.

O ihr glücklichen Tage in Bossey, o du einfaches Leben auf dem Lande. Warum braucht es die Vervollständigung, und warum braucht es die Vervollkommnung, wo es doch die glückliche Einfachheit und wo es das einfache Glück auf dem Lande gibt? Ja, wenn Fräulein Lambercier ihn nicht nur dieses eine Mal gezüchtigt hätte! Aber das Fräulein war ein gebildeter Mensch, und es dachte an die bösen Folgen. Jean-Jacques hatte seine Mutter im Kindbett getötet, aber das Fräulein hatte ihn nicht genügend bestraft dafür. Wie sollte er dem Vater die Frau wiedergeben? Da war guter Rat teuer.

Pfarrer Lambercier war ein denkender, Fräulein Lambercier war ein fühlender Mensch. Als denkender Mensch nahm der Pfarrer seine Erziehung mit dem Kopf, und als fühlender Mensch nahm das Fräulein seine Erziehung mit dem Herzen vor. Auf diese Weise lernte der kleine Jean-Jacques die sogenannte Kopf- und die sogenannte Herzensbildung kennen. Der Pfarrer lehrte ihn und den Vetter die lateinische Sprache und den ganzen übrigen Plunder, und das Fräulein behandelte ihn und den Vetter mit Sanftmut und mit Milde.

Aber sowohl die Lehre, die durch den Kopf, als auch die Behandlung, die durch das Herz geschieht, erfuhren beide einen schweren Schlag. Der Schlag, den die Lehre traf, kam einem Kopfschlag, und der Schlag, den die Behandlung erfuhr, kam einem Herzschlag gleich. So traf es den kleinen Jean-Jacques tief ins Herz, daß er wegen einiger zerbrochener Zähne eines Kamms, den er vorsichtigerweise nicht berührt hatte, bestraft, und so traf es ihn tief in den Kopf, daß er wegen einer Wasserleitung, die er klugerweise gebaut hatte, gerügt wurde.

Rousseau, der so früh in seinem Leben das Warmhalten schätzen gelernt hatte und deshalb so gern berührte, verkniff sich im Falle dieses Kamms die Berührung, aber er wurde bestraft; und er, der so zeitig gebildet war und deshalb so klug zu denken glaubte, erlaubte sich im Falle dieser Wasserleitung das Denken, und er wurde dafür gerügt. Schlimme, schlimme Welt!

Die Magd hatte die Kämme von Fräulein Lambercier zum Trocknen auf die Herdplatte gelegt. Als sie zurückkam, um sie zu holen, war an einem eine ganze Seite der Zähne abgebrochen. Wer konnte den Schaden angerichtet haben? Jean-Jacques leugnete, denn er hatte es nicht getan. Der Pfarrer hatte einen Nußbaum pflanzen lassen, den er täglich mit frischem Wasser begoß. Jean-Jacques und sein Vetter pflanzten eine kleine Weide in die Nähe, aber sie bauten eine unterirdische Wasserleitung, mit Hilfe derer sie dem Nußbaum das Wasser abzapften. Beim Anblick ihres gelungenen Werkes stießen die Knaben Freudenschreie aus. Jean-Jacques gestand, denn er hatte es ja getan.

Oh, wie hatte das Fräulein wegen der paar Zähne mit ihrem Mundwerk, oh, wie hatte der Pfarrer wegen des bißchen Wassers mit der Spitzhacke gewütet! Der kleine Jean-Jacques war tief gekränkt. Sehen Sie her, Professor Laforgue, er hatte dem Fräulein die Zähne gezeigt. Ja, sehen Sie nur, Herr Professor, er hatte dem Pfarrer das Wasser abgegraben. Das Fräulein aber teilte dafür Herzschläge, und der Pfarrer teilte dafür Kopfschläge aus. Was sagen Sie, Professor? Der kleine Jean-Jacques wußte zu unterscheiden. Der Pfarrer als denkender Mensch hatte seine Kopfschläge, und das Fräulein als fühlender Mensch hatte seine Herzschläge ausgeteilt, aber beide wollten es dem kleinen Jean-Jacques nicht entgelten lassen, daß er gefrevelt hatte. Ja, Jean-Jacques wußte zu unterscheiden. Er unterschied als empfindsamer Mensch, der mit dem Kopf dachte und mit dem Herzen fühlte, zwischen der Unmittelbarkeit und der Mittelbarkeit. Wie in seinem Verhältnis zum Gelde unterschied er auch hier zwischen der unmittelbaren Art und Weise des Pfarrers und der mittelbaren Art und Weise des Fräuleins, ihn seine Missetat vergessen zu machen.

Der Pfarrer lachte am Ende über den gelungenen Streich,

Jean-Jacques lachte auch. Aber das Fräulein mußte erst am Wiesenrand zu Fall kommen und dem vorüberfahrenden König von Sardinien ihr nacktes Hinterteil zeigen, und zwar in vollem Umfange, damit Jean-Jacques in sein liebevolles Verhältnis zu ihr zurückkehrte. Was war das für eine seltsame Ehe zu dritt, auf der einen Seite der denkende Pfarrer mit seinen Kopf-, auf der anderen Seite das fühlende Fräulein mit seinen Herzschlägen, und in der Mitte der kleine Jean-Jacques mit seinen tiefen Neigungen, die seinen Bauch, mit seinem hohen Blutdruck, der sein Herz, und mit seinen plötzlichen Eingebungen, die seinen Kopf in Mitleidenschaft zogen.

Pfui, ihr lasterhaften Ehen zu dritt! Der arme Rousseau, er wird nicht nur mit Claude Anet um Frau von Warens, er wird nicht nur mit Herrn von Grimm um Frau von Epinay, er wird nicht nur mit Herrn von Saint-Lambert um Frau von Houdetot, ja er wird nicht nur mit einem erfundenen Herrn von Wolmar um die Neue Heloise wetteifern, nein, er wird ein ganzes Leben lang eine Ehe mit einer Frau und mit einer Schwiegermutter führen müssen. Ein einfaches Leben wird aber zu einem schweren Leben, wenn man es mit einer Schwiegermutter zubringen muß.

Rousseau brachte sein Leben mit einer Schwiegermutter zu. Nun beruht das Zubringen eines Lebens mit einem anderen Menschen wie jede menschliche Verbindung auf dem Warmbleiben, das ja durch die Berührung zustande kommt. Es gibt aber enge Berührungen, und es gibt weniger enge Berührungen, die man lose Kontakte nennt. Die engen Berührungen sind unmittelbare Wärmeübertragungen, und sie führen zu genauen Verbindungen; die losen Kontakte sind mittelbare Wärmeübertragungen, und sie führen zu ungenauen Verbindungen. Während die unmittelbaren Wärmeübertragungen die genauen Verbindungen nicht nur dadurch bedingen, daß sie Kopf an Kopf, sondern gesamtkörperlich, buchstäblich hautnah, stattfinden, und folglich jede Ungenauigkeit verhindert wird, ist bei den mittelbaren Wärmeübertragungen, die die ungenauen Verbindungen bedingen, immer ein Fremdkörper, im Ernstfall ein Kleidungsstück, dazwischengeschaltet.

Genaue Verbindungen, die aus unmittelbaren Berührungen hervorgehen, machen aus zweien eines; ungenaue Verbindungen, die auf mittelbaren Berührungen beruhen, vermögen dagegen keine Verwandlungen zu bewerkstelligen. Was nun die Verbindung eines Menschen zu seiner Schwiegermutter anbetrifft, so sollte er darauf bedacht sein, daß bei allen erdenklichen Berührungen zumindest noch das Hemd auf dem Leibe und folglich zwischen ihm und seiner Schwiegermutter verbleibt. Das bedeutet, nur ein loser Kontakt und eine ungenaue Verbindung eines Menschen zu seiner Schwiegermutter läßt ihn sein Leben auf erträgliche Weise zubringen. Der lose Kontakt und die ungenaue Verbindung läßt es nämlich nicht dazu kommen, daß aus zweien eines wird, worauf es die Schwiegermutter von Anfang an angelegt hat.

Die Tatsache, daß es im Falle einer Schwiegermutter so gut wie keine Ehe zu zweit geben kann, hat Schopenhauer auf den Gedanken gebracht, die Polygamie als die vorteilhafteste Verbindung anzusehen. Schopenhauer sagt, die Polygamie hätte, unter vielen Vorteilen, auch den, daß der Mensch nicht in so genauc Verbindung zu seiner Schwiegermutter käme, und er schrieb an den Rand: »Zehn Schwiegermütter statt einer.«

Nun ist zwar leicht einzusehen, daß die Konkurrenz von zehn Schwiegermüttern untereinander jegliche genaue Verbindung einer einzelnen zu einem Menschen verhindert, aber die zahlenmäßige Häufung loser Kontakte und ungenauer Verbindungen stellt am Ende doch eine solche schwiegermütterliche Übermacht dar, daß der Mensch die enge Berührung und die genaue Verbindung mit einer einzigen Schwiegermutter dem polygamen Überdruck vorzieht. Der Mensch, der immer in die Mitte drängt, möchte nach der einen Seite hin herrschen und von der anderen her beherrscht werden. So bleibt es am Ende bei der unseligen Ehe zu dritt.

Schon ganz zu Anfang seines Lebens, als Knabe von elf Jahren, lebte Rousseau in einer Ehe zu dritt. Die Fräulein waren zwar schon über zwanzig Jahre alt, aber Rousseau gab sich ihnen fallgerecht auf jene bemerkenswerte zweierlei Weise hin. Das eine war Fräulein von Vulson, ihr gegenüber war er keck, und er nahte sich ihr mit lebhaftem Vergnügen. Das andere war Fräulein Goton, ihr gegenüber war er scheu, und er nahte sich ihr mit verwirrten Sinnen. Fräulein von Vulson war zutraulich, aber er gestattete sich keine Vertraulichkeiten. Fräulein Goton war hitzig, aber er zitterte bei ihren Vertraulichkeiten. Für Fräulein von Vulson bot er all seine Aufmerksamkeit auf, denn er wollte sie beherrschen. Für Fräulein Goton hielt er seine ganze Folgsamkeit bereit, denn er wollte sich von ihr beherrschen lassen.

Aber eine wie die andere liebte er sie gleich innig, die Liebkosungen der einen gingen ihm zu Herzen, die der anderen zu den Sinnen. Ja, sein Herz verlangte nach Liebe, aber sein Blut verlangte nach der Frau. So lebte er, vom wirklichen Leben und seinem Genuß entfernt, als wenn er geschlechtslos gewesen wäre. Ach, was sollte er da tun? Sollte er zeitlebens eine Ehe zu dritt führen, oder sollte er sich nicht lieber gleich entmannen, um dem Vater die Frau wiederzugeben? Heilige Psychoanalyse, daß wir alle so ängstlich mit Sonden und Skalpellen in der Hosentasche herumlaufen müssen!

Ja, Jean-Jacques mußte sich entmannen. Diese Entmannung geschah zum einen in moralischer und zum anderen in physischer Hinsicht. Die moralische Art und Weise seiner Entmannung hatte dabei ganz und gar wirkliche Züge, die physische Art und Weise seiner Entmannung geschah dagegen in seiner Phantasie. Er bekam Hemmungen. Er wollte, aber er konnte nicht mehr. Er konnte nicht mehr sprechen, wenn er sprechen wollte, und er konnte sein Wasser nicht mehr lassen, wenn er sein Wasser lassen wollte. Die beiden wichtigsten Öffnungen seines Körpers blieben gehemmt, es haperte ihm an Wörtern, und es haperte ihm am Harn. Er litt an Gefühls- und an Harnverhaltung. Ja, er hatte Hemmungen, Professor Laforgue muß es wissen.

Inzwischen war Jean-Jacques von Bossey wieder zu seinem Onkel nach Genf zurückgekehrt. Er beschmierte Papier, zeichnete und malte. Er baute ein Marionettentheater und spielte Komödien. Aber die Bilder sind verloren gegangen, und Professor Laforgue kann nun keinen Rorschachtest vornehmen. Auch die Komödien sind verschwunden, und Professor Laforgue muß eine Theorie erfinden. Was sollte nun aus ihm werden, ein Uhrmacher, ein Sachwalter oder ein Prediger? Jean-Jacques kam zum Sportelmachen zu Gerichtsschreiber Masseron, er handhabte die Feder. Er kam zum Kupferstechen zu Kupferstecher Ducommun, er handhabte den Grabstichel. Aber

Masseron lachte verächtlich, und Ducommun wirtschaftete roh. Jean-Jacques verfiel in Lasterhaftigkeit. Die Verächtlichkeit und die Roheit verletzten seinen kindlichen Schmelz, er log und er stahl, er faulenzte und er verstellte sich insgeheim. O du geliebte Feder, o du schöner Grabstichel, ihr hättet ihn retten können, aber die Verächtlichkeit und die Roheit haben alles verdorben.

Die Roheit und die Verächtlichkeit sind die Eigenschaften des bösen Herzens und des bösen Geistes. Ja, es gibt das gute Herz, und es gibt das böse Herz; es gibt den guten Geist, und es gibt den bösen Geist. Das gute Herz und der gute Geist sind tugendsam; das böse Herz und der böse Geist sind lasterhaft. Wie sanft war doch das gute Fräulein Lambercier, wenn es auch den Stock gehandhabt und ihn gezüchtigt hatte; wie roh dagegen war der böse Kupferstecher Ducommun! Wie achtsam war der gute Pfarrer Lambercier, wenn er auch die Spitzhacke gehandhabt und die Wasserleitung zerstört hatte; wie verächtlich war dagegen der böse Sportelmacher!

Jean-Jacques mußte sich retten, und er rettete sich, indem er zu lesen begann. Jean-Jacques las, er ersetzte sich das Leben durch die Vorstellung. Auf diese Weise verfiel er schon in seiner Kindheit und Jugend dem größten aller Laster, das er eines Tages schelten würde: er verfiel den Wissenschaften und den Künsten. Oh, wie würde er dieses Laster verachten, auch wenn es ihn gerettet hatte! Jean-Jacques las, er las tags, und er las nachts, er las am Werktisch, und er las in der Kleiderkammer. Sein Kopf wirbelte von Buchstaben, sein Herz schlug vor Ungeduld, sein Bauch erregte sich nach diesem fremden Genuß.

Aber mit dem Lesen allein ist es ja nicht getan. Das Lesen ist keine Rettung, wenn nicht das Gelesene anverwandelt wird. Nur wenn es sich am eigenen Leibe bemerkbar macht, wenn es den Bauch, wenn es das Herz und wenn es den Kopf voll macht, dann kann es zur Rettung dienen. Aber diese Fülle ist das Wahre, das Gute und das Schöne, und das macht ja nicht fett.

Jean-Jacques rettete sich, indem er sich alles anverwandelte, was er las. Er rief herauf, er veränderte, er stellte neu zusammen. Er machte sich zu eigen. Jean-Jacques lebte mit seinen Wörtern in Kopf, in Herz und Bauch. Die Wörter hatten ihn verwandelt. Er lebte nicht, um stehen- oder gar um sitzenzubleiben, nein, er lebte, um weiterzugehen. Rousseau war zwar schwer in Gang zu bringen, er war aber auch schwer zurückzuhalten. Er ging, und wenn er am Gehen war, dann ging er weiter als irgendein anderer.

Der Mensch lebt, um weiterzugehen. So ist er in die Lage versetzt, seinem Leben eine Richtung zu geben. Der Mensch lebt nämlich nicht einfach nur in gerader Richtung, sondern er lebt in vielerlei Umwegen. Diese Umwege gehen nach rechts, oder sie gehen nach links, oder sie gehen sogar nach hinten, was am schwerwiegendsten ist. Die Hauptrichtung geht nach vorne, aber auch nach innen und nach außen. Das heißt, es gibt Menschen, die für sich selbst leben, und es gibt Menschen, die gegen sich selbst leben. Es gibt Menschen, die für andere leben, und es gibt Menschen, die gegen andere leben. Es gibt Menschen, die für sich selbst leben, und es gibt Menschen, die für andere leben. Es gibt Menschen, die gegen sich selbst leben, und des gibt Menschen, die gegen andere leben. Es gibt Menschen, die für sich selbst und zugleich gegen sich selbst leben, und es gibt Menschen, die für andere und zugleich gegen andere leben. Es gibt Menschen, die für sich selbst und zugleich für andere leben, und es gibt schließlich Menschen, die gegen sich selbst und zugleich gegen andere leben.

Rousseau lebte, indem er alle diese Umwege machte. Er wäre so gerne wie seine Mutter gewesen, seßhaft und tugendsam, wie hätte er das Handwerk geliebt! Oh, das glückliche einfache Leben allein! Aber er war nach dem Vater geraten, wie mußte er die Kunst und die Wissenschaft verachten. Oh, das unglückliche schwierige Leben zu dritt! Das Fräulein Lambercier hatte ihn geprügelt und ihm, während sie am Wiesenrand stolperte, den nackten Hintern gezeigt. Er hatte Frau Clot, einer Nachbarin, während sie in der Predigt war, in den Kochtopf gepißt. Verehrter Professor Laforgue, zwischen Wiesenrand und Predigt, zwischen der guten Natur und der bösen Kultur, da würde sich sein Leben zutragen.

Was für ein Hin und Her! Oh, dafür würde er weit gehen müssen, und das Gehen würde einmal sein Teil im Leben sein. Er würde gehen müssen, obwohl ihm beim Gehen nicht so gepflasterte, nicht so gefegte, nicht so überdachte Straßen unter die Füße geraten würden wie dem König im Märchen von Jakob van Hoddis. O nein, er würde Haken schlagen und um die Ecke biegen, er würde einen Bogen beschreiben und kehrt machen, er würde vom Weg abweichen und seinen Kurs ändern müssen. Und wenn er eines Tages trotz gepflasterter, trotz gefegter und trotz mit Baldachinen und Arkaden überdachter Straßen stolpern und über die eigenen Füße fallen würde, dann würde es nicht an den Straßen gelegen haben, o nein. Es ist leicht, eine gepflasterte, eine gefegte, eine geschützte Straße herzurichten. Aber es ist schwer, das Gehen zu lernen. Bei seinen Spaziergängen außerhalb der Stadt ging Jean-Jacques immer weiter. Eines Tages fand er bei seiner Rückkehr das Stadttor verschlossen. Er war weit genug gegangen.

Rousseau
wirft seine calvinistischen Wörter ins Treffen

Wann wird doch die alte Wunde narben?
Einst wars finster und die Weisen starben!
Nun ists lichter, und der Weise stirbt.
Sokrates ging unter die Sophisten,
Rousseau leidet, Rousseau fällt durch Christen,
Rousseau, der aus Christen Menschen wirbt.

Als der kleine Jean-Jacques an jenem Frühlingsabend die Tore Genfs verschlossen fand, da wandte er sich um und kehrte seiner Vaterstadt den Rücken. Es war Sonntag, der 14. März 1728. Jean-Jacques hatte seine Jugend in einem ernsten, streng regierten Tugendstaat verbracht, nun würde er seine Mannesjahre in einer heiteren, leichtlebigen Gesellschaft verbringen. Der ernste Tugendstaat war der calvinistische Staat von Genf, die heitere Gesellschaft war die katholische Gesellschaft von Frankreich. Jean-Jacques trat aus dem ernsten Tugendstaat aus, und er trat in die heitere Gesellschaft ein. Er trat über.

Dieser Übertritt aus einem ernsten Tugendstaat in eine heitere Gesellschaft ging aber nicht ohne Schwierigkeiten vonstatten, denn der calvinistische Staat unterschied sich von der katholischen Gesellschaft in einem ganz wesentlichen Punkte, und dieser Punkt war ein wunder Punkt. Es war der wunde Punkt im Verhältnis beider Gesellschaften zueinander, und es war der wunde Punkt im Leben Rousseaus. Dieser wunde Punkt ist der Genuß. Es ist der Genuß am lieben Gott, und es ist der Genuß am Leben überhaupt.

Mit dem Genuß ist es nämlich eine ganz eigenartige Sache. Man kann ihn auf verschiedene Art haben, und zwar leiblich, seelisch und geistig. Nun hat jedermann am eigenen Leib erfahren, um wieviel angenehmer ein leiblicher, aber auch im eigenen Kopfe begriffen, um wieviel vorteilhafter ein geistiger Genuß ist, so daß die Annehmlichkeit und die Vorteilhaftigkeit zugleich als Eigenschaften und auch als Zwecke des Genusses den Menschen fortwährend zum Genießen antreiben. Der dreifach verschiedene Genuß am lieben Gott, nämlich auf leibliche, auf seelische und auf geistige Art und Weise, findet beim heiligen Abendmahl statt. Dabei steht die katholische Kirche auf dem leiblichen, die lutherische Kirche auf dem seelischen und die calvinistische Kirche auf dem geistigen Standpunkt.

So hat die katholische Kirche die Verwandlungslehre erfunden, damit ihre Anhänger in die Annehmlichkeit des leiblichen Genusses kommen. In der Messe verwandeln sich das Brot und der Wein in den Leib und in das Blut Christi, und jeder Priester kann es bezeugen, wie angenehm es ist, wenn ihm der liebe Gott allmählich auf der Zunge zergeht. Luther dagegen sagte, das Brot und der Wein seien gar nichts anderes als der Leib und das Blut Christi, und folglich genießen seine Anhänger, wenn sie das Brot und den Wein essen, auf der Stelle den Leib und das Blut gleich mit, was ja einen sehr komplizierten Anverwandlungsprozeß darstellt.

Calvin aber berief sich auf das Wort. Das Wort sagt: »Das Fleisch ist kein nütze.« So lehnte er den wirklichen Genuß schlankweg ab. Er stellte sich auf den Standpunkt, die natürliche Vernunft und der gesunde Menschenverstand seien ja viel geneigter, im Brot und im Wein das zu sehen, was sie tatsächlich sind, nämlich Brot und Wein, als daß sie glauben, Christi Leib und Christi Blut seien darin verborgen. So kommen seine Anhänger in den Vorteil des geistigen Genusses.

Der kleine Rousseau war in diesem calvinistischen Glauben erzogen worden, sein Vater, sein Onkel, der Pfarrer Lambercier und sein Meister Ducommun hatten das ihre dazu getan, und auch das Fräulein Lambercier hatte das Fleisch auf ihre Weise behandelt. Der geistige Genuß würde sich in einen leiblichen Genuß verwandeln, wenn Rousseau nun in die heitere katholische Gesellschaft übertreten würde.

Nun ist es aber dem Menschen schon im Mutterleib vorbestimmt, ob er in diesem oder in jenem Genuß selig wird oder nicht. Diese Vorherbestimmung ist die sogenannte Prädestination. Paulus hatte an die Römer geschrieben: »Es liegt nicht an jemandes Wollen oder Laufen, sondern am Erbarmen des lieben Gottes.« Er hatte geschrieben: »Denn welche er zuvor ersehen hat, die hat er auch verordnet; welche er aber verordnet hat, die hat er auch berufen; welche er aber berufen hat, die hat er auch gerecht gemacht; welche er aber hat gerecht gemacht, die hat er auch herrlich gemacht.« Da ist nun guter Rat teuer.

Während aber Augustinus die einfache Prädestination erfunden hatte, indem er sagte, die Menschen seien zur Seligkeit vorherbestimmt, sagte Calvin, nein, sie seien nicht nur zur Seligkeit, sondern auch zur Verdammnis vorherbestimmt, und das war die doppelte Prädestination, aus der es überhaupt kein Entrinnen mehr gibt.

In seinem ernsten Tugendstaat herrschte das strenge Regiment. Das Würfeln und das Kartenspielen, das Tanzen und die Hochfrisur waren verboten, weil es Calvin gefiel, nur das Wort und den Geist zu genießen. Gruet sagte: »Du geschwollener Heuchler, wir wollen nicht so viele Lehrer.« Calvin ließ ihn auf ein Brett nageln und enthaupten. Servet sagte: »Der Glaube ist gut, aber die Liebe ist besser.« Calvin ließ ihn an einen Pfahl binden und verbrennen. In seinem Tugendstaat herrschte der Schrecken.

Auf diese Weise wohl ausgerüstet, nämlich nicht nur einfach mit der augustinischen, sondern mit der doppelten calvinistischen Prädestination versehen, verließ der kleine Jean-Jacques den ernsten Tugendstaat und begab sich in die heitere Gesellschaft. Bald schon klopfte er an das Kirchentor von Confignon. Aus der Türe trat Herr von Pontverre, der alte Pfarrer. Er trug um den Hals ein Band, an dem ein silberner Löffel hing. O ihr tüchtigen Ritter vom Löffel, ihr eifernden Feinde der Genfer, ihr wolltet sie allesamt aufessen mit Haut und mit Haaren!

Herr von Pontverre strich dem kleinen Rousseau über den Haarschopf und hieß ihn in die Stube treten. Er sprach mit ihm über die Genfer Ketzerei, über die Machtvollkommenheit der heiligen Mutterkirche und gab ihm zu essen. Ja, er gab ihm zu essen. Ihr tüchtigen, ihr eifernden Ritter vom Löffel, ihr gefräßigen Wegelagerer vor den Pforten der Seligkeit, o ja, ihr habt immerzu mit Krebsschwänzen und mit Hühnerfrikassee, mit Hechtklößen und mit Mastgänsen, ihr habt mit eurer trefflichen savoyischen Küche argumentiert! Und dann auch der herbe Frangywein, der nach dem Feuerstein schmeckt, und der Bleu von Sassenage, den Diderot so gerne aß!

Rousseau saß an der Seite des Pfarrers, und die Argumente der Tafel zeugten so siegreich für diesen, daß Rousseau sich geschämt hätte, einem so wackeren Wirt gegenüber das letzte Wort behalten zu wollen. Rousseaus Argumente waren nämlich nicht Hähnchen und waren nicht Gänse, es waren nicht Krebse, und es waren nicht Hechte, Rousseaus Argumente waren die calvinistischen Wörter. So war er zwar gebildeter als der Pfarrer von Confignon, aber seine Bildung war die verbalistische Bildung, und die Bildung des Pfarrers von Confignon war die gastronomische Bildung.

Verbalistische Bildung aber ist eine strenge, eine unerbittliche Bildung, gastronomische Bildung dagegen ist eine heitere, eine verzeihende Bildung, deren Güte der kleine Rousseau zum erstenmal in seinem Leben zu spüren bekam. Rousseau wollte aber nicht Gutes mit Bösem vergelten, und so stellte er seine verbale Bildung und Überlegenheit hintan und unterwarf sich der gastronomischen Bildung und Überlegenheit des Pfarrers von Confignon. Er hatte zwar nicht die Absicht, für ein savoyisches Mittagessen seine Religion zu wechseln, Gott bewahre, aber er wollte doch aus Höflichkeit einerseits und aus Wohlbehagen andererseits mehr hoffen lassen, als er erfüllen konnte, ohne dabei etwas zu erlauben oder zu versprechen.

Herr von Pontverre war ein guter Mensch, aber er war kein tugendhafter Mensch. Er betete die katholischen Bilder an und sagte den papistischen Rosenkranz auf, er schrieb Pamphlete gegen die calvinistischen Prediger von Genf und hatte es darauf angelegt, ihnen ihre Gläubigen abspenstig zu machen. Dabei aß er und trank er und schickte die gastronomischen Argumente für die heilige Mutterkirche ins Feld. Gutherziger Pfarrer Lambercier, du hattest nur die Wörter, um das Herz zu bewegen, schau diesen Herrn von Pontverre, wie er seine savoyische Küche ins Feld schickt!

Nach dem Essen sagte Herr von Pontverre zu dem kleinen Rousseau: »Gott beruft dich. Geh nach Annecy, du wirst dort eine gute, sehr mildherzige Dame finden, welche die Wohltaten des Königs in den Stand setzen, andere Seelen dem Irrtum zu entreißen, aus dem sie selbst sich gerettet hat.« Rousseau gehorchte und machte sich auf den Weg.

Auf diese Weise wohl ausgerüstet, nämlich nicht nur mit der doppelten calvinistischen Prädestination, sondern auch mit einem Empfehlungsbrief des Herrn von Pontverre versehen, trat

Rousseau dieser mildherzigen Dame unter die Augen. Es war am Palmsonntag des Jahres 1728. O heiliger Palmsonntag, o Luise Eleonore von Warens, das war ein Tag, den der kleine und auch der große Rousseau nicht mehr vergessen sollte!

»Ei, mein Kind«, sagte sie zu ihm, denn sie war genau dreizehn Jahre älter als er, »in deinem Alter ziehst du schon so im Land umher?« Auch sie strich ihm über den Haarschopf und hieß ihn in ihre Stube treten. Auch sie sprach mit ihm über die Genfer Ketzerei und die Machtvollkommenheit der heiligen Mutterkirche, auch sie gab ihm zu essen. Aber sie tat auch etwas ganz Besonderes, sie ließ ihn die Umrisse ihres Busens sehen. Ja, sie zeigte ihm die Umrisse ihres Busens. Oh, du begehrenswerte Frau von Warens, mit deinem sanften Blick und deinem engelgleichen Lächeln, du mit deiner starken Taille und deinem entzückenden Busen. Rousseau stand ihr gegenüber, und die Argumente ihres Busens zeugten so siegreich für sie und die katholische Kirche, daß er sich geschämt hätte, gegen eine so schöne Dame die calvinistischen Wörter zu gebrauchen.

So wie er gebildeter als der Pfarrer von Confignon war, so war er auch gebildeter als Frau von Warens. Aber seine Bildung war die verbalistische Bildung, und die Bildung der Frau von Warens war die erotische Bildung. Verbalistische Bildung ist eine strenge, eine unerbittliche Bildung, aber erotische Bildung ist wie gastronomische Bildung eine heitere, eine verzeihende Bildung. Und so wie Rousseau seine verbale Überlegenheit hintan gestellt und sich der gastronomischen Überlegenheit des Herrn von Pontverre unterworfen hatte, so unterwarf er sich nun der erotischen Überlegenheit der Frau von Warens. Rousseau betrachtete die Umrisse der beiden Brüste, und auf der Stelle kam er zu der Überzeugung, daß eine Religion, die von solchen Aposteln gepredigt wird, schnurstracks ins Paradies führen müsse.

Frau von Warens war eine Übergetretene. Sie war mit Herrn von Warens aus dem Hause Loys verheiratet gewesen, war nun aber geschieden, zur katholischen Kirche übergetreten und lebte von einer Pension des sardinischen Königs Victor Amadeus in Annecy am See. Auch sie hatte es, wie Herr von Pontverre, darauf angelegt, den calvinistischen Predigern von Genf ihre Gläubigen abspenstig zu machen, und unermüdlich warf sie ihre erotischen Argumente für die heilige Mutterkirche ins Feld. Gestrenges Fräulein Lambercier aus Bossey, du hattest nur das Stöckchen, um das Herz zu bewegen, schau diese Frau von Warens, wie sie ihren entzückenden Busen ins Feld wirft!

Das Argument des Pfarrers von Confignon war das opulente Essen, das Argument der Frau von Warens war ihr opulenter Busen. Die Argumente des Pfarrers und die Argumente der Baronin waren beides fleischliche Argumente, und zwar üppige und reichhaltige fleischliche Argumente, die für den kleinen Rousseau unwiderlegbar schienen. Rousseau hatte gelernt, mit Wörtern zu argumentieren, und so hätte er mit Wörtern gegen das Fleisch argumentieren müssen, was aber sehr schwierig ist. Die wörtlichen Argumente sind nämlich frugale Argumente, die fleischlichen Argumente dagegen sind opulente Argumente. Das Wesen des Calvinismus ist die Frugalität, das Wesen des Katholizismus ist die Opulenz. Der Pfarrer von Confignon schickte sein opulentes katholisches Essen, und die Frau von Warens warf ihren opulenten katholischen Busen gegen die frugalen calvinistischen Wörter ins Feld. Nun sage selbst, wer kann einem opulenten Essen, und wer kann erst einem opulenten Busen widerstehen?

Rousseau war bereit, den Vorteil des Geistes zugunsten der Annehmlichkeit des Fleisches aufzugeben. Er hatte sich entschlossen, dem geistigen Genuß abzuschwören und den leiblichen Genuß zu bekennen. Er trat über. So schnürte er sein Ränzel, empfing aus den Händen der Frau von Warens den Zehrpfennig und begab sich auf die Reise nach der Stadt Turin. Dort sollte er in einem Hospiz, das für den Unterricht Übertretender vorgesehen war, seine neue geistige und seine neue leibliche Pflege erhalten.

Rousseau schritt wacker aus. Er entdeckte seine Lust am Gehen, und er überschritt die Alpen mit weit ausgreifendem Fuß. Welch ein Genuß war das Gehen! Im Kopf regte sich der Geist, und in den Füßen wurde das Fleisch lebendig. Rousseau lüftete den Hut, und er trat mit seinen Schuhen fest auf der Erde auf. Er trat aus dem Savoyischen aus, und er trat ins Piemontesische ein, er war ein Übertretender. Er trat auf der ganzen Linie über, und als er die Stadt Turin im Tal des Po liegen sah, da fing er an zu laufen. Unter dem gelüfteten Hut verflüchtigte sich sein reger Geist, und in den derben Schuhen verfestigte sich sein lebendiges Fleisch. Er war ein Überläufer.

Dieses Hospiz zum Heiligen Geist in Turin war aber eine sogenannte Konvertitenschule, und dieser Unterricht war ein sogenannter Konvertitenunterricht. Der Übertritt, dem ein Unterricht in einer Konvertitenschule vorausgeht, ist folglich nicht einfach nur ein äußerlicher Vorgang, bei dem die Taufpapiere gewechselt werden, sondern es ist ein ganz und gar innerlicher Vorgang, bei dem eine tiefgreifende Umwandlung stattfindet. Es ist die Umwandlung des Frugalen ins Opulente, es ist die Metamorphose des Vorteils in die Annehmlichkeit. Diese Umwandlung ist, wenn es sich um den Menschen handelt, die Konversion, und wenn es sich um die Sache handelt, die Konvertierung. Beide Male handelt es sich um tiefgreifende Umwandlungen einer Schuld. Im Falle der Konversion handelt es sich um die Umwandlung der calvinistischen Schuld in die katholische Schuld, und im Falle der Konvertierung handelt es sich um die Umwandlung einer Geldschuld in eine andere Geldschuld. Diesen Umwandlungen gehen Kündigungen voraus und folgen geringere Zinsfüße nach.

Rousseau war bereit. Er wollte nun den geistigen Genuß, dessen Merkmal die Frugalität ist, widerrufen, und er wollte sich an seiner Stelle dem fleischlichen Genuß, dessen Merkmal die Opulenz ist, versprechen. Er hatte gekündigt, er wollte sich fürderhin auf einem anderen Zinsfuß bewegen. Rousseau war konvertibel geworden.

Nun sind aber die Protestanten gewöhnlich besser unterrichtet als die Katholiken, während die Katholiken ihrerseits gewöhnlich besser beherrscht sind als die Protestanten. Das kommt daher, daß die Lehre der einen die Erörterung, die Lehre der anderen dagegen die Unterwerfung verlangt. Die Protestanten nehmen in ihrem Unterricht die Erörterung zu Hilfe, um sich in den Stand zu setzen, sich selbst frei zu entscheiden. Die Katholiken dagegen lehren die Unterwerfung, damit sie die Entscheidung, die von ihnen verlangt wird, ohne Murren annehmen.

Aber habt keine Bange, ihr braven Konvertiten! Es ist allzu schwer, sich tagein, tagaus frei für den eigenen Vorteil zu entscheiden, aber wie gerne läßt sich doch der Mensch die Annehmlichkeit aufzwingen. Rousseau hatte als frommer Knabe die calvinistische Erörterung mit Hilfe frugaler Wörter betrieben, dann aber entschloß er sich zur katholischen Unterwerfung unter ein opulentes Essen und einen opulenten Busen. Das Fräulein Lambercier hatte ihn zwar geprügelt und ihm ihren nackten Hintern gezeigt, aber sein Lustgewinn kam doch durch die Entbehrung zustande. Frau von Warens liebkoste ihn und zeigte ihm nur die Umrisse ihres Busens, aber nun kam sein Lustgewinn durch die Befriedigung zustande. O du tugendsame calvinistische Askese, wie hast du den späten Kapitalismus so gedeihlich beflügelt, o du lasterhafte katholische Völlerei, wie bitter sind deine wirtschaftlichen Niedergänge zu beklagen!

Das Frugale ist zwar bescheiden, aber es ist nützlich, während das Opulente zwar üppig, aber schädlich ist. Rousseau war zum Übertritt entschlossen, aber er war noch nicht bereit, den Vorteil der Askese allzu rasch in die Annehmlichkeit der Völlerei umzuwandeln. Er war in großer Verlegenheit. Noch hoffte er auf ein unvorhergesehenes Ereignis, das ihn aus der Verlegenheit befreien werde. Er nahm den Konvertitenunterricht, der es darauf angelegt hatte, mit Hilfe der Unterwerfung die Erörterung zu entkräften, zum Anlaß, seinerseits mit Hilfe der Erörterung die Unterwerfung zu verhindern. Rousseau warf noch einmal seine calvinistischen Wörter ins Treffen.

Seine beiden Lehrer in der Konvertitenschule waren ein alter und ein junger Priester. Der alte Priester war ein einfacher Mensch, der junge Priester war ein Schönredner und Phrasendrechsler. Der einfache Mensch gab aber seine Anstrengungen bald auf, während der Schönredner und Phrasendrechsler in unermüdlicher Selbstzufriedenheit seine Schulgelehrsamkeit an dem jungen Jean-Jacques versuchte. Der einfache Mensch gab auf, indem er behauptete, er verstehe nicht genügend Französisch; der Schönredner führte die Unterweisung weiter, indem er den heiligen Augustin und den heiligen Gregor sowie die anderen heiligen Väter gegen Rousseau ins Feld schickte.

Er trug am Ende den Sieg davon, aus zwei Gründen. Der erste Grund war die Überlegenheit seiner institutionellen, der zweite Grund war die Überlegenheit seiner methodischen Macht. O du heilige dreieinige Institution, o du magisches didaktisches Viereck! Der kleine Rousseau verfing sich zuerst in einer grobgeknüpften Haus- und Tagesordnung, dann verstrickte er sich in einem feingesponnenen Schulsystem, und schließlich verheddere er sich in einer filigranen Lehrmethode. Er verfing sich in Geboten und Verboten, er verstrickte sich in Paragraphen und Richtlinien, er verheddere sich in nomina und res, in actum und verbum und kam schließlich auf den drei Stufen der Unterweisung, die den Vorteil beseitigt und die Annehmlichkeit herbeiführt, bitterlich zu Fall.

Den Beginn des Konvertitenunterrichts bildet das Gebet um den opulenten katholischen Glauben. Dabei empfiehlt es sich, gleich in den ersten Stunden dem Konvertiten zu helfen, durch Erweckung der Liebesreue in den Stand der seligmachenden Gnade zu gelangen. Dann folgt die Belehrung durch eine klare und leichtverständliche Darlegung der katholischen Opulenz. Da aber die meisten Konvertiten berufstätig sind und erst nach der Schicht oder wie die Brautleute müde von der Arbeit zum Konvertitenunterricht kommen, sind sie weniger aufnahmefähig. Deshalb sollen die Darlegungen nicht nur klar und leichtverständlich, sondern auch einfach und anschaulich sein. Schließlich findet die Nachbetreuung statt. Für die Bewahrung und Befestigung genügt oft schon die stetige Anweisung zur Unterwerfung unter die opulente Liturgie. Mehr ist aber gewonnen, und vor allem der Rückfälligkeit vorgebeugt, wenn die Konvertiten die betreffenden Lehren immer wieder und wieder im Konvertitenkatechismus nachlesen.

Das Gebet dient der Hinführung des Konvertiten zum Lehrinhalt, die Belehrung dient der Aufarbeitung des Lehrinhalts zum rechten Glauben, und die Nachbetreuung dient der Anwendung des rechten Glaubens. Aber diese filigrane Lehrmethode folgt nicht einfach nur der Hinführung, der Aufarbeitung und der Anwendung, so als sei ein Übertritt mit drei einfachen Schritten getan. Nein, die Lehrmethode der Konvertitenschule ist eine Verwandlungskunst, die ja die Frugalität und die Askese in ihr Gegenteil, nämlich in die Opulenz und in die Völlerei, verkehren muß.

Folglich muß eine Hinführung nicht nur eine Aufarbeitung und eine Anwendung, sondern auch eine Hinarbeitung und eine Hinwendung nach sich ziehen, muß eine Aufarbeitung nicht nur zwischen einer Hinführung und einer Anwendung, sondern auch zwischen einer Hinarbeitung und einer Anarbeitung stehen, und muß schließlich eine Anwendung nicht nur einer Hinführung und einer Aufarbeitung, sondern auch einer Anführung und einer Anarbeitung folgen.

Der kleine Rousseau konnte sich folglich drehen und wenden, wie er wollte, von den Stufen der Hinführung, der Aufarbeitung und der Anwendung geriet er über die Stufen der Aufführung, der Anarbeitung und der Hinwendung auf die Stufen der Anführung, der Hinarbeitung und der Aufwendung. Und als er schließlich von den Stufen der Hinführung, der Anarbeitung und der Aufwendung über die Stufen der Anführung, der Aufarbeitung und der Hinwendung auf die Stufen der Aufführung, der Hinarbeitung und der Anwendung geraten war, da hatte sich längst sein calvinistischer Vorteil in die katholische Annehmlichkeit verwandelt.

Das gute Mittagessen des Herrn von Pontverre und die köstlichen Umrisse des Busens der Frau von Warens hatten eine starke Motivation bewirkt. Mit ihnen beiden hatte er sich leicht über alles beschwichtigt. Da er den Papismus nur in seiner Verbindung mit den heiteren Dingen und den Tafelfreuden sah, hatte er sich ohne Mühe mit dem Gedanken befreundet, in ihm zu leben.

Nun wohl, auf diese Weise, kraft institutioneller und kraft methodischer Machtanwendung, war sein Übertritt bald vorbereitet. Am 21. April verließ er die harten Fliesen des Tugendstaates und setzte seinen Fuß vorsichtig auf das Parkett der heiteren Gesellschaft. Er trug einen grauen, mit weißen Schnüren besetzten Rock. Zwei Männer trugen vor und hinter ihm kupferne Becken, worauf sie mit einem Schlüssel schlugen und worin jeder sein Almosen warf, je nach Maßgabe seiner Frömmigkeit oder nach Maßgabe seiner Anteilnahme, die er am Schicksal des Übergetretenen nahm.

Rousseau betrat die heitere katholische Gesellschaft mit etwas mehr als zwanzig Francs in kleiner Münze in der Tasche. Er würde aus Christen Menschen werben, wie Schiller sagt.

Rousseau
reist mit dem Flaschengeist

Ein Schüler fand eine Flasche, dachte nichts Böses und nahm den Pfropfen von der Flasche ab. Alsbald stieg ein Geist heraus und fing an zu wachsen und wuchs so schnell, daß er in wenigen Augenblicken als ein entsetzlicher Kerl, so groß wie ein halber Baum, vor dem Schüler stand ... »Ich bin der großmächtige Merkurius, wer mich losläßt, dem muß ich den Hals brechen.« »Sachte«, antwortete der Schüler, »so geschwind geht das nicht, erst muß ich auch wissen, daß du wirklich in der kleinen Flasche gesessen hast und daß du der rechte Geist bist; kannst du auch wieder hinein, so will ich's glauben, und dann magst du mit mir anfangen, was du willst.« Der Geist sprach voll Hochmut: »Das ist eine geringe Kunst«, zog sich zusammen und machte sich so dünn und klein, wie er anfangs gewesen war, also daß er durch dieselbe Öffnung und durch den Hals der Flasche wieder hineinkroch. Kaum aber war er drin, so drückte der Schüler den abgezogenen Pfropfen wieder auf. — Sollte man glauben, daß jemand im Alter von fast neunzehn Jahren seine Existenz für den Rest seiner Tage auf eine leere Glasflasche gründen könne?

Rousseau war sechzehn Jahre alt, als er im April des Jahres 1728 mit zwanzig Franken in der Tasche die heitere katholische Gesellschaft betreten hatte. Noch besaß er nicht diese leere Glasflasche, in der sich eines Tages der großmächtige Merkurius regen würde, nein, er besaß nur diese zwanzig Franken, von denen der kluge Benedetto und der schlaue Courtois behaupteten, es seien sogar nur fünf Franken zehn gewesen. Aber wie soll ein Mensch mit fünf Franken zehn in der heiteren katholischen Gesellschaft Turins länger als eine Woche leben, ohne jämmerlich zu darben? Gottlob, es war nicht Altweibersommer wie bei Knut Hamsun, und es war auch nicht Winter wie bei Knulp, dem schon der Schnee auf dem Hut und auf den Händen lag, nein, es war Frühling, wie es immer bei Rousseau Frühling war und immer Frühling sein wird. Er schweifte durch die Stadt, er sah die Wache aufziehen, er hörte die Militärmusik, er folgte den Prozessionen, er betrachtete das königliche Schloß. Noch konnte er ja nicht mit dem Geist aus der Flasche zaubern und so sein Glück machen, er bekam Hunger, und er wurde müde.

Er legte fünf Sous auf die Theke des Krämers, und mit saurer Milch und einem Stück des guten piemontesischen Brotes hielt er eine spärliche Mahlzeit, und der Genuß blieb nun einmal sein wunder Punkt. Aber Rousseau blieb nicht stehen. Er ging immer weiter, und er ging weiter als irgendein anderer.

Rousseau setzt einen Fuß vor den anderen, und auf diese Weise geht er bis ans Ende seines Lebens. Er geht nicht mit dem Kopf, nein, er geht mit den wirklichen Füßen, an denen sich Zehen und Fersen befinden und die auch mit Hornhaut und mit Hühneraugen behaftet sind. Aber da sitzen die Deuter am Weg und erklären das rastlose Gehen. Rousseau, mit seinen wirklichen Füßen, geht an den Deutern vorbei. Ein Deuter sagt: »Haltlosigkeit!« er heißt Scheinfuß. Ja, der Deuter Scheinfuß deutet die Wege der leiblichen Füße Rousseaus.

O ihr Deuter, wie gern wärt ihr euch selbst gleich gewesen! Ja, die Deuter, sie wären gerne jung und reich, sie wären gerne fromm und heiß, sie wären alle gerne Vögel gewesen, keine Sing- und Wasservögel, nein, Adler und Sperber, aggressive Hacker, ja, sie wären am liebsten die reine Freude gewesen, und so wie sie gerne gewesen wären, so hießen sie einer nach dem anderen, nur waren sie nicht so.

Rousseau trat mit beiden Beinen in die heitere Rokokogesellschaft ein, aber seines Bleibens war nirgends lange. Er war ein Vagabund geworden. Da gibt es die Landstreicher und die Stadtstreicher, die Pennbrüder und die Clochards, da gibt es die Zigeuner und die Tartaren, die Provos und die Gammler, und zwar Freizeitgammler, Wochenendgammler und ausgesprochene Gammler. Es gibt Strolche und Herumtreiber, Stromer und Globetrotter, Bummler und Drückeberger, Eckensteher und Arbeitsscheue, Hallodris und Müßiggänger, Tagediebe und Taugenichtse. Der eine wandert ganz alleine, der andere wandert mit anderen zusammen, entlassene Soldaten, räuberische Banden, falsche Mönche, richtige Pilger, fahrende Studenten: Beatniks und Hippies, Blumenkinder und Pflastertreter, Walz- und Tippelbrüder, Streuner und Tramps.

Es gibt wandernde Bettler und bettelnde Wanderer, wandernde Verbrecher und verbrecherische Wanderer, bettelnde Verbrecher und verbrecherische Bettler, Krankenhausbummler und faule Kunden, Scherenschleifer und Zinngießer, Hausierer und Saisonarbeiter. Da ist der nichtseßhafte Mensch, von dem Professor Stumpfl in einem »Beitrag zur Neugestaltung der Raum- und Menschenordnung im Großdeutschen Reich« sagt, es seien geistige Störungen die Ursachen der Entwurzelung von Wanderern. Der Schizophrene nimmt Stock und Hut und schreitet über die Wiese durch das Tal, der Zyklothyme zieht seinen Lodenmantel an und stapft durch den Schnee über die Berge, der Epileptiker aber, mit Stock und Hut und Lodenmantel, fällt in die Wiese und stürzt in den Schnee. O nein, auch Jean-Jacques Rousseau hätte im Großdeutschen Reich nicht ungestraft wandern und saumselig sein dürfen.

Der eine ist auf der Walz, und der andere ist auf Montage, der eine ist auf Schusters Rappen, und der andere ist auf Rädern. Die Zigeuner sitzen auf ihren Komödienwagen und sprechen jenisch, die Landfahrer sitzen auf ihren Karren und sprechen Rotwelsch. Der eine wandert vorübergehend, und der andere wandert dauernd. Die vorübergehend Wandernden sind die episodischen, und die dauernd Wandernden sind die ewigen Wanderer. Da gibt es die Dauerwanderer mit Arbeitsplatz, und es gibt die Vagabunden ohne Arbeitsplatz. Das sind die Schalksnarren und die fahrenden Sänger, die schreibenden Abenteurer und die abenteuernden Schreiber, die Wahrsager und Reimsprecher, die Wunderredner und die Wunderdoktoren, die mit leeren Flaschen herumreisen, aus denen der großmächtige Merkurius steigt.

Da ist auf der einen Seite Angelus Silesius, der ehrgeizige Cherubinische Wandersmann, der bis vor den Thron des lieben Gottes gegangen war, um die Erhabenheit der ganzen Schöpfung zu sehen; da ist auf der anderen Seite Johann Gottfried Seume, der bescheidene Philosoph des Spazierengehens, der von Leipzig nach Syrakus gegangen war, nur um sich die Füße ein wenig zu vertreten; und da ist in der Mitte Jean-Jacques Rousseau, der hin und her irrende Vagabund, der bis ans Ende seines Lebens gegangen und doch nie irgendwo angekommen ist.

Sie gingen, und sie sangen vom Gehen, sie schweiften umher, und sie schlenderten hin, das Hinschlendern des Leibes und der Gedanken wurde zum Schlendrian des Leibes und der Gedanken. O daß die angesehenen Vaganten zu geschmähten Vagabunden heruntergekommen sind! Einst waren sie göttergleich, Engel mit Flügelschuhen, jetzt sind sie nur noch Wandervögel, aber ihre Flügel sind gerupft, und sie können nicht einmal mehr fliegen.

Rousseau vagabundierte durch die heitere katholische Rokokogesellschaft, als Handwerksgeselle, als Lakai, als Hauslehrer, als Sekretär, als Katasterbeamter, als Komponist, als Notenabschreiber und immer wieder als Günstling der Frau von Warens. Er blieb eine Weile, dann wanderte er weiter, und wieder blieb er, bis er wieder weiterging. Er verbrachte eine Zeit, aber die Menschen und die Dinge forderten ihn auf eine unerfüllbare Weise heraus, so daß er immer wieder verzichten und entsagen mußte. Er fürchtete, was er ersehnte, in seinem Kopf suchte er immer wieder nach einem Mittel, um nicht glücklich sein zu brauchen. Er antwortete auf jede Herausforderung, auf die Antwort aber folgte stets die Flucht. Jede Folge war eine zwangsläufige Folge, ja, Professor Starobinski, es war eine nichtbeherrschte Folge. »Haltlosigkeit«, wie Professor Scheinfuß sagt.

Rousseau verbrachte eine kurze Zeit als Goldschmied und Kupferstecher bei Frau Basile in Turin. Aber Frau Basile war eine kokette italienische Brünette, und sie ließ ihn manchmal zwischen ihrem Handschuh und ihrer Manschette ein Stück ihres Arms und zwischen ihrem Kleid und ihrem Halstuch ein Stück ihres Busens sehen, so daß Rousseau vor ihr auf die Knie fiel, einen ganz beklommenen Atem bekam und tief Luft holen mußte. Er sagte: »Nichts, was der Besitz von Frauen mich hat fühlen lassen, wiegt die zwei Minuten auf, die ich zu ihren Füßen zugebracht habe, ohne nur zu wagen, ihr Kleid zu berühren.« Als Herr Basile nach längerer Abwesenheit zurückkehrte und die Bescherung sah, verließ Rousseau fluchtartig das Haus.

Er verbrachte ein Vierteljahr als Lakai bei Frau von Vercellis in Turin. Aber Frau von Vercellis war eine kranke Matrone, sie ließ auf dem Totenbett laut einen fahren und sagte: »Eine Frau, die pupt, ist noch nicht tot«, so daß Rousseau, von dieser makabren Fröhlichkeit erschreckt, in eine schlimme Verwirrung geriet. Er sagte: »Es regte sich in mir ein Widerwillen gegen die anscheinende Ordnung der Dinge.« Als der Haushalt aufgelöst wurde, stahl er ein Seidenband, beschuldigte böslich ein Dienstmädchen und wurde entlassen.

Er streunte eine Zeitlang als Exhibitionist durch Turin. Aber sein nackter Hintern, den er in den dunklen Alleen zeigte, rief nur aufgebrachte Weiber mit Besen und einen Wächter mit einem großen Säbel herbei, und leider nicht ein Fräulein Lambercier, das ihm die ersehnte Peitsche hätte geben können. Er sagte: »Ich hätte mein Leben darum gegeben, nur für eine Viertelstunde ein Fräulein Goton wiederzufinden.« Als er sich in allerhöchster exhibitionistischer Not befand, warf er sich einem savoyischen Vikar, Herrn Gaime, in die Arme.

Er verbrachte einige Wochen als Lakai bei dem Grafen von Gouvon in Turin. Aber Fräulein von Breil, die Enkelin des Grafen, war so hübsch und von so frischem Teint, daß Rousseau sich die Freiheit nahm, mit seinem Geist zu glänzen und aller Augen auf sich zog. Er sagte: »Es war einer jener zu seltenen Augenblicke, die die Dinge wieder in die natürliche Ordnung bringen und das herabgedrückte Verdienst für die Fußtritte des Schicksals rächen.« Als er bei einem Abendessen Wasser auf ihrem Teller verschüttete, verlor er ihr Wohlwollen und auch das ihrer Mutter, und er mußte das Haus verlassen.

Er verbrachte ein paar Tage als Geheimschreiber bei dem Abbé von Gouvon in Turin. Aber der Ehrgeiz dieser Familie Solar, eine Vertrauensperson für ihre hochfliegenden Pläne heranzubilden, verstimmte ihn, so daß Rousseau ein Kribbeln in den Füßen zu spüren begann. Er sagte: »Mein törichter Ehrgeiz suchte das Glück nur durch Abenteuer, und da keine Frau etwas dabei zu tun hatte, so schien mir diese Art, etwas zu erreichen, langweilig, mühselig und stumpfsinnig.« Als sich die erste Gelegenheit bot, den Dienst zu quittieren, begab er sich in die Fremde.

Er wanderte im Frühsommer 1729 mit dem Genfer Bâcle von Turin über den Paß des Mont-Cenis nach Annecy. Aber Bâcle war ein derart ergötzlicher Bursche, heiter und voller lustiger Einfälle, daß Rousseau sich plötzlich so sehr in ihn verliebte, als könne er nicht mehr ohne ihn leben. Er sagte: »Wie

schön ist es, wenn mit allem Zauber der Unabhängigkeit sich
der verband, den Weg mit einem Begleiter meines Alters, meiner Neigungen und von heiterer Laune zu machen, ohne
Zwang, ohne Verpflichtung, ohne anderes Gesetz für Weiter-
wandern oder Bleiben als unser Wohlgefallen.« Als sie sich
Annecy näherten, fürchtete er, den Freund seiner mütterlichen
Gönnerin aufhalsen zu müssen, aber Bâcle durchschaute seinen
Sinneswandel und trennte sich von ihm. Rousseau rief: »Mama!« und kehrte zu Frau von Warens zurück.

Rousseau und Bâcle waren wie rechte Vagabunden gereist.
Tagsüber wanderten sie, und abends in der Herberge ließen sie
den Geist aus der Flasche steigen. Ihre Flasche war ein Heronsbrunnen, den der Abbé von Gouvon einige Wochen zuvor
Rousseau geschenkt hatte. Was gibt es merkwürdigeres auf der
Welt als einen Heronsbrunnen, diese Spritzflasche, diesen Par-
fümzerstäuber der feinen Damen der Gesellschaft? Der Flaschengeist ist nichts anderes als verdichtete Luft, aber wie will
der Bauer auf dem Lande die Geheimnisse der Naturlehre kennen, wo er doch die verdichtete Luft für den Atem des lieben
Gottes hält? O du göttliches Pneuma im Heronsbrunnen, das
die Strolche und Vagabunden böslich mißbrauchen! In jedem
Dorfe versammelten sich die Leute um den Springbrunnen, um
das kleine Wunder zu betrachten. Aber der Brunnen zerbrach,
und die Folge war eine nichtbeherrschte Folge.

Nun verbrachte Rousseau fast ein halbes Jahr als Priester-
schüler bei einem Herrn Gros im Seminar von Saint-Lazare in
Annecy. Aber Herr Gros war ein Lazarist, ein guter, kleiner,
einäugiger Mann, ein magerer Graukopf, der gescheiteste und
lustigste Lazarist, den es je gegeben hat, was freilich nicht viel
heißen will, der aber mit seiner Mama schäkerte, so daß Rousseau den geistlichen Stand von einer ihm völlig fremden Seite
kennenlernte. Er sagte: »Ein Seminar ist ein trübseliges Haus,
besonders für den, der das einer liebenswürdigen Frau verläßt.«
Als er sich mehr mit einem Herrn Gâtier, einem Vikar, der
später ein Mädchen schwängerte und mehr mit der Musik als
mit den frommen Verrichtungen beschäftigte, wurde er Frau
von Warens zurückgegeben als ein Subjekt, das, obwohl ein guter Bursche ohne schlechte Eigenschaften, noch nicht einmal
zum Priester taugte.

Er verbrachte einen Winter lang als Musikschüler bei Nicoloz Lemaître, dem Organisten an der Kathedrale von Annecy. Aber Lemaître war ein lebhafter und lustiger, ein ziemlich hübscher, aber wenig geistreicher Mensch, der den Wein und das fröhliche Leben in der Kapellmeisterei liebte, so daß Rousseau, völlig irritiert, das Musizieren über dem Leben vergaß. Er sagte: »Ein einziges, alle meine Lebensregungen aufzehrendes Gefühl setzte mich außerstande, etwas zu lernen, nicht einmal die Musik.« Als Lemaître, auf dem Weg nach Lyon, in einem Anfall des Delirium tremens, auf der Straße zusammenbrach, drückte sich Rousseau um die Häuserecke und verschwand zu seiner Mama.

Er verbrachte einen Tag als Liebhaber von Fräulein Graffenried und Fräulein Gallay auf dem Ritt nach Thônes. Aber Fräulein Graffenried war schön und liebenswürdig und Fräulein Gallay war ein Jahr jünger und noch hübscher, sie hatte etwas Zierlicheres und Feineres, sie war zugleich sehr zart und sehr entwickelt, so daß Rousseau auf einen Kirschbaum stieg und ihr von oben herab ein Büschel Kirschen geradewegs in den Busenausschnitt warf. Er sagte: »Zwölf zusammen verbrachte Stunden waren für uns so gut wie Jahrhunderte innigen Verkehrs. Das süße Andenken an diesen Tag kostete die jungen Mädchen nichts.« Als er sie verließ, da schien es ihm, als könne er ohne die beiden gar nicht mehr leben.

Er verbrachte ganz kurze Zeit als Vertrauter von Oberrichter Simon in Annecy. Aber der Oberrichter hielt sich, obwohl er so klein gewachsen war, daß er die Damen mühelos auf ihre Knie küssen konnte, die schönen Frauen doch lieber im Bett, so daß Rousseau sein Leben nur sehr wenig mit dem seinen verflechten wollte. Er sagte: »Er lobte und belebte meinen Eifer und gab mir gute Winke.« Als er starb, da hatte Rousseau eine Reihe eigentümlichster Lehren von ihm empfangen.

Er verbrachte einige Tage als Reisebegleiter von Fräulein Merceret nach Freiburg in der Schweiz. Aber Fräulein Merceret war ein Mädchen von fünfundzwanzig Jahren, ein nicht unangenehmer, entgegenkommender Mensch mit dem innigen Drang zum Anschluß, so daß Rousseau, einfältig und ohne tiefere Ahnung, nur mit dem Glück des Toren an einer Verbindung vorbeikam. Er sagte: »Ich glaubte, es gehörten Jahrhunderte dazu, um dies schreckliche Übereinkommen vorzubereiten.« Als er keine Anstalten machte, Fräulein Mercerets Entgegenkommen zu erwidern, kühlte sich die Freundschaft ab, und Rousseau wandte sich nach Lausanne.

Er verbrachte ein paar Tage als Gesangslehrer einer Bürgerstochter in Lausanne. Aber die Tochter war eine kleine Schlange und zeigte ihm, der noch nicht einmal eine Arie entziffern konnte, Noten, von denen er nicht eine einzige lesen konnte, so daß Rousseau sich inmitten dieser Demütigungen mit Briefen an seine beiden reizenden Freundinnen wandte. Er sagte: »Ich habe immer im weiblichen Geschlecht eine große tröstende Macht gefunden.« Als die Musikschülerinnen ausblieben, kehrte er wieder zu seiner Mama zurück.

Der Heronsbrunnen war längst zerbrochen, der Geist aus der Flasche entwichen. Rousseau ergriff das Hasenpanier und räumte das Feld. Er schüttelte den Staub von seinen Schuhen und machte sich auf die Socken. Er zog Leine und setzte die Segel. Er brach seine Zelte ab und machte sich über alle Berge. Er packte seine Sachen und suchte sein Heil in der Flucht. Der großmächtige Merkurius war aus der Flasche entwichen.

Rousseau brach im Frühjahr 1731 als Dolmetscher eines Archimandriten zu einer Reise nach dem Heiligen Grabe in Jerusalem auf. Aber der Archimandrit war ein falscher Archimandrit, so daß Rousseau ihn schon in Solothurn wieder verlassen mußte. Er sagte: »Ich, dem zu Pferde oder auf den Füßen zu sein fast gleich lieb war, ich hätte nichts Besseres verlangt, als mein Leben lang so zu reisen, aber es stand geschrieben, daß ich nicht so weit kommen sollte.« Als der Archimandrit entlarvt wurde, begab Rousseau sich in die Hände eines Herrn von Bonac.

Er reiste im Sommer 1731 als Bote des französischen Gesandten nach Paris. Aber Paris war schmutzig und stank, überall herrschten Dreck und Armut, so daß Rousseaus Vorstellung von dieser Stadt aufs schlimmste getäuscht wurde. »Es ist für die Menschen unmöglich und für die Natur selbst schwer, meine Einbildungskraft an Reichtum zu übertreffen, aber was die Häßlichkeit dieser Stadt anbetrifft, so geht sie über alles Menschenmögliche hinaus.« Als er erfuhr, daß Frau von Warens aus Paris abgereist sei, folgte er ihr auf dem Fuße nach.

Er vagabundierte im Herbst 1731 einige Wochen lang in der Stadt Lyon umher. Aber in Lyon gab es einen homosexuellen Abbé, dessen mißvergnügte Wirtin, deren bösartige Töchter und die schreckliche Bevölkerung Lyons überhaupt, so daß Rousseau zu dem Eindruck kam, in dieser Stadt herrsche die abscheulichste Sittenverderbnis von ganz Europa. Er sagte: »Die Erinnerung an die Bedrängnis, in die ich dort geriet, trägt nicht dazu bei, mir das Andenken daran angenehm zu machen.« Als sein Geld ausging, schlief er auf der Straße oder brachte die warmen Nächte am Ufer des Flusses zu.

Er verbrachte ein paar Tage als Notenabschreiber bei dem Antoniter Rolichon in Lyon. Aber Rolichon war so pingelig, daß Rousseau mehr radieren als abschreiben mußte, um die Auslassungen, die Verdoppelungen und andere Fehler zu tilgen, seine Abschriften die Musik aber doch nicht aufführbar machten, und er sagte: »Ich machte es schlecht, weil ich es gut machen wollte, und um schnell zu gehen, ging ich in die Quere.« Als er eine Nachricht und Reisegeld von Mama erhielt, fuhr er sogleich nach Chambéry ab.

Er verbrachte ein halbes Jahr als Katastergehilfe in Chambéry. Aber seine Stelle zwischen Feldmessern, die man Geometer, und Schreibern, die man Sekretäre nannte, war nur eine vorläufige und zeitweilige, so daß Rousseau warten und suchen konnte, ob sich nichts Besseres für ihn finde. Er sagte: »Es war das erstemal, seit ich von Genf fortgegangen war, daß ich mein Brot ehrenhaft verdiente.« Als er im Musizieren seinen Broterwerb entdeckte, gab er seine Stelle als Katastergehilfe auf.

Er verbrachte eine angenehme Zeit als Musiklehrer schöner Mädchen in Chambéry. Aber Fräulein Mellarède war eine sehr lebhafte Brünette, von anschmiegsamer Art und besonnener Anmut, mit feurigen Augen und feinem Wuchs, Fräulein von Menthon war aschblond, sehr zierlich und von sehr hellem Teint, mit einer hübschen Stimme und einer Narbe am Busen, Fräulein von Challes war vollentwickelt und üppig gebaut, von gutem Naturell und steter Heiterkeit, Fräulein von Charly war die schönste und Frau Lard die feurigste Frau von Chambéry, Fräulein Lard war das schönste Mädchen, das er je gesehen hatte, ein wahres Modell für eine griechische Statue, so daß Rousseau, endlich zur Reife gekommen, den Weg in Mamas Bett nehmen mußte, um dort die praktische Aufklärung zu erfahren. Er sagte: »Ich aber liebte sie zu sehr, um sie besitzen zu können.« Als er schließlich seine Unschuld verlor, fühlte er statt des Mutes und des Entzückens nur Furcht und Widerwillen.

Er verbrachte einige Wochen als Musikschüler bei dem Abbé Blanchard in Besançon. Aber seine ganze Habe samt Noten und Kompositionen wurde beim Zoll in Rousse beschlagnahmt, so daß Rousseau sich gezwungen sah, das ganze Unternehmen wieder aufzugeben. Er sagte: »In allen meinen Unternehmungen verfolgt mich das Unglück.« Als er nach Chambéry zurückgekehrt war, entschloß er sich, einzig und allein bei Mama zu bleiben, ihr Schicksal zu teilen und sich nicht unnütz über eine Zukunft zu beunruhigen, an der er ja doch nichts ändern konnte.

Waren nun die Wanderschaften zu Ende? Hatte er sich zur Ruhe gesetzt? Ihm war der Marsch geblasen worden. Ihm war gezeigt worden, wo der Zimmermann das Loch gelassen hat. Ihm war die Tür gewiesen worden. Ihm war der Stuhl vor die Tür gestellt worden. Er war hochkantig hinausgeworfen worden. Er war an die Luft gesetzt worden. Er war zum Teufel gejagt worden. Aber er hatte sich in Sicherheit gebracht. Er war mit dem blauen Auge davon, aber längst noch nicht zur Ruhe gekommen.

Er reiste im Herbst und im Winter 1737 auf 1738 als Kurgast und zufälliger Reisebegleiter von Frau von Larnage nach Montpellier. Aber Frau von Larnage, die weder jung noch schön, aber ebenso wenig alt noch häßlich war, hatte alle Gründe, sich leicht hinzugeben und nutzte dieses Mittel, ihre Vorzüge zur Geltung zu bringen und verschwenderisch mit ihrer Gunst zu sein, so daß Rousseau, als sie ihren Arm um seinen Nacken schlang und ihr Mund auf dem seinen eine deutliche Sprache sprach, seine ganze Schüchternheit mit einem Mal verlor. Er sagte: »Die Genüsse waren so tief, ohne eine Beimischung von Schmerz, die ersten und die einzigen, die ich so gekostet habe, und ich kann sagen, daß ich Frau von Larnage verdanke, wenn ich nicht von der Welt scheide, ohne die Lust kennengelernt zu haben.« Als er diese Art Kur, die ihm so gut bekam, nach der Chinawurzel- und Molkenkur von Montpellier in Saint-Andiol unter Leitung der Frau von Larnage fortsetzen sollte, bekam er mit einem Male Gewissensbisse, und er eilte schnurstracks heim zu seiner Mama.

Er verbrachte von 1740 bis 1741 ein Jahr als Erzieher der Kinder von Herrn von Mably in Lyon. Aber Herr von Mably war ein biederer Mann, sehr milde und von sanftmütigem Charakter, dabei scharfsinnig und gerecht, sein Söhnchen Sainte-Marie lebhaft und unbesonnen, aufgeweckt und boshaft, mit einem hellen Kopf, sein Bruder Condillac dagegen dumm und verstockt, hartköpfig wie ein Maultier und unfähig zum Lernen, so daß Rousseau sich verzweifelt in Frau von Mably verliebte, um diesen Schwierigkeiten zu entrinnen. Er sagte: »Sie war leider nicht in der Lage, mir entgegenzukommen, und ich stürzte mich umsonst mit meinen verstohlenen Blicken und Seufzern in Unkosten, die mich bald selber langweilten, da ich sah, daß nichts dabei heraussprang.« Als auch bei der Kindererziehung nichts Erquickliches heraussprang, quittierte er den Dienst und kehrte zu seiner Mama zurück.

Er verbrachte den Sommer 1742 als Musiktheoretiker in Paris. Aber die Herren von der Akademie der Wissenschaften fanden, daß sein »Plan einer neuen Notenschrift« zwar gut, aber für die Instrumente unzweckmäßig sei, anstatt daß sie fanden, für den Gesang sei er gut und für die Instrumente sei er besser, so daß Rousseau zu der Erkenntnis kam, daß diese Gelehrten, wenn sie auch zuweilen weniger Vorurteile haben als die anderen Menschen, sie dagegen an denen, welche sie haben, noch viel fester hängen, und er sagte: »Das größte Hindernis für den Versuch mit meinem System war die Furcht, daß man die Zeit, die seine Erlernung kostete, verlöre, falls es später nicht eingeführt würde.« Als er seine Notenschrift nicht durchsetzen konnte, zog er sich enttäuscht in die vornehmere Welt zurück.

Er verbrachte das Frühjahr 1743 als Günstling bei Frau von Dupin in Paris. Aber Frau von Dupin, bei aller Liebenswürdigkeit ernst und kalt, empfing ihn bei ihrer Toilette, mit nackten Armen und aufgelösten Haaren, im losen Morgenrock, so daß Rousseau, diesem Anblick nicht gewachsen, die Fassung verlor und sich in Frau von Dupin verliebte. Er sagte: »Ich fand aber in ihrem Wesen nicht das geringste, das mich hätte kühn machen können.« Als sie ihm mit einigen Worten der Ermahnung einen Liebesbrief zurückgab, gefror ihm das Blut in den Adern, und seine Leidenschaft erlosch so jäh, wie sie entflammt war.

Er verbrachte vom Sommer 1743 bis zum Sommer 1744 ein Jahr als Gesandtschaftssekretär bei dem Grafen von Montaigu in Venedig. Aber der Graf war ein eigensinniger Analphabet, so daß Rousseau in heftige Auseinandersetzungen mit ihm geriet. Er sagte: »So war der Mensch, der vielleicht immer nur aus demselben Grund seinen Haß auf mich warf, nämlich ganz allein deshalb, weil ich ihm zu treu diente!« Als der Graf ihn nach einem Streit aus dem Fenster werfen lassen wollte, verließ er augenblicks den Palast, um ihn nie wieder zu betreten. Rousseau war 32 Jahre alt.

Er war nicht nur schweifend, sondern er war ausschweifend, er war extravagant gewesen. Er hatte Savoyen durchquert und war in die Provence gefahren, er hatte Burgund durchquert und war nach Paris gereist, aber er sah nur sich selbst und die Damen und Herren der feinen und heiteren katholischen Rokokogesellschaft. Einmal bettelte er bei einem Bauern, ein anderes Mal traf er einen Seidenarbeiter, ein drittes Mal sprach er mit einem Schmied; aber die Menschen der neuen Klasse waren zu gesund und zu robust, und er selbst besaß nur noch die Beschaffenheit eines Schattens. Diderot ging mit den Handwerkern wie mit seines- und ihresgleichen um, aber Rousseau brauchte die Zärtlichkeit und Pflege der milden und heiteren Rokokogesellschaft.

Er war zwar nach seiner inneren Uhr und nicht nach fremden Anweisungen gewandert, aber diese innere Uhr hatte ihm krumme Wege und steile Pfade gewiesen, und jetzt war er müde geworden. Der Mensch besitzt nämlich nicht nur eine, sondern er besitzt zwei innere Uhren, die eine regelt das Wachen und das Schlafen, und die andere regelt die Körpertemperatur. Wenn nun aber diese beiden Uhren nicht im gleichen Takt und nicht im gleichen Stundenrhythmus laufen, dann kommt es im Menschen zu Synchronisationsstörungen. Diese Störungen sind Stoffwechselstörungen, und im Hypochondrium beginnt ein Polyp zu wachsen. Wer weiß, ob dieser Polyp nicht der großmächtige Merkurius aus der Flasche ist?

Ja, was war aus dem Flaschengeist geworden? Der Heronsbrunnen war längst entzweigegangen, aber wohin war der

Geist entwichen? Rousseau hatte immer den guten Willen zur Rationalität gezeigt, aber wo er den entwichenen Geist suchen sollte, das konnte er mit dem besten Willen nicht wissen. Merkurius war verschwunden, und es blieben nur die Hirngespinste und das Kribbeln im Hypochondrium. Hatte der Merkurius nicht auch schon dem Perseus die Tarnhaube, die geflügelten Schuhe und die magische Tasche verschafft, damit er die schlangenhaarige Medusa töten konnte? Er hatte die Kappe, die Schuhe und die Tasche bei den Nymphen gefunden. O du zarter Rousseau, die Nymphen haben dir keine Tarnkappe, sie haben dir keine Flügelschuhe und keine magische Tasche gegeben, und dabei sind es so viele Nymphen gewesen, die ihn in ihren Armen gehalten hatten. Nein, der Polyp in deinem Herzen und die Gespinste in deinem Hirn wachsen, und du hast keine Waffen und keine Geräte, ihnen zu wehren.

Es ist Frühling. Rousseau sagt: »Meine süßen Hirngespinste leisten mir Gesellschaft, ich kann mir nichts Schöneres denken. Ich gehe durch die Welt, und meine Hirngespinste sind immer bei mir. Wenn jemand mir einen Platz auf einem leeren Wagen anbietet oder wenn sich mir jemand auf meinem Wege anschließt, dann mache ich ein verdrossenes Gesicht, weil das ganze Glück, dessen Bau ich mir im Gehen aufführe, einzustürzen droht.« Bei Knut Hamsun ist es der Altweibersommer gewesen, und bei Knulp war es der Winter. Bei Rousseau ist es Frühling, aber sie alle hatten vom Leben nichts weiter als das Zuschauen begehrt. Zum Schauen aber sind offene Augen nötig, und auch der Geist darf nicht in der Flasche bleiben. Ja, der Geist hatte sich am Ende nicht in der Flasche halten lassen, und auf eine leere Flasche läßt sich keine Existenz gründen.

Rousseau

und Frau von Warens pflücken das Immergrün

Du teurer Apfelhain, wo Unschuld mich empfängt,
du schönster Tage Huld, die mir der Himmel schenkt,
verklärte Einsamkeit, wo ich den Frieden fasse,
glücklicher Apfelhain, daß ich dich nie verlasse!

Ihr Tage, köstlich süß, mit Schatten überall!
Der schmachtende Gesang der zagen Nachtigall,
das schmeichelnde Geschwirr der pfeilgeschwinden Quelle
entfachen in der Brust verführerische Helle.
Ich lern auf eurem Schmelz das Leben recht genießen,
ich lerne denken hier, kein Neid und kein Verdrießen
auf schlüpfrigen Geschmack sinnloser Zeitgenossen!
Ihr ödes Tagewerk, zu rasch dahingeflossen,
entzündet nicht mein Herz, dem ihren nachzustreben.
Die größte Freude ist für mich die Lust, zu leben,
die Freude, die stets hold und süß ist und gefeit:
ach, mein entzücktes Herz ist stets dazu bereit!
Sei's, wenn der neue Tag am Morgenhimmel prahlt,
ich auf den Hügel schau, der in der Sonne strahlt;
sei's, wenn zur Mittagszeit, verjagt von ihrer Hitze,
ich unter einem Baum im kühlen Schatten sitze:
dort lese ich ein Buch, Montaigne und Bruyère
und lache, kenne nicht der Menschen Elend mehr.
Und auch mit Sokrates und mit dem großen Plato
gelehrig nehme ich die Fußspur auf von Cato.
Sei's, wenn die helle Nacht die leichten Schleier senkt
und plötzlich meinen Blick auf Mond und Sterne lenkt,
da folge ich gebannt Cassini und La Hire,
ich rechne, schaue aus, und endlos weit von hier
in diesem Weltenmeer an ganz verborgner Stelle
da finde ich mein Ziel: Huyghens und Fontenelle.
Sei's schließlich, wenn ich vom Gewitter überrascht
dem Schäfer helfen muß, der ängstlich nach mir hascht,
weil ihn der Wind erschreckt, der es ihm angetan,

der Wirbelsturm, der Blitz, der Donner, der Orkan:
ich bleibe immer gleich, gleich glücklich und zufrieden,
mir sei im Leben nie ein größres Glück beschieden!

O weise Warens du, Minervas Schülerin,
vergib mir diesen Wahn, den unbedachten Sinn.
Obgleich ich fest versprach, niemals im Vers zu reimen,
darf deiner Güte Frucht nicht reifen im Geheimen.
Ja, wenn mein Herz sich freut an diesem stillsten Lose,
ich auf bequemem Pfad ins Land der Tugend stoße,
ich mich an diesem Ort an reiner Ruhe labe,
so schulde ich nur dir allein die seltne Gabe.
Es hat ein niedres Herz, es haben feile Seelen,
nicht mit willkommnem Rat, doch mit gemeinem Hehlen
vergeblich sich bemüht, mir deine Gunst zu rauben.
Sie kennen nicht das Gut, das du genießt im Glauben,
indem du glücklich machst, indem du Tränen stillst:
es hat für sie kein Reiz die Freude, die du willst.
Die liberale Hand von Titus und Trajan
hat ihrem Herzen nur ein Lachen abgetan.
Wozu denn Gutes tun in dieser unsrer Zeit?
Ist einer, der's verdient, der würdig weit und breit
ihn aus dem großen Kreis der Armen zu erheben?
Kann es im Elend denn ehrbare Menschen geben?
Ist es nicht viel mehr wert den Reichtum zu verprassen
im fröhlichen Genuß, als ihn den Armen lassen?
Laßt sie nach ihrer Lust in Scheußlichkeit verzehren,
ich bleibe auf der Hut und werde nichts begehren.
Ich krieche nicht im Staub, wo andre sklavisch knieten,
ich weiß, wenns nötig ist, dem Leid die Stirn zu bieten.
Ich bin empfindlicher für alle guten Winke,
ich seh genauer hin, in wessen Arm ich sinke.
Ich gebe heute laut und öffentlich zu hören,
und wills in dieser Schrift bezeugen und beschwören:
Wenn je das Schicksal mich aus deiner Wohltat reißt,
die größte Not mich nie in ihre Arme schmeißt.

Es nimmt die böse Schar der Neider überhand.
Laß sie die Tugend schmähn, die sie doch übermannt.

Verachte den Komplott, verachte Haß und Zorn,
es ist der Friede doch in deines Herzens Born,
dieweil ist ihres arg, als Spielzeug ihrer Wut,
als geiler Schlangenfraß, als Nahrung dieser Brut,
von schlimmer Freveltat und von Gewissensbissen,
von herber Züchtigung und Schreckensangst zerrissen.
Der bösen Wespe Wut ist ihre allzu ähnlich,
unfähig ist ihr Tun, ihr Helfen unerwähnlich.
Sie hat nur Raub im Kopf. Das ist ihr schlimmes Los:
sie tut das Böse nur, sie gibt den Tod sich bloß.
Vergeblich ist ihr Drohn, ohnmächtig ist ihr Rasen,
nichts, was mich sehr erschreckt, nichts weiter nur als Phrasen.
Ein großer König soll die Güte dir versagen,
er aber ist bereit, dich weiterhin zu tragen.
Die niedre Eifersucht, ihr ungerechter Hohn
gelangen niemals bis an den erhabnen Thron.
Das grobe Ungetüm, das ihre Herzen quält,
kann seiner Tugend Glanz nicht trotzen ungeschmält.
Ein guter König schafft sein liebenswertes Reich,
er gibt der Tugend Kraft, sie macht das Unglück weich:
und wenn er drohen muß, der Blitz ist bei der Hand.
Ein jeder König sorgt in seinem ganzen Land,
daß die Verbrecher all vom Blitz zerschmettert werden,
doch wenn er glücklich macht, ist er ein Gott auf Erden.
An diesen Zügen, Karl, erkenne ich dein Reich,
du trägst an jeden Ort Wohltat und Lust zugleich.
Es fühlt Gerechtigkeit dein gleicher Untertan,
es fordert niemand mehr aus schauderhaftem Wahn
ein niedriges Prinzip, das längst getilgt sein sollte,
weil es die Rechte der Gesellschaft brechen wollte,
das hochgeschätzte Band, das sie zusammenschmiedet,
das dem Bedürfnis auch den besten Teil verbietet
und fernehalten will all jene von Gesetzen,
die sie in den Genuß der reichsten Rechte setzen.
Ach, hätte es genügt, daß du jagst Schrecken ein,
wer könnte sonst wie du so unbesieglich sein?
Europa hat gesehn, wie man die Fahne führt,
kein König hat wie du im Schlachtfeld triumphiert.
Doch ist es nicht genug, die Erde zu zertrümmern,

's gibt andre Pflichten als sich um den Krieg zu kümmern.
So findet heut ein Volk durch dich, mein großer König,
den Rächer und den Halt, und dieses ist nicht wenig.
Und, weise Warens du, die dieser Held behütet,
Verleumdung hat umsonst so gegen dich gewütet.
Fürcht ihre Wirkung nicht! trotz ihrem eitlen Zorn!
Es schützt die Tugend doch, das ist das wahre Korn!
Der Große König schätzt den Eifer deiner Glut.
Er hält sein hohes Wort in Ehren, das ist gut.
Du seiner Güte Pfand, ich sag es, glaube mir:
du hast sie wohlverdient; dein Herz gesteht es dir.

Man kennt mich gut genug; und meine strenge Muse
streut keinen Weihrauch aus zum käuflichen Geschmuse;
es hat kein eitles Wort von miserablen Wichten
die Wahrheit mir befleckt in prächtigen Gedichten.
Du selbst verachtest auch den faden Lobgesang,
die strenge Tugend schmäht des Stolzes Überschwang.
Du bist in einem nur den andern nicht voraus:
die Weisheit in dir schließt nicht jeden Fehler aus.
Auf dieser Erde, ach — und da ist kein Gewinst —
ist die Vollkommenheit nur Trug und Hirngespinst!
Zu wissen, was mir fehlt, ist einzig mein Begehr,
aus der Vollkommenheit mach ich nicht viel daher.
Der Haß gibt guten Rat, der manchmal nötig ist,
wirf es der Güte vor, die zu erbötig ist
und oft, nach ihrem Sinn, dein Leid verursacht hat,
es ist ein gutes Herz zuweilen schwach und matt.
Jedoch der Weisheit Schluß nach etwas anderm trachtet
und falsche Tugend mehr als dein Versehn verachtet.
Um vieles mehr ist wert, man zeigt sich besser hie
so mangelhaft wie du als tugendhaft wie sie.

Du also, seit ich Kind, du hast mich unterwiesen,
durch all mein Elend hin den Himmel, ach, gepriesen,
daß er mir ohne Preis gewisse Gaben schenkte,
die mein erwecktes Herz gemäß der Tugend lenkte,
bei der ich zärtlich wie bei einer Mutter lebe,
nimm diese Widmung an, die ich dir heute gebe,

und den verdienten Lohn, den ich dir schuldig ward
und meine Dankbarkeit der Wahrheit offenbart.
Wenn Zärtlichkeiten mir die Lebenstage lindern,
wenn mir's gelang, den Bann des Neides zu verhindern,
wenn man gesehen hat, wie mein erweckter Geist,
wie das sensible Herz hinauf ins Höh're weist,
wenn ich an jedem Tag mich selbst durchdrungen habe,
bald mich zum höchsten Sein emporgeschwungen habe,
in tiefer Ruhe bald dem Menschen nachgesonnen,
was er so oft geirrt, verloren und gewonnen,
bald als ein Philosoph nach dunklen Gründen hetze
und eingetreten bin in die Naturgesetze,
verschiedensten Bereich versuch ich zu durchdringen,
die tiefen Gründe all, die diese Welt bedingen:
wenn ich, aus eigner Kraft, den Vorteil nutz, so merke:
es ist nicht mein Verdienst, nein, es sind deine Werke,
du tugendhafte Frau, du gibst es mir zurück,
das dauerhafte Gut, des Mannes wahres Glück.

Ich lasse sie vergehn, ganz ohne Wunsch und Klage
in dieser Einsamkeit, die sorgenfreien Tage.
Daß mein ergriffnes Herz nicht, wie es danach sann,
in einem rechten Grad die Freuden malen kann,
die Lust der Gegenwart, die ich genießen darf
und die Vergangenheit, die mich in Reue warf.
Ihr Augenblicke, ach, ich kann euch nicht vergessen
in Plänen, die mich glühn, in Sorgen, die mich pressen.
In diesem sanften Hain, da teile ich den Raum,
bald ruhe ich mich aus im Schatten unterm Baum,
bald richtet mein Verstand sich zum erhabnen Guten
empor mit Malebranche, mit Leibniz und mit Newton.
Ich prüfe das Gesetz von Denken und Geschehen,
ich treibe mit John Locke Geschichte der Ideen,
Ich schreite mit Rainand, mit Kepler und Pascal
vor Archimedes fort, und ich bin L'Hôpital.
Bald lös ich in Physik die Fülle der Probleme,
ich werfe meinen Geist ins Schlepptau der Systeme:
ich taste nach Descartes und falle in Verwirrung,
sein Werk ist groß und hoch und ist doch die Verirrung.

Die Hypothese ist verdächtig, ich verzichte
und stecke meinen Kopf in die Naturgeschichte.
Hier hat mich Plinius mit Wissen reich beschenkt,
tut mir die Augen auf und lehrt mich, wie man denkt.
Zuweilen lasse ich zurück die großen Lichter
und schaue hie und da in sterbliche Gesichter.
Zuweilen nehmen mich mit köstlicher Verheißung
Sethos und Telemach in ihre Unterweisung.
Danach betrachte ich im Cleveland die Natur,
die sich dem Auge zeigt, ergreifend, immer pur.
Und später blättre ich in meinem Heimatbuch,
mit Tränen lese ich von Kriegsgefahr und Fluch.
Du ehmals weises Genf, mein teures Vaterland,
wer hat in deiner Brust die Raserei entbrannt?
Denk, daß du Helden hast hervorgebracht vorzeiten,
es mußte dir ihr Blut die Ruhe schwer erstreiten.
Doch heute seid ihr blind, verzückt von Raserei
und, Bürger, außer euch und sucht die Sklaverei.
Ihr findet früh genug das Schicksal dieser Schmach.
Noch ist es Zeit dazu, so denkt darüber nach.
Genießt das Wohlergehn, das Ludwig euch bestimmt,
in euren Mauern noch die alte Eintracht glimmt.
Seid glücklich, wenn ihr folgt der Ahnen Liturgie
und nie vergessen könnt, so frei zu sein wie sie.

Du zärtlicher Racine! Du lieblicher Horaz,
in meiner Mußezeit, da habt ihr euren Platz.
Claville und St. Aubin, Plutarch und Mezarai,
Despréaux, Cicero, Rollin, Pope, Barcelai,
du freundlicher La Motte, du rührender Voltaire,
du bist für meine Brust die teuerste Gewähr.
Es sträubt sich mein Geschmack vor der frivolen Schrift,
in der der Autor nur des Geists Gefallen trifft.
Er facht in reichem Maß den blanken Gegensatz,
sät Blumen hier und dort, sucht nach dem glatten Schwatz.
Das Herz mehr als der Geist entfaltet seine Triebe,
und ist es nicht gerührt, verweigert es die Liebe.
Ganz ohne alle Furcht die Tage mir verfließen,
und auch mein Auge braucht nicht Tränen zu vergießen.

Und stören sie dennoch die Ruhe meiner Tage,
geschiehts aus andrem Grund und nicht aus eigner Klage.
Vergeblich sucht der Schmerz, das Elend und der Wahn
den Mut mir abzutun am Ende meiner Bahn.
Ich lerne stoischen Trotz vom stolzen Epiktet,
wie man das Übel und die Armut übersteht.
Ich sehe ohne Gram die Mattheit, die mich drückt,
das Nahen meines Tods macht mich nicht mehr verrückt.
Das Leid kann unbeirrt an meinem Leibe zehren:
das ist für mich nur Grund, die Tugend zu vermehren.

Es gibt Steine, es gibt Pflanzen, und es gibt Tiere. Es gibt
Pflastersteine und Preziosen, es gibt Nutzpflanzen und schöne
Blumen, und es gibt wilde Tiere und zahme Esel, vom Men-
schen ganz zu schweigen. Die Steine sind starr, sie liegen nur
herum. Die Tiere sind unberechenbar, plötzlich fallen sie ein.
Nur die Pflanzen sind still und geduldig, sie stehen da, am Weg
und im Garten, am Wasser und im Haus, sie bilden die Wiese
und den Wald, das Feld und den Park der heiteren katholischen
Gesellschaft. Die Pflasterkönige und die Achatschleifer, die Lö-
wenbändiger und die Veterinäre denken zwar anders über die
Steine und über die Tiere, aber fragt nur die Gärtner und die
Floristinnen, was sie über die Pflanzen denken! »Suchst du das
Höchste, das Größte, die Pflanze kann es dich lehren!« sagt
Schiller, und so denken auch die Gärtner und die Blumenmäd-
chen.

Nun gibt es unter den Pflanzen das Immergrün und das Gänseblümchen. Das Immergrün ist fest im Fleisch und bescheiden
in seinem Leben, es kriecht am Boden hin und blüht an der
Mauer. Das Gänseblümchen ist zart im Fleisch und keck in seinem Leben, es reckt sich in der Wiese, und abends nickt es mit
dem Kopf. Die ganze Wiese ist mit kecken Gänseblümchen
übersät, das Immergrün aber blüht bescheiden an der Mauer.
Fest und bescheiden blüht es an der Mauer, es sieht so nachdenklich aus, und wenn es seine blauen Blüten senkt, dann heißt
es Sinngrün. Das Gänseblümchen aber hebt seinen zarten und
kecken Kopf, die ganze Wiese leuchtet gelb und weiß, und
wenn es seinen Strahlenkranz ganz weit öffnet, dann heißt es
Tausendschön.

Ja, das Immergrün und das Gänseblümchen sind ganz besondere Pflanzen. Jean Paul schreibt ein Lesestück: »Das Immergrün unserer Gefühle«, und Brigitte Bardot dreht einen Film: »Das Gänseblümchen wird entblättert«. So ist es mit dem Immergrün, es ist die Blume des Herzens, und so ist es mit dem Gänseblümchen, es ist die Blume des Leibs. Das Gänseblümchen ist aber nicht nur dazu da, daß es entblättert wird, wie auch das Immergrün nicht in alle Ewigkeit für die Dauerhaftigkeit der Gefühle blüht, nein, auch das Immergrün verblüht und auch das Gänseblümchen wirft seine Blätter nicht mir nichts dir nichts in die Wiese. Brigitte Bardot legt ihre Kleider ab, sie ist das Tausendschön, das an die Liebe im weitern Sinn erinnert. Jean Paul aber beschwört das Sinngrün, und er sagt: »Der Name Rousseau erinnert noch an die Liebe im engern Sinn.«

Rousseau liebte das Immergrün. Während Chateaubriand sein Leben lang den Geruch des Heliothrops in der Nase und Marcel Proust den Geschmack der Madeleine auf der Zunge spürte, so hatte Rousseau sein Leben lang den Anblick des Immergrüns vor Augen. Wo Rousseau in den zehn Jahren zwischen 1729 und 1739 auch immer weilte, und was er auch immer wieder tat, er kehrte immer wieder zu Frau von Warens und zu dem Immergrün zurück, das er über alles liebte. Er kehrte noch zu ihnen zurück, als Frau von Warens längst gestorben und das Immergrün längst erfroren war.

Im späten Frühjahr des Jahres 1729 kehrte Rousseau zu Frau von Warens zurück, nachdem er in die katholische Kirche übergetreten und mit dem Geist in der Flasche von Turin nach Annecy gereist war. Er fiel zu ihren Füßen nieder, küßte ihre Hand und heftete seinen Blick auf ihren Mund. Frau von Warens sagte: »Armer Kleiner, da also bist du wieder.« Rousseau war heimgekehrt. Er hatte als Lakai in Turin gelebt, jetzt würde er als Günstling bei Frau von Warens in Annecy leben. Er sagte: »Ich lebte in der süßesten Ruhe, in einem Genuß, ohne daß ich wußte, was ich genoß. Ich hätte so mein ganzes Leben und das ewige obendrein zubringen können, ohne mich einen Augenblick zu langweilen.« Und noch fünfzig Jahre nach jenem Palmsonntag, an dem er ihr zum erstenmal begegnet war, sagte er: »Es vergeht kein Tag, wo ich mich nicht mit Wehmut an jenen einzigartigen, kurzen Abschnitt meines Lebens erin-

nere, wo ich ungestört und ohne fremde Beimischung vollkommen ich selber war und wo ich in Wahrheit sagen kann, ich
hätte gelebt.« Welch ein Mißverständnis, welch ein Irrtum!

Rousseau besaß nichts, und er besaß niemanden. Er hatte nie
etwas, und er hatte nie jemanden besessen. Sein ganzes Leben
blieb die Zeit zwischen dem Traum und dem Wunsch, etwas
und jemanden zu besitzen. Sobald er aber besitzen sollte, ging
er dem Objekt d... ...tzes aus dem Weg. So war auch die Zeit
mit Fr... ...die Zeit zwischen der Betrachtung des
...d der Inbesitznahme des gesamten Bu-
...in dem er nämlich ihren gesamten Bu-
...te, überkam ihn anstatt Freude eine
...und er benetzte diesen Busen mit
... viermal im Verlaufe einer Nacht.
...trachtung und der Inbesitznahme
...ätete Kindheit, es war das Nach-
...aber nicht nachholen kann. Es
...den zweiten Bildungsweg, die
...üllung, die Sehnsucht nach der
...lte didaktische Frau von Wa-
...gogik hatten dich durch und
...n ist es seither so ergangen!
...Weg, es ist Frühling, du
...und auf die Reize der Frau
...d die Reize des Frühlings
...hen dem Grün und den
...t dich an der Hand, und
...das Immergrün. Armer
...zum Gegenstand ge-
macht?

Er liebte ...ankbar war. Er liebte sie nicht, ...e auch nicht, weil er
sich in ein Ge... ...war weder pflicht-
besessen noch ...ar nicht wollte er
sich einfach h... ...te sie ohne allen
Grund, aber w... ...von weitem als
aus der Nähe lieb... ...enstand für seine Liebe. Die G... ...weniger beein-
druckt als der Ged... ...Gegenstände

waren, dann waren es ihm am liebsten Blumen, und er wandelte in Rosen- und in Orangenduft, wo er doch besser eine Frau in seinen Armen gehalten hätte.

Rousseau war siebzehn, Frau von Warens war dreißig Jahre alt. Sie sagte zu ihm: »Kleiner.« Er sagte zu ihr: »Mama.« Sie hatte noch dieselben Augen, dieselbe Hautfarbe, dieselben schönen blonden Haare, ja sogar noch denselben Busen wie damals, als er ihr zum erstenmal unter die Augen trat. Nur ihre Taille hatte etwas mehr Rundung angenommen, aber das konnte ja nichts schaden, wenn er sie bald in seine Arme nehmen mußte. Alles an ihr war rund und warm, nur ihr Temperament war kalt, und es konnte sich bei aller Befeuerung nicht erwärmen. Sie war wohlgebildet, sie war tugendhaft, sie war freigebig, aber anstatt auf ihr Herz zu hören, das sie richtig geleitet hätte, hörte sie auf ihr Hirn, das sie in die Irre führte.

Ja, die Philosophie und die Pädagogik hatten sie verdorben, und die Hilfsbereitschaft des Lazarismus hatte sie auch nicht gebessert. Nachdem sie von ihrem Ehemann, dem ehrenwerten Sébastien Isaac de Loys, Herrn von Warens, geschieden war, hatte sie drei Verehrer, einen Philosophen, einen Pädagogen und einen Lazaristen, die es allesamt darauf angelegt hatten, sie mit Hilfe ihrer Lehren zu verderben. Herr Gros war der Lazarist, er hielt sie hinten am Schnürband, Frau von Warens lief durch das Zimmer, sie sprang zum Fenster, sie hüpfte auf das Bett, aber Herr Gros zog sie immerzu am Schnürband und rief: »Aber Madame, so bleiben sie doch stehen!« Wer weiß, was geschehen wäre, wenn sie diesem Rat gefolgt und wirklich stehengeblieben wäre?

Herr von Tavel war der Philosoph, er lehrte sie, die Verbindung der Geschlechter sei ein völlig gleichgültiger Akt und er bedeute an und für sich nicht das geringste, wenn der Mensch sonst nur tugendhaft und gottesfürchtig sei. Herr Perret war der Pädagoge, er befestigte diese Erkenntnis in ihrem Kopf, und Frau von Warens, kalt und nachdenklich, ließ sich von Herrn Gros weiter am Schnürband ziehen und vollzog mit den beiden anderen Herren den gleichgültigen Akt.

O diese sinnenkalten Damen von dreißig, sie haben die Erfindung der Sexmagazine, der Slips und der Pornofilme, ja sie haben die Erfindung der ganzen Psychologie begünstigt! Wie viele Menschen fühlen sich gehemmt von der gestrickten Unterhose, und in den Schlafzimmern herrscht der Dimmerschalter. Wer steht noch unverkrampft im weiten Unterrock, wer liegt noch krisenfest auf der Matratze, die mit Barchent überzogen ist? O ihr kalten dreißigjährigen Damen, o ihr armen Männer im Räderwerk der Animiergeräte!

Als Frau von Warens den kleinen Rousseau kennenlernte, da war er fast noch ein Kind. Er hatte schwarze Haare, einen zierlichen Mund, kleine und sogar tiefliegende Augen, er hatte ein schönes Bein, einen hübschen Fuß und allerliebste Zehen, die dann später vom vielen Gehen mit Hühneraugen übersät waren, aber nie in seinem Leben ist es ihm in den Sinn gekommen, an sein Äußeres zu denken, als bis es zu spät war. Er hat es zwar nie dahin gebracht, ein Menuett zu tanzen, aber er hüpfte beschwingt im Reigen mit, er hatte sich auch infolge seiner Hühneraugen angewöhnt, auf den Fersen zu gehen, aber deshalb war er noch lange kein unansehnlicher Mensch, den man nicht hätte lieben mögen.

Frau von Warens sah in ihm das Kind, sie behandelte ihn wie ein Kind, er ist als Kind von ihr gegangen. Er ist zeit seines Lebens ein Kind geblieben. Er war den Kindern zugetan, er sorgte sich um die Erziehung von Kindern. Als Kind sprach er über Kinder. Aber als Kind konnte er selbst keine Kinder haben, und als er Vater wurde, ließ er seine eigenen Kinder ins Findelhaus bringen.

Ja, Frau von Warens hat ihn allezeit nur als Kind gekannt. Sie verwöhnte ihn, sie verzärtelte ihn, sie hätschelte ihn. Gottlob, es war Rokokozeit, und ganz Frankreich war voller Frau von Warens'. Von den Gipfeln der Savoyischen Alpen bis zu den Turmspitzen der Pariser Kathedralen waren seidene Netze gespannt, damit der kleine Seiltänzer Jean-Jacques ja nicht in die gefährlichen Untiefen dieser Gesellschaft stürzen konnte. »Mama!« rief er, und Frau von Warens öffnete die Arme und sagte: »Armer Kleiner!« Später, als er längst nicht mehr in ihrer Obhut lebte, da machte er der ganzen Welt den Vorwurf, nicht Frau von Warens zu sein und ihn zu verwöhnen. O nein, die Welt hat ihn nicht verwöhnt, und er hat es ihr auch nicht vergessen.

Zuerst wohnten sie zusammen in Annecy, nahe am Wasser.

Auf der anderen Seite des Bachs und der Gärten zeigte sich das Grün der Landschaft, und Rousseau genoß die Luft, das Licht und den ganzen frühlingshaften Raum. Dann wohnten sie in Chambéry, mitten in der Stadt. Da gab es keinen Bach, keine Gärten, keine Landschaft, wenig Luft, wenig Licht, wenig Raum. Am Ende wohnten sie in Les Charmettes, draußen auf dem Lande. Es war ein kleines Landhaus mit Garten und Terrasse, mit Weinberg und Obsthain, unten in der Bergschlucht rann ein kleiner Bach, oben auf den Hängen weidete das Vieh. »O Mama!« rief er, und wieder stürzte er in ihre Arme, »dies ist der Aufenthalt des Glücks und der Unschuld. Wenn wir nicht beides hier miteinander finden, so brauchen wir nirgends mehr zu suchen.«

Aber in Annecy war er noch ganz trunken von ihren Reizen, in Chambéry war er es schon nicht mehr, und in Les Charmettes hatte sich seine Blase bereits derart schlimm entzündet und seine Harnröhre auf eine kuriose Weise verengt, daß er gute Gründe besaß, nicht mehr zu Mama unter die Decke kriechen zu müssen. In Annecy, wo er für sie schwärmte, hatte er noch ihre Hände, ihre Vorhänge, ihre Möbel, ja ihren Fußboden geküßt. In Chambéry, wo er von ihr ins Bett genommen wurde, da mußte er ihre Brust und ihre runde Taille küssen. In Les Charmettes aber, wo ihn schon die Harnröhre plagte, da durfte er endlich den stillen Blumen und den lustigen Vögeln seine Küsse zuwerfen, und mit Frau von Warens pflückte er das Immergrün.

Ihm war zumute, als hätte er Blutschande begangen. Er sagt selbst, sie sei für ihn mehr als eine Schwester, mehr als eine Mutter, mehr als eine Freundin, ja mehr als eine Geliebte gewesen, er sagte: »Ich liebte sie zu sehr, um sie besitzen zu wollen.« Aber Mama ließ nicht locker, die reife Frau und der Jüngling, o nein, das wollte sie nicht auf sich beruhen lassen, und so traf sie das schreckliche Arrangement. Es gibt vielleicht nicht so viele Menschen, die mit ihrer Mutter geschlafen haben, aber diese Ödipusse und diese Jokastes bevölkern die Sofas der Psychiater und müssen ihren Inzest bitter büßen. Rousseau hatte Glück, er brauchte nicht allein an seine Mama angebunden zu sein, sie waren immer zu dritt.

Im 18. Jahrhundert, da gab es die Freundschaft, da gab es die

Liebe, und da gab es die Liebe zu dritt. Im 19. Jahrhundert, das der Geometrie zugetan war, wurde das Verhältnis daraus, da gab es das Freundschaftsverhältnis, da gab es das Liebesverhältnis, und da gab es das Dreiecksverhältnis. Im 20. Jahrhundert, in dem alles zur Semiotik geworden ist, da wurde auch das Verhältnis zur Beziehung, und so gibt es die Zweierbeziehung, es gibt die Dreierbeziehung, den Gruppensex und die Wohngemeinschaften. O ihr Dreierbeziehungen, ihr Dreiecksverhältnisse, o du unselige Liebe zu dritt! Ihr schmählichen Stellungen zueinander, wie habt ihr euch verändert! Aus dem einfachen Parallelogramm wurde die Trigonometrie mit ihren Verhältnissen und die Semiotik mit ihren Beziehungen, nur der Mensch ist unwandelbar geblieben. In Annecy war es Claude Anet, in Chambéry war es der finstere Wintzenried, und in Les Charmettes war es das teure Immergrün, das sich zwischen Rousseau und Frau von Warens schob. Ja, mit dem Immergrün hatten sie am Ende genug zu tun, was war das für ein Glück.

Als sie zum erstenmal für die Nacht nach Les Charmettes hinauszogen, saß Frau von Warens in einer Sänfte, Rousseau folgte ihr zu Fuß. Es ging bergauf, die Sänfte war ziemlich schwer mit der vollschlanken Frau von Warens darinnen, und um die Träger nicht zu sehr zu ermüden, wollte sie auf dem halben Wege aussteigen und den Rest des Weges zu Fuß zurücklegen. Im Gehen sah sie etwas Blaues in der Hecke, und sie sagte zu Rousseau: »Da ist noch ein blühendes Immergrün.« Rousseau hatte bis zu diesem Augenblick nie ein Immergrün gesehen. Er bückte sich nicht einmal, um es zu betrachten, und er war ja zu kurzsichtig, um im Stehen Pflanzen an der Erde unterscheiden zu können. Nur im Vorübergehen warf er einen Blick darauf, aber das hatte genügt. Immer wieder suchte er das Immergrün auf, und wo er es fand, da bückte er sich und pflückte ein paar Blüten.

O du herrliche Zeit im Baumgarten der Frau von Warens! Welch ein Pflanzenglück, welch ein Bücherglück! Rousseau kaufte sich eine Tasche und botanisierte, er kaufte sich Farben und malte die Blumen. Rousseau las, er kaufte sich Tinte und Papier und schrieb. Er stand mit der Sonne auf, stieg in den Weingarten hinauf und sammelte seine Ideen. Nach dem Frühstück setzte er Geschäftsbriefe auf, schrieb Rezepte ab, sortierte

Kräuter aus, richtete Drogen her, fertigte Chemikalien an. Ja, das Haus von Mama war eine rechte Hexenküche, Claude Anet vergiftete sich fast, und er selbst wäre um ein Haar erblindet. Er wollte sympathische Tinte herstellen, da explodierte die Flasche mit Kalk und Opperment. Claude Anet wollte Zwergschafgarbe suchen, da erhitzte er sich und starb an einer Erkältung. Ja, es war ein rechtes Hexenhaus.

An anderen Tagen spazierten sie hinaus ins Freie. Sie picknickten in der Wiese, sie vesperten in der Laube, bei der Obsternte kletterten sie auf die Bäume, bei der Weinlese versteckten sie sich hinter den Rebstöcken. Obwohl ein wenig rund und stark, ging Mama nicht übel. So wanderten sie von Hügel zu Hügel, manchmal in der Sonne, manchmal im Schatten, und immer wieder fanden sie Immergrün und pflückten ein paar Blüten für Mamas Haar und für die ewigen Gefühle. Ja, so hätten sie leben mögen in alle Zeit! Er ging neben Mama her, und Mama war immer an seiner Seite. Sie gingen nebeneinander her und hielten einen Strauß mit Immergrün in der Hand. Sie saßen auf einer Bank, und zwischen ihnen lag der Strauß mit Immergrün. Wie gut war es, daß es das Immergrün gab. Rousseau nahm Frau von Warens an der Hand, er öffnete seinen Mund und sagte: »Sieh, Mama, das schöne Immergrün.« Er brauchte nicht handgreiflich zu werden. Früher war ihm das Schweigen aufgezwungen worden, jetzt endlich machte ihn das Sprechen frei.

Im aufgezwungenen Schweigen war er gedemütigt worden, im befreiten Sprechen kann er endlich triumphieren. Zuerst demütigt er sich voller Glück, dann triumphiert er vor Wonne. Demütig gehorcht er im aufgezwungenen Schweigen, triumphierend herrscht er im befreiten Sprechen. Rousseau überzeugt nicht durch wohlgeformte Oberschenkel oder durch gelocktes Haar, er glänzt auch nicht durch Muskelkraft und Handgreiflichkeit, nein, seine Vorzüge sind viel weniger aufsehenerregend: er wirkt durch Etymologie und Grammatik.

Er hat die Sprache bei der Hand, und das ruft die erklärenden Wissenschaftler auf den Plan. Da kommen die Professoren mit ihren Thesen, da kommen die Psychologen mit ihren Theorien. Aber es kommt nicht nur Professor Laforgue, es kommen nicht nur Professor Scheinfuß und Professor Ziegenfuß, nein, am Ende kommt sogar Professor Starobinski mit seinen Erklärungen. Ja, Professor Starobinski, die sublimste aller Vereinigungen ist die Vereinigung, bei der man sich nicht mehr zu berühren braucht. Die innigste Vereinigung ist der Abstand, und zwar der soziale und der körperliche Abstand. O Gott, zu was für Vereinigungen haben wir es gebracht!

Rousseau läßt es fließen. Er pißt in den Kochtopf der Frau Clot. Er baut sich eine Rinne, um das Wasser des Pfarrers Lambercier auf sein Bäumchen zu leiten. Er verschüttet Wasser auf das Kleid des Fräulein von Breil. Und dann wird er sich eines Tages mit einer Sonde versehen, damit auch sein eigenes Wasser fließen kann, und er wird es bis ans Ende seines Lebens fließen lassen müssen.

Er fürchtet in der ganzen Welt nichts so sehr wie ein Mädchen im Negligé. Rousseau berührt nicht die Arme des Fräulein Gallay und auch nicht die Hüfte des Fräulein von Graffenried, o nein, er klettert auf den Baum, und von oben herab wirft er ein Büschel Kirschen in ihr Mieder. Und erst die venetianischen Dirnen! Die Natur hat ihn nicht für die leibliche Berührung geschaffen! Die Paduanerin singt ihm ein Lied vor, dabei braucht er sie nicht zu berühren. Die schöne Zulietta hat außer einer hellen auch eine dunkle Brustwarze, da getraut er sich nicht, sie zu berühren. Er will nicht begreifen, wie ein Mensch ungestraft aus den Armen dieser Paduanerin kommen kann, und er zerbricht sich den Kopf, wie ein Mensch wohl neben einer hellen noch eine dunkle Brustwarze haben kann. Von der Paduanerin fühlt er sich angesteckt, und er schickt nach dem Arzt, damit er ihm Teeaufgüsse verschreibe. Von der schönen Zulietta fühlt er sich abgestoßen, und er beginnt sogar von dieser dunklen Brustwarze zu reden, damit er auf diese Weise dem Ungeheuer widerstehe. Der Arzt sagt zu ihm: »Sie sind von besonderer Beschaffenheit, so daß sie nicht so leicht anzustecken sind.« Die schöne Zulietta sagt zu ihm: »Zanetto, laß die Frauen und studiere Mathematik.«

Ist nicht auch der Student in Oscar Wildes Märchen wieder zur Philosophie gegangen und hat Metaphysik studiert? Hat nicht auch Knulp lieber von seiner schönen Geliebten gesprochen und das Photo von Eleonore Duse vorgezeigt, als er nach seinem Schatz gefragt wurde? Und erst die Helden von Knut

Hamsun, nein, es gab keine sozialen und keine leiblichen Berührungen, es fließen die Wörter.

Aber Rousseau spricht noch nicht einmal mit Fräulein von Breil, er spricht über den Wahlspruch der Familie des Fräulein von Breil und deutet ihn. Rousseau erzittert. Fräulein von Breil errötet. Rousseau erzittert bis in den Nagel seiner großen Zehe. Fräulein von Breil errötet bis ins Weiße ihrer Augen. Rousseau wird Frau von Warens nicht mehr auf den Busen küssen, er wird ein Gedicht auf ihren Apfelgarten schreiben. Rousseau wird Frau von Houdetot nicht in den Hintern kneifen, nein er wird ihr das Manuskript eines Buches überreichen. Dann endlich wird er frei sein, dann wird er etwas geben, wofür er nicht auch etwas zu nehmen braucht.

Eine ganze Welt ist voller kecker Gänseblümchen, zart im Fleisch, die allesamt darauf warten, entblättert zu werden. Er aber wird das Immergrün pflücken, das so fest im Fleisch und so bescheiden im Leben ist, das beharrliche Immergrün, die stille und geduldige Pflanze, die uns das Höchste und das Schönste lehren kann, was die Gärtner und die Blumenmädchen längst schon wissen, und wovon Schiller fortfährt: »Was sie willenlos ist, sei du es wollend.«

Ja, das Immergrün unserer Gefühle, noch fünfzig Jahre später wird es so frisch und so unverwelklich blühen wie damals im Jahre 1728. Es wird wieder Palmsonntag sein, und Rousseau, sechsundsechzigjährig, nur wenige Wochen vor seinem Tod, wird seine allerletzten Sätze schreiben: » . . . daß ich in der Lage wäre, falls es noch möglich sein sollte, eines Tages der besten aller Frauen den Beistand wieder zu gewähren, den ich von ihr erhalten hatte.« Aber da war Mama schon längst gestorben.

Rousseau

ringt mit seinem Herzpolypen

Welche Qualen, welche Pein!
Wie abscheulich ist der Schmerz,
Innen ächzen, doch nicht schrein:
Sterbenskrank ist mir ums Herz!

Glücklich ist in seinem Gram,
Welcher unter Tränen schreit.
Aber Leiden stumm und zahm
Ist das allerschlimmste Leid.

Unterhalb des Rippenbogens, in der Gegend der Rippenknorpeln, dort also, wo die achte, die neunte und die zehnte
Rippe durch Knorpel miteinander verwachsen sind, kaudal von
den Rippenknorpeln, wie es in der Medizin heißt, im seitlichen
Bezirk der Oberbauchgegend, liegt ein Körperteil, das von
außerordentlicher Bedeutung für den gesamten Organismus ist.
Es ist ein Körperteil, das nicht übersehen werden darf, auch
wenn es weder ein lebenswichtiges Organ ist, noch ein lebenswichtiges Organ birgt; ein Körperteil, dessen Erkrankung nicht
zum Tode, aber zur immerwährenden Angst vor dem Tod
führt. Einerseits ist es nützlich, wenn der Mensch von der Existenz dieses Körperteils sein Leben lang keine Kenntnis erlangt,
andererseits wäre es schade, wenn er es nicht besäße, denn es
läßt den Menschen so recht Mensch sein in aller seiner Hinfäl-
ligkeit.

Dieses Körperteil unterhalb des Rippenbogens ist das Hypochondrium. Es liegt bezeichnenderweise kaudal von den Rippenknorpeln, kaudal, das ist schwanzwärts, das heißt abwärts
liegend. Ja, was liegt im Leben nicht alles schwanzwärts! Das
Hypochondrium, schwanzwärts liegend, übt seinen Einfluß auf
den ganzen menschlichen Körper aus, aber nicht nur nach unten, sondern hinauf bis in die äußersten Spitzen der Haare. Es
strahlt von innen nach dem Bauch, nach der Brust und nach dem
Kopfe aus, und diese Ausstrahlungen des Hypochondriums sind
die inneren Übel, die den Menschen zunichte machen.

71

Dem Hypochondrium gegenüber liegt das Sonnengeflecht, diese ineinander verstrickten sympathischen Nervenknoten. Während das Hypochondrium vor dem Bauch liegt, liegt das Sonnengeflecht vor der Wirbelsäule. Das Sonnengeflecht strahlt von außen in den Bauch, in die Brust und in den Kopf ein, und diese Einstrahlungen des Sonnengeflechts sind die äußeren Segnungen, die dem Menschen zugute kommen. Das Sonnengeflecht ist ein Organ, das der Mensch von Natur aus besitzt, und seine Segnungen sind die Segnungen der Natur. Das Hypochondrium ist ein Organ, das der Mensch sich in der Kultur erworben hat, und seine Übel sind die Übel der Kultur.

Die Natur ist gesund, die Kultur dagegen ist krank. Die inneren Übel, die das Hypochondrium aussendet, sind Einbildungen, die äußeren Segnungen, die das Sonnengeflecht eingibt, sind Ausheilungen. Das Ausgesendete ist eingebildet, das Eingegebene heilt aus, welch ein schönes Wunder der Natur! Nun steht aber eine Einbildung, die von einer Ausstrahlung herrührt, im umgekehrten Verhältnis zu einer Ausheilung, die von einer Einstrahlung herrührt. Die von einer Ausstrahlung bedingte Einbildung kann nämlich ebenso wenig auszuheilen sein, wie die von einer Einstrahlung bedingte Ausheilung nicht eingebildet sein kann. Das Eingebildete ist unausgeheilt eingebildet, und das Ausgeheilte ist uneingebildet ausgeheilt. Je weniger der Mensch leiden kann, um so mehr leidet er, je mehr er dagegen leiden kann, um so weniger leidet er. Je weniger er sich andererseits freuen kann, um so mehr freut er sich, und je mehr er sich freuen kann, um so weniger freut er sich.

Wir geben uns alle Mühe, so heftig wie möglich zu leiden und uns so kärglich wie möglich zu freuen, als sei das Leid etwas Erstrebens- und als sei die Freude etwas Verachtenswertes. Wer weiß, aus welchen Gründen dieser ganze Mechanismus den Philosophen Diderot dazu veranlaßt hat, den Menschen für eine Maschine zu halten? Das Hypochondrium sendet aus, und diese Übel sind die lasterhaften Krankheiten der Kultur; das Sonnengeflecht gibt ein, und diese Segnung ist das tugendsame Gesundsein der Natur. Ist aber dieses wechselseitige Aussenden und Eingeben des Hypochondriums und des Sonnengeflechts mit dem Kolben- und Zylinderwerk einer Maschine zu vergleichen? Diderot hatte die Maschine in seinem Kopf erfunden, und Rousseau sollte die mangelhafte Konstruktion des Räderwerks am eigenen Leib verspüren.

Es war im Jahre 1737, als sich dieses eigentümliche Wechselspiel bei Rousseau auf verhängnisvolle Weise bemerkbar machte. Eines Tages verspürte er nämlich in seinem Hypochondrium ein Petzen und ein Stechen, ein Kneifen und ein Pieken, wie von der Schere eines Krebses, aber an mehreren Stellen zugleich, so als handele es sich um ein Gebilde mit vielen Scheren, womöglich um ein Lebewesen, um ein vielfüßiges und vielarmiges Ungeheuer mit Klauen und Krallen, und sogleich wußte er, das war eine Krake, ein Polyp, und zwar ein tausendfüßiger Herzpolyp.

Er hatte in seinen jungen Jahren schon an allerhand verschiedenen Krankheiten gelitten, aber es war ihm nie zuvor so etwas wie ein Herzpolyp in seinem Hypochondrium gewachsen. Bei einem chemischen Experiment war ihm einmal Kalk und Opperment in Mund und Augen geraten, und er drohte zuerst zu ersticken und dann zu erblinden. Später warf ihn ein schleichendes Fieber auf das Krankenlager nieder, er spuckte Blut, und der Schweiß rann ihm Tag und Nacht in Strömen von der Stirn. Aber das alles war nicht zu vergleichen mit den immer wiederkehrenden Anfällen in seinem Bauch, in seiner Brust und in seinem Kopf, die allesamt von den Ausstrahlungen des Hypochondriums herrührten. Sie ließen ihn in Tränen ausbrechen, ohne daß er je einen besonders heftigen Schmerz verspürt haben würde.

Weiß Gott, jetzt war er fünfundzwanzig Jahre alt, er war ziemlich fest gebaut, und er besaß einen tiefen Bauch, in dem sich das Eingeweide, eine breite Brust, in der sich die Lunge, und einen umfänglichen Kopf, in dem sich das Gehirn frei bewegen konnte, und doch hatte er ein Bauchkneifen, einen kurzen Atem und Ohrensausen, so daß er sich ständig bedrückt fühlte, an Herzklopfen litt und schlimme Migränen bekam. Mama wollte ihn einer Diätkur opfern, und er sollte aufs Land gehen, um dort an der Milch der savoyischen Kühe zu genesen. Er trank die Milch, aber er konnte sie nicht vertragen. Er selbst wollte der Wasserkur huldigen, und so stürzte er sich ins Wasser, und zwar so unvorsichtig, daß es ihn beinahe von allen irdischen Leiden geheilt hätte. Am Morgen beim Aufstehen ging er mit einem großen Becher zur Quelle. Er wandelte auf und ab und trank auf diese Weise nach und nach zwei Flaschen Wasser. Aber das Wasser war hart und schwer, und er konnte es genauso wenig vertragen wie die Milch. O weh, ohne Verdauung ist der Mensch ein armes Wesen, und er hat keine Hoffnung mehr auf Heilung. Rousseau dachte, wie man doch schon in der Blüte seiner Jugend, ohne irgendeinen inneren oder äußeren Schaden, ohne daß man seine Gesundheit durch irgend etwas zerstört zu haben, schon in einen solchen Zustand verfallen kann.

Ach, dieses Grimmen im Bauch, dieses Klopfen in der Brust und dieses Sausen im Kopf hat ihn sein Leben lang nicht mehr verlassen. Er lag in seinem Bett, er saß bei Mama am Bettrand, ja er schlüpfte zu Mama unter die Bettdecke, aber das Leben schwand ihm dahin, ohne daß er dazu kam, es recht zu genießen. Da brach eines Tages in seinem Blut ein Sturm los, der sich auf einen Schlag aller seiner Körperteile bemächtigte. Zuerst rumorte es ihm im Bauch, dann wühlte es ihm in der Brust, und schließlich begannen die Pulse zu jagen. O weh, die Pulse schlugen so stark, daß er es nicht nur fühlte, sondern sogar hörte, besonders das Schlagen der Schläfenadern.

Dieses Pochen schwoll dermaßen stark an, daß ein Geräusch in den Ohren entstand, welches sich zuerst verdoppelte, dann verdreifachte und schließlich vervierfachte und zuerst zu einem schweren Summen, dann zu einem dumpfen Murmeln und am Ende zu einem gräßlichen Pfeifen wurde. Das Pfeifen seinerseits verdoppelte, verdreifachte und vervierfachte sich gleichfalls, und ganz am Ende war es zu einem schrillen Sausen geworden, heller als von rinnendem Wasser. Dieses innere Geräusch war so entsetzlich, daß Rousseau die Feinheit seines musikalischen Gehörs verlor und ihn, wenn auch nicht gerade taub, so aber doch schwerhörig machte, wie wir es nur von den Komponisten her kennen. Schwerhöriger Rousseau, tauber Beethoven, wie schwer seid ihr geschlagen, ach, wie schlimm ist es, wenn der Mensch in der Trauer freudig und in der Freude traurig sein muß! Und Rousseau, mit seinem grimmenden Bauch, mit seiner klopfenden Brust und mit seinem sausenden Kopf, er sprang aus dem Bett und rief: »Wir sind so wenig dazu gemacht, uns hienieden glücklich zu fühlen, daß notwendigerweise die Seele oder der Körper leiden müssen, wenn sie nicht beide zusammen leiden, und daß ein glücklicher Umstand des einen fast immer dem anderen Eintrag tut. Als ich das Leben hätte recht genießen können, hinderte mich die verfallende Maschine meines Körpers daran, ohne daß man sagen konnte, wo das Übel seinen eigentlichen Sitz habe.«

Ja, das Hypochondrium, es ist ein ungestaltes, es ist ein vertracktes Körperteil! Wer trotz tiefem Bauch, trotz breiter Brust und trotz umfänglichem Kopf ein vermaledeites Hypochondrium besitzt, dem hilft alles Bodybuilding und auch alles Seelentraining nichts. Schaut euch das Bodybuilding an, was nimmt der Mensch nicht alles auf sich, um so häßlich wie möglich zu werden. Er liefert sich den Foltermaschinen aus, um einen Muskel auszubilden, er begibt sich in die Seelenmassage, um sein Gemüt zu restaurieren. Ja, schaut euch das Seelentraining an, was nimmt der Mensch nicht alles auf sich, um so bösartig wie möglich zu werden!

Rousseau fand ein bißchen Linderung bei den Kühen von Savoyen und bei den Quellen von Passy, auch wenn die Milch und das Wasser zu hart und zu schwer waren und ihm nicht bekamen. Aber dieses Bauchgrimmen, dieses Brustklopfen und dieses Kopfsausen waren ja eher lästig und unbequem als wirklich mit Schmerzen verbunden, und so gewöhnte er sich allmählich an diese Hypochondrie. Er litt zwar am Kneifen, aber es war kein richtiger Bauchschmerz, er litt am kurzen Atem, aber es war kein richtiges Asthma, er litt am Ohrensausen, aber es war kein richtiger Kopfschmerz, nein, es war so recht die Krankheit der reichen Leute, die trotz Bädern und Heiltränken, trotz Aderlässen und Frischzellenkuren immer gelber, immer magerer und immer schwächer werden. Rousseau gewöhnte sich an das Übel aus dem Bauch und an das Schwinden der Kräfte, er gewöhnte sich an die Angst aus dem Bauch und an die Bewegungslosigkeit, er gewöhnte sich an die Schlaflosigkeit und an das Denken. Kraftlos saß er da und dachte nach, und er gewöhnte sich an diesen jämmerlichen Zustand. »Der Mensch gewöhnt sich an alles«, sagt Alexis von Tocqueville, »an den Tod auf dem Schlachtfelde und an den Tod im Krankenhaus, er findet sich mit allem Geschehen ab.« Tocqueville hatte sich nur mit den leibhaftigen Stechmücken in der nordamerikanischen Wildnis nicht abfinden können, Rousseau dagegen mußte sich an ein Sausen von Millionen von völlig unwirklichen Mücken in seinem Kopf gewöhnen.

So konnte es aber nicht bleiben. Und so versuchte er es anstatt mit Wasser und Milch mit Wein. O ja, er trank wieder Wein, er ging wieder aus, und er hörte wieder auf zu denken. Er trat hinaus in den Garten und vertraute sich der Heilkraft der Natur an. Aber er nahm sich lieber die Taubenzucht vor, als daß er sich mit Spatenstichen wieder das Übel in den Bauch, die Angst in die Brust und die Schlaflosigkeit in den Kopf grub. Nein, das luftige Wesen der Taube sollte ihn emporheben in die Höhe, in der die Äolsharfen tönten. Aber so viel er auch von dem savoyischen Wein trank und so unverdrossen er auch die Tauben zähmte, er verlor den Appetit und wurde mager wie ein Gerippe, er ermattete und drohte zu ersticken, er wurde leichenblaß und siechte dahin.

O du teuflische Hypochondrie! Ein Blumenduft weht über die Wiese, ein Sensenschlag tönt aus dem Feld, sogleich wird ihm übel im Bauch, und er windet sich nach allen Seiten. Ein Schauer fällt auf das Land, ein Regenbogen wölbt sich am Himmel, sogleich schreckt er zusammen und zittert an Leib und Seele. Ein Blatt rauscht im Gebüsch, ein Vogel schwirrt auf, sogleich stürzen Tränen aus seinen Augen, und seine Nachtruhe ist dahin. O die Tränen, sie beginnen zu fließen, wenn das Hypochondrium überquillt! Ja, es war die Krankheit der reichen Leute. Als er sich unterwegs nach Vevey befand, da hat ihn das Wasser des Genfer Sees so tief gerührt, daß er anhalten mußte, um sich kräftig auszuweinen. Da saß er auf einem Felsblock, und es war ihm eine Lust, zu sehen, wie seine Tränen fielen und sich mit dem Wasser des Sees vermischten.

War er nun ein Außenseiter, eine Ausnahme, ein Aussätziger, oder war er gar eine Mißgeburt? Er las medizinische Bücher, er warf sich auf das Studium der Anatomie, er verschaffte sich eine Übersicht über die Menge und über das Spiel der einzelnen Teile des Körpers, aber je mehr er in das Schalten und Walten dieses Mechanismus eindrang, um so schlimmer wurden seine Leiden. Mama rief den Arzt herbei. O nein, liebe Mama, du hättest es nicht tun sollen, du hättest den Arzt nicht rufen sollen, o nein, lieber würde er nur noch zehn Jahre ohne Arzt leben als dreißig Jahre lang das Opfer eines Arztes zu sein.

Er lag in seinem Bett, der Vorhang des Alkovens hing schlaff herab. Ach, wie fühlte er sich sterbenselend! Gottseidank stand das Fenster ein wenig offen, und er konnte hinaus in den Apfelgarten sehen. Rousseau griff nach der Hand von Mama und sagte:»Wenn ihr mich sterben seht, so tragt mich in den Schatten einer Eiche, und ich verspreche euch, ich komme davon.« Rousseau im Schatten einer Eiche, das wäre vielleicht die Heilung aller Leiden gewesen. Frisch gewaschen und warm gekleidet, nach allen Verhältnissen des Klimas und des Wetters versorgt, ja, so wäre er wieder gesund geworden und davongekommen.

Auf der einen Seite steht nämlich die Medizin, und auf der anderen Seite steht die Hygiene. Die Medizin ist eine Wissenschaft, die Hygiene aber ist eine Tugend. Die beiden wahren Ärzte des Menschen sind nicht die Chirurgen mit den Messern und nicht die Internisten mit den Tabletten, nein, die beiden wahren Ärzte des Menschen sind die Arbeit und die Mäßigkeit. Die Arbeit fördert den Appetit, und die Mäßigkeit verhindert die Völlerei, während der Chirurg mit seinem Messer den Appetit verhindert und der Internist mit seinen Tabletten die Völlerei fördert. Ja, das wird er eines Tages den kleinen Emil lehren.

O ihr Appetitzügler, ihr Kopfwehtabletten, du katzenfreundliches Visken, du hundemäßiges Uricovac! Was für eine verhängnisvolle Tablettenvöllerei ist unter den Menschen ausgebrochen. Da steht eine ganze Zivilisation, schluckt die Pille und lutscht das Dragee, und nichts als die Unersättlichkeit des Hypochondriums ist schuld an dieser bösen Völlerei. Noch waren nicht einmal zehn Jahre ins Land gegangen, da hatte Rousseau die calvinistische Askese für die katholische Völlerei geopfert. Wie leichtfertig hatte er für das Einnehmen eines opulenten Essens und für den Anblick eines opulenten Busens dem geistigen Genuß abgeschworen und den leiblichen Genuß bekannt. Ja, wie leichtfertig hatte er den Vorteil des Geistes zugunsten der Annehmlichkeit des Fleisches aufgegeben.

Immer hatte ihn die Sterbeglocke an die calvinistische Askese und hatte ihn die Vesperglocke an die katholische Völlerei gemahnt. Die Sterbeglocke flößte ihm Angst, das Vesperglöckchen flößte ihm Vertrauen ein. Sobald die Sterbeglocke ertönte, traten ihm Priester im Chorrock über dem Leib und mit dem Weihwasserkessel in der Hand vor Augen. Sobald aber das Vesperglöckchen ertönte, sah er ein Frühstück, den Nachmittagskaffee, frische Butter, Früchte und Milchspeisen auf dem Tisch erscheinen.

Aber wie förderlich ist doch die innerweltliche Askese, wie abträglich ist die Völlerei! Wieviel Energien hat der tatkräftige Protestantismus für den kapitalistischen Aufschwung freigesetzt, als er erst einmal die religiöse auf die weltliche Askese umgewälzt hatte. Hei, wie hat da die Wirtschaft floriert! Tugendsame calvinistische Askese, die den späten Kapitalismus so gedeihlich beflügelt hat, lasterhafte katholische Völlerei, die den wirtschaftlichen Niedergang so verderblich begünstigt hat! Großer Max Weber, es ist nützlich, immer wieder auf dich zurückzukommen. Dem Lustgewinn durch Befriedigung steht der Lustgewinn durch Entbehrung entgegen. Vom Orgasmus der Völlerei geht es schnurstracks in die Wollust der Askese. Aber die Umkehr ist nicht jedermann gegeben, schizophrene Leptosome sind ganz versessen darauf, während hypomanische Pykniker gar keinen Geschmack daran finden. Ja, die kleinen Dicken, sie sind nicht geschaffen zum umtriebigen Management! Aber die großen Schlanken, sie agieren drahtig in Büros und Laboratorien und fördern die Produkte von Gewerbe und Industrie. Dafür süßen sie mit Saccharin und schmettern den soliden Tennisball. Rousseau sitzt auf der Bettkante, er schiebt den schlaffen Vorhang des Alkovens beiseite und schaut aus dem Fenster. O Chambéry, o gewerbige Stadt im Tal der Leysse und Albane, schon regt sich dein Bürgerfleiß in der Textil- und in der Lederindustrie, und auch die savoyischen Menschen erzeugen mit ihren Armen mehr als sie für ihren Bauch brauchen. Rousseau leidet am Hypochondrium, und er wäre gar nicht gerne gesund gewesen, nur um das Unglück dieser Welt mit Arbeit zu vermehren. Dieses Machen, dieses Mehr! Ach, der geschäftige Mensch, denkt Rousseau, wäre er weise genug, dieses Mehr zu verachten, so hätte er immer genug, weil er niemals zuviel hätte.

Der Mensch überarbeitet sich, weil er sein Glück vermehren will, aber er verwandelt es auf diese Weise in Unglück. Ja, wer sich überarbeitet, lebt unglücklich, folglich lebt er schlecht. Wer aber nur leben will, der lebt glücklich, folglich lebt er gut. Rousseau schiebt den Vorhang vollends zurück und erhebt sich. Jetzt steht er auf nackten Füßen mitten in seinem Zimmer und schaut nach seinen Schnallenschuhen, die in der Ecke liegen. Soll er wieder zurückkehren in die calvinistische Askese? Aber dieses Zurück liegt ja nicht hinten in der Vergangenheit, sondern es liegt vorne in der Zukunft, und er muß die Schnallenschuhe anziehen und sich auf den Weg machen.

Wenn nur nicht dieses Grimmen im Bauch, wenn nur nicht dieses Klopfen in der Brust, und wenn nur nicht dieses Sausen im Kopf wäre. Und dann dieses Petzen und Stechen, dieses Kneifen und Pieken des tausendfüßigen Herzpolypen! Exzentrisches Hypochondrium, wie kann ein Mensch von einem Herzpolypen genesen? Rousseau ist in seine Schuhe geschlüpft und steht an der Treppe. Hat nicht Herr Fizes in Montpellier schon einmal einen solchen Herzpolypen auskuriert? Rousseau schluckt ein paarmal, um das Bauchgrimmen zu besänftigen, er atmet tief ein, um das Brustklopfen zu beschwichtigen, er legt die Hände an die Schläfen, um das Kopfsausen zu begütigen. Aber die Krake petzt und sticht, sie kneift und piekt, und Rousseau sagt: »Wir sind so wenig dazu gemacht, uns hienieden glücklich zu fühlen, daß notwendigerweise die Seele oder der Körper leiden müssen, wenn sie nicht beide zusammen leiden, und daß ein glücklicher Umstand des einen fast immer dem anderen Eintrag tut. Als ich das Leben hätte recht genießen können, hinderte mich die verfallende Maschine meines Körpers daran, ohne daß man sagen konnte, wo das Übel seinen eigentlichen Sitz habe.«

Ja, es ist ein eigen Ding, diese menschliche Maschine mit ihrem Hypochondrium und ihrem Sonnengeflecht. Sieht man nämlich diesen Mechanismus walten, dann erscheinen auf der einen Seite die innerlich Eingebildeten und auf der anderen Seite die äußerlich Ausgeheilten. Die äußerlich Ausgeheilten gehen heiter und leichtbeschwingt dahin und blicken zuversichtlich in die Gegenwart. Die innerlich Eingebildeten aber stehen verschlossen und schwermütig auf der Stelle und schauen angestrengt in die Zukunft. Diderot beugt sich zu ihnen hinüber und sagt: »Ich vermute, diese verschlossenen und schwermütigen Männer verdankten den außergewöhnlichen, ja fast göttlichen Scharfblick, welchen man zeitweise an ihnen bemerkte, und der sie bald auf tolle, bald auf erhabene Gedanken brachte, einzig einer zeitweiligen Störung ihrer Maschine.«

Oh, wie ringt Rousseau mit seinem Herzpolypen! Er setzt dem Petzen seine ganze Hoffnung, er setzt dem Stechen seine ganze Zuversicht, er setzt dem Kneifen seine ganze Erwartung, er setzt dem Pieken sein ganzes Vertrauen auf Heilung entgegen. Schon läßt die Hoffnung einen bunten Blütentraum entstehen, schon läßt die Zuversicht eine schillernde Fata Morgana aufblitzen, schon läßt die Erwartung ein glänzendes Luftschloß erscheinen, und schon läßt auch das Vertrauen eine fröhliche Zukunftsmusik ertönen; aber so sehr er sich mit Hoffen und mit Zuversicht, mit Erwarten und mit Vertrauen müht und plagt, er kriegt die Krake nicht zu packen. Was soll er jetzt noch tun? Adieu, Mama, er reist nach Montpellier, um den Herzpolypen endlich auszukurieren.

Aber was für ein Glück, er braucht gar nicht bis Montpellier zu reisen, um den rechten Arzt zu finden. Schon in Moirans im Jura steigt sein Arzt aus einer Kutsche, und siehe da, der Arzt ist gar kein richtiger Arzt, es ist ja eine Frau, die da aus der Kutsche steigt. Es ist jene Dame, die weder schön noch jung, aber ebenso wenig häßlich und alt ist, nein, sie hat ganz andere Eigenschaften, und diese Eigenschaften sind die Vorzüge des Fleisches, das seine Qualitäten ja gar nicht unbedingt aus der Schönheit und der Jugend schöpfen muß. Ein reifes und trainiertes Fleisch und dazu die verschwenderische Gunst sind von viel höherer Qualität als nur junge Schönheit oder schöne Jugend. Die Frau, die in Moirans aus der Kutsche steigt, ist sinnlich und wollüstig, und vor allem, sie kann Herzpolypen kurieren.

Es ist Frau von Larnage, die im Gefolge einer neuvermählten Freundin reist. Rousseau beugt sich tief nieder, das Bauchgrimmen ist mit einem Mal verschwunden. Er atmet tief ein, das Brustklopfen ist mit einem Mal vergangen. Er nickt mit dem Kopf, das Ohrensausen ist mit einem Mal wie weggeblasen. Damit ist es um den armen Jean-Jacques geschehen, oder vielmehr um sein Fieber, um seine Hypochondrie, um seinen Polypen. Alles ist dahin, mit Ausnahme des Herzklopfens, das aber ein ganz anderes Klopfen ist als das hypochondrische Brustklopfen. O du beklemmende Systole, o du erleichternde Diastole, die Nachtträume, die nur Schlafträume waren, werden zu Tagträumen, die Wachträume sind.

Obwohl ja Siechtum bei Damen keine gute Empfehlung ist, so läßt er sich doch von diesen Damen verwöhnen, als sei er noch zu schwach, um zu leben. Sie laden ihn zur Schokolade ein, sie erkundigen sich nach seinem Befinden, sie kichern über seine Schüchternheit. Aber Frau von Larnage denkt an die Heilung des Herzpolypen, und sie macht sich auf andere Weise verständlich. Sie drückt seine Hand an ihr Herz, und da beginnt es ihm wieder im Bauch zu grimmen. Sie legt ihren Arm um seinen Nacken, und da geht sein Brustklopfen wieder los. Sie läßt ihren Mund auf dem seinen eine deutliche Sprache sprechen, und da setzt auch das Kopfsausen wieder ein. Aber alles miteinander, das Bauchgrimmen, das Brustklopfen und das Kopfsausen sind mit einem Mal von einer solchen lustvollen Schmerzlichkeit, daß er die schmerzliche Lust, die aus dem Hypochondrium kam, gänzlich vergißt.

Treffliche Frau von Larnage, dir hat er es zu verdanken, wenn er nicht aus der Welt scheiden muß, ohne die Lust kennengelernt zu haben! O diese drei Tage in den Gasthäusern an der Rhone, o diese drei Tage in der Kutsche nach dem Süden, o diese drei Tage unter den Pinien der Provence! Rousseau und Frau von Larnage reisen mit der Schneckenpost. Frau von Larnage reist in aller Offenheit, sie hat nichts zu verbergen. Ihr reifes und erwecktes Fleisch ist für aller Augen bestimmt. Rousseau dagegen reist inkognito, er versteckt sich. Seine Ängstlichkeit und seine Schüchternheit sind in seinem Hypochondrium verschlossen. Die jungen Stutzer und die alten Kavaliere in Frau von Larnages Begleitung hänseln ihn vergebens.

Rousseau gibt sich für einen Engländer aus und nennt sich Mister Dudding. Ja, er ist umgedreht, er ist umgewendet, er ist übergetreten, aber er will nicht eingestehen, daß er ein Konvertit ist. Was würde Mama dazu sagen? Nein, er nennt sich lieber Mister Dudding und ist ein Anhänger König Jakobs aus dem Hause Stuart, als daß er sich vor aller Augen und Ohren Jean-Jacques Rousseau nennt und ein Anhänger der heilsamen Frau von Larnage ist.

Als Frau von Larnage in Saint-Andiol ankommt, ist ihre

Lust gestillt. Als Rousseau in Montpellier ankommt, ist er von seinem Herzpolypen geheilt. Er bleibt sechs Wochen in Montpellier, und er läßt ein Dutzend Louis d'Or zurück, ohne irgendwelchen Nutzen für seine Gesundheit oder für seine Belehrung gefunden zu haben, es sei denn ein Anatomiekurs bei Herrn Fiz-Moris. Aber den lehrreichen Kurs mußte er bald aufgeben: wie schrecklich stanken die Leichname, die Herr Fiz-Moris mit seinem Messer zerlegte.

Rousseau war ja dem Leben wiedergegeben, und es duftete nach Märzveilchen. Ja, es war Frühling, und er kehrte nach Chambéry zurück. Atemlos stürzte er über die Schwelle, eilte die Treppe hinauf und warf sich Mama vor die Füße. Ein junger Mensch, ein großer fader Blondkopf, stand an der Seite von Mama. Seine Stelle war besetzt. Der blonde Mensch hatte seinen Platz eingenommen, aber er saß nicht bei Mama und las mit ihr Gedichte, er ging nicht im Obstgarten spazieren und dachte an die Natur. O nein, der Blondkopf führte den Pflug, er handhabte die Heugabel, er schwang die Axt, er drückte die Schubkarre, und dabei rief er laut und schrie aus vollem Halse.

Nur die Gartenarbeit vernachlässigte er, weil das eine zu stille Arbeit ist. Bei der Gartenarbeit läßt sich kein Lärm machen. Aber der starke Wintzenried war ja ein Schreihals, und sein Geschrei schlug dem armen Rousseau jählings auf das Hypochondrium. Ach, war es einmal nicht der Körper, so war es die Seele, die in Ansprung genommen und gepeinigt wurde. Er setzte sich unter einen Apfelbaum, stützte den Kopf in beide Hände, und sagte zum dritten Male: »Wir sind so wenig dazu gemacht, uns hienieden glücklich zu fühlen, daß notwendigerweise die Seele oder der Körper leiden müssen, wenn sie nicht beide zusammen leiden, und daß ein glücklicher Umstand des einen fast immer dem anderen Eintrag tut. Als ich das Leben hätte recht genießen können, hinderte mich die verfallende Maschine meines Körpers daran, ohne daß man sagen konnte, wo das Übel seinen eigentlichen Sitz habe.«

Unerfindliches Hypochondrium, du strahlst immerzu nach dem Bauch, nach der Brust und nach dem Kopfe aus, und die petzende, die stechende, die kneifende, die piekende Krake hakt sich an deinen inneren Wänden fest! Rousseau erhebt sich von der Bank, der Apfelbaum wirft Blüten auf sein Haar, ein leichter Wind weht über den Hügel und trägt die Geräusche der Stadt in den Garten. Rousseau ist allein, er ruft in die Welt, aber er bekommt keine Antwort. Doch er hat Glück im Unglück. Er ist nämlich in der Trauer voller Freude und ist in der Freude voller Trauer, und so kann er lachen aus lauter Leid, und er kann weinen vor lauter Freude. Seine Lust ist tränenreich, und seine Tränen sind lustvoll vergossen. Ach, liebe Mama, behalte du den rohen Wintzenried, der arme Jean-Jacques wird dir Lebewohl sagen und in die Fremde ziehen. Dort liegt die Stadt Paris, und Jean-Jacques schnürt sein Bündel, um nach Paris zu ziehen.

Ja, liebe Mama, vielleicht ist es sogar besser, wenn du diesen Wintzenried bei dir behältst; wer weiß, das Hypochondrium, das ja schwanzwärts unter den Rippen liegt, verursacht nicht nur das Grimmen im Bauch, das Klopfen in der Brust und das Sausen im Kopf. Das schwanzwärts liegende Hypochondrium läßt viel hämischere, viel gehässigere, viel tückischere Gebilde als die Krake entstehen: diese Gebilde sind Steine, und die Krake wandert in diesen schwanzwärts gelegenen Hohlraum, indem diese Oxalate und die Xanthine zu wachsen beginnen.

Dieser Hohlraum ist die Blase. Aber nicht nur sie, auch ihre schwanzwärts dazugehörigen Körperteile sind fortan vom Petzen und Stechen, vom Kneifen und Pieken der Krake geplagt. Der arme Rousseau, er sollte nicht nur das Opfer des Hypochondriums werden, nein, dabei sollte es nicht bleiben; später sollten die Doktoren und die Professoren mit allen ihren Diagnosen kommen, die sich auf die schwanzwärts liegenden Organe beziehen würden.

Dr. Desruelles wird kommen und sagen: »Es war eine Vergrößerung der Vorsteherdrüse.« Dr. Mercier wird kommen und sagen: »Es war eine Muskelklappe am Blasenhals.« Dr. Amussat wird kommen und sagen: »Es war eine Harnröhrenverengung infolge entzündlicher Schwellung der Schleimhaut.« Dr. Poncet wird kommen und sagen: »Es war eine angeborene Harnröhrenverengung.« Dr. Victor-Pauchet wird kommen und sagen: »Es war eine angeborene Prostatahypertrophie.« Dr. Lallemand sagt: »Samenfluß.« Dr. Starobinski sagt: »Jugendsünden.« Dr. Gaston Vorberg sagt: »Ein Psychopath.« Professor Laforgue ruft: »Nichts als Kastrationsangst!« Dr.

Roussel beschwichtigt: »Er war ganz einfach impotent und unfruchtbar.« Rousseau selbst sagte: »Es sind Grieß und Steine, nichts als Grieß und Steine.« Und noch im Sektionsbefund wird es heißen: »Die Chirurgen haben weder in der Blase noch in den Harnleitern und der Harnröhre, noch in den samenbereitenden und -führenden Organen irgend etwas von der Regel Abweichendes gefunden.« Was war da zu tun?

Wäre eine Operation nötig gewesen, die Zerstörung des mittleren Vorsteherdrüsenlappens mittels der galvanokaustischen Schlinge? Oder wäre eher eine Sitzung nötig gewesen, die Zerstörung des schwanzwärts liegenden Hypochondriums mittels der psychotherapeutischen Behandlung? Unergründliches Hypochondrium, verschrobenes Sonnengeflecht, nichts ist, wenn man ein Blasenleiden hat, schöner als die Träumereien eines einsamen Spaziergängers, ja, einem manchen würde eine Harnverhaltung gar nichts schaden.

Und auch Rousseau wendet sein Leiden ins Positive, indem er seine wechselnden Einbildungen und Ausheilungen ineinander vertauscht, denn er darf es nicht bei inneren Einbildungen und bei äußeren Ausheilungen bewenden lassen. Die Einbildungen des Hypochondriums und die Ausheilungen des Sonnengeflechts mußten zu Ausbildungen und zu Einheilungen werden, damit er weiterleben konnte, wenn er erst einmal in Paris angekommen sein würde.

So bildete er die Einbildungen in Ausbildungen aus, und so heilte er die Ausheilungen in Einheilungen ein. Mit eingeheilter freudiger Trauer und mit ausgebildeter trauriger Freude machte er sich, wie es ihm ein ganzes empfindliches Jahrhundert nachahmen sollte, auf den Weg nach Paris, mit fünfzehn Louis d'Or in barer Münze, mit seinem Lustspiel »Narziß« in der Tasche und mit seinem neu erfundenen Notensystem als einziger Hilfsquelle. Eingeheilt und ausgebildet kam er in Paris an, ächzend nach innen, aber nicht nach außen hin schreiend, ein Dichter und ein Musikant, der ja die Übel des Hypochondriums und die Segnungen des Sonnengeflechts braucht, damit er dichten und musizieren kann.

Ohne ein wohlausgebildetes Hypochondrium ist nicht gut dichten, und ohne ein tief eingeheiltes Sonnengeflecht kommt dir kein schöner Ton über die Lippen.

Rousseau

und Therese Levasseur schlafen in einem und demselben Bett

Was die Pariser Zeit des P. P. Rousseau betrifft, so erinnere ich mich nicht genau des mir angegebenen Jahres, in dem ein gewisser Dupin, Generalsteuerpächter daselbst, ihm Tisch, Wohnung und ein Jahresgehalt von 1200 £ als Entgelt für den Unterricht seines Sohnes anbot. Jedenfalls verließ R., der sich unfrei fühlte, nach 10 oder 12 Monaten das Haus Dupin in allen Ehren, um möbliert zu wohnen. Zum Beweise, daß er sich die Achtung und Freundschaft der Familie Dupin erworben hätte, wurde mir von R. folgendes angeführt: Als er einige Zeit später schwer erkrankte, beauftragte die Dame des Hauses eine ältere Person namens Levasseur, deren vorzüglicher Leumund und hervorragende Tüchtigkeit in der Krankenpflege ihr bekannt waren, für den Kranken so zu sorgen, als handle es sich um sie selbst. Sowie R. außer Gefahr war, fragte ihn diese treffliche Frau, ob er bei ihr wohnen wolle, denn er würde ihr damit viel Mühe ersparen und bei ihr auch eine bessere Pflege genießen können. Der Vorschlag wurde dankbar angenommen, und die Pflege bei der Frau L. erwies sich als so ausgezeichnet, daß R. sich völlig erholte und weiter bei ihr wohnen blieb bis zum Sommer dieses Jahres, da er nach Genf kam. In jener Zeit erlitt die jüngste Tochter der L., Therese mit Namen, einen Straßenunfall. Zwei in eine Prügelei verwickelte Männer stolperten auf sie zu, und ehe sie zurückweichen konnte, erhielt sie einen Stoß, wahrscheinlich einen Fußtritt, gegen den Unterleib. Bei dieser Gelegenheit zeigte sich die Menschlichkeit der Pariser; eine Menge Leute bemühten sich um die Ohnmächtige, und Nachbarn, die das Mädchen erkannten, trugen es zu seiner verheirateten Schwester, wo es wohnte. R., der von dem Unfall hörte, bat nun Frau L., die ernstlich verletzte Tochter zu sich in Pflege zu nehmen. Unter der Behandlung der besten Ärzte, die R. hinzuzog, und dank überhaupt seiner mannigfachen Hilfe wurde das Mädchen wieder gesund, und voller Dankbarkeit schwor es, dem edelmütigen Helfer zu dienen bis an sein Le-

bensende. Seitdem führte Therese Levasseur seinen Haushalt und übernahm seine Wartung, als er an einem chronischen Leiden erkrankte. Da er ihre Pflege nicht entbehren konnte, begleitete sie ihn auch auf der Reise nach Genf. Diese Angaben erhielt ich von Fräulein Levasseur persönlich, und sie bestätigen und ergänzen vollauf die Mitteilungen, die R. mir machte. Weil es bedenklich erscheinen konnte, daß R. mit dieser jungen Frauensperson im selben Zimmer schlief, wies ich ihn besonders auf diesen Umstand hin. Seine Antwort lautete wörtlich: Jeglicher Argwohn in dieser Beziehung ist ungerechtfertigt, denn ich kranke seit langem an einem Blasenleiden, das unheilbar ist.

Im Tagebuch von Max Frisch heißt es von einem Mann, der sich ein gemeinsames Leben mit seiner Geliebten vorstellt: »Er wäre bereit zu heiraten. Nur eine Frage des Humors.« O ihr Götter, ihr Gräber und ihr Gelehrten, die Ehe ist eine Frage des Humors. Die Götter erzählen von Eros und Psyche und von Pan und Syrinx und wie diese sich in ein Schilfrohr verwandelte, um dem zudringlichen Liebhaber zu entrinnen. Aber Pan schnitzt sich eine Flöte aus dem Rohr und pfeift darauf. Die Gräber erzählen von Abälard und Heloise und von Tristan und Isolde und wie aus der Friedhofserde zwei Rosenstöcke wuchsen und sich ineinander verschlangen. Aber vom Grabstein erhebt sich König Marke und geht auf die Jagd. Die Gelehrten erzählen von Sadisten und Masochisten und von Haßlieben und Hörigkeiten und wie Pilzgerichte und Pflanzenvertilgungsmittel ihre verheerende Wirkung taten. Aber Professor Laforgue schlägt sein Buch auf und schreibt hinein.

Die Götter, die Gräber und die Gelehrten haben Humor, sie besitzen das richtige Maß an Feuchtigkeit und gesunden Säften, womit sie das Schilfrohr, die Rosenstöcke und die Pilze netzen. So kommen viele Ehen erst gar nicht zustande, weil sich entweder die Braut zeitlebens dem Bräutigam entzieht, oder weil erst der Tod eintreten muß, bevor die Versprechen eingelöst werden, oder weil eine Pilzmahlzeit eine übereilte Trennung verursacht. Die Götter, die Gräber und die Gelehrten stiften Ehen, die gar keine sind, und sie scheiden Ehen, die gar keine waren. Die Geliebte hat sich verflüchtigt, Pan pfeift auf seiner Flöte; der Widersacher ist gestorben, König Marke geht auf die Jagd;

die Perversen haben sich vergiftet; Professor Laforgue schreibt ein Buch. Pan, Onkel Marke und Professor Laforgue haben Humor, denn auch sie besitzen das richtige Maß an Feuchtigkeit und gesunden Säften, die notwendig sind, die Flöte zu blasen, auf die Jagd zu gehen und ein Buch zu schreiben, wo eher die Traurigkeit am Platze wäre.

Aber nicht nur die Götter, die Gräber und die Gelehrten, nicht nur Pan, Onkel Marke und Professor Laforgue, nein, die sterblichen Menschen vor allem haben Humor, wenn sie frank und frei erklären, eine Ehe einzugehen, ohne dazu gezwungen zu sein, denn in der Ehe braucht es ja das richtige Maß an Feuchtigkeit und gesunden Säften, und nicht in allen diesen perversen Götter-, Gräber- und Gelehrtengeschichten. Nicht amouröse Pfeile, Liebestränke und erotische Pulver, sondern vor allem Heiterkeit braucht der Mensch, wenn er in die Ehe geht. Wie lustig, wie fröhlich, wie toll muß der Mensch sein, wenn er sich zur Ehe entschließt! Ja, wieviel Heiterkeit braucht ein Mensch, um eine Ehe zu beginnen! Was nimmt er alles auf sich und in Kauf, um dann am Ende trotzdem darüber zu lachen! Ja, die Ehe ist eine Frage des Humors.

Nun gibt es den fröhlichen und den gütigen, es gibt den sprudelnden und den zurückhaltenden, es gibt den bissigen und den grimmigen Humor, es gibt die verzweifelte Lustigkeit und den Galgenhumor, den Polterabend und die Henkersmahlzeit, und je nachdem sind auch die Ehen beschaffen. Aber die heiratenden Menschen mit ihrem Humor müssen immer guter Dinge sein, denn es steht ihnen ja die Ehe bevor, diese durch Sitte oder Gesetz anerkannte Vereinigung von Mann und Frau zur dauernden Gemeinschaft aller Lebensverhältnisse.

Auf diese Weise, durch anerkannte Vereinigung, durch Verbindung und Vermählung vor dem Traualtar und am Tische des Standesbeamten, durch Jawort und Ringwechsel, nach Hochzeitsessen und Hochzeitsnacht, entsteht der heilige Stand der Ehe, und so kommen schließlich, wenn Kinder und Kindeskinder aus diesen anerkannten Vereinigungen hervorgehen, die Familien und mit ihnen die Familiengeschichten zustande. Ja, die wahre Ehe, sie ist nicht die Fessel, die ins Fleisch schneidet und nicht das Joch, das die Schultern drückt, sie ist auch nicht der behagliche Hafen im stürmischen Meer des Lebens, nein, alles falsche Metaphern, die Ehe ist das Wagnis des Humors. So ist sie auch nur für jemand da, der den Humor besitzt, sein Leben lachend zu ordnen, wo doch das Leben ein heulendes Elend ist. Ja, wer keinen Humor besitzt, der hat in der Ehe nichts zu lachen.

Als Jean-Jacques Rousseau im Herbst 1744 endgültig nach Paris übersiedelt, da hat das Wanderleben und das Vagabundenwesen für ihn ein Ende. Er tritt in die Bibliothek der Enzyklopädisten, um dort mit der höheren Gesellschaft in Verbindung zu kommen, und er tritt in die Salons der höheren Gesellschaften, um dort mit den Enzyklopädisten zu Abend zu speisen. Er wohnt im Hotel Saint-Quentin in der Nähe des Jardin du Luxembourg. Tagsüber kopiert er Noten für den Herzog von Orléans oder schreibt Gedichte und Opernlibretti, abends geht er mit Diderot ins Theater oder spielt mit ihm Schach. Rousseau hat es sich in den Kopf gesetzt, allein und für sich und ledig zu bleiben, ein Junggeselle, ein Hagestolz, ein richtiger Einspänner. Nicht daß er abgeblitzt oder nicht erhört worden wäre, nein, er war ehescheu, er besaß keinen Humor. »Ich beschloß, mich an niemanden mehr anzuschließen«, sagt er, »sondern mir in Unabhängigkeit durch meine Talente weiterzuhelfen, deren Umfang ich nachgerade zu fühlen begann und von denen ich bisher zu bescheiden gedacht hatte.«

Rousseau besaß keinen Humor, dafür besaß er Talente. Doch seinem Flötenspiel, seinen Glücksjagden und seinem Bücherschreiben mangelte es zeitlebens an dem richtigen Maß an Feuchtigkeit und gesunden Säften, er kam in seinem Leben nie zurecht wie der übertölpelte Pan, wie der betrogene König Marke und wie der verblüffte Professor Laforgue, obwohl er ja vieles mit Pan, mit König Marke und mit Professor Laforgue gemein hatte, nein, er mußte die herben Lieder singen, er mußte nach dem bitteren Glück jagen, und er mußte die gepfefferten Bücher schreiben. Dafür besaß er Talente.

Seine Wirtin im Hotel Saint-Quentin stammte aus Orléans, sie hatte sich als Leinwandnäherin ein junges Mädchen aus ihrer Heimatstadt mitgebracht. Das Mädchen hieß Therese Levasseur und stammte aus guter Familie. Ihr Vater war an der Münze in Orléans angestellt gewesen, ihre Mutter hatte ein kleines Geschäft betrieben; sie hatten viele Kinder. Als die Münze in

Orléans ihre Arbeit einstellte, und als das kleine Geschäft bankrott gegangen war, gaben die Levasseurs ihre Heimat auf und kamen zu Therese nach Paris. Therese war zweiundzwanzig Jahre alt, sie war sanft und fleißig, und von nun an ernährte sie die ganze Familie. Im Hotel Saint-Quentin saß sie mit der Wirtin und den Gästen an einem und demselben Tisch.

Nun bestand die Tischgesellschaft, außer Rousseau und den beiden Frauen, aus dem Herrn von Bonnefond, der ein hinkender Landjunker, ein Zänker und ein Sprachverbesserer war, aus mehreren Abbés, aus Holländern und Gascognern und aus anderen Leuten von gleicher Art. Oh, wie horchte der redliche Rousseau auf, wenn er am Abend bei Tisch saß und die sämtlichen Herren ihre Späße mit der sanften Therese trieben. Wer je in seinem Leben mit Holländern und mit Gascognern, mit einem Sprachverbesserer und obendrein noch mit weltlichen Geistlichen an einem Tisch gesessen hat, der weiß, von welcher Art diese Späße sind. Dazu hatte die Wirtin in ihren jüngeren Jahren ein ziemlich liederliches Leben geführt, und das befeuerte die Herren erst recht, vor allem die weltlichen Geistlichen.

Was sollte da der gute Rousseau tun! Er hatte keinen Humor, und da hätte ihm auch aller Humor der Welt mitsamt den gesunden Säften und dem richtigen Maß an Feuchtigkeit nichts genutzt. Denn diese Zoten und Witze der Holländer und Gascogner, dieser anzügliche Ulk des Herrn von Bonnefond, diese schlüpfrigen Sticheleien der weltlichen Geistlichen und diese Wirtinnenverse der liederlichen Person aus Orléans gehören ja nicht in die Kategorie des Humors, sondern sie gehören in die Kategorie des Lasters. Tugendhaft ist der Humor, aber lasterhaft sind Zoten und Witze.

Rousseau ergriff die Verteidigung Thereses. Sogleich richteten die Holländer und die Gascogner ihre Zoten und Witze, Herr von Bonnefond seinen anzüglichen Ulk, die weltlichen Geistlichen ihre schlüpfrigen Sticheleien und die liederliche Wirtin ihre Verse gegen ihn. Therese spürte mit einem Mal eine Neigung zu Rousseau, und Rousseau spürte gleichzeitig eine Neigung zu Therese. Thereses Neigung entsprang der Dankbarkeit, und sie würde ihr ganzes Leben lang dankbar bleiben. Rousseaus Neigung entsprang dem Widerspruchsgeist, und er würde sein Leben lang ein Widerspruchsgeist bleiben.

Therese glaubte, in Rousseau einen redlichen Menschen zu sehen, und sie täuschte sich nicht. Rousseau glaubte, in Therese ein gefühlvolles Mädchen zu sehen, und auch er täuschte sich nicht. Obwohl sie beide sehr schüchtern waren, taten sie sich bald zusammen. Rousseau erklärte ihr aber im voraus, daß er sie nie verlassen, aber auch nie heiraten würde.

Ja, die Ehe ist etwas Extremes. Sie ist das Wagnis im Humor. Entweder entschließt der Mensch sich für diese anerkannte Vereinigung und hält sie aus, oder er entschließt sich für eine nichtanerkannte, eine sogenannte illegitime Vereinigung und hält diese aus. In der Mitte gibt es keinen Weg. Entweder hat man alle Lacher auf seiner Seite, oder man hat alle Lacher gegen sich.

So gibt es auf der einen Seite die schöne Kontinuität der grünen, der silbernen, der goldenen, der diamantenen und der eisernen Hochzeit, und auf der anderen Seite gibt es die widersprüchlichen Verbindungen, es gibt die strenge Manusehe der Patrizier und die laxe Ususehe der Plebejer, die Vollehe und die Probeehe, die Liebesehe und die Vernunftsehe, die Einehe und die Vielehe, die Zeitehe und Gewissensehe, die Hauptehe und die Nebenehe, die Mischehe und die Winkelehe, die Raubehe und die Kaufehe, die Kebsehe und die Ehe zur linken Hand, die erdiente Ehe und den geschenkten Gaul, die Monogamie und die Polygamie als Polyginie eines Mannes mit mehreren Frauen und als Polyandrie einer Frau mit mehreren Männern, die Bigamie und die Digamie, die Endogamie, die in der Familie bleibt, und die Exogamie, die in freier Wildbahn geschieht, die Geldheirat und die Liebesheirat, die gute Partie und die schlechte Partie, die Haremswirtschaft und das Mormonenwesen, die freie Liebe und das feste Verhältnis, die Badeliebe und das Bratkartoffelverhältnis, die freimütige Einzelwirtschaft und die undurchsichtige Dreifelderwirtschaft, die Bettgemeinschaft und den Gruppensex, den ewigen Bund fürs Leben und die Promiskuität. Es gibt die Josephsehe, und es gibt die Onkelehe. Die Josephsehe ist das verwerfliche Engelskonkubinat, wo nichts dabei herausspringt; und die Onkelehe ist das erstrebenswerte Rentenkonkubinat, wo allerhand auf dem Spiele steht. Diese war im alten Rom noch erlaubt durch die »Lex Julia et Pappia Poppaea«, sie wird bei uns heute aber bestraft nach dem Bürgerlichen Gesetzbuch, wenn dabei öffentliches Ärgernis erregt wird. Ja, die öffentliche Meinung, sie ist launisch und käuflich, sie ist unberechenbar und beeinflußbar, und der gute Rousseau hatte schwer darunter zu leiden.

Rousseau wollte Therese nicht heiraten, und so lebten sie beide im ewigen Brautstand, der ja auch eine gute Ehe ist, so wie andererseits die gute Ehe zeitlebens ein ewiger Brautstand ist, was der Dichter Theodor Körner in einem Trauerspiel vorgeführt hat. Gott behüte, zum ewigen Bund fürs Leben braucht es nicht nur die festen Ehefrauen und Angetrauten, die Gattinnen und Gemahlinnen, die besseren Hälften und die Hausdrachen zu geben. Dazu sind auch die freien Lebensgefährtinnen geeignet, die Ausgehaltenen und Illegitimen, die Mätressen und Nebenfrauen, die Kokotten und Konkubinen, die Buhlen und Bajaderen, die Hetären und Hierodulen, die Beischläferinnen und Bettgenossinnen, die Betthasen und Bettschätze, die Bettwärmer und Amüsiermatratzen. Therese war alles dies und nichts von alledem; denn sie war ein einfaches Mädchen, das nur einmal gefallen war, und Rousseau rief laut aus: »Jungfrauschaft! In der Tat, die sucht man gerade in Paris, die sucht man bei einem Mädchen von zwanzig Jahren! Ach, meine Therese, ich bin zu glücklich, dich sittsam und gesund zu besitzen!«

Ja, Gottseidank, Therese war gesund. Guter hypochondrischer Rousseau, du mußt nicht an die Paduanerin und nicht an die Teeaufgüsse denken, die du hast trinken müssen, nein, Therese ist ja gesund. Und so gründen sie beide einen eigenen Hausstand. Zu den Möbeln, die Therese besitzt, nehmen sie die Möbel von Rousseau hinzu, und da Therese eine kleine Wohnung im Hotel de Languedoc, in der Rue de Grenelle-Saint-Honoré bei sehr guten Leuten gemietet hat, so richten sie sich dort so gut ein, wie sie können. Abends sitzen sie am Fenster, atmen die frische Luft, essen ihr Viertellaib grobes Brot, ein paar Kirschen, ein Stück Käse und trinken einen halben Schoppen Wein. Da sitzen sie, essen und trinken und sind guter Dinge. Sie lachen über die Leute, die unten auf der Straße vorübergehen, sie sind fröhlich, wenn Diderot mit seiner Nannette zu ihnen heraufkommt, oh, wie freuen sie sich ihres einfachen Lebens!

Ja, die Ehe, und nicht nur die zahme, sondern auch die wilde

Ehe, ist eine Frage des Humors. Wenn das richtige Maß an Feuchtigkeit vorhanden ist und die gesunden Säfte fließen, dann geht das tägliche, vor allem aber das nächtliche Leben in der Ehe reibungslos vonstatten. Nun kommt es häufig vor, daß Widerstände entstehen, die diese reibungslosen Abläufe hemmen, und sie sind nicht einmal vorwiegend mechanischer Natur. Eheliche Leistungsverluste, die durch Reibung entstehen, können ebensogut seelischen Ursprungs sein. Der am tiefgreifendsten wirkende seelische Reibungswiderstand aber ist die Schwiegermutter.

Die Schwiegermutter hat die Eigenschaften eines Reibeisens, und sie wirkt auch wie ein solches. Sie schabt und kratzt, sie schrappt und wetzt, sie feilt und scheuert, und niemand hat diese Eigenschaften schmerzlicher an seinem eigenen Leib, an seiner eigenen Seele und an seinem eigenen Hirn erfahren müssen wie der gute Jean-Jacques Rousseau. Oh, hätte er in der wilden Vorzeit leben können, wo er ja immer schon gerne gelebt hätte, dort im schönen Naturzustand, wo es noch nicht diese genaue Verbindung mit der Schwiegermutter gegeben hat, die der kluge Schopenhauer so bitter an der Monogamie beklagt, wo es aber anstatt zu Verbindungen zu Vermeidungen gekommen ist. Auf den Banks-Inseln kehrt ein Mann seiner Schwiegermutter den Rücken zu, wenn er ihr auf dem Pfade begegnet. In Vanna Lava geht ein Mann nicht einmal hinter seiner Schwiegermutter am Strande einher, bevor die steigende Flut nicht die Spur ihrer Fußtritte geglättet hat. Und bei den Zulukaffern hält sich der Mann den Schild vors Gesicht und bindet sich die Schwiegermutter einen Grasbüschel sogar um den ganzen Kopf herum, wenn sie einander begegnen. Oh, hätte er in der Südsee oder an den Quellen des Nils gewohnt, wie wäre er glücklich geworden!

Du analytischer Sigmund Freud, du hast es herausgefunden, wie Schwiegersohn und Schwiegermutter auf gegenseitige Vermeidung bedacht sein müssen, auch wenn es heutzutage immer noch besser wäre, der Schwiegermutter den Rücken zu kehren, ihre Fußspuren zu verwischen und den schützenden Schild zu handhaben, als ihr nur höflich zu begegnen und in unvermeidlichen Begegnungen Zurückhaltung zu üben. Armer Rousseau, eine wilde Ehe ist keine Ehe unter Wilden, wie auch eine zahme

Ehe keine Ehe unter Zahmen ist. Aber wer weiß, hätte Rousseau nicht diese böse Schwiegermutter gehabt, er wäre womöglich nicht dazu gekommen, den neuen Naturzustand zu erfinden.

Rousseaus Schwiegermutter hieß Marie Levasseur, und seit ihr Geschäft in Orléans bankrott und sie selbst nach Paris in die Fürsorge und unter die Obhut ihrer Tochter gegangen war, hatte sie alle schlechten Eigenschaften angenommen, die eine Schwiegermutter überhaupt nur haben kann. Erst war sie schmeichlerisch und unterwürfig, dann war sie katzenfreundlich und heimtückisch, schließlich war sie kratzbürstig und bissig, und am Ende war sie verschlagen und habgierig. Sie fischte im Trüben, sie goß Öl ins Feuer, sie trieb Keile, o du armer, weicher Rousseau, was trieb sie spitze Keile!

Montaigne hatte gesagt, eine gute Ehe sei nur möglich zwischen einer blinden Frau und einem tauben Mann; ja, wenn nur auch die Schwiegermutter stumm sein würde! Frau Levasseur aber war das Gegenteil davon, sie war nicht stumm, sie hatte ein loses Mundwerk. Sie hatte eine spitze Zunge, sie hatte Haare auf den Zähnen und Wolle auf dem Gebiß. Mit ihr war nicht gut Kirschen essen. Und auch Therese war nicht blind, wie es sein sollte, sondern taub, und Rousseau war nicht taub, wie es sein sollte, sondern blind, es waren alle Voraussetzungen schlechter als die von Montaigne für eine gute Ehe beschriebenen.

Therese hatte schlechte Ohren. Hätte sie schärfere gehabt, so hätte sie festgestellt, daß sie eine Klingelkasse mitbrachte. Rousseau hatte schlechte Augen. Hätte er schärfere gehabt, so hätte er wahrgenommen, daß er eine Schlange an seinem Busen nährte. Ja, die Alte wollte Therese an den Mann und unter die Haube bringen, nur, um sie zu bevormunden und ihn auszuplündern. Ach ja, Mama wurde von Schwindlern, aber die gute Therese wurde von ihren eigenen Verwandten geplündert.

Die Alte sagte zu Rousseau: »Du alter Murrkopf!« Rousseau sagte zu der Alten: »Hofmeisterin.« Da antwortete die Alte: »Du Brummbär!« Und Rousseau sagte: »Kriminalkommissar.« Sie ging seinen Freunden um den Bart, und ihn selber nahm sie aus. Sie machte Schulden auf seine Kosten und betrog zur gleichen Zeit Therese. Sie ließ ihre ganze Familie nach Paris und später nach Montmorency kommen, Söhne und Töchter, Schwestern und Enkelinnen, und auch den kriminellen Bruder Jean François, der dem Schwager die Hemden und die Unterhosen stahl.

Der treuherzige Rousseau, zuerst stahl ihm die Sippschaft seiner Schwiegermutter die Hemden, dann wollte sie sich eine Salzniederlage und einen Tabakladen erwerben. Dieses Gekungel mit der Holbach-Clique, diese Heimlichkeiten mit Grimm, und Diderot in seiner philosophischen Gutmütigkeit, legte Rousseau die Hand auf die Schulter und sagte zu ihm: »Aber mein Freund, eine Frau von achtzig Jahren!« Eine Frau von achtzig Jahren, ja, aber sie war eine Schwiegermutter, und eine Schwiegermutter, auch wenn sie achtzig Jahre alt ist, sie ist nicht leicht kleinzukriegen. Sie litt zwar an Gallenergießungen und an starken Durchfällen, die einige Tage anhielten, ihr aber, da sie die Natur walten ließ, als Heilmittel dienten; nein, es war keine Frage, Marie Levasseur würde sich nicht vermeiden lassen, und die guten alten Zeiten des Naturzustandes waren ein für allemal vorbei.

O ihr Schwiegermütter in der heutigen Zeit, eure Galle ergießt sich nicht mehr so natürlich wie in den vergangenen Zeiten, und eure zivilisatorische Hartleibigkeit hat euch der Natur entfremdet. Haltet euch wacker an die blinden Ehefrauen und an die tauben Ehemänner. Ach, wo seid ihr geblieben, ihr dramatischen Dreiecksverhältnisse!

Da ist auf der einen Seite der hypochondrische Mann, und da ist auf der anderen Seite die sanfte Frau. Therese pflegt den Hypochonder, und Rousseau zeigt dankbar sein Wohlwollen der sanften Frau gegenüber. Alles wäre in schöner Ordnung, wenn da nicht die böse Schwiegermutter wäre! Was ist das für ein Leben zu dritt! Denn während Therese den Hypochonder pflegt, erduldet sie die böse Alte. Während Rousseau der sanften Frau gegenüber dankbar sein Wohlwollen zeigt, erträgt er die böse Alte mit Widerwillen. Die böse Alte dagegen, von Therese erduldet und von Rousseau ertragen, bevormundet die sanfte Frau und plündert den Hypochonder aus.

Zeig mir eine Ehe, in der nicht ein hypochondrischer Mann liebevoll gepflegt und eine sanfte Frau mit Wohlwollen bedankt wird. Zeig mir aber auch eine Ehe, in der die Schwiegermutter nicht versucht, die sanfte Frau zu bevormunden und den Hypochonder auszunehmen. Ist es ein Wunder, wenn die Schwiegermutter erduldet und mit Widerwillen ertragen wird? Aber es sind ja nicht nur einfach diese gegenseitigen Abneigungen, es sind ja vielmehr die doppelt kreuzweisen Querelen und Scherereien, die die Ehe verderben.

Denn während Therese den Hypochonder pflegt, zeigt dieser ja nicht nur dankbar sein Wohlwollen der sanften Therese gegenüber, sondern er erträgt gleichzeitig die böse Alte. Während Frau Levasseur die sanfte Therese bevormundet, erduldet diese ja nicht nur die böse Alte, sondern sie pflegt gleichzeitig den Hypochonder. Während der Hypochonder der sanften Therese gegenüber dankbar sein Wohlwollen zeigt, pflegt ihn ja diese nicht nur, sondern sie erduldet gleichzeitig die böse Alte. Während Frau Levasseur den Hypochonder ausplündert, erträgt dieser die böse Alte ja nicht nur mit Widerwillen, sondern er zeigt der sanften Therese gegenüber dankbar sein Wohlwollen. Während Therese die böse Alte erduldet, bevormundet diese ja nicht nur die sanfte Frau, sondern sie plündert gleichzeitig den Hypochonder aus. Und während der Hypochonder die böse Alte mit Widerwillen erträgt, plündert diese ihn ja nicht nur aus, sondern sie bevormundet gleichzeitig die sanfte Therese. Das ist ein Pflegen und ein Danken, ein Erdulden und ein Ertragen, ein Bevormunden und ein Ausplündern, daß es nur so seine Art hat. Wie ungleich doch die Menschen sind! Therese hatte eine gesunde Natur, Rousseau hatte eine hypochondrische Natur, die Alte, mit ihren Gallenkoliken und ihren Durchfällen, ließ der Natur ihren freien Lauf. Therese besaß eine natürliche Anmut, Rousseau besaß eine künstliche Anmut, die Alte, mit ihrer gehässigen Zunge und ihren arglistigen Fingern, war jeder natürlichen und jeder künstlichen Anmut bar, sie war ein Reibeisen.

Ach, was ist überhaupt der Mensch? Was hat er vom Ursprung her geschenkt bekommen, was hat er sich von den Umständen her erwerben müssen? Waren es allmähliche Veränderungen, oder waren es plötzliche Zufälle, die den Menschen im Schoß der Gesellschaft so gräßlich entstellt und verunstaltet haben? Darwin wird aufspringen und rufen: »Kampf ums Dasein!« Aber Fürst Kropotkin wird ruhig sitzenbleiben und sagen: »Nein, gegenseitige Hilfe in der Tier- und Menschenwelt.« Und so gibt es auch zwischen Rousseau und seiner Schwiegermutter nicht nur diesen bitterlichen Kampf, sondern auch eine verhängnisvolle Komplizenschaft.

Während er nämlich über das Wesen und über die Pflichten des Menschen nachdenkt, gebiert ihm Therese zwischen 1746 und 1755 fünf Kinder. Sogleich beginnt er das Schicksal dieser Kinder und sein Verhältnis zu ihrer Mutter zu untersuchen, und zwar nach den Gesetzen der Natur, nach den Gesetzen der Vernunft, nach den Gesetzen der Gesellschaft, nach den Gesetzen des Seelenlebens und nach den Gesetzen der Gerechtigkeit.

Fünf Kinder und die Gesetze der Natur, der Vernunft, der Gesellschaft, des Seelenlebens und der Gerechtigkeit passen nicht zusammen. Fünf Kinder und die mütterlichen Hormone, die passen zusammen, aber nicht fünf Kinder und die väterlichen Argumente. Rousseau wägt die Argumente gegen die Hormone ab, und dann wirft er einen Blick nach dem Findelhaus. Die Alte aber, die keine väterlichen Argumente kennt und keine mütterlichen Hormone mehr besitzt, sondern nur von diesen schwiegermütterlichen Zwanghaftigkeiten besessen ist, sie wägt gar nicht erst ab. Die Alte sieht die Raubzüge der Sippe Levasseur in Gefahr, und laut ruft sie nach Frau Gouin, der Hebamme aus der Nachbarschaft. Und was tut Frau Gouin? Sie trägt alle fünf Kinder Rousseaus nacheinander ins Findelhaus.

Die Alte war taub und blind, sie war unempfindlich und ungerührt, sie war gefühllos und eine Schwiegermutter. Eine Schwiegermutter ist bitter, und wäre sie auch aus Zucker, sagt ein spanisches Sprichwort. Der arme Rousseau mußte diese bittere Schwiegermutter über lange Jahre hinaus schmecken, und seine wilde Ehe war eine Frage des bitteren Humors.

Er war ja nicht taub der süßen Stimme der Natur gegenüber, er war ja kein tieferstehender Mensch, aber würden die Kinder nicht besser in der Sicherheit und in der Geborgenheit des Staates als in der Not und in der Bedrohtheit eines Vaters aufwachsen? Und so gab er seine Kinder ins Findelhaus. Später würde er dieses Gesetz der Natur noch ganz genau erforschen und einen ganzen Roman der Menschheit schreiben mit dem

Titel: »Diskurs über den Ursprung der Ungleichheit unter den Menschen«.

Er war auch nicht blind den Gegebenheiten und den Möglichkeiten der Vernunft gegenüber, er war ja kein tieferstehender Mensch, aber würden die Kinder nicht besser von gelernten und bewanderten Lehrern als von einem unausgebildeten und unerfahrenen Vater erzogen werden? Und so gab er seine Kinder ins Findelhaus. Später würde er dieses Gesetz der Vernunft noch ganz genau erforschen und einen ganzen Roman der Erziehung schreiben mit dem Titel: »Emil oder über die Erziehung.«

Er war auch nicht unempfindlich den Notwendigkeiten und den Pflichten der Gesellschaft gegenüber, er war ja kein tieferstehender Mensch, aber würden die Kinder nicht besser spartanisch gehärtet und platonisch gebildet als von einem leiblichen Vater verwöhnt und verweichlicht werden? Und so gab er seine Kinder ins Findelhaus. Später würde er das Gesetz der Gesellschaft noch ganz genau erforschen und einen ganzen Roman der Soziologie schreiben mit dem Titel: »Vom Gesellschaftsvertrag.«

Er war auch nicht ungerührt dem Tugendhaften, dem Großmütigen und dem Liebenswürdigen gegenüber, er war ja kein tieferstehender Mensch, aber würden die Kinder nicht besser tugendsame Handwerker und Bauern als lasterhafte Abenteurer und Glücksritter werden? Und so gab er seine Kinder ins Findelhaus. Später würde er das Gesetz des Seelenlebens noch ganz genau erforschen und einen ganzen Roman des Gefühls schreiben mit dem Titel: »Julie oder die Neue Heloise oder Briefe zweier Liebenden aus einer kleinen Stadt am Fuße der Alpen.«

Und schließlich war er nicht gefühllos dem Großen, dem Wahren, dem Schönen und dem Rechten gegenüber, er war ja kein tieferstehender Mensch, aber würden die Kinder nicht besser unschuldig und ehrlich von der Öffentlichkeit als raffiniert und verschlagen von der Frau von Epinay oder der Marschallin von Luxembourg erzogen werden? Und so gab er seine Kinder ins Findelhaus. Später würde er das Gesetz der Gerechtigkeit noch ganz genau erforschen und einen ganzen Roman seines eigenen Lebens schreiben mit dem Titel: »Bekenntnisse«.

Kein Vater ist gern ein tieferstehender Mensch, aber wenn

man mit ansehen muß, was die Kinder ihren Vätern alles für Sorgen bereiten, daß die Väter am Anfang nur lästige Brotgeber und daß sie am Ende nur noch lästige Geldgeber sind, ja, dann versteht man den Blick eines Vaters nach dem Findelhaus. Lästig sind den Kindern nämlich nicht das Brot und das Geld, lästig sind ihnen nur die Geber.

Wer macht also den Vater zum Vater, und wer macht die Kinder zu Kindern? Machen die Kinder den Vater zum Vater, oder macht der Vater die Kinder zu Kindern? Wer legitimiert den Vater, und wer legitimiert die Kinder? Legitimiert der Vater die Kinder, oder legitimieren die Kinder den Vater? Als Boswell in späteren Jahren Rousseau fragte: »Sie sagen uns nichts über Emils Vater?« da antwortete Rousseau: »Ach, er hat gar keinen. Den gibt es nicht.«

Ja, und was ist mit der Mutter? Vielleicht ist die Mutterliebe am Ende nur dieser eigentümliche Hormonausstoß: je üppiger der Ausstoß, um so affenartiger die Liebe, je spärlicher der Ausstoß, um so menschenähnlicher die Argumente. Der Naturmensch mit seinen Hormonen steht gegen den Gesellschaftsmenschen mit seinen Argumenten. Der Naturmensch liebt mit Sinnlichkeit, der Gesellschaftsmensch liebt mit Geschmack. Sein Sinn ist der Kunstsinn. Der Naturmensch braucht aus Liebe nicht gleich die Freiheit und den Appetit zu verlieren. Der Gesellschaftsmensch dagegen begibt sich in das Zentrum für Bewußtseinserweiterung und absolviert einen Kursus für sexuelle Kreativität. Kurzlebiger Mann mit deinen heftigen, langlebige Frau mit deinen stetigen Begierden, Ehefeind und Ehefreund, ihr transitorischen Gewohnheitstiere! Ist die Ehe nun etwas Geistiges, etwa eine Wissenschaft, wie Balzac meint, oder ist sie, nach dem englischen Sprichwort, etwas ganz und gar Materielles, ein Vorhängeschloß?

Arme, treue Therese, die Ehe ist eine Frage des Humors. Therese lächelt, aber sie denkt nicht darüber nach. Was aber wird der Leser denken? Rousseau blickt zurück, er bedeckt seine Augen mit der Hand. »Was wird also der Leser denken, wenn ich ihm erkläre, daß ich vom ersten Augenblick an, wo ich sie sah, bis zu diesem Tag nie den geringsten Funken von Liebe für sie gefühlt habe, daß ich mich nicht mehr gesehnt habe, sie zu besitzen als Frau von Warens und daß die sinnlichen Bedürfnisse, die ich bei ihr gestillt habe, für mich einzig die des Geschlechtstriebes waren, ohne mit der Person etwas zu tun zu haben.«

Ja, was wird der Leser darüber denken, und was wird er erst davon halten? Ihr Götter, ihr Gräber und ihr Gelehrten, ihr erzählt von den besessenen Neurotikern, die allesamt betrogen werden wollen, und die das wirkliche Unglück der Angst vorziehen, lieben zu müssen. Rousseau ergriff lieber die Flöte, wie Pan, er floh lieber nach vorn, wie König Marke, und er erfand lieber eine Hypothese, wie Professor Laforgue. Mit Pan hatte er ja die musikalische Begabung und die tiefen Neigungen, mit König Marke hatte er den Komplex des ausgeschlossenen Dritten und den hohen Blutdruck, und mit Professor Laforgue hatte er die Freude am Theoretisieren und die plötzlichen Eingebungen gemein. Er blies die herben Lieder, er jagte nach dem bitteren Glück, und er schrieb die gepfefferten Bücher. Er liebte lieber die ganze Menschheit.

Und doch heiratete er Therese, sechsundfünfzigjährig, am 30. August 1768 in Bourgoin in der Dauphiné. Rousseau hatte es nicht versprochen, und er hatte sich nicht dazu verpflichtet; Therese hatte es nicht erwartet, und sie hatte es nicht verlangt. »Er heiratete sie, weil sie ihn liebte; sie liebte ihn, weil er sie heiratete«, ein Wort von Jean Paul, als ob er von Rousseau und Therese habe sprechen wollen. Thereses Lebensweg war der allmähliche Übergang von der Geliebten über die Lebensgefährtin zur Ehefrau. O ja, jetzt ist es ein gutes Ausschreiten mit der angetrauten Ehefrau, wenn die Familie nicht mehr an den Fersen hängt.

Nun konnte es auch nicht mehr bedenklich scheinen, daß Rousseau mit dieser Frauensperson im selben Zimmer schläft, wie es Jacques François Deluc, der Vorstand der Uhrmachergilde und Mitglied des Rates der Zweihundert der Stadt Genf, in seinem Märchen vom Edelmut und von der Dankbarkeit erzählt, das er als Akte in Sachen R. dem Konsistorium unterbreitet. Und dabei haben sie nicht nur im selben Zimmer, sondern in einem und demselben Bett geschlafen, unter einer und derselben Decke, und da es ja ein französisches Bett war, noch nicht einmal auf zwei verschiedenen Kopfkissen, sondern auf einer und derselben Rolle.

Rousseau

speist mit den Enzyklopädisten zu Abend

Das Universum, das andere die Bibliothek nennen, setzt sich aus einer undefinierten, womöglich unendlichen Zahl sechseckiger Galerien zusammen, mit weiten Entlüftungsschächten in der Mitte, die mit sehr niedrigen Geländern eingefaßt sind. Von jedem Sechseck aus kann man die unteren und oberen Stockwerke sehen: Grenzenlos ... Als verkündet wurde, daß die Bibliothek alle Bücher umfasse, war der erste Eindruck ein überwältigendes Glücksgefühl. Alle Menschen wußten sich Herren über einen unversehrten und geheimen Schatz. Es gab kein persönliches, kein Weltproblem, dessen beredte Lösung nicht existierte: In irgendeinem Sechseck.—Ich hasse die Bücher! Sie lehren nur von dem zu reden, was man nicht weiß. Man erzählt, Hermes habe die Elemente der Wissenschaft in Säulen gemeißelt, um sie vor einer Überschwemmung zu sichern. Er hätte sie besser in die Köpfe der Menschen eingegraben, dann hätten sie sich durch mündliche Überlieferung erhalten. Kluge Köpfe sind die Denkmäler, in die man menschliche Kenntnisse am sichersten eingräbt.

So wie vor Zeiten in dem Reich des Märchenkönigs dreizehn weise Frauen gewohnt hatten, so wohnten in dem großen Reich des Königs Ludwigs XV. dreizehn weise Männer. Jeder von ihnen kannte sich in seinem Fachgebiet so gut aus wie sonst niemand in ganz Frankreich. Die dreizehn Weisen hatten die ganze Welt in ihrem Kopf, und sie hatten es sich fest vorgenommen, diese Welt in ihrem Kopf aufzuschreiben, damit die anderen Menschen nachlesen konnten, was es alles in der Welt gab und was in der Welt vorkam.

Graf von Buffon war ein Naturalist, und so kannte er die ganze Naturgeschichte. Baron von Montesquieu war ein Rechtsgelehrter, und so kannte er den Geist der Gesetze. Baron von Holbach war ein Atheist, und so konnte er beweisen, daß es Gott nicht gab. Baron von Turgot war ein Volkswirtschaftler, und so kannte er sich in der Steuergesetzgebung aus. Der

Chevalier von Jaucourt war ein Geograph, und so kannte er die Länder der Erde. Herr von Voltaire war ein Geschichtsphilosoph, und so wußte er Bescheid über den Glückswechsel der menschlichen Bemühungen. Herr von Condillac war ein Sensualist, und so kannte er wie kein zweiter die Beschaffenheit des menschlichen Ohres. Jean le Rond d'Alembert war ein Mathematiker, und so beherrschte er die analytische Geometrie. Denis Diderot war ein Pantheist, und so schlug er die Brücke zur heimlichen Religion der Deutschen. Jean-François Marmontel war ein Schriftsteller, und so kannte er die Gesetze der Dichtkunst. Claude-Adrien Helvétius war ein Materialist, und so bewies er, daß der Mensch eine Maschine ist. Baron von Grimm war ein Kritiker, und so steckte er seine Nase in die Naturgeschichte, in die Gesetze, in die Religion, in die Volkswirtschaft, in die Geographie, in die Geschichte, in die Physiologie, in die Mathematik, in die Physik, in die Schriftstellerei und in die Musik hinein und konnte alles beweisen. Jean-Jacques Rousseau aber war ein Mensch, er konnte gar nichts beherrschen und auch nichts beweisen, er hatte alles im Gefühl.

Nun kam die Zeit heran, daß diese dreizehn Männer das gesamte Wissen ihrer Zeit aufschreiben sollten, und Denis Diderot bat diese erlauchte Gesellschaft von Gelehrten, sie möchte für dieses Buch aller Bücher den kostbaren Schatz ihres Wissens zusammentragen. Es sollte diese Sammlung aber nicht einfach nur ein Sammelsurium werden aus lauter Schilderungen und Beschreibungen, nein, Verflechtungen und Verbindungen kreuz und quer, Aufsätze mit Abschweifungen und Seitenwendungen, mit Kurven und Kehren, mit Abbiegungen und mit Drehungen nach allen Seiten sollten es werden, und nicht nur um des bloßen Wissens willen, o nein! Diderot hatte nicht die Macht, er hatte das Glück im Sinn. Es klingt wie ein Märchen, und es ist doch wahr.

Diderot sagte: »Damit die Arbeit der vergangenen Jahrhunderte nicht nutzlos für die kommenden Jahrhunderte gewesen sei; damit unsere Enkel nicht nur gebildeter, sondern gleichzeitig auch tugendhafter und glücklicher werden, und damit wir nicht sterben, ohne uns um die Menschheit verdient gemacht zu haben.« Ja, das Glück der Menschen, das lag dem braven Diderot am Herzen. Ein Raunen und ein Wispern ging durch ganz

Frankreich, aber laut ertönte der Ruf: »Die Natur hat uns allen unser Glück zum Gesetz gegeben. Alles, was nicht Glück ist, ist uns fremd; nur es allein hat Macht über unser Herz; wir stürzen alle einen steilen Abhang hinunter und auf es zu, von mächtigem Zauber, von einer unauslöschlichen, unvergänglichen, natürlichen Anziehungskraft getrieben, die die Natur unserem Herzen eingegeben hat. Im Glück allein ist Zauber und Vollkommenheit.« Ja, es klang wie ein Märchen, und doch war es wahr.

Diese dreizehn weisen Männer sollten an einem Sommerabend des Jahres 1748 um eine große Tafel versammelt sitzen, damit sie das Kind ihres Geistes aus der Taufe heben würden. Aber so wie es in dem Märchen von Dornröschen nur zwölf goldene Teller gab, von welchen die weisen Frauen essen sollten, und folglich eine von ihnen daheim bleiben mußte, so handelte es sich hier nicht um goldene Teller, sondern um eine goldene Regel. Diese goldene Regel besagte, daß nur studierte Gelehrte an dem Tisch sitzen sollten, und so mußte einer von den dreizehn Weisen daheim bleiben, und das war Jean-Jacques Rousseau, denn er war kein studierter Gelehrter, sondern nur ein Autodidakt und Operettenkomponist.

Es ist also ein schöner Sommerabend, die zwölf Weisen sitzen um den großen Tisch versammelt, und noch ehe die Vorspeise aufgetragen ist, erhebt sich Diderot und sagt: »Ich werde schreiben über den Landmann und den Tagelöhner, über die Freiheit und den gesunden Menschenverstand«, und alle anderen erheben sich, um das Buch mit ihren Geistesgaben zu beschenken: d'Alembert mit dem Artikel über die Stadt Genf, Montesquieu mit dem Artikel über den Geschmack, Voltaire mit dem Artikel über die Eleganz, bis hinunter zu Turgot, der den Artikel über die Salzsteuer schreiben wollte.

Das ist eine schöne große Taufe, aber es sieht so aus, als würde sie genauso enden wie die Taufe von Dornröschen. Dort hatten die weisen Frauen das Kind auch mit ihren Wundergaben beschenkt, die eine mit Tugend, die andere mit Schönheit, die dritte mit Reichtum, und mit allem, was auf der Welt zu wünschen ist. Und als sie ihre elf Sprüche getan hatten, da trat plötzlich die dreizehnte herein, die sich dafür rächen wollte, daß sie nicht eingeladen war. Und ganz genau so öffnet sich jetzt die

Tür, und wer hereintritt, ist Rousseau. Er tritt in den Salon mit den gelehrten Männern ein, ohne jemand zu grüßen oder nur anzusehen, und er ruft mit lauter Stimme: »Ich hasse die Bücher! Sie lehren nur von dem zu reden, was ich nicht weiß. Man erzählt, Hermes habe die Elemente der Wissenschaft in Säulen gemeißelt, um sie vor einer Überschwemmung zu sichern. Er hätte sie besser in die Köpfe der Menschen eingegraben, dann hätten sie sich durch mündliche Überlieferung erhalten. Kluge Köpfe sind die Denkmäler, in die man menschliche Kenntnisse am sichersten eingräbt.«

O weh, was hatte jetzt Diderot alles zu tun, um seinen Freund zu bezähmen. Rousseau hatte zwar nicht gewünscht, daß das Buch ein totgeborenes Kind sein solle, oder daß es in seinem fünfzehnten Jahre plötzlich sterben müsse, nein, er war ja keine böse Fee, er war ein guter natürlicher Mensch. Und so kehrt er auch nicht einfach um und verläßt den Salon, sondern er setzt sich ruhig hin und wartet ab, was Diderot sagt, der ja seinen Wunsch noch übrig hat. Diderot aber, der das schlimme Wort von Rousseau ebensowenig aufheben kann wie die dreizehnte Fee den bösen Spruch nicht aufheben konnte, sondern nur mildern, erhebt sich von seinem Stuhl und beschwört die dreizehn Männer ringsum, das Unternehmen dieses Buches nicht einschlafen zu lassen wie Dornröschen oder es gar ganz aus der Welt zu schaffen.

Diderot ruft aus: »Wir haben darauf aufmerksam gemacht — und rufen die Nachwelt wie unsere Zeitgenossen zum Zeugen dafür auf —, daß das geringste Übel, das daraus entspringen könnte, darin bestehen könnte, daß man Wesentliches unterdrückt, dafür aber die Zahl und den Umfang der Gegenstände, die unterdrückt werden sollten, unendlich vermehrt; daß der Korpsgeist, der gewöhnlich engstirnig, eifersüchtig und selbstsüchtig ist, den Kern des Werkes verdirbt; daß die Künste vernachlässigt werden; daß ein Gegenstand von vergänglichem Interesse die anderen Gegenstände unterdrückt.« O ja, Diderot weiß, was dem Buch gefährlich werden wird! Und da der König Ludwig XV. nicht wie der Märchenkönig den Befehl ausgeben läßt, daß alle Spindeln im ganzen Königreich sollten verbrannt werden, damit die Königstochter nicht könnte gestochen werden und in den hundertjährigen Schlaf fallen, sondern im

Gegenteil überall im Land Spitzeln und graue Eminenzen einsetzen würde, die das Kind dieses neuen Geistes sollten zu Tod bringen, faßt Diderot jetzt seinen Freund Rousseau bei den Schultern und bittet ihn, das große Unternehmen nicht zu behindern.

Rousseau sitzt auf seinem Stuhl und schaut in die Runde. Er gehört nicht in diese Gesellschaft von Gelehrten. Er ist ein Außenseiter. Den reichen, geistvollen Gelehrten sitzt der arme, gefühlvolle Autodidakt und Operettenkomponist gegenüber. In den Köpfen der Gelehrten herrscht die Distanz des Geistes, und es regt sich der Spott in ihnen. Im Kopfe Rousseaus aber herrscht die Nähe des Gefühls, und es regt sich in ihm das Bekennen.

1742 hatte er der Akademie der Wissenschaften seinen »Plan einer neuen Notenschrift« vorgelegt, aber die Musiker mißbilligten den Plan, und die Gelehrten rümpften die Nase. Damals sagte der Pater Castel zu ihm: »Da die Musiker und die Gelehrten nicht an einem Strange mit ihnen ziehen wollen, so müssen sie es mit etwas anderem versuchen, zum Beispiel mit den Frauen.« O weh, die Frauen! Rousseau sollte das immerwährende Spiel mit den Frauen nicht erspart bleiben! Und so puderte er seine Perücke, schlüpfte in seine Schnallenschuhe und zupfte sich die Hemdspitzen zurecht. Mit dem graziösen Schritt des Autodidakten und Operettenkomponisten trat er in die großen Salons der heiteren katholischen Gesellschaft ein.

1742 führte ihn der Pater bei der Marquise von Broglie ein. 1743 führte ihn die Marquise von Broglie bei der Frau des Generalsteuerpächters von Dupin ein. 1744 führte ihn Herr von Gauffecourt bei der Frau des Generalsteuerpächters de la Poplinière ein. 1747 führte ihn der Obersteuereinnehmer Francueil bei der Frau des Generalsteuerpächters von Epinay ein. Unversehens war er unter die Steuereinnehmer geraten, welch ein folgenschwerer Schritt!

Nun gibt es zwar einen Unterschied zwischen dem damaligen Steuerpächter und dem heutigen Finanzamt, aber die Art und Weise und die Methoden der Eintreibung sind sich zum Verwechseln ähnlich geblieben. Während der Steuerpächter die Steuern selbst direkt gepachtet hatte, hat das Finanzamt die Steuermoral gepachtet, was ja viel schlimmer und vor allem viel menschenunwürdiger ist. Der Steuerpächter von damals trieb rücksichtslos das Geld oder die entsprechenden Naturalien ein, der Steuerbeamte von heute besteht auf der sauberen Buchhaltung und betreibt steuerrechtliche Sittengesetzgebung. Nichts war dem Steuerpächter tugendsamer als das natürliche Aufbegehren gegen die Steuereintreibung, nichts ist dem Steuerbeamten von heute lasterhafter als die künstlich herbeigeführte Steuerhinterziehung. Nicht von ungefähr hat sich der Zehnte in den Dritten verwandelt. Dem Steuerpächter folgte die Revolution, dem Finanzamt folgt die Unterwürfigkeit. Rousseau, im Schoße der Generalsteuerpächtersgattinnen, lernte das ganze Laster des Steuerwesens kennen. Er war Sekretär bei Frau von Dupin, und er war Kassierer bei Herrn von Francueil.

Rousseau sitzt mitten zwischen den Gelehrten im großen Salon der Frau von Dupin. Sie sitzen auf den gepolsterten Stühlen des Generalsteuerpächters, sie essen die gebratenen Schnepfen des Generalsteuerpächters, sie trinken den Wein des Generalsteuerpächters. Sie heben das Buch aller Bücher aus der Taufe, das die Privilegien des Generalsteuerpächters für alle Zeiten beseitigen soll. Adieu, du gastfreundlicher Generalsteuerpächter, deine Vorrechte sollen abgeschafft werden! Diderot klopft an sein Glas, und hell klingt es durch den Salon. Diderot nennt den Namen des Buches, das heute aus der Taufe gehoben wird, er sagt: »Enzyklopädie«, und alle dreizehn Weisen nicken mit dem Kopf. Diderot sagt: »Das Buch soll heißen: Enzyklopädie oder Auf Vernunfterkenntnis gegründetes Lexikon der Wissenschaften, der Kunst und des Handwerks, herausgegeben von einer Gesellschaft von Gelehrten.«

Rousseau senkt seinen Kopf. »Ich fühlte immer das Verlangen, alles, was mir teuer ist, zusammenzubringen«, denkt er, und nun sitzt da eine Gesellschaft von Gelehrten und gründet ein ganzes Lexikon auf nichts anderes als auf die Vernunft. Diderot, der deutscheste unter den französischen Schriftstellern, sitzt Baron von Grimm, dem französischsten unter den deutschen Schriftstellern, gegenüber. Diderot sagt: »Glauben heißt von der Wahrheit einer Tatsache oder eines Satzes überzeugt zu sein, weil man sich nicht die Mühe der Prüfung gemacht hat oder weil man entweder schlecht oder gut geprüft hat.« Grimm antwortet: »Ich glaube nicht. Ich weiß nichts von den Prinzipien und den ersten Ursachen des Weltalls, ich weiß nicht, was Materie, Raum, Bewegung und Dauer sind. Alles das ist für mich unbegreiflich.«

D'Alembert sagt: »Alle Bewegung der starren Körper beruht auf der Bewegung von Massenpunkten.« Holbach sagt: »Was am Stoffe Trägheit, Anziehung und Abstoßung ist, das ist im Bewußtsein Faulheit, Liebe und Haß.« O weh, auf einmal ist die ganze Welt eine Maschine, in der die Atome hin und her eilen und sogar das Gute, das Wahre und das Schöne in Bewegung setzen. Rousseau nimmt einen Happen von der Schnepfe auf die Gabel und führt diese zu seinem Mund. Dann kaut er, und er schweigt, während Diderot mit seinen Kinnbacken, die seine Feinde die Kinnbacken eines Esels nennen, die Götter erschlägt.

Rousseau hätte der Enzyklopädie Tugend und Schönheit wünschen sollen, wie die guten Feen es dem Dornröschen gewünscht hatten, aber er würde ihr ja auch nicht nur die Vernunft angedeihen lassen, nein, er würde die Artikel über die Musik schreiben und ihr auf diese Weise einen Hauch von Vernunftwidrigkeit und Unberechenbarkeit bewahren, trotz der Zahlen anstatt der Noten. Und wieder nimmt er einen Happen auf seine Gabel und führt sie zu seinem Mund.

Da sitzen also die Enzyklopädisten und essen. Seht alle her, wie sie noch essen konnten! Da gab es kein Fernsehen, das vom Essen abhält mit seinen Gesundheitsmagazinen, da gab es noch kein Knäckebrot und keine Appetitzügler, da gab es noch keine Moderatoren, die das Essen verleiden, indem sie alles herunterziehen, was zum Essen verleitet. Diderot, mit seinen Kinnbacken eines Esels, kaut auf seinem Schnepfenbein und sagt: »Beim Menschen verlangt die Ruhelage des Gehirns, daß der Unterkiefer sich bewege.«

Die Enzyklopädisten bewegen ihre Kiefer, sie beißen mit den Zähnen. Condillac beißt sich auf die Lippen, er ist ein empfindlicher Sensualist. D'Alembert beißt in den sauren Apfel, er ist ein skeptischer Empirist. Montesquieu beißt sich auf die Zunge, er ist ein vorsichtiger Milieutheoretiker. Turgot beißt auf die Zähne, er ist ein beharrlicher Nationalökonom. Holbach beißt sich die Zähne aus, er ist ein determinierter Materialist. Voltaire und Grimm verbeißen sich ineinander, sie sind passionierte Gesellschaftskritiker. Diderot aber, mit seinen Kinnbacken eines Esels, er beißt auf Granit, er ist der allbeseelte Pantheist, und er gibt nicht auf.

Diderot ruht nicht eher, als bis sich das Unbelebte in das Lebendige verwandelt hat. Ja, auch Marmor ist eßbar. Der Mensch ernährt sich von Gemüse, das in einen Boden gesät worden ist, der mit Marmorstaub vermischt war. Diderot beißt auf die Mohrrüben, die er mit seiner Gabel zwischen die Eselsbacken schiebt, und er spürt, wie der Stein zum Humus, wie der Humus zur Pflanze, wie die Pflanze zum Tier, und wie das Tier in den Menschen übergeht. D'Alembert, mit dem sauren Apfel zwischen den Zähnen, ruft verzückt aus: »Jedes Tier hat etwas vom Menschen, jedes Mineral hat etwas von der Pflanze, jede Pflanze hat etwas vom Tier!« und der saure Apfel verwandelt sich in seinem Mund.

Die Enzyklopädisten bewegen ihre Kiefer, und sie kauen. Sie kauen nicht nur Schnepfenbeine und Leberpasteten, nein, sie kauen das gesammelte Wissen ihres Jahrhunderts. Sie mahlen mit den Zähnen, und sie mahlen mit ihrem Gehirn. Dieses Mahlen ist das Mahlen des Getriebes. Die Maschine ist in Gang gesetzt, und ihr Getriebe mahlt. Ein Kartograph der Marine kommt und schreibt die Artikel über die geophysischen Abläufe, der Sohn eines Uhrmachers kommt und schreibt die Artikel über die astronomischen Instrumente.

Die ganze Welt ist eine riesenhafte Maschine geworden, und das Getriebe ist gut geölt. D'Alembert berechnet die Kapazität des Zylinders, und Diderot bewegt den Kolben. O du verhängnisvolle Perfektibilität, o du verderbliche Vollkommenheit der Maschine! Was wird es nicht alles geben in ferner Zukunft, was wird uns arme Menschen nicht alles in Beschlag nehmen mit Schuhen und Strümpfen, mit Sack und Pack, mit Pauken und Trompeten, mit Haut und Haaren, mit Leib und Seele, mit Stumpf und Stiel, bis aufs Hemd, bis auf die Haut, bis auf die Knochen. Ja, was wird uns nicht alles beimengen und anstükken, gleichschalten und eingemeinden, vergesellschaften und verplanen, von Kopf bis Fuß, vom Scheitel bis zur Sohle, von A bis Z, so wie es sich für eine perfekte Enzyklopädie gehört.

Lieber unermüdlicher Diderot, laß es doch nicht so rasch, und laß es doch nicht so umfassend angehen! Um wieviel besser ist ein gutes natürliches balkanesisches Pflaumenwasser in einer Flasche mit unvollkommener Kapsel als ein schlechter künstlicher mitteleuropäischer Schnaps in einer Flasche mit vollkommenem Verschluß! Was nutzt uns das perfekte Gewinde, ja was bedeuten uns die reibungslosen Abläufe, wenn uns die Inhalte nicht befriedigen, wenn uns der Trost und das Heil versagt bleiben müssen! Aber die Enzyklopädisten schreiben und schreiben, sie glauben an die Macht der Maschine.

Rousseau nimmt sich ein Kalbshirn auf den Teller. Er deutet mit dem Finger auf die weichen Furchen, in die die Erinnerung nach der Wiese und nach dem Gras eingegraben waren. »Ich hasse die Bücher!« sagt er zu Holbach, »sie lehren nur von dem zu reden, was man nicht weiß.« Rousseau denkt an die Wiese und an das Gras, er denkt an das Kalb, wie es auf seinen hohen Beinen über die Weide und durch die schöne Natur ging und kein Messer und keine Schlachtbank kannte. Er sagt zu Holbach: »Man erzählt, Hermes habe die Elemente der Wissenschaft in Säulen gemeißelt, um sie vor einer Überschwemmung zu sichern. Er hätte sie besser in die Köpfe der Menschen eingegraben, dann hätten sie sich durch mündliche Überlieferung erhalten. Kluge Köpfe sind die Denkmäler, in die man menschliche Kenntnisse am sichersten eingräbt.« Holbach schüttelt den Kopf. Er schaut nach Diderot und d'Alembert. Dann zeigt er mit dem Finger auf Rousseau und sagt: »Unser kleiner Besserwisser!«

Da sitzen sie und kauen. Rousseau hatte immer das Verlangen gefühlt, alles zusammenzubringen, was ihm lieb und wert ist. Er hatte sie untereinander bekannt gemacht, sie gefielen sich, und sie verbanden sich bald mehr unter sich als mit ihm. Alle seine Freunde wurden Freunde untereinander. Aber keiner der ihrigen wurde je ganz seiner. Und da sitzen sie nun und kauen an einem und demselben Happen. Frau von Dupin zieht an der Glockenschnur, und herein kommen die Lakaien mit neuen Schüsseln und neuen Platten, sie kommen mit Fleisch und Gemüsen, mit Soßen und Salaten, mit Früchten und Kuchen, und sie gehen mit leeren Schüsseln und mit leeren Platten wieder hinaus.

Rousseau kaut auch. Er kaut aber mehr mit seinem Herzen als mit seinem Gehirn. Während die Enzyklopädisten die

Schnepfenbeine und die Leberpasteten in Gedanken verwandeln, verwandelt Rousseau sie in lauter Gefühle. Ach, wenn es diese Gelehrtengesellschaft dabei beließe, daß alles Einverleibte in ihre enzyklopädischen Denkmalsköpfe eingegraben ist! Aber nein, sie ergreifen den Stift und schreiben es in 17 Foliobände.

Sie schreiben es in 17 Foliobände, in 5 Ergänzungsbände, in 2 Registerbände. Und in 11 Bänden mit lauter Kupferstichen illustrieren sie die Funktion der Maschine. Diderot nimmt ein Schweinegekröse in die Hände und sagt: »Das Gekrös dient dem Darm zur Stütze und hält ihn an seinem Platz fest, ohne ihn zu behindern.« Erklärt er damit auch die Entstehung der tiefen Neigungen? Er nimmt ein Rinderherz in die Hände und sagt: »Das Herz treibt 25 Pfund mit einer solchen Geschwindigkeit an, daß dieses Gewicht eine Geschwindigkeit von 159 Fuß in der Minute erreichen kann, und zwar 5 000mal in der Stunde.« Erklärt er damit die Entstehung des hohen Blutdrucks? Und dann nimmt er ein Kalbshirn in die Hand und sagt: »Das Gehirn bewegt sich von oben nach unten und von unten nach oben.« Erklärt er damit die Entstehung der plötzlichen Eingebungen?

Rousseau erhebt sich von seinem Stuhl und geht zu Frau von Dupin, die an der Seite des Grafen von Buffon sitzt. Der Graf lauscht den Erklärungen Diderots, aber Frau von Dupin schaut nach Rousseau. Rousseau sagt: »Ich kenne keine zwei Franzosen, denen es gelingen könnte, mich zu erfassen, auch wenn sie es von ganzem Herzen wollten. Die einfache menschliche Natur ist ihrem Denken fern.«

O ihr Generalsteuerpächtersgattinnen, o ihr Obersteuereinnehmer, bald wird euer Jean-Jacques nicht mehr euer Sekretär und nicht mehr euer Kassierer sein! Bald wird er sein Leben ändern, und dann wird er ein ganz neuer Mensch sein. Und so zog Rousseau eines Tages seine smaragdenen Ringe vom Finger und entfernte den Kavaliersdegen von seiner Seite. Anstatt dem Spitzenjabot trug er fortan ein leinernes Halstuch, anstatt der seidenen Weste trug er ein derbes Kamisol, anstatt der seidenen Strümpfe trug er Wollsocken, und anstatt der Stiefeletten trug er Schnallenschuhe. Sein einziger Luxus würden nur noch die Hemden aus feinstem Leinen sein. Ja, auf die leinernen Hemden würde er nicht verzichten.

Aber dann kam der diebische Schwager Jean-François aus der Sippe Levasseur und stahl auch noch die 42 venetianischen Leinenhemden, was für eine Schande! Aber es war auch ein Glück, daß Therese und ihre Mutter just zu dieser Stunde in der Vesper waren und er selbst im Kirchenkonzert saß, ja es war ein Glück. Wer weiß, Rousseau hätte sein Leben vielleicht noch nicht so bald reformiert, wenn nicht dieser kriminelle Schwager gewesen wäre. So war nun das neue Leben begonnen worden, und in diesem neuen Leben würde er in alle Zukunft nur noch eine einfache seidene Kniehose und ein einfaches gestärktes Hemd tragen. Ja, und dann wird er auch nicht mehr in fürstlichen Diensten stehen, o nein, er wird fortan Notenschreiber und sein eigener Herr sein.

Frau von Dupin zieht erneut an der Klingelschnur, der Lakai erscheint in der Tür, er trägt den Nachtisch herein. Die Enzyklopädisten haben ausgekaut. Nun essen sie noch den Nachtisch, der ihnen aber ganz geläufig über die Lippen geht. Der Nachtisch ist sämig und mürbe, er ist weichgefettet, und die Maschine hat keine Arbeit damit. Die Enzyklopädisten essen den geläufigen Nachtisch, dann strecken sie die Beine unter dem Tisch aus. Sie rülpsen und gähnen, die Maschine läuft von selber. Die Enzyklopädisten brauchen sich nicht mehr um die Maschine zu kümmern, sie überlassen sie ihren eigenen Abläufen. Ja, es geht wie geschmiert.

Die Naturgeschichte und die Volkswirtschaft, die Steuergesetzgebung und die Mathematik laufen eins wie das andere ab, und die Enzyklopädisten schlafen. Ihre 17 Folio-, ihre 11 Kupferstich-, ihre 5 Ergänzungs- und ihre 2 Registerbände verstauben in den Bibliotheken. Es wächst Gras darüber und ganz am Ende eine große Dornenhecke wie in dem Märchen vom Dornröschen. Rousseau schaut nach Diderot, der die Augen noch einen schmalen Spalt weit offen hat und sagt: »Wozu haben wir das alles gekaut und wiedergekaut?« Diderot weist mit dem Finger in die Zukunft und sagt: »Damit unsere Enkel nicht nur gebildeter, sondern gleichzeitig auch tugendhafter und glücklicher werden.« Aber auch die Enkel schlafen. Die Maschine läuft, und die Enkel brauchen sich nur um den Ölwechsel und um die Filtererneuerung zu sorgen. Sie nippeln und sie fetten, und dann schlafen sie wieder.

Ist das nun das Ende der Geschichte?

O nein, da auf einmal öffnen sich die beiden Türflügel ganz weit, und herein tritt der Enkel aus dem 20. Jahrhundert. Da steht er, gebildet und tugendhaft, und auch er kennt als einzigen Luxus nur noch die wollenen Socken und leinernen Hemden, er trägt noch nicht einmal eine Perücke auf dem lichten Schädel. Er steht da, lang und schmal, mit seiner spärlichen Stirnlocke des 20. Jahrhunderts und mit seinen ausgetretenen Schuhen. Wie lange hat er ausgeharrt, wie weit ist er gegangen! Er hat ausgeharrt, bis ihm die Haare ausfielen, und er ist gegangen, bis seine Schuhe zerfetzten. Ja, es ist Michael Krüger, der da steht, wahrhaftig, es ist Michael Krüger aus dem 20. Jahrhundert, der in den Salon der Frau von Dupin eingetreten ist. Da steht er nun, und er trägt eine Katze unter dem Arm.

Ist es vielleicht der Prinz aus dem Märchen, der gekommen ist, um Frau von Dupin zu küssen, damit alle Enzyklopädisten ringsum aus ihrem Schlaf erwachen? Und was tut er mit der Katze unter dem Arm? Die Maschine der Naturgeschichte und der Volkswirtschaft, die Steuergesetzgebungs- und die Theatermaschine laufen, aber die Maschinisten schlafen. Was fängt der Dichter aus dem 20. Jahrhundert im Salon der Frau von Dupin an? In den Regalen verstauben die 35 Bände der Enzyklopädie, was soll man glauben, was soll man meinen, was soll man annehmen, wovon soll man ausgehen? Michael Krüger, der Dichter, tritt auf die Regale zu und nimmt die Katze in seine beiden Hände.

O du heilige Enzyklopädie, du Glaubensbekenntnis der Vernünftigen und der Allbeseelten. Goethe wird sie aufschlagen und darin lesen. Katharina die Große wird sie auf ihrem Schoß halten, und der Dichter aus dem 20. Jahrhundert wird mit Diderots Katze an die Regale treten. Goethe wird es zumute sein, als wenn er »zwischen den unzähligen bewegten Spulen und Weberstühlen einer großen Fabrik hingeht, und vor lauter Schnarren und Rasseln, vor allen Aug und Sinne verwirrenden Mechanismus, vor lauter Unbegreiflichkeit einer auf das mannigfaltigste ineinandergreifenden Anstalt, in Betrachtung dessen, was alles dazugehört, um ein Stück Tuch zu fertigen, sich den eigenen Rock selbst verleidet fühlt, den er auf dem Leibe trägt«. Katharina die Große wird auf der Toilette sterben, mit der Enzyklopädie auf dem Schoß, der Dichter aber wird mit Diderots Katze vor die Regale treten, aber er wird nicht in die Räder der Maschine geraten, und er wird sich auch nicht tödlich in den Verdauungsmechanismus verstricken, auch wenn die Angst ihm im Nacken sitzt.

O nein, der Dichter aus dem 20. Jahrhundert öffnet seinen Mund, und er streut Wörter in das Getriebe der enzyklopädischen Maschine. Er sagt: »Einfache Grammatik!«, und er sagt: »Sanfte Polemik!«, und er meint damit die Bewegungen der Katze, die ja allesamt gegen die Maschine gerichtet sind. Die Wörter knirschen zwischen den Zähnen und den Kronen der Getrieberäder, es rasselt und scheppert, und dann steht die Maschine still. Und so wie im Märchen die Jagdhunde aufsprangen und wieder mit dem Schwanz wedelten und die Tauben wieder den Kopf unter dem Flügel hervorzogen, als der Prinz das Dornröschen geküßt hatte, so springen jetzt die Enzyklopädisten wieder auf die Beine und strecken ihre Köpfe in das Werk der Maschine, nachdem der Dichter seine Wörter zwischen die Räder geworfen hatte.

Die Enzyklopädisten greifen nach den Büchern, sie sind ganz verschreckt und kopflos geworden. Sie blättern die Seiten um und suchen nach den Gebrauchsanweisungen. Das Glück der Menschheit steht auf dem Spiel, aber die Enzyklopädisten hatten die Maschine sich selbst überlassen, und fast wären sie für alle Zeiten darüber eingeschlafen. Sie reiben sich die Augen, sie blinzeln, sie tun ihre Augen wieder auf. Ja, das Glück steht auf dem Spiel, und zwar nicht das Glück von einigen wenigen, sondern das Glück eines jeden und aller. Die wenigen, das sind die kleinen Gruppen, die vielen anderen, das ist die große Masse.

Die große Masse steht in der Mitte und ist blind. Die kleinen Gruppen stehen rechts und links am Rande, es sind die Randgruppen, und sie sehen klar. Die eine Randgruppe setzt sich aus den Dunkelmännern zusammen, diese verdunkeln die große Masse und machen sie blind. Es sind die Dunkelmänner der Gesellschaft Jesu. Die andere Randgruppe dagegen setzt sich aus den Aufklärern zusammen, diese klären die große Masse auf und machen sie wieder sehend. Es sind die Aufklärer von der Gesellschaft der Gelehrten.

Die Enzyklopädisten haben sich ernüchtert. Sie hatten gebissen, sie hatten gekaut, und dann waren sie eingeschlafen. Sie verbeugen sich tief vor Frau von Dupin, und ein jeder geht an seine Arbeit. Der Sand im Getriebe läßt sie wieder geschäftig werden. Sie erklären den Blinden den Gang der Geschichte, und sie klären sie darüber auf. Es ist ein gefährliches Geschäft, denn die Dunkelmänner drohen mit Feuer und Schwert. D'Alembert flunkert und erzählt den Blinden Witze, damit wird er sich vor den Dunkelmännern retten. Diderot aber sticht den Blinden den Star, dafür wird er von den Dunkelmännern ins Gefängnis geworfen werden. Rousseau und der Dichter aus dem 20. Jahrhundert gehen im Palais Royal spazieren. Sie nehmen im Café de la Régence Platz und trinken einen Benediktinerlikör.

Die Enzyklopädisten haben Pseudonyme angenommen, und unentdeckt sitzen sie in ihren Sechsecken und schreiben ihre aufklärenden Artikel. Graf von Buffon sitzt in seinem naturalistischen Sechseck und erklärt die Naturgeschichte. Baron von Montesquieu sitzt in seinem rechtsgelehrten Sechseck und erklärt den Geist der Gesetze. Baron von Holbach sitzt in seinem atheistischen Sechseck und erklärt die Gottlosigkeit. Baron von Turgot sitzt in seinem volkswirtschaftlichen Sechseck und erklärt die Steuergesetze. Der Chevalier von Jaucourt sitzt in seinem geographischen Sechseck und erklärt die Erde. Herr von Voltaire sitzt in seinem philosophischen Sechseck und erklärt den Glückswechsel. Herr von Condillac sitzt in seinem sensualistischen Sechseck und erklärt das menschliche Ohr. D'Alembert sitzt in seinem mathematischen Sechseck und erklärt die analytische Geometrie. Diderot sitzt in seinem pantheistischen Sechseck und erklärt die Allbeseeltheit. Jean-François Marmontel sitzt in seinem poetischen Sechseck und erklärt die Dichtkunst. Claude-Adrien Helvétius sitzt in seinem materialistischen Sechseck und erklärt die menschliche Maschine. Baron von Grimm sitzt in seinem kritischen Sechseck und erklärt alles auf einmal. Es herrscht eine babylonische Verwirrung, aber die Aufklärung ist nun einmal nicht leichter, und noch im 20. Jahrhundert sagt der Dichter Jorge Luis Borges von dieser babylonischen Bibliothek: »Die Bibliothek ist eine Kugel, deren eigentlicher Mittelpunkt jedes beliebige Sechseck ist, und deren Umfang unzugänglich ist.«

Rousseau hat seinen Benediktinerlikör ausgetrunken. Er erhebt sich von seinem Stuhl, er reicht dem Dichter aus dem 20. Jahrhundert die Hand und sagt: »Ich hasse die Bücher. Sie lehren nur von dem zu reden, was man nicht weiß.« Dann geht er davon, aber in seinem Kopf ist etwas eingegraben, das eines Tages Wurzeln schlagen, Knospen treiben, Blüten hervorbringen und Früchte zeitigen wird, nach denen die Dunkelmänner mit ihrem Feuer und ihren Schwertern trachten werden, schlimmer noch als gegen die sechseckigen Gedanken der Enzyklopädisten. Und dabei wird es nichts anderes sein als die einfache Natur.

Rousseau

besucht Diderot im Turme von Vincennes

Als die Prinzessin den großen Behälter mit den Geschenken darin erblickte, klatschte sie vor Freude in die Hände. »Wenn es doch eine kleine Miezekatze wäre!« sagte sie. Aber da kam der Rosenstrauch mit der herrlichen Rose hervor. »Nein, wie ist sie niedlich gemacht!« sagten alle Hofdamen. »Sie ist mehr als niedlich«, sagte der Kaiser, »sie ist charmant!« Aber die Prinzessin befühlte sie, und da war sie nahe daran zu weinen. »Pfui, Papa!« sagte sie, »sie ist nicht künstlich, sie ist natürlich!« »Pfui!« sagten alle Hofdamen, »sie ist natürlich!« »Laßt uns erst sehen, was in dem andern Behälter ist, ehe wir böse werden«, meinte der Kaiser; und da kam die Nachtigall heraus; die sang so schön, daß man nicht gleich etwas Böses gegen sie vorzubringen wußte. »Superbe! Charmant!« sagten die Hofdamen, denn sie plauderten alle französisch, eine immer ärger als die andere. »Wie der Vogel mich an die Spieldose der seligen Kaiserin erinnert«, sagte ein alter Kavalier; »ach, das ist ganz derselbe Ton, derselbe Vortrag!« »Ja«, sagte der Kaiser, und dann weinte er wie ein kleines Kind. »Es wird doch hoffentlich kein natürlicher sein?« sagte die Prinzessin. »Ja, es ist ein natürlicher Vogel«, sagten die, die ihn gebracht hatten. »So laßt den Vogel fliegen«, sagte die Prinzessin. — Ach, hätte ich nur den vierten Teil von dem niederschreiben können, was ich da sah und fühlte, mit welcher Klarheit hätte ich die Widersprüche des gesellschaftlichen Systems nachgewiesen. Mit welcher Kraft hätte ich alle Mißbräuche unserer Einrichtungen dargestellt, mit welcher Einfachheit hätte ich gezeigt, daß der Mensch von Natur aus gut ist, und daß es einzig an diesen Einrichtungen liegt, wenn die Menschen böse werden.

Es war im Oktober des Jahres 1749. Die Sonne brannte vom Himmel, es war ein rechter Hundstag. Jedermann im ganzen Land klagte unter der Hitze, die freien Menschen ächzten in der Stadt Paris, und die Gefangenen schmachteten in der Festung von Vincennes. Da machte sich Rousseau auf den Weg, um seinen Freund Diderot zu besuchen, der dort gefangen im Turme saß. Rousseau schritt wacker aus, denn es ist ein weiter Weg von Paris nach Vincennes, und je steiler die Sonnenstrahlen vom Himmel herabfielen, um so mehr mußte er seufzen und stöhnen.

Nun trug es sich zu, daß gerade an diesem Tage eine Zeitschrift literarischen und politischen Inhalts in seiner Tasche steckte; es war der »Mercure de France«, und Rousseau spürte das Verlangen, im Gehen darin zu blättern und zu lesen. Rousseau ging zwischen den Platanen der Allee, die von Paris nach Vincennes führt, er war guter Dinge trotz der großen Hitze, denn er ging in der Natur. Als er nun wieder eine lange Zeit gegangen war, da überkam ihn zum anderen Male die Neugierde, jene Zeitschrift aus seiner Tasche hervorzuholen und darin zu blättern. Aber er beschwichtigte sein Herz und ging rüstig weiter.

Als er aber wieder eine Weile gegangen war, da plagte ihn das Verlangen so sehr, daß er nicht mehr widerstehen konnte, und er zog den »Mercure« aus seiner Tasche hervor. Ach, hätte er es nicht getan! Denn als er nun einen Blick in die Zeitschrift tat, da las er eine Frage, die war so schrecklich, wie er nie zuvor in seinem Leben eine Frage gehört hatte. Diese Frage schlug ihm so jählings auf den Bauch, auf die Brust und auf den Kopf zugleich, daß er keinen Schritt mehr weiter gehen konnte. Er fühlte ein inneres Feuer, das ganz wild in ihm zu brennen begann; ob es von der Hitze kam, oder ob es von der schrecklichen Frage herkam, das konnte er nicht mehr unterscheiden.

Eine rauschhafte Betäubung befiel seinen Bauch, das war das untrügliche Zeichen einer tiefen Neigung. Ein heftiges Herzklopfen bedrängte seine Brust, das war das todsichere Symptom seines hohen Blutdrucks. Eine augenblickliche Atemnot erfaßte seinen Kopf, das war das sichere Merkmal einer plötzlichen Eingebung. Ihm wurde schwindlig, und er sank unter einer Platane auf die Erde nieder.

Nun war es ausgemacht, es lag nicht am weiten Weg, es lag nicht am Gehen, und es lag auch nicht an der Hitze, daß es Rousseau mit einemmal so schwindlig und übel wurde, es konnte nur an den tiefen Neigungen, am hohen Blutdruck und an dieser plötzlichen Eingebung liegen. Eine Reihe von wirren Träumen wollte seinen Bauch, eine Fülle von deutlichen Einsichten wollte sein Herz, und ein Schwarm von lebendigen Ideen wollte seinen Kopf schier zersprengen. Die Frage aber lautete: »Hat der Wiederaufstieg der Wissenschaften und der Künste zur Läuterung der Sitten beigetragen?« Eine schwere Frage, und Rousseau war nicht der Doktor Allwissend, der eine kluge Hausfrau zur Seite hatte. Seine Therese war ja nicht mit allen Wassern gewaschen, und so mußte er alleine zusehen, wie er mit der Beantwortung der Frage fertig wurde.

Träume, Einsichten und Ideen, das war zuviel auf einmal! Rousseau saß unter der Platane, aber er befand sich nicht mehr in der Natur. Die Tatsache, daß die Träume aus dem Bauch, die Einsichten aus dem Herzen und die Ideen aus dem Kopf kommen, bewirkte im Körper, in der Seele und im Geiste Rousseaus ein heftiges Hin und Her. Schuld daran ist ein Mechanismus, den die Psychologie erfunden hat, der sogenannte psychophysische Mechanismus. Dieser Mechanismus trat unter der Platane in Funktion, und das Hin und Her im Innern Rousseaus nahm eine solche Gewalt an, daß ein Strom von Tränen aus seinen Augen floß. Aber der psychophysische Mechanismus läßt es nicht dazu kommen, daß jemand den Ausfluß seiner Tränen augenblicklich gewahr wird. Im Gegenteil, der psychophysische Mechanismus läßt den Menschen hemmungslos weinen und hält es nicht für nötig, dem armen Betroffenen diese Tatsache ins Bewußtsein zu bringen. Und so merkte Rousseau erst beim Aufstehen, daß das ganze Vorderteil seiner Weste von Tränen durchnäßt war. Oh, dieser Tränenstrom des Jahres 1749! Er sollte einmal zur Hauptströmung einer ganzen romantischen Bewegung werden!

Aber inzwischen saß Rousseau noch unter der Platane, und es war ihm ganz unbehaglich zumute, daß er nicht mehr in der Natur saß. Er hatte sich bisher in seinem Leben nicht mit Fragen, sondern mit Antworten beschäftigt. Nun würde er sich mit einer Frage einlassen, die zu allem Unglück die Wissenschaften und darüber hinaus auch noch die Künste betraf. Wie schön war das Gehen in der Natur gewesen, wo man den Pflanzen und den Tieren Rede und Antwort stehen konnte. Nun kamen die Wissenschaften und die Künste mit ihren schweren

Fragen. Rousseau, unter der gestutzten Platane, fühlte sich wirklich unbehaglich. Solange er zwischen den Platanen gegangen war, war er in der Natur gegangen. Jetzt, da er unter der Platane saß, saß er mit einemmal mitten in der Kultur.

Ja, erhebend ist das Gehen in der Natur, aber niederdrückend ist das Sitzen in der Kultur. Die Natur ist einfältig, sie ist unschuldig und gut. Die Kultur aber ist verschlagen, sie ist verdorben und böse. Die Natur ist grün, sie ist noch lange nicht trocken, die Kultur aber ist grau, sie hat es faustdick hinter den Ohren. So erhebend das Gehen in der Natur ist, so niederdrückend ist das Sitzen in der Kultur. Rousseau tat einen tiefen Seufzer und rief: »Ach, hätte ich nur den vierten Teil von dem niederschreiben können, was ich unter diesem Baum sah und fühlte, mit welcher Klarheit hätte ich die Widersprüche des gesellschaftlichen Systems nachgewiesen, mit welcher Kraft hätte ich alle Mißbräuche unserer Einrichtungen dargestellt, mit welcher Einfachheit hätte ich gezeigt, daß der Mensch von Natur aus gut ist und daß es einzig an diesen Einrichtungen liegt, wenn die Menschen böse werden.«

Da saß er, mit dem Rücken gegen den Stamm der Platane gelehnt, und er sah zu, wie alle die einfältigen, wie alle die unschuldigen, und wie alle die guten Menschen auf natürliche Weise an ihm vorüberzogen. Schaut euch die Perser, schaut euch die Skyther, schaut euch die Germanen, ja schaut euch einmal die Schweizer und schaut euch erst die wilden Molukker an! Sie tragen keine Perücke, sie tragen kein Hemd, sie tragen noch nicht einmal Kniehosen. Seht, wie einfältig und wie unschuldig sie daherkommen und fröhlich durch die Natur gehen. Aber, o die Ägypter, o die Griechen, o die Römer! Sie sitzen mitten in der Kultur, verschlagen und verdorben, bei Wissenschaft und Kunst und bei der Dialektik, die es zu glatten Wörtern, zu feinen Anspielungen, die es sogar bis zu akademischen Diskursen gebracht hat.

Oh, diese französischen Rokokomenschen! Keine tiefe Neigung läßt den Bauch in ihrer Kniehose schwellen, kein hoher Blutdruck läßt das Herz unter ihrem Hemde höher schlagen, keine plötzliche Eingebung läßt den Kopf unter ihrer Perücke glühen. In der Kniehose ersticken die tiefen Neigungen, und es kommt nicht zu den Träumen, die so wirr sind; unter dem

Hemd erlahmt der hohe Blutdruck, und es kommt nicht zu den Einsichten, die so deutlich sind; und unter der Perücke verhauchen die plötzlichen Eingebungen, und es kommt nicht zu den Ideen, die so lebendig sind. Nur in den nackten Bäuchen, nur in den offenen Herzen, nur in den gelüfteten Köpfen gedeiht die Einfalt und die Unschuld. Deshalb ist der natürliche Mensch beim Gehen in der Natur immer guter Dinge. Goethe nennt es »das Behagen am Leben«. Doch in den verhüllten Bäuchen, in den verschlossenen Herzen und in den dumpfen Köpfen gedeiht die Verschlagenheit und die Verderbnis, und so spürt der Kulturmensch beim Sitzen in der Kultur immer ein Unbehagen.

Rousseau, unter seiner Platane am Wege nach Vincennes, spürte dieses Unbehagen sehr, und zwar in seinem Bauch, in seiner Brust und in seinem Kopf, und über eine Zeit kam es ihm in den Sinn, wer es wohl hervorgerufen haben möchte. Es waren die Mächtigen, die die Bedürfnisse der übrigen Menschen zu ihren Zwecken mißbrauchten. Die ganze Kultur ist ein Mißbrauch des Menschen mit seinen Bedürfnissen, dachte Rousseau. Der menschliche Körper, die menschliche Seele und der menschliche Geist haben Bedürfnisse. Das Bedürfnis des Körpers heißt Sicherheit, das zeigt sich am menschlichen Bauch. Das Bedürfnis der Seele heißt Wohlergehen, das zeigt sich am menschlichen Herzen. Das Bedürfnis des Geistes heißt Annehmlichkeit, das zeigt sich am menschlichen Kopf. Mit den Träumen, die aus dem Bauche kommen, sehnt sich der Mensch nach Sicherheit; mit den Einsichten, die aus dem Herzen kommen, sehnt er sich nach Wohlergehen; und mit den Ideen, die aus dem Kopfe kommen, sehnt er sich nach den Annehmlichkeiten.

Was aber haben die Mächtigen daraus gemacht? Sie haben sich diese Bedürfnisse des Menschen böslich und heimtückisch zunutze gemacht. Sie haben Regierungen gebildet und Gesetze geschaffen, und sie haben es zu Kunst und Wissenschaft kommen lassen. Mit Hilfe der Regierungen und der Gesetze sorgen sie für die Sicherheit des Körpers und für das Wohlergehen der Seele, und mit Hilfe von Kunst und Wissenschaft sorgen sie für das Wohlergehen der Seele und für die Annehmlichkeiten des Geistes. Wenn der Bauch sich allzu heftig regt und wirre Träume, und wenn das Herz sich allzu heftig regt und deutliche Einsichten erzeugt, dann schmieden die Regierungen mit Hilfe der Gesetze Ketten. Wenn das Herz sich allzu heftig regt und deutliche Einsichten, und wenn der Kopf sich allzu heftig regt und lebendige Ideen erzeugt, dann werfen die Künste und die Wissenschaften Blumengirlanden über diese Ketten. Das Herz hat es dabei doppelt schwer; nicht nur die Regierungen und die Gesetze mit ihren rauhen Sitten, auch die Künste und Wissenschaften mit ihren feinen Manieren nehmen es in Anspruch und traktieren es mit ihren kultivierten Foltergeräten. Der Bauch auf der einen und der Kopf auf der anderen Seite bilden einen Widerspruch, aber das arme Herz in der Mitte muß den ganzen Widerspruch aushalten.

Ja, die Kultur ist ein Mißbrauch an den Menschen, die so gerne natürlich sein möchten, aber künstlich und kultiviert sein müssen, damit die Mächtigen sie besser an der bunten Kette führen können. Die Regierungen haben mit Hilfe ihrer Gesetze Throne errichtet, die Wissenschaften und die Künste haben sie befestigt. O ihr glücklichen Sklaven, wie liebt ihr die rauhen Sitten und die feinen Manieren! Und Rousseau, in seiner rauschhaften Betäubung, mit seinem heftigen Herzklopfen und in seiner augenblicklichen Atemnot unter der schattenlosen Platane, er tat von neuem einen tiefen Seufzer und rief: »Ach, hätte ich doch nur den vierten Teil von dem niederschreiben können, was ich unter diesem Baum sah und fühlte, mit welcher Klarheit hätte ich die Widersprüche des gesellschaftlichen Systems nachgewiesen, mit welcher Kraft hätte ich alle Mißbräuche unserer Einrichtungen dargestellt, mit welcher Einfachheit hätte ich gezeigt, daß der Mensch von Natur aus gut ist, und daß es einzig an diesen Einrichtungen liegt, wenn die Menschen böse werden.«

Rousseau griff in seine Tasche, holte Bleistift und Papier hervor und begann sogleich zu schreiben. Er schrieb von der Sicherheit, vom Wohlergehen und von den Annehmlichkeiten der Menschen, und die Träume aus seinem Bauch wurden immer wirrer, die Einsichten aus seinem Herzen wurden immer deutlicher, und die Ideen aus seinem Kopf wurden immer lebendiger.

Ja, die Menschen, sie sind nicht mehr, was sie einmal waren! Ihre Schriften sind zügellos, ihre Moral ist verdorben, ihre Manieren sind unaufrichtig, ihre ganze Kultur ist eine heillose Ausschweifung. Die Menschen folgen nicht mehr ihren eigenen Neigungen, sondern den fremden Bräuchen; deshalb machen sie sich nicht einfach Luft und gehen nackt, sondern sie gehen in Kniehosen und in Hemden, und sie tragen eine Perücke auf dem Kopf. Sie gehorchen nicht mehr ihrem eigenen Blutdruck, sondern den fremden Auf- und Abwiegelungen; deshalb machen sie sich nicht einfach Luft und singen, sondern sie furzen lautlos, sie lügen, und sie begehen Blasphemien. Sie verlassen sich auch nicht mehr auf ihre eigenen Eingebungen, sondern nur noch auf die fremden Befehle; deshalb machen sie sich nicht einfach Luft und fassen einen Gedanken, sondern sie schmieden Ketten, sie knüpfen Girlanden, und sie flechten lorbeerne Kränze.

So gehen die Menschen nicht mehr guter Dinge durch die Natur, nackt, mit einem Lied auf den Lippen und einem Gedanken im Kopf; nein, sie sitzen in der Kultur, mit einem schleichenden Furz in der Kniehose, mit Lügen unter dem Hemd und Blasphemien unter der Perücke, Ketten schmiedend, Kränze flechtend, mürrisch und schlechter Dinge. Das Gehen in der Natur entspricht dem Gang der Natur; das Sitzen in der Kultur entspricht dem Sitz der Kultur. Wer in der Natur geht, der geht wie die Natur, einfältig, unschuldig und gut; wer aber in der Kultur sitzt, der sitzt wie die Kultur, verschlagen, verdorben und böse. Der Gang der Natur läßt es zu wirren Träumen, zu deutlichen Einsichten und zu lebendigen Ideen kommen; der Sitz der Kultur ordnet die Träume, und sie werden klar; er trübt die Einsichten, und sie werden flau; er tötet die Ideen, und sie sterben ab. Mit geordneten Träumen, mit flauen Einsichten und mit abgestorbenen Ideen sitzt nun aber der Mensch in der Kultur und betreibt die Wissenschaften und die Künste. Mit wissenschaftlicher Sorgfalt schmiedet er die Ketten, und mit künstlerischem Geschmack knüpft er die Girlanden.

Seht, wie sie schmieden und knüpfen! An allen Ecken und Enden sind die Menschen mit Eisen und Blumen befaßt, je sorgfältiger sie schmieden und je geschmackvoller sie knüpfen, um so handlicher und schöner sind die girlandengeschmückten Ketten, daß man sie beim Tragen schon fast nicht mehr spürt. »Beatus ille homo,/ qui sedet in sua domo,/ et sedet post fornacem/ et habet bonam pacem«. So sagen die Mächtigen, das ist lateinisch und heißt zu deutsch: »Glückselig ist ein Mann,/ der häuslich bleiben kann/ recht warm an seinem Herde,/ und macht ihm nichts Beschwerde«. Die Mächtigen gebieten den Menschen, beim Gehen in der Natur innezuhalten und sich zum Sitzen in der Kultur niederzulassen.

Schon Alexander zwang die Ichtyophagen, diese altertümlichen Fischesser aus Belutschistan, sich hinzusetzen und Fleisch zu essen wie jeder andere auch. Die Ichtyophagen setzten sich hin und begannen Fleisch zu essen. Davon bekamen sie zwar auch tiefe Neigungen, einen hohen Blutdruck und plötzliche Eingebungen, aber ihre Einfalt, ihre Unschuld und ihre Gutheit verwandelten sich in die Verschlagenheit, in die Verdorbenheit und in die Bosheit der Fleischesser. Jetzt sitzen sie in der Kultur, mit Messer und Gabel, und zerteilen das Fleisch mit wissenschaftlicher Sorgfalt und essen es mit künstlerischem Geschmack. Aber was ist aus ihren tiefen Neigungen, was ist aus ihrem hohen Blutdruck, was ist aus ihren plötzlichen Neigungen geworden? Jetzt sitzen sie da, und über ihrem Bauch, der nicht mehr von tiefen Neigungen, sondern von schleichenden Fürzen in der Kniehose anschwillt, hängt die Kette, die für das Sicherheitsbedürfnis haftet; über ihrem Herzen, das nicht mehr vom hohen Blutdruck, sondern von bösartigen Lügen unter dem Hemde schlägt, hängt die Blumengirlande, die das Wohlergehen gewährleistet; und auf ihrem Kopf, der nicht mehr von plötzlichen Eingebungen, sondern von heimtückischen Blasphemien unter der Perücke glüht, sitzt der Lorbeerkranz, der für die Annehmlichkeit bürgt.

Rousseau legte Bleistift und Papier beiseite. Die Betäubung war aus seinem Bauch, das Herzklopfen aus seiner Brust und die Atemnot aus seinem Kopf gewichen. Er stützte die Arme auf den Boden und schlug die Augen auf. Er hatte Feststellungen getroffen. Er hatte diese Feststellungen aber nicht gehend, sondern sitzend getroffen, und er lief Gefahr, daß diese Feststellungen sich im Sitz der Kultur gleichfalls festsetzten, anstatt daß sie fortschreiten würden, wie es dem Gang der Natur entspräche. Was war da zu tun? Die Feststellungen mußten wieder aufgehoben werden. Nun hebe aber jemand eine festgestellte Feststellung auf, damit sie als aufgehobene Aufhebung in den

Gang der Natur eintritt und nicht mehr im Sitz der Kultur verkommt! Rousseau richtete sich vollends auf. Das war der Augenblick, als er die Tränen auf seiner Weste gewahrte.

Sogleich packte er seine Papiere in die Tasche, sprang auf die Beine und eilte nach Vincennes. Unterwegs hob er die Feststellungen auf, und mit aufgehobenen Feststellungen im Kopf stürmte er durch das Tor der Zitadelle. Im Turme stürzte er Diderot in die Arme, tat zum drittenmal einen tiefen Seufzer und rief: »Ach, hätte ich doch nur den vierten Teil von dem niederschreiben können, was ich unter diesem Baum sah und fühlte, mit welcher Klarheit hätte ich die Widersprüche des gesellschaftlichen Systems nachgewiesen, mit welcher Kraft hätte ich alle Mißbräuche unserer Einrichtungen dargestellt, mit welcher Einfachheit hätte ich gezeigt, daß der Mensch von Natur aus gut ist, und daß es einzig an diesen Einrichtungen liegt, wenn die Menschen böse werden.«

Rousseau hatte die Feststellungen festgestellt und wieder aufgehoben. Zum Glück besaß er einen traumsicheren Bauch, ein einsichtiges Herz und einen ideenreichen Kopf. Ihnen hatte er es zu danken, daß der Gang der Natur und das Gehen in ihr als etwas Gutes, und daß der Sitz der Kultur und das Sitzen in ihr als etwas Böses gelten. Mit seinem Bauch war er dem Nachweis der Widersprüche, mit seinem Herzen war er der Darstellung der Mißbräuche, und mit seinem Kopf war er dem Aufzeigen der Wahrheit ganz nahegekommen. Er hatte es bloß nicht aufschreiben können. Aber nun standen die Schuldigen vor seinen Augen, nun hatten sie sich eine Blöße gegeben. Sie hatten mit wissenschaftlicher Sorgfalt die Gesetze und mit künstlerischem Geschmack die Blumengirlanden erfunden und waren den Mächtigen willfährig.

Ja, es sind die Wissenschaftler und die Künstler, die mit allerlei Werkzeugen und Geräten den Gang der Natur zerstören und den Sitz der Kultur befestigen. Es sind die Sternenkundler, die Erdmesser und die Naturlehrer, und es sind die Redekünstler, die Baukünstler und die Malkünstler. Die Sternenkunde entstand aus dem Aberglauben, die Erdmessung aus der Habsucht und die Naturlehre aus der eitlen Neugierde, die Redekunst entstand aus dem Ehrgeiz, die Baukunst aus der Überheblichkeit und die Malkunst aus hochmütigem Fetischismus.

Der Aberglaube und die Habsucht, die Eitelkeit und die Neugierde, der Ehrgeiz und die Überheblichkeit, der Hochmut und der Fetischismus aber sind Laster. Sternenkunde, Erdmessung und Naturkunde, Redekunst, Baukunst und Malkunst sind Ausübungen des Lasters.

Wie leichtfertig sind die Wissenschaften, wie schädlich ist die Kunst! Da sitzen diese abergläubischen und habsüchtigen, diese eitlen und neugierigen, diese ehrgeizigen und überheblichen, diese hochmütigen und fetischistischen Stubenhocker mitten in der Kultur, schmieden Gesetze und flechten Blumengirlanden.

Aber ist das mit aller Kunst und Wissenschaft so bestellt? Hat es mit der Sternenkunde nicht eine eigene Bewandtnis? Rousseau, ein freier Mensch aus Paris, und Diderot, ein Gefangener in Vincennes, gehen im Turme der Zitadelle auf und ab. Sie gehen mit festem Schritt, um nicht wieder in den leichtfertigen und schädlichen Schlendrian zu geraten, der schließlich zum Sitzen in der Kultur ausartet. Diderot rasselt mit den Ketten, und Rousseau schwenkt die Blumengirlanden, es ist eine erhebende Stunde. Schaut euch dagegen die Wetterkarte, schaut euch das vierdimensionale Kontinuum und die Mechanik in den Quanten an! Schaut euch die Fernsehkommentare, schaut euch die korinthischen Kapitelle und die Sixtinischen Madonnen an, alle diese Machwerke des Lasters! Wie köstlich rauscht der Birkenwald, wie lieblich klingt die Sphärenharmonie! Blätterrauschen und Sphärenharmonie sind aber keine Machwerke des Lasters, sie sind das Gegenteil davon.

Das Gegenteil der Sternenkunde, der Erdmessung und der Naturlehre aber ist die Tugend. Das Gegenteil der Redekunst, der Baukunst und der Malkunst ist die Tugend. Ja, das Gegenteil von Wissenschaft und Kunst ist die Tugend. Die Wissenschaften und die Künste werden in der Stube auf hockende Weise ausgeübt, das Blätterrauschen und die Sphärenharmonie geschehen im Freien. Aber immer mehr lasterhafte Stubenhocker flezen sich in den Möbelstücken der Kultur, und immer weniger tugendsame Naturmenschen lassen sich das Blätterrauschen und die Sphärenharmonie um die Nase wehen. Ja, die Möbel, sie sind so recht geeignet, die Menschen von der Tugend abzuhalten.

In demselben Maße, in dem das Wachstum der Wissenschaften und der Künste und auch das Wachstum der Möbelindustrie anstieg, ging es mit der Tugend bergab. So verhält sich das Laster, das durch Wissenschaft und Kunst und durch die Möbelindustrie in die Welt gekommen ist, reziprok zur Tugend. Schuld daran sind einzig und allein die, die hinter den Wissenschaftlern und den Künstlern und hinter den Möbelherstellern stehen. Sie haben jene nur vorgeschickt, damit die Menschen in ihrer Einfalt, in ihrer Unschuld und in ihrer Gutheit die Errungenschaften der Kultur für erstrebenswert halten möchten. Sie selber blieben im Verborgenen, und sie nutzten in ihrer Verschlagenheit, in ihrer Verdorbenheit und in ihrer Bosheit die Buchdruckerkunst zu ihren lasterhaften Zwecken aus.

Es sind die Philosophen. O ihr Druckbuchstaben, was habt ihr angerichtet! Unter den Händen der Philosophen seid ihr zu Werkzeugen des Lasters geworden. Berkeley behauptet, es gebe keine Körper und alles sei nur Vorstellung, Hobbes behauptet, es gebe keine Vorstellung und alles sei nur Körper. Spinoza behauptet, es gebe weder Tugend noch Laster und alles sei nur Einbildung, Hobbes behauptet, die Menschen seien Wölfe und könnten sich mit gutem Gewissen gegenseitig auffressen.

Was soll der Mensch nun glauben? O ihr Philosophen, wie habt ihr die Menschen getäuscht mit euren Überbauten! Hättet ihr lieber an die Rettung der Menschen gedacht. Hättet ihr euch nicht die Druckbuchstaben, hättet ihr euch lieber die Heilpflanzen angeschaut, das Liebstöckel und die sanfte Kamille.

Rousseau warf die Blumengirlande, dieses geschmackvolle Machwerk der Künste, zu Boden und schloß Diderots Fesseln, dieses sorgfältige Machwerk der Wissenschaften, auf. Er griff in seine Tasche, holte das Blatt Papier hervor, das er unter der Platane beschrieben hatte und las Diderot das Geschriebene vor. Mit lauter Stimme rief er Fabricius an, keinen verschlagenen Wissenschaftler und keinen verdorbenen Künstler und schon gar keinen bösartigen Philosophen, sondern einen einfältigen Senator. Nur Fabricius, der sich damals im römischen Altertum weder durch Geld betören, das ein Verräter vor seinen Augen, noch von einem Elefanten erschrecken ließ, der im Zelte plötzlich den Rüssel über ihm schwang, nur er war es wert, daß Rousseau ihm eine Anrede geschrieben hatte.

Fabricius hatte der Bestechung durch Geld, und er hatte der Drohung durch einen Rüssel widerstanden, den feindlichen König Pyrrhus zu vergiften. Er war ein tugendsamer Mensch. Und was sind die Wissenschaftler und die Künstler, die nicht nur einen lästigen Gegner, sondern die ganze Welt vergiften, und zwar mit Pestiziden und mit radioaktivem Staub, wenn es Wissenschaftler, und mit Epigrammen und Satellitenstädten, wenn es Künstler sind? Sie haben rauhe Sitten und gute Manieren, ja, aber sie sind lasterhaft, und sie sind es nicht wert, daß man ihnen eine Lobrede widmet.

Rousseau aber wandte sich an Fabricius und rief: »O Fabricius! Was hätte deine große Seele gedacht, wenn du zu deinem Unglück wieder ins Leben gerufen worden wärest und das prunkvolle Antlitz der Römerstadt hättest sehen können, die dein starker Arm einst rettete und der dein ehrlicher Name mehr zum Ruhme gereichte als alle ihre Eroberungen. Ihr Götter, hättest du gerufen, wo sind sie hingekommen, die ländlichen Hütten mit den Strohdächern, in denen einst Mäßigkeit und Tugend gewohnt haben? Welch verhängnisvoller Glanz ist auf die römische Einfachheit gefolgt? Was sollen diese fremde Sprache, diese weibischen Sitten, diese Bildsäulen, diese Gemälde, diese Bauten? Was habt ihr gemacht, ihr Toren? Ihr, die Herren der Völker, seid zu Sklaven der leichtfertigen Menschen geworden, die ihr besiegt habt. Schönredner sind es, die euch beherrschen. Um Baumeister, Maler, Bildhauer und Schauspieler reich zu machen, habt ihr Griechenland und Asien mit eurem Blute getränkt. Das Erbe von Karthago ist einem Flötenspieler zum Opfer gefallen. O ihr Römer, reißt mir doch rasch diese Amphitheater wieder ein, zerbrecht diese Marmorbilder, verbrennt diese Gemälde, verjagt diese Sklaven, die euch knechten und deren unheilvolle Künste euch verderben. Andere Hände mögen sich durch eitle Talente berühmt machen. Das einzige Talent, das Roms würdig ist, ist das, die Welt zu erobern und die Tugend darin zur Macht zu bringen.«

Ja, die Tugend, sie allein ist es wert, in Betäubung zu fallen, Herzklopfen zu bekommen und in Atemnot zu geraten. Rousseau hatte die Frage beantwortet, die die Akademie von Dijon gestellt hatte, er sagte: »Nein, und tausendmal nein, die Wissenschaften und die Künste haben nicht zur Läuterung, im Gegenteil, sie haben zum Verfall der Sitten beigetragen.« Die wirren Träume aus seinem Bauch, die deutlichen Einsichten aus seinem Herzen und die lebendigen Ideen aus seinem Kopf hatten ihm die wahre Antwort eingegeben. Und so waren auch die aufgehobenen Feststellungen aufgehoben und als festgestellte Aufhebungen festgestellt und laut verkündet. Diderot umarmte seinen Freund und sagte zu ihm: »Der Standpunkt, den Sie einnehmen, ist der, den die anderen ablehnen.«

Ja, die tiefe Neigung als der Begriff des Rousseauschen Bauches, der hohe Blutdruck als die Eigenschaft des Rousseauschen Herzens und die plötzliche Eingebung als das Wesen des Rousseauschen Kopfes hatten ihn einen eigenen Weg gehen lassen, und dieser Weg führte mitten durch die Natur. Wer kann mit tiefen Neigungen, mit einem hohen Blutdruck und mit plötzlichen Eingebungen ruhig auf einem Stuhl und dazu noch seelenruhig in der Kultur sitzen? Rousseau schied von Diderot.

Er stieg die Treppen des Turms hinab und ging durch den Garten der Zitadelle davon. In den künstlichen Bosketten blühten die natürlichen Rosen und sangen die natürlichen Nachtigallen, aber kein Schweinehirt der Welt hätte es gewagt, sie abzuschneiden und einzufangen und in eine Dose zu tun, um sie der Prinzessin zum Geschenk nach Versailles zu bringen. In Versailles sagten die Hofdamen immer noch: »Superbe!« und die Kavaliere sagten immer noch: »Charmant!«, denn sie verehrten die sorgfältig fabrizierten Apparate, und sie bewunderten die geschmackvoll gebauten mechanischen Spieldosen, diese Werke der Wissenschaften und der Künste, die Diderot eben begonnen hatte, in seiner Enzyklopädie zu verherrlichen.

Rousseau aber kehrte nach Paris zurück. Dort angekommen, zog er seine seidene Kniehose, sein gestärktes Hemd und seine gepuderte Perücke aus. Und selbst wenn er in alle Ewigkeit am Leben geblieben wäre, er hätte sie doch niemals wieder angezogen.

Rousseau
sieht das Weiße im Auge des Königs

Lulu liebte das Sanfte; bald flötete er wie das zärtliche Girren einer Turteltaube, die ihren Gatten zur Liebe lockt; bald wie das bange Klagen einer Nachtigall, die dem verlorenen Liebchen ein Trauerlied singt. Die Vögel des ganzen Tals versammelten sich auf den umstehenden Bäumen und horchten zu. Die Rehe und Gazellen kamen aus den nahen Wäldern herbei, gafften ihn an und reckten die Ohren so freundlich hin, als ob sie den Sinn seines Gesanges begriffen. Allein in dem Schlosse auf dem Stahlfelsen schien noch alles in tiefem Schlafe zu liegen. Lulu strengte seine Augen vergeblich an; es ließ sich niemand sehen und die Fenster blieben alle verschlossen. Die mögen harte Ohren haben, dachte er und hauchte, als ob er sich in seiner Begeisterung verirre, einige Male so stark in seine Flöte, daß Wild und Geflügel vor dem rollenden Widerhall erschrak, und des Schlosses Fenster so laut klirrten, als ob ein Erdbeben seine Grundpfeiler schüttle. — Die schönen Akkorde können wie die schönen Farben den Sinnen eine angenehme Empfindung bringen, weiter nichts. Aber die Wirkung der singenden Melodie geht bis in die Seele.

Im Ohr des Menschen gibt es das Trommelfell. In der Nase des Menschen gibt es die Schleimhaut. Im Auge des Menschen gibt es das Weiße. Das Trommelfell im Ohr, die Schleimhaut in der Nase und das Weiße im Auge des Menschen sind sehr empfindlich. Was unerträglich ist, das geht übers Bohnenlied, das stinkt zum Himmel und ist ein Dorn im Auge. Es dringt dem Menschen durch Mark und Bein, der Mensch kann es nicht riechen, der Mensch sieht es scheel an. Ja, das Leben ist ein verwickelter Vorgang! Was über das Bohnenlied geht, dringt durch Mark und Bein; was zum Himmel stinkt, kann man nicht riechen; und was ein Dorn im Auge ist, sieht man scheel an. So ist der Mensch, und es ist ratsam, ihm nicht zu nahe zu treten.

Am 18. Oktober des Jahres 1752 saß Jean-Jacques Rousseau in der großen Proszeniumsloge des königlichen Theaters zu

Fontainebleau, und sowohl das Trommelfell seines Ohrs, die Schleimhaut seiner Nase und das Weiße seines Auges waren bis zum Äußersten erregt. Es sollte nämlich eine Musik erklingen, die seine eigene Musik und eine Botschaft für die heitere katholische Gesellschaft war.

Rousseau saß auf einem gepolsterten Stuhl. An den Beinen trug er wollene Strümpfe, auf dem Leib trug er einen schäbigen Rock, und auf dem Kopf trug er eine schlecht gekämmte, ungepuderte Perücke. Nein, eine gepuderte Perücke würde er niemals wieder auf dem Kopf, eine brokatene Weste würde er nie wieder auf dem Leib, und an seinen Beinen würde er niemals wieder die langen weißen Strümpfe tragen. Er streckte die Beine weit von sich, strich sich mit der Hand über das unrasierte Gesicht und sagte:

»Ich bin an meinem Platz, weil ich mein Stück spielen sehe, weil ich dazu eingeladen bin, weil ich es nur zu diesem Zweck verfaßt habe und weil am Ende doch niemand eher das Recht hat, die Frucht meiner Arbeit und meines Talents zu genießen, als ich selber. Ich bin gekleidet, wie ich es immer bin, nicht besser und nicht schlechter; wenn ich mich der Weltmeinung in irgendeinem Ding anbequemen wollte, so würde ich sehr bald in allem wieder ihr Sklave sein. Um immer ich selbst zu bleiben, darf ich nicht erröten, wenn ich dem von mir gewählten Stand angemessen gekleidet bin, wo ich mich auch befinde. Mein Äußeres ist einfach und vernachlässigt, aber nicht schmutzig oder unreinlich; auch der Bart ist dies an sich nicht, weil die Natur ihn uns gibt und weil er nach Zeit und Mode zuweilen sogar eine Zierde ist. Man wird mich vielleicht lächerlich und unverschämt finden, aber soll mich das rühren? Ich muß Spott und Tadel ertragen lernen, wenn sie nur nicht verdient sind.«

Würde seine Musik also nicht eine Botschaft für die Gesellschaft, sondern eine Befriedigung seiner selbst sein? Und würde seine gewöhnliche Kleidung nicht eine Brüskierung der Gesellschaft, sondern eine Rechtfertigung seiner selbst sein? Ach, was ist das Leben für ein verwickelter Vorgang! Da sitzt er, der Schöpfer einer Musik und der Träger einer Kleidung, die beide nicht nur Befriedigungen und Rechtfertigungen seiner selbst, sondern auch Botschaften und Herausforderungen für die Gesellschaft sind. Da sitzt er, kühn und aufreizend, und doch zittert er und fühlt sich unbehaglich. Da hebt auch schon der Kapellmeister seinen Taktstock, die Instrumente setzen ein, und es erklingt die Ouvertüre.

Das Leben ist ein verwickelter Vorgang, in dem es zugleich vor- und zurück-, aber auch auf- und abwärts geht. Es ist also Vorgang und Rückgang, Aufgang und Abgang, und der Mensch, ein gehendes Lebewesen, geht folglich nicht nur auf seinen zwei Beinen, sondern er geht empfindend und fühlend diese Gänge des Lebens mit. Empfindend mit den Sinnen und fühlend mit der Seele geht der Mensch die Lebensgänge, ohne daß er sich zu bewegen braucht. Er ißt und er trinkt, er wacht und er schläft, er arbeitet und er spielt, und immer geht es vor und zurück, geht es auf und ab.

Nun gibt es außer dem Essen und dem Trinken, dem Wachen und dem Schlafen, dem Arbeiten und dem Spielen auch noch die Musik, und diese ist etwas ganz Besonderes, und es geht mit ihr etwas ganz Besonderes vonstatten. Es gibt nämlich das Leben mit Musik, und es gibt das Leben ohne Musik. Da es nun aber alte und neue, französische und italienische, schwere und leichte, E- und U-Musik gibt, gibt es Menschen mit einem Leben mit alter, und es gibt Menschen mit einem Leben mit neuer Musik, Menschen mit einem Leben mit französischer und Menschen mit einem Leben mit italienischer, Menschen mit einem Leben mit schwerer und Menschen mit einem Leben mit leichter, sowie Menschen mit einem Leben mit U- und Menschen mit einem Leben mit E-Musik, und schließlich gibt es Menschen mit einem Leben ohne alles dieses.

Nietzsche sagt: »Ohne Musik wäre das Leben ein Irrtum.« Mithin ist das Leben mit Musik die reinste Gewißheit. Es gibt also Menschen mit alter und neuer, mit französischer und italienischer, mit schwerer und leichter und mit E- und U-Musik, die allesamt in der Gewißheit, wenn nicht in der Wahrheit leben, und es gibt Menschen ohne alles dieses, die im Irrtum, wenn nicht in der Falschheit leben. O wie gewiß ist ein Leben mit militärischen Klängen, o wie wahr ist ein Leben mit elektronischem Sound! Aber wie irr ist ein Leben ohne die Äolsharfe, wie falsch ist ein Leben ohne den Flötenton!

Nietzsche nimmt schon gar nicht an, daß es ein Leben ohne Musik überhaupt gibt. Er sagt: »Ohne Musik wäre das Leben ein Irrtum.« Nein, der Musik entgeht wohl keiner, und so braucht auch gottlob niemand ein irrtümliches, ein falsches Leben zu leben. Jedermann lebt ein gewisses, ein wahres Leben, der eine mehr, der andere weniger, dank der wackeren Übermittlungstätigkeit der Medien, die allenthalben die Melodien und die Harmonien der Musik aussenden: Botschaften der Gewißheit und der Wahrheit, sei es nun alte oder neue, sei es französische oder italienische, sei es schwere oder leichte, sei es E- oder sei es U-Musik.

Selbst der Philosoph Immanuel Kant, der sich so weit als irgend möglich in sich selbst zurückziehen wollte, ist der Musik nicht entgangen. Die Insassen des Königsberger Stadtgefängnisses sangen bei offenem Fenster ihre frommen und seelenstärkenden Lieder so lautstark ab, daß er es immerzu hörte, er aber nicht mitgenießen wollte. Es ist wie mit der Ergötzung durch einen sich weit ausbreitenden Geruch, sagte er, und er fügte hinzu: »Der, welcher sein parfümiertes Taschentuch aus der Tasche zieht, traktiert alle um und neben sich wider ihren Willen und nötigt sie, wenn sie atmen wollen, zugleich zu genießen.« Nein, Immanuel Kant wollte nicht die Aufdringlichkeit der Musik, die der Freiheit anderer, außer der musikalischen Gesellschaft, Abbruch tut. Aber die Gefangenen sangen, nicht so schön und nicht so ergreifend wie die Gefangenen in »Fidelio«, aber sie sangen fromme und seelenstärkende Lieder, und Kant konnte der Musik nicht entgehen.

Nun gibt es aber Menschen wie Jean-Jacques Rousseau, die wollen der Musik gar nicht entgehen, im Gegenteil, sie suchen die Musik auf, wo immer sie unter den Menschen erklingt. Schon in seiner frühen Jugend hatte er ganz brav die Flöte blasen und auch artig das Violoncello streichen gelernt, aber am liebsten sang er, und sein Gesang war, wie alle Zeitgenossen bezeugen, die ihn haben singen hören, gefühlvoll und beseelt.

Er hatte eine schöne Stimme. Nun besitzt der Mensch aber drei Arten von Stimmen, die alle drei zum Wesen des Menschen gehören und ihm eigentlich sind: es gibt die artikulierte Stimme, die melodische Stimme und die pathetische Stimme. Die artikulierte Stimme ist die Sprechstimme, mit der der Mensch spricht, die melodische Stimme ist die Singstimme, mit der der Mensch singt, und die pathetische Stimme ist die Leidenschaftsstimme, mit der der Mensch schreit oder mit der er auch dem gesprochenen Wort und dem gesungenen Ton Ausdruck und Tiefe verleiht.

Rousseau besaß alle diese drei Stimmen, er sprach gefühlvoll mit seiner Sprechstimme, er sang beseelt mit seiner Singstimme, aber er schrie nicht mit seiner Leidenschaftsstimme, nein, seine Leidenschaftsstimme gebrauchte er, um seinem gesprochenen Wort und seinem gesungenen Ton Ausdruck und Tiefe zu verleihen. Rousseau liebte das Sanfte.

Er war wie der schöne Lulu aus dem Märchen, dem die Fee Perifirihme eine Flöte gegeben hatte, die die Kraft besaß, jedes Hörers Liebe zu gewinnen und alle Leidenschaften, die der Spieler verlangt, zu erregen oder zu besänftigen. Dabei verließ Rousseau sich nicht blindlings auf die Kraft der Flöte, o nein, seine artikulierte, seine melodische und seine pathetische Stimme verliehen der Flöte soviel Ausdruck und Tiefe, daß sie die gleiche Kraft besaß wie die Flöte des schönen Lulu. Denn vollkommene Musik vereint alle diese drei Stimmen, und der sanfte Rousseau handhabte sie mit Seele und mit Gefühl.

Nun war er aber nicht einfach nur ein Instrumente spielender, also ein Ton gebender und nicht nur ein Instrumente zum Spielen bewegender, also ein Ton angebender, sondern er war ein Töne erfindender, also ein Ton setzender Musiker. Rousseau war ein Komponist, und er hatte es bis zu einer Operette gebracht. O welch ein herrlicher Zustand, wenn es der Mensch bis zur Operette gebracht hat, die ja sowohl die alte als auch die neue, die französische als auch die italienische, die schwere als auch die leichte, die E- als auch die U-Musik in sich vereinigt und die es zu Tränen der Rührung und zu Tränen der Freude kommen läßt. So vollkommen ist die Operette, es ist nur ein Jammer, daß sie so weit heruntergekommen ist.

Rousseau hatte eine Operette komponiert, er hatte das Libretto geschrieben und die Musik dazu komponiert, er konnte die Worte sprechen dank seiner artikulierten Stimme, er konnte die Töne singen dank seiner melodischen Stimme, und er konnte ihnen Ausdruck und Tiefe verleihen dank seiner gefühlvollen und beseelten pathetischen Stimme. Es war der 18. Oktober des Jahres 1752, als diese Operette, betitelt »Der Dorfwahrsager«, vor dem König und dem Hofe in Fontainebleau

dargestellt und aufgeführt wurde: Rousseau, kühn und aufreizend, sitzt in seiner Proszeniumsloge, die Geigen klingen auf,
und zart tönen die Flöten.

Ja, die Musik, das Theater und die Poesie, sie waren von je-
her seine Lieblingsbeschäftigungen gewesen! Als er im Jahre
1745 nach Paris gekommen war, da hatte er schon eine ganze
Reihe von Gedichten, von Balletten und von Theaterstücken
geschrieben, Lust- und Trauerspiele. Seine Helden hießen
Iphis und Lukrez, Harlekin und Narziß. Aber Harlekin verliebte sich wider Willen, und Narziß ist der Liebhaber seiner
selbst. Iphis erhängte sich, er war von niederer Herkunft und
konnte die adlige Anaxerete nicht gewinnen; auch Lukrez tötet
sich von eigener Hand, sein Lehrgedicht über die Natur ist ma-
terialistisch, und er scheitert am Aberglauben seiner Zeitgenossen.

Rousseau selbst ist der arme Iphis und der aufklärerische
Lukrez, er ist der Harlekin, der wider Willen, und er ist der
Narziß, der sich selber liebt. Ja, er ist es, der die verwegene Anwerbung betreibt. Seine Stücke sind Stücke seiner selbst, er
wirbt verwegen, sein Blick auf die Natur und sein Blick auf die
Gesellschaft sind Blicke eines einzelnen. Staunend steht er vor
sich selbst und betrachtet dieses riesenhafte Wesen. Die Gesellschaft ist klein und häßlich, sie ist lasterhaft und vergänglich.
Die Natur aber ist groß und schön, sie ist tugendhaft und un-
vergänglich. Ja, die Natur ist groß, aber das eigene Ich ist noch
viel größer. Rousseau wirbt verwegen, er wirbt um die Gunst
der tugendhaften Natur, aber er betrachtet die lasterhafte Gesellschaft mit einem bösen Blick. Was sind die Gebilde der
Künste dieser kleinlichen Gesellschaft, wo es doch um das eigene Ich geht, dieses Gebilde der großzügigen Natur?

Er war an den venetianischen Palästen vorbeigegangen, er
hatte ihnen nicht einen einzigen Blick gegönnt. Er war vor die
Pforte von Notre Dame getreten, er hatte ihr sogleich den
Rücken gekehrt. Dann stand er am Karpfenteich von Fontainebleau, hinter ihm öffnete sich das Goldene Tor, aber er
schaute auf das Wasser, er beobachtete den müßigen Zug der
Fische, er wandte sich dem tugendhaften Irrtum zu. Ihr stum-
men Fische, ihr habt ein Leben ohne Musik, und euer Leben
muß ein Irrtum sein. Da schwimmt ihr im grünen Wasser und

habt keine Gewißheit und keine Wahrheit erlangt, ihr Irrtümer der Schöpfung, ihr Fehler des lieben Gottes. Rousseau starrte in das starre Auge der Fische, ja, heute sollte er auch in das Auge des Königs sehen. Heute sollte er den König und Frau von Pompadour und den ganzen Hofstaat sehen, Kavaliere und Hofdamen, wie sie da saßen in ihrer lasterhaften Gewißheit und ein Leben mit Musik hatten.

Rousseau schaut auf die Bühne. Sie stellt eine ländliche Gegend dar, man sieht Bäume und einen Springbrunnen und das Haus des Wahrsagers. Ganz im Hintergrund liegen die Hütten eines kleinen Dorfs. Es ist Schäferzeit. Fräulein Fel tritt auf die Bühne, o du schönes Fräulein Fel! Sie hatte schon den Dichter Cahusac um den Verstand gebracht, nun war sie die Geliebte des Malers Quentin de la Tour. Fräulein Fel trägt das enge Mieder der Schäferinnen, ihr Busen wogt, aber sie seufzt und trocknet sich die Tränen mit ihrer Schürze. Da nähert sich gravitätisch Herr Cuvillier im Aufzug des Wahrsagers, ja, Herr Cuvillier weiß, worum es geht, der treulose Colin hat die schöne Schäferin Colette mit ein paar städtischen Damen betrogen, und nun weint sie und weiß sich keinen Rat.

Es ist Rokokozeit, ganz Frankreich ist ein geordneter und gepflegter Salon und ein geordneter und gepflegter Garten. Die feinen Stadtmädchen haben Schäferkleider angelegt, sie tanzen und singen unter den Papiergirlanden, und sie verdrehen den Schäfern den Kopf. Ganz Frankreich tanzt und singt, jede Wiese ist eine Ballettbühne, und jedes Waldeck ist eine Theaterkulisse.

In Deutschland ist die Erde verwüstet, Städte gehen in Flammen auf, Felder und Wiesen sind verheert. Ganz Frankreich ist aber ein geordneter und gepflegter Salon. Largillière malt Voltaire, van Loo malt Diderot, und Quentin de la Tour malt Rousseau. Voltaire trägt das Rüschenhalstuch unter der purpurnen Weste, er lächelt spöttisch und kalt. Diderot zeigt seinen Hals unter dem offenen Hemd, er lächelt kühn und verkniffen. Rousseau aber, im schlichten, geschlossenen Hemdkragen, er lächelt mild und bewegt, er lächelt sanft und bescheiden.

Rousseau sitzt in der großen Proszeniumsloge und lauscht seiner Musik. Ihm gegenüber sitzt der König. Er ist groß und schlank, hat breite Schultern und kräftige Lenden, eine helle Haut und goldene Locken, genauso wie es sich für einen König geziemt. Er sieht nicht aus wie der Zauberer aus dem Märchen, der dicke Lippen und aufgedunsene Backen und schon einen Hängebauch hatte, nein, Ludwig ist der schönste Mann im ganzen Lande, obwohl Frau von Ventadour, der Kardinal von Fleury, der Marschall von Villeroi und ein jesuitischer Beichtvater ihn vollkommen verdorben hatten.

Ja, seine Gouvernante hatte ihn verzärtelt, sein Hauslehrer hatte ihn untüchtig, sein Erzieher hatte ihn eitel, und sein Beichtvater hatte ihn bigottisch gemacht. Da sitzt er nun in seiner Loge, eigensinnig und faul, selbstsüchtig und abergläubisch, und lauscht einer neuen Musik.

Was hatte Rousseau nicht alles unternommen und ausprobiert, was hatte er nicht alles versucht und gewagt, um ein Musikant und Komponist zu werden! In Annecy hatte er das lustige Leben in der Kapellmeisterei kennengelernt, in Lausanne war er als Tonsetzer aufgetreten, ohne auch nur den geringsten Gassenhauer in Noten setzen zu können. Für Rolichon hatte er Partituren kopiert, die aber unaufführbar waren, mit Mama hatte er Duette gesungen, worüber ihre Wacholder- und Absinthextrakte in der chemischen Küche verkohlten. Ja, in seinem Kopf waren Motive und Melodien aufgestiegen, und er versteifte sich fest darauf, sein Glück in der Musik zu suchen. In Chambéry hatte er dann Noten lesen gelernt, in Besançon wollte er die Komposition erlernen, ja, er sollte eines Tages ein berühmter Mann werden, ein moderner Orpheus, dessen Töne alles Gold Perus anlocken würden.

Rousseau gegenüber sitzt der König. Er besitzt dreitausend Pferde, zweihundertsiebzehn Kutschen, hundertfünfzig Pagen und dreißig Ärzte. Er besitzt schon das Gold, das die Töne Rousseaus eines Tages gewinnen sollten. Der Königshof hatte im verflossenen Jahr achtundsechzig Millionen Livres ausgegeben, das war ein Viertel der Einkünfte. Der Hof spielt und tanzt, der Fürst von Soubise gibt zweihunderttausend Livres aus, um den König einen Tag lang zu unterhalten. Was tut der König, wenn er nicht gerade im Theater sitzt und eine Operette anschaut? Er schnitzt Holz und strickt Strümpfe, er melkt Kühe und spielt mit den Hunden, er macht Feuer und kocht Kaffee. Zuerst ist er der Vielgeliebte, dann ist er der Meistgeschmähte. Er sagt: »Die Dinge, wie sie sind, werden so bleiben, solange ich lebe.«

In Portugal bebt die Erde, Lissabon sinkt in Schutt und Asche. Ganz Frankreich aber ist ein geordneter und gepflegter Garten. Am Fluß entlang zieht sich die duftige Birkenallee, Spalierobst wächst in lichten Reihen, an der Mauer blüht das Immergrün. Die Sommerwiese ist geordnet wie der Sternenhimmel, der Alpensee ist scharf begrenzt. Watteau malt das rauschende Leben, Fragonard malt die große Gesellschaft, Boucher malt das schlichte Hirtenleben. Es ist Rokokozeit, und die heitere katholische Gesellschaft Frankreichs läßt sich im Schäferkostüm konterfeien. Watteau malt die galanten Feste, die Liebespaare schiffen sich ein nach Cythera, heiter und graziös schweben sie über den Hügel. Fragonard malt die erotischen Spiele, er blickt durch das Schlüsselloch, er hebt den Vorhang des Alkovens, es duftet nach Parfüm und Puder. Boucher malt die ländlichen Picknicks, Gärtner und Schäfer tragen Rechen und Hirtenstäbe, die Diana ist ein barfüßiges Hirtenmädchen.

> »Schön geputzt mit reichen Kanten
> könnt ich hier spazierengehn;
> und von vornehmen Verwandten
> statt von euch umringt mich sehn!
> Doch für ihn, den Ungetreuen
> schiens mir ein zu eitler Scherz;
> lieber mich als Hirtin freuen,
> dacht ich — hab ich nur sein Herz!«

singt jetzt Fräulein Fel auf der Bühne von Fontainebleau, und aus allen Logen dringt ein erstauntes Murmeln. Die Hofdamen sitzen da mit ihren Spitzentaschentüchern an den Augen, schön wie wahrhaftige Engel, und sie sagen: »Das ist reizend.« Sie sagen: »Das ist entzückend.« Sie sagen sogar: »Da gibt es keinen Ton, der nicht zum Herzen spräche.«

Neben dem König sitzt die Marquise von Pompadour. Jedermann sieht ihre schlanke Gestalt und ihre zarten Hände, jedermann hört ihre verführerische Stimme und ihr helles Lachen, jedermann riecht ihr schweres Parfüm und ihr gepudertes Haar. Sie ist ein Leckerbissen für einen König und eine Augenweide für einen Maler. La Tour und Boucher haben sie gemalt. La Tour zeigt das Spiel der Einzelheiten mit dem Ganzen, das Spiel der lila Bandschleifen mit dem Atlas im Brustausschnitt, das Spiel der Locken mit der Linie des Halses. Boucher zeigt das Doppelspiel des Üppigen und des Schlanken, des Geöffneten und des Verdeckten. Die gelehrten Kunstbetrachter geraten in Verzückung, so daß sie La Tour die Melodie und daß sie Boucher die Harmonie ihres Körpers ins Bild setzen lassen. Melodie und Harmonie, wie werden diese beiden Erscheinungen der Musik eine ganze Welt von Kunsthistorikern ins Schwärmen bringen!

Schöne Frau von Pompadour, sie hatte Voltaire beschützt, sie hatte Diderot gerettet, sie sang und tanzte in den Schäferspielen, aber schon hatte sie Blut gespuckt, und jedermann sah ihr bleiches Gesicht, jedermann hörte ihren tuberkulösen Husten, jedermann roch ihren fiebrigen Schweiß.

Auf der Bühne steht nun Herr Jelyote, er ist umgarnt von der Anmut des Fräulein Fel und der List des Herrn Cuvillier, denn das Stück ist in seine entscheidende Phase eingetreten. Ja, Colette ist nicht mehr betrübt, sie ist dem Rat des Wahrsagers gefolgt und läßt den leichtsinnigen Colin glauben, daß auch sie mit einem feinen Herren flirtet. Herr Jelyote in der Rolle des Colin faßt sich dramatisch an sein Herz und singt:

»Hirtenstab und Flöte schmücken
schöner mich als Band und Stern:
will Colette mich beglücken,
laß ich alle Schätze gern.
Mancher Herr mit Stock und Degen
möchte tauschen sicherlich;
mit dem blanken, goldnen Degen
ist er nicht so reich als ich.«

Da greift auch die Marquise von Pompadour in ihr seidenes Täschchen und holt ein Schnupftuch hervor. Nein, diese Musik dringt geradeswegs ins Herz, und die Marquise kann nicht mehr an sich halten. Ludwig XV. hatte für sie 36 327 268 Livres ausgegeben, sie hatte sich dafür Gold und Silber, Kristall und Porzellan, Spiegelkabinette und Ebenholzmöbel gekauft, sie hatte dafür Maler malen und Bildhauer bildhauern, Kunsttischler kunsttischlern und Kupferstecher kupferstechen lassen, sie hatte Vasen und Flaschen, Uhren und Dosen, Fächer und Stühle entwerfen und fertigen lassen, sie hatte über Ernennungen und Begnadigungen, über Renten und Titel, über Verträge und Sinekuren beschieden, sie hatte gesagt: »Nach mir die Sintflut!« und jetzt sitzt sie da in ihrer Loge und vergießt bittere Tränen.

Eine weinende Frau von Pompadour, ein ganzer weinender Hofstaat, das läßt auch den braven Rousseau nicht ungerührt. So viele liebenswürdige Menschen, denen er mit seiner Musik eine so innige Rührung einflößt, das rührt auch ihn selbst zu Tränen. Und wie er nun sieht, daß rund um ihn herum alle Welt zu weinen beginnt und er nicht mehr der einzige ist, da hält er die Tränen nicht mehr zurück, und sie fließen in Strömen und benetzen sein schäbiges Jackett.

Ach, wie geborgen darf er sich fühlen unter all diesen gerührten Menschen! Was ist die Musik doch für eine gewaltige Macht, die dem Leben Gewißheit gibt und es nicht einen Irrtum sein läßt! Da gibt es die alte und die neue, die französische und die italienische, die schwere und die leichte, die heitere und die ernste Gewißheit, und das verwickelte Leben, in dem es vor und zurück, in dem es auf und ab geht, braucht Gottseidank kein Irrtum zu sein.

Aber nicht nur im Leben, auch in der Musik geht es vor und zurück, geht es auf und ab und geht es schließlich so verwickelt zu wie im wirklichen Leben. Während alle Menschen, in einem Leben mit Musik, in der reinsten Gewißheit existieren, schlagen sich die Musiker, deren Leben aus nichts anderem als aus der Musik besteht, mit dieser Gewißheit herum und werfen sich gegenseitig Irrtümer vor. Es ist der Irrtum in der Gewißheit, der die Musiker nicht zur Ruhe und die anderen Menschen nicht von der Gewißheit zur Wahrheit vordringen läßt.

Der große Jean-Philippe Rameau hatte eine »Abhandlung über die Harmonie, beschränkt auf ihre natürlichen Prinzipien« geschrieben; aber seine eigenen Kompositionen waren künstliche Kontrapunktierungen, voller Pracht und Raffinesse. Rousseau dagegen hatte ein »Projekt, neue Zeichen für die Musik betreffend« entworfen, er hatte die Noten durch Zahlen ersetzt und so ein künstliches Meßsystem erfunden; aber seine eigenen Melodien waren natürliche Gesänge voller Anmut und

Einfalt. In der alten Notenschrift geht es auf und ab wie im Leben, in Rousseaus neuer Notenschrift geht es vor und zurück wie im Leben, das Abbild wird zum Sinnbild, o weh, diese verhängnisvolle Perfektibilität!

Rousseau legt sich mit Rameau an. Im Jahre 1745 kommen zwei Ballettopern von ihm zur Aufführung, »Die galanten Musen« im Hause des Generalsteuerpächters La Popelinière, und die »Feste Ramiros« im Theater zu Versailles. In den »Galanten Musen« verherrlicht er die Liebschaften Anakreons, Ovids und Tassos, jede in einer anderen Tonart, und Rameau sagt: »Ein Machwerk!« In den »Festen Ramiros« bearbeitet er im Auftrag des Herzogs von Richelieu einen Text von Voltaire und eine Musik von Rameau, und Frau von Popelinière sagt: »Eine Begräbnismusik!«

Rousseau kehrt Rameau den Rücken und wendet sich auch von Frau von Popelinière ab. Herr von Franceuil, der Stiefsohn Frau Dupins, holt ihn in das Haus des Generalsteuerpächters Dupin, und Rousseau, gerettet und geborgen, spaziert durch den Park des Schlosses von Chenonceaux. Es ist das Jahr 1747, es ist Herbst in der Touraine, Rousseau schreibt eine Komödie, »Die verwegene Anwerbung«, und er schreibt ein langes Gedicht, »Die Allee der Sylvia«. Im Hause wird musiziert, draußen auf den Wiesen weiden die Schafe, die Schäfer und die Schäferinnen lassen ihre bunten Bänder flattern, ja, es ist Rokokozeit, und die heitere katholische Gesellschaft musiziert.

Es gibt die göttliche und die menschliche, die himmlische und die irdische, die tätige und die beschauliche Musik, aber sowohl in der göttlichen als auch in der menschlichen, in der himmlischen und in der irdischen, in der tätigen und in der beschaulichen Musik gibt es das Rhythmische und das Metrische, das Organische und das Poetische, das Harmonische und das Scheinheilige. Das Rhythmische ist für den Tanz, das Metrische ist für die Kadenz, das Organische ist für die Instrumente, das Poetische ist für die Versmaße, das Harmonische ist für das Lied und das Scheinheilige ist für das Theater da. In göttlichem Rhythmus, in menschlichem Metrum, in himmlischer Organik, in irdischer Poesie, in tätiger Harmonie und in beschaulicher Verstellung wird sich der Mensch seines Lebens gewiß und darf sich freuen, daß dieses Leben kein Irrtum ist.

Und doch sitzt die Frau von Pompadour in ihrer Loge und läßt ihre Tränen fließen. Sie läßt sie nicht fließen, weil nur sie soviel Gold und Silber, soviel Kristall und Porzellan, soviel Spiegelkabinette und Edelholzmöbel besitzt und die armen Schäfer und Schäferinnen alles dieses entbehren müssen, nein, sie läßt die Tränen fließen, weil die Schäfer und Schäferinnen bei dieser schönen Musik tanzen und spielen und sich wieder versöhnen dürfen, und sie muß da sitzen und darf nur über Gold und Silber, über Kristall und Porzellan, über Spiegelkabinette und Edelholzmöbel verfügen und den verzückten Kunsthistorikern als Betrachtungsobjekt dienen.

Im Jahre 1749 hatte Rousseau die Musikartikel für die Enzyklopädie geschrieben, und dabei hatte er herausgefunden, daß es in der göttlichen und in der menschlichen, in der himmlischen und in der irdischen, in der tätigen und in der beschaulichen Musik zwei Erscheinungen gibt, die einander entsprechen und durchdringen, aber auch einander widersprechen und fliehen. Diese beiden Erscheinungen sind sogar die Grundprinzipien der Musik überhaupt, die ja nichts anderes ist als die Wissenschaft von den Tönen, vorausgesetzt, daß sie es zuwege bringt, das Ohr auf angenehme Weise zu rühren. So scheidet sich die Musik auf ganz einfache Weise in die spekulative und in die praktische Musik, und die beiden Grundprinzipien sind die Melodie und die Harmonie. »Der Rhythmus ist für uns ein viel zu beschränkter Untersuchungsgegenstand«, er ist borniert, sagt er, und er schüttelt den Kopf.

»Wird er es wagen, jetzt mit mir zu sprechen?
Mir schlägt das Herz, es möchte schier zerbrechen!«
singt Colette jetzt mit dem Munde des Fräulein Fel, und Colin, mit dem Munde des Herrn Jelyote, antwortet bewegt:
»Ach, könnt ich ihr doch meine Angst beschreiben,
ich weiß nicht, soll ich gehen oder bleiben.«
Die Szene ist so bewegend, daß das ganze Theater von Fontainebleau in ein heilloses Schluchzen ausgebrochen ist. Allenthalben wehen die Spitzentaschentücher durch die Luft, und Rousseau, der sich wie ein Triumphator zu fühlen beginnt, wendet sich für einen Augenblick seiner Vergangenheit zu, als er nämlich im Hause des Herrn von Treytorens ein Konzert gegeben und einen Mißerfolg errungen hatte. »Nein, seit es

französische Opern gibt, ist nie eine ähnliche Katzenmusik vernommen worden! Was man auch immer von meinem angeblichen Talent halten mochte, die Wirkung war schlimmer als alles, was einige zu erwarten schienen. Die Musiker erstickten vor Lachen, die Zuschauer machten große Augen und hätten sich gern die Ohren verstopft. Meine Henker von Instrumentalisten, die sich einen Spaß machen wollten, vollführten einen Lärm, der einem Tauben das Trommelfell sprengen konnte.« Daran dachte er jetzt, ach, in diesem Augenblick hätte er wohl nie gehofft, daß er eines Tages den ganzen Hofstaat des Königs rühren und obendrein eine neue Musik zur Geltung bringen würde in ganz Frankreich.

Im Sommer 1752 war eine kleine italienische Operntruppe in Paris erschienen. Sie spielte das Intermezzo »La serva padrona« von Giovanni Pergolesi. Zerbine und Pandolfo sprangen über die Bühne, sie sangen nicht mehr Arien, sondern Lieder, sie waren keine Schemen mehr, sondern Figuren, sie blähten sich nicht mehr in ernster Gelehrsamkeit, sondern sie tollten in heiterer Volkstümlichkeit durch die Kulissen. Die Königin von Frankreich unterstützte diese neue italienische, aber die Marquise von Pompadour verteidigte die alte französische Musik, und sogleich teilte sich die ganze französische Musikwelt in zwei Lager.

Auf der einen Seite standen die Anhänger der alten lyrischen Tragödie, der Opera serena, und auf der anderen Seite standen die Parteigänger der neuen komischen Oper, der Opera buffa. Hier standen die alten Tragöden, gelähmt und gedämpft, kalt und akademisch, und dort standen die neuen Buffonisten, lebendig und frisch, warm und autodidaktisch. Ja, die Autodidakten, sie sind keine Marionetten und Wachsfiguren, sie brauchen keinen Seelenhirten und keinen Steuerberater, sie brauchen kein Kindermädchen und keinen Doktorvater, nein, die Autodidakten sind ganz von selbst drauf gekommen. Köstliche Opera buffa, dank deiner erlangen die Menschen auf komische Weise Gewißheit über ihr Leben!

Der Krieg der Possenreißer war ausgebrochen, Rameau legte verzweifelt seinen akademischen Stift aus der Hand. Rousseau aber schrieb mit autodidaktischem Schwung seinen »Brief über die französische Musik«. Er schrieb: »Die französische Musik besitzt weder Takt noch Melodie, weil sich die Sprache nicht dazu eignet. Der französische Gesang gleicht einem ständigen Gebell, unerträglich für ein verfeinertes Ohr, seine Harmonien sind ungehobelt, ausdruckslos und erinnern an das Pensum eines Schülers: die französischen Arien sind keine Arien, und das französische Rezitativ hat mit Rezitativ nichts zu tun. Daraus schließe ich, daß die Franzosen keine Musik haben und nicht haben können, und sollten sie jemals eine ihr eigen nennen, so können sie einem nur leid tun!«

Und noch fünfundzwanzig Jahre später, in seinem »Wörterbuch der Musik«, rief er dem zukünftigen musikalischen Genie zu: »Willst du wissen, ob irgendein Funke dieses verzehrenden Feuers in dir glüht, so laufe, so eile nach Neapel, die Meisterwerke von Leo, von Durante, von Jomelli, von Pergolesi anzuhören. Wenn deine Augen sich mit Tränen füllen, wenn du dein Herz zittern fühlst, wenn es in dir juckt, wenn du erstickst in deiner Verzückung, so nimm den Metastasio; sein Genie wird das deinige erwärmen ... Das ist es, was das Genie ausmacht, und bald wirst du in anderen Augen die Tränen glänzen sehen, so wie du einst bei den Werken deiner Meister geweint hast.« Ja, soweit wird er gehen, aber er wird nicht dabei stehen bleiben, o nein. Rousseau wird das musikalische Genie der Zukunft nicht nur ermuntern, er wird es auch verstören. »Wenn aber die Reize dieser großen Kunst dich ruhig lassen«, wird er ihm zurufen, »wenn du weder Taumel noch Verzückung kennst, wenn du nur schön findest, was dich berauschen sollte, dann wage es nicht zu fragen, was das Genie ist. Gewöhnlicher Mensch, entweihe diesen Namen nicht. Was brauchst du es zu wissen? Du kannst es ja doch nicht fühlen: mache französische Musik!«

Rousseaus Musik ist der Einklang, Rameaus Musik ist der Zusammenklang. Rousseau singt eine Melodie, Rameau komponiert Harmonien. Die Melodie ist die Stimme der Natur, da geht der Mensch und ist im Einklang mit sich selbst. Die Harmonie aber ist die Errungenschaft der Kultur, da sitzt eine ganze Gesellschaft und übt sich im Zusammenklang. Doch immer ist ein Kläffer oder ein Johler, immer ist ein Schreihals oder ein Heuler, immer ist ein Quäker oder ein Plärrer dazwischen, und der gesellschaftliche Kontrapunkt ist ein unseliges

Mißvergnügen der Kultur. An allen Ecken und Enden haben die Bremer Stadtmusikanten Aufstellung genommen, und ihr polyphones Wiehern und Bellen, ihr Miauen und Krähen ist nichts als physikalische Willkür. Ja, in blanker Willkür hat der Mensch die ursprüngliche Naturmusik in die vervollkommnete Kunstmusik umgewandelt.

Die Harmonie ist nur eine physikalische, die Melodie aber ist eine metaphysische Erscheinung. Was soll also die Harmonie für eine besondere Wirkung haben? In der »Neuen Heloise« steht geschrieben: »Die schönen Akkorde können wie die schönen Farben den Sinnen eine angenehme Empfindung bringen, weiter nichts ... Der Eindruck der Akkorde ist ausschließlich mechanisch und physisch. Was hat das mit dem Gefühl zu tun?« Aber die Melodie, sie hat eine ganz andere Wirkung, sie geht über alles hinaus. Rousseau sagt: »Die Wirkung der singenden Melodie geht bis in die Seele, sie ist der natürliche Ausdruck der Leidenschaft ... Durch die Melodie, nicht durch die Akkorde haben die Töne Ausdruck, Feuer, Leben, nur die gesangreiche Melodie gibt den Tönen jene moralischen Kräfte, die die ganze Lebenskraft der Musik ausmachen.«

O wie empfindsam ist die Moral! Da gibt es den einzelnen natürlichen Menschen, der mit sich selbst im Einklang ist, und er ist gut. Und da gibt es den sozialen künstlichen Menschen, der im gesellschaftlichen Zusammenklang um die Vorherrschaft der Dominante ringt, und er ist böse. Schaut euch den Polynesier an, er ist ein einzelner natürlicher Melodiker, und schaut euch den Rokokomenschen an, er ist ein sozialer künstlicher Harmoniker. Aber befreit nur einmal den Rokokomenschen von allen Fesseln der Gesellschaft, wie rasch wird er sich in einen Polynesier verwandeln! Und legt dem Polynesier nur die Kette um den Hals und setzt ihm die Perücke auf den Kopf, so habt ihr im Nu einen Rokokomenschen!

Sind nun die Kavaliere, die Hofdamen und die Musikanten sozialisierte Polynesier oder sind sie naturalisierte Rokokomenschen? Rousseau sitzt in seiner Proszeniumsloge, Herr Jelyote im Kleide des Colin und Fräulein Fel im Kleide der Colette stehen sich auf der Bühne gegenüber, sie fassen sich bei den Händen und schauen sich in die Augen, und ringsum in den Logen trocknen die Tränen. Rousseaus Loge ist eine blühende

143

Bühnenlaube, Blumengirlanden aus Stuck und bemalte Täfelungen umgeben ihn, er sitzt inmitten von polynesischen Hofdamen und Rokokokavalieren, kühn und aufreizend, argwöhnisch und wachsam und hört jetzt das Duett der beiden versöhnten Schäfer.

Aber hört nur, wie die Harmonie die Sätze verstümmelt, hört nur, wie die Melodie ins Stottern gerät! Ja, noch in seinem »Wörterbuch« wird Rousseau sich entsetzen, viele viele Jahre später: »Wenn man bedenkt, daß von allen Völkern der Erde, die allesamt Musik und Gesang besitzen, die Europäer die einzigen sind, die eine Harmonie und Akkorde haben und die diese Mischung als angenehm empfinden; wenn man bedenkt, daß die Welt Jahrhunderte bestanden hatte, ohne daß ein einziges der Völker, die die schönen Künste gepflegt haben, diese Harmonie gekannt hat; daß kein Tier, kein Vogel, kein Wesen in der ganzen Natur einen anderen Akkord hervorbringt als den Einklang, noch eine andere Musik als die Melodie; daß die orientalischen Sprachen, die so wohlklingend, so musikalisch sind, daß das so feine, so empfindliche und so geübte griechische Gehör niemals diese genußfreudigen und leidenschaftlichen Völker zu unserer Harmonie geführt hat; daß ohne diese Harmonie ihre Musik so wunderbare Wirkungen auslöste; daß mit ihr die unsere oft so schwächlich ist; daß es endlich den Völkern des Nordens, deren harte und grobe Sinne vielmehr vom lärmvollen Ausbruch der Stimmen als von süßen Akzenten und von der heimlichen Melodie des Stimmfalls gepackt werden; daß es also diesen nordischen Völkern vorbehalten war, diese große Entdeckung zu machen und sie als Grundlage für alle Regeln der Kunst aufzustellen; ich sage, wenn man alles das bedenkt, so ist der Verdacht schwer zu vermeiden, daß unsere ganze Harmonie nichts anderes ist, als eine gotische und barbarische Erfindung, auf die wir niemals gekommen wären, wenn wir für die wirklichen Schönheiten der Kunst und für eine wahrhaft natürliche Musik empfänglicher gewesen wären!«

Ja, was hat die Musik nicht alles über die Menschheit gebracht! Mit der Musik in ihrem Leben werden die Perser, die Skythen und die Polynesier zu Goten, und die Ägypter, die Griechen und die Römer werden zu Byzantinern werden, und ganz am Ende wird Ionesco sagen: »Es gibt gotische, und es gibt byzantinische Halluzinationen.« O ihr gotischen Verstümmelungen, ihr byzantinischen Heilungen, ist nun ein Leben ohne Musik der Irrtum und ein Leben mit Musik die reinste Gewißheit?

Oder ist es gar die Harmonie, die den Irrtum, und ist es die Melodie, die die Gewißheit in sich birgt? Welche Not ist diese spekulative Musik der Harmonien, welcher Überfluß aber ist die praktische Musik der Melodien! Die Harmonie ist das Laster, die Melodie aber ist die Tugend. Rousseau hat aus der Not eine Tugend gemacht, ja, er hat seine spekulative Meßkunst der Zahlen in eine praktische Klangkunst der Töne umgewandelt. Ja, hört nur, wie die Harmonie die Sätze verstümmelt, wie aber die Melodie ihre Glieder alle wieder zusammenfügt!

Da sitzen die Hofdamen und Kavaliere, in seidenen Kleidern und langen Schleppen, in weiten Kniehosen und weißen Strümpfen, mit beringten Fingern und gepuderten Köpfen, sie verschlingen zweihunderttausend Livres, und dabei hätten sie nur einen einzigen gebraucht, um unterhalten zu werden. Das geht übers Bohnenlied, und Rousseau dringt es durch Mark und Bein. Da sitzt die Marquise von Pompadour, zart und schlank, heiter und verführerisch, anmutig und stolz, sie gibt ein halbes Herzogtum aus der Hand, um dreihundertvierunddreißig Halsketten zu kaufen, und dabei hätte eine einzige genügt, um ihren Hals zu schmücken. Das stinkt zum Himmel, und Rousseau kann es nicht riechen. Da sitzt der König, groß und kräftig, mit breiten Schultern und ergiebigen Lenden, mit heller Haut und goldenen Locken, er besitzt zweihundertsiebzehn Kutschen, aber er hat mit einer einzigen vorliebnehmen können, um heute hierher nach Fontainebleau zu fahren. Das ist ein Dorn im Auge, und Rousseau sieht den König scheel an. Er sieht ihm ins Auge.

Im Auge des Menschen gibt es das Weiße. Das Graue und das Blaue, das Grüne und das Braune sind immer anders, aber das Weiße ist immer weiß. Das Weiße im Auge des Menschen ist bei allen Menschen das gleiche Weiß. Um das Weiße im Auge des Menschen zu sehen, muß man nahe an den Menschen herantreten. Man muß ihm nahetreten. Am 18. Oktober 1752 ist Rousseau dem König so nahegetreten, daß er das Weiße in seinem Auge sieht. Es ist das Weiße im Auge des Königs Ludwigs XV. Die Karpfen im Fischteich von Fontainebleau haben starre Augen, aus ihnen glotzt der ganze Irrtum der Natur. Der König aber hat lebendige Augen, aus ihnen leuchtet die reinste Gewißheit der Kultur. Er sitzt ja in seiner Loge und lauscht einer Musik, während die Fische im Wasser schwimmen und nichts von alledem vernehmen.

Rousseau errötet bis in das Weiße seiner Augen hinein. Schon das Fräulein Breil war bis in das Weiße ihrer Augen errötet. Das ist die Scham. Alle Welt weint, und es herrscht eine so süße und eine so rührende Trunkenheit, und obendrein am Hof, am Tag der Erstaufführung, eine so begeisterte Zustimmung, anstatt daß der König samt dem Hofstaat diesen Schäfern den Rücken kehrt. O nein, das ländliche Stück ist gar keine Botschaft der Natur gegen die Laster der Gesellschaft, und auch Rousseaus schäbiger Aufzug ist keine Rechtfertigung der Natur den gesellschaftlichen Gepflogenheiten gegenüber gewesen. Er hatte gar nicht herausgefordert: ach, was ist die Musik für ein verwickelter Vorgang! Sie gibt Gewißheit und ist doch ein großer Irrtum. Schon der sanfte Lulu aus dem Märchen hatte umsonst in seine Flöte gehaucht, wohl klirrten die Fenster des Schlosses und bebten die Grundpfeiler der Mauern, aber der königliche Zauberer besaß harte Ohren, und er war nicht zu erschüttern durch eine sanfte natürliche Musik.

O nein, die Schäferwelt hatte dem Hofstaat nicht den Handschuh hingeworfen, sie hatte ihm nicht die Spitze geboten, sie hatte ihn nicht bis aufs Blut gereizt. Kein Wunder, wenn diese arglose Schäferwelt sich eines Tages in eine flatterhafte, und diese flatterhafte sich am Ende in eine närrische Schäferwelt verwandeln würde! »Folie Bergère« wird es eines Tages heißen, mitten im lasterhaften Kulturbetrieb. Und so ruft Colette am Ende: »Die Städter machen mehr Geschrei, / doch sind sie auch so froh dabei?« Ja, noch spielen und tanzen Colin und Colette auf der Bühne von Fontainebleau.

Die Schäfer und die Schäferinnen wirbeln zwischen den Birken und den Trauerweiden, daß man gar nicht glauben mag, sie könnten einen heiteren katholischen Hofstaat nicht zur Natur bekehren.« Ich kann mir die bebänderten Buben und Mädchen und ihre Bewegungen noch jetzt zurückrufen«, schrieb Goethe noch im nächsten Jahrhundert; er hatte von seinem

Großvater ein Freibillett fürs Theater bekommen, zum Leidwesen seines Vaters, von dem er ja des Lebens ernstes Führen geerbt, aber zur Freude seiner Mutter, die ihm die Frohnatur mitgegeben hatte. Da saß er als Knabe im Parterre vor einer französischen Bühne, hörte eine fremde Sprache und sah die vertrauten Gebärden. Ja, die Buben und die Mädchen lassen ihre Bänder fliegen und sie singen:

»Kommt, laßt uns tanzen vor der Linde,
ihr Mädchen, stellt euch in die Reih,
kommt, laßt uns tanzen vor der Linde,
ihr Schäfer, blast auf der Schalmei.«

Welch ein Singen, welch ein Tanzen auf der Theaterbühne von Fontainebleau! Dann aber fällt der Vorhang auf die Bretter, die eine Wiese bedeutet haben, herunter. Die natürlichen Melodien sind verklungen, und die Bretter haben aufgehört, etwas zu bedeuten. Rousseau, gar nicht mehr kühn und aufreizend, sitzt in seiner Loge und schaut nach dem König. Er sieht das Weiße im Auge des Königs, so nahe ist er dem König getreten. Aber er hätte wohl eine Fahne neben seiner Loge aufpflanzen und die phrygische Mütze auf seinen unfrisierten Kopf setzen müssen, die Trikolore und den Jakobinerhut, um den König seine Moral zu lehren. Nein, die Musik ist wohl nicht das Mittel, das dem Leben Gewißheit gibt!

Angesichts verkleideter Sänger und Sängerinnen und im Wohlklang ihrer Melodien verschenkt der König nicht zweitausendneunhundertneunundneunzig von seinen dreitausend Pferden, trennt er sich nicht von zweihundertsechzehn seiner zweihundertsiebzehn Kutschen, entläßt er nicht vierhundertneunundneunzig von seinen fünfhundert Pagen und gibt er auch nicht neunundzwanzig von seinen dreißig Ärzten frei, und er kommt erst gar nicht auf den Gedanken, sich von all dem loszusagen, um das Leben eines einfachen und fröhlichen Schäfers zu führen. Im Gegenteil, der König flötet die heiteren Melodien Rousseaus, und noch am selben Abend trägt er dem Herzog von Aumont auf, den trefflichen Komponisten zum anderen Morgen um elf Uhr in sein Schloß zu bestellen.

O weh, diese Ladung schlug dem armen Rousseau wie stets bei solcherlei Anlässen auf den Bauch, auf die Brust und auf den Kopf zugleich, so daß er in seinen Eingeweiden das alte Blasenübel, in seinem Herzen die unüberwindliche Schüchternheit und in seinem Kopf das gräßliche Ohrensausen verspürte. Der König hatte ihm eine Audienz und folglich auch ein Ehrengehalt in Aussicht gestellt. Jetzt durfte er die Eingeweide grimmen und das Herz flattern lassen, aber den Kopf durfte er nicht verlieren.

»Du pfeifst nicht übel«, hatte schon der Zauberer Dilsenghuin zu dem Lulu aus dem Märchen gesagt, »ich hätte Lust, dich zu meinem Schloßpfeifer zu machen«. Aber Lulu hatte geantwortet: »Ich gehe nicht gern in fremde Dienste, ein echter Spielmann spielt lieber aus Lust als auf Befehl. Freie Luft und freies Spiel ist mir so nötig als Speis und Trank.« Und so schützte Rousseau bei Hofe seinen Gesundheitszustand vor, daß er nicht zur Audienz erscheinen könne, aber nur das Blasenübel und die Schüchternheit. So verlor er das Ehrengehalt, aber er behielt seinen Kopf. Ein königliches Ehrengehalt ist ja nicht nur ein Zuckerbrot, es ist auch ein Gnadenbrot. Der Zucker ist süß, aber die Gnade ist bitter. Zucker macht lustig, Gnade macht wehleidig. Rousseau, mit seinem freien Kopf, wählte das unsichere Leben ohne Ehrengehalt, ohne den lustigen Zucker, aber auch ohne die wehleidige Gnade; ja, was die natürlichen Melodien seiner Musik und was auch die natürliche Herausforderung seiner Kleidung nicht vermocht hatten, das brachte sein freier Kopf zustande: er hielt sich fortan nicht mehr an die Künstlichkeiten, er hielt sich nur noch an die Natürlichkeiten der Natur.

Er hielt sich an die milden Jahreszeiten und an die sanften Elemente, er hielt sich an die müßigen Bewegungen und an die einfachen Töne. Die Jahreszeiten, das ist der Frühling; die Elemente, das ist das Wasser; die Bewegungen, das ist das Spazierengehen; die Töne, das ist das Gezwitscher der Vögel. Der König hörte zwar den ganzen folgenden Tag über nicht auf, mit der falschesten Stimme des ganzen Königreichs seine Melodien zu singen, aber Rousseau war darüber hinweg. Der König sang:

> »Ach, mein ganzes Glück ist hin,
> ja, verloren hab ich ihn«,

aber Rousseau hatte sich bereits einen anderen Ton im Kopf gebildet. Eines Tages würde er sagen: »Wir brauchen ein wachsames Ohr. Wir brauchen geschickte Hände. Nichts macht Arme gelenkiger, als wenn sie den Kopf schützen müssen.« Ja, er würde das Ineinandergreifen von Kopf und Gliedern lehren, das natürliche Zusammenspiel im neuen Menschen. Zwar würde er sagen: »Ganz Paris entsinnt sich der kleinen Engländerin, die mit zehn Jahren Wunder auf dem Cembalo vollbrachte«, aber er würde den Größeren vorausahnen, der mit noch flüssigerer Geläufigkeit seine Hände bewegen würde, und nur, um seinem Kopf gerecht zu werden. Rousseau würde sagen: »Ein Knabe von sieben Jahren hat seither noch Erstaunlicheres vollbracht.« Ja, das würde Mozart sein, und Ernst Bloch würde hinterher eine neue Hoffnung in die Moralität der Musik setzen dürfen. Er würde sagen können: »Der Ton ist weder dazu da, gefühlig noch bloß gefiedelt zu sein.«

Melodie und Harmonie haben sich miteinander verbunden, das Alte und das Neue, das Französische und das Italienische, das Schwere und das Leichte, das E und das U. Aber Mozart war nicht mehr sieben Jahre alt, er war schon zwölf, als er Rousseaus Schäferspiel noch einmal komponierte. Colin wurde zu Bastien, Colette wurde zu Bastienne, und der Zauberer wurde zum komischen Colas. »Was mir den größten Verdruß hier macht, ist, daß die dummen Franzosen glauben, ich sei noch sieben Jahre alt, weil sie mich in diesem Alter gesehen haben«, schrieb Mozart später an seinen Vater, »das ist gewiß wahr. Die Madame d'Epinay hat es mir in allem Ernst gesagt. Man traktiert mich hier also als einen Anfänger, ausgenommen die Leute von der Musique, die denken anders.«

Ja, die Leute von der Musik! Die schöne Fee hatte dem Lulu aus dem Märchen die Flöte aus der Hand genommen und sie selber an den Mund gesetzt. »Ein liebliches Geläute von Silberglöckchen ertönte wie der Gesang einer Harmonika«, erzählt das Märchen, »aber so mannigfaltig und vielfach, als ob jeder Ton durch ihre Griffe vierfältig werde. Sie durchlief eine Menge Akkorde, die nach und nach in einen Zusammenklang von Mißlauten endigten, der die Verwirrung der Elemente zu verkündigen schien.«

Ja, die Leute von der Musik, sie haben, weiß der Himmel, immer etwas anderes im Sinn! Aber sollte es am Ende wirklich auf den Mißklang und auf die Verwirrung hinauslaufen? Oder sollte nicht viel eher der zukünftige Wohllaut erklingen? Ein Geläute von Silberglöckchen, was ist das wohl für eine Musik? Ja, am Ende ist die Fee Perifirihme niemand anders als die Königin der Nacht, die Zauberflöte ertönt, und die Damen der Königin der Nacht singen:

>»Hiermit kannst du allmächtig handeln,
der Menschen Leidenschaften wandeln.«

»Die Wirkung der singenden Melodie geht bis in die Seele«, hatte Rousseau gesagt, ja, die Melodien klingen heiter und natürlich wie in byzantinischen Zeiten, aber auch die Harmonien sind mehr als nur physikalische Erscheinungen geworden, die angenehme Empfindungen hervorrufen, sie sind am Ende gar keine gotischen Barbareien mehr, o nein. Über die Melodien und über die Harmonien braucht kein Wort mehr verloren zu werden, die irdischen Einzelgänger singen die Feld- und Wiesenmelodien, die himmlischen Heerscharen blasen die Sphärenharmonien, und das Leben braucht kein Irrtum zu sein.

Es geht weiterhin vor und zurück, es geht auf und ab, es ist Vorgang und Rückgang, Aufgang und Abgang, es ist essen und trinken, wachen und schlafen, arbeiten und spielen, es ist ein verwickelter Vorgang mit Musik. Es gibt keinen Stillstand. Mozart schrieb an seinen Vater: »Das Notwendigste und Härteste und die Hauptsache in der Musik ist das Tempo.«

Rousseau
begegnet dem schönen Wilden im Wald
von Saint-Germain

Seine Mokassins waren mit Stachelschweinborsten und die Nähte seiner Leggins und des Jagdrocks mit feinen, roten Zierstichen geschmückt. Auch er trug den Medizinbeutel am Hals und das Kalumet dazu. Seine Bewaffnung bestand wie bei seinem Vater aus einem Messer und einem Doppelgewehr. Er trug ebenfalls den Kopf unbedeckt und hatte das Haar zu einem helmartigen Schopf aufgebunden, durchflochten mit einer Klapperschlangenhaut, aber ohne es mit einer Feder zu schmücken. Es war so lang, daß es dann noch reich und schwer auf den Rücken niederfiel. Gewiß hätte ihn manche Frau um diesen herrlichen, blauschimmernden Schmuck beneidet. Sein Gesicht war fast noch edler als das seines Vaters, und die Farbe ein mattes Hellbraun mit einem leisen Bronzehauch. Er stand, wie ich jetzt erriet und später erfuhr, mit mir ungefähr im gleichen Alter und machte schon heut, da ich ihn zum ersten Mal erblickte, einen tiefen Eindruck auf mich. Ich fühlte, daß er ein guter Mensch sei und außergewöhnliche Begabung besitzen müsse. Wir betrachteten einander mit einem langen, forschenden Blick, und dann glaubte ich zu bemerken, daß in seinem ernsten dunklen Auge, das einen samtartigen Glanz hatte, für einen Augenblick ein freundliches Licht aufleuchtete, wie ein Gruß, den die Sonne durch eine Wolkenöffnung auf die Erde sendet ... Wir verstanden uns, ohne uns unsere Gefühle, Gedanken und Entschlüsse mitteilen zu müssen. Wir brauchten uns nur anzusehen, um genau zu wissen, was wir wechselseitig wollten. Ja, das war nicht einmal notwendig, sondern wir handelten selbst dann, wenn wir fern voneinander waren, in einem erstaunlichen Einklang ... Heute würde ich Winnetou sofort entdecken, und wenn es nur infolge der Mücken wäre, die, von seiner Person angezogen, um den Busch weit dichter spielten als anderswo. — O ihr, die ihr vermögt, eure verhängnisvollen Errungenschaften, euren unruhigen Geist, euer verderbtes Herz und eure wahnwitzigen Begierden inmitten eurer Städte zu las-

sen. Kehrt zu eurer frühen und ersten Unschuld zurück, denn es hängt von euch ab. Geht in die Wälder und vergeßt Anblick und Erinnerung der Verbrechen eurer Zeitgenossen. Schaut euch diese Wilden an!

Es gibt Rumpelstilzchen und Rätsellöser, böse und hämische Zwerge wie die Professoren der Akademie von Dijon, aber es gibt auch gute und friedfertige Menschen wie Jean-Jacques Rousseau. Die hämischen Professoren haben nichts anderes im Sinn, als schwere Fragen zu stellen, und dem friedfertigen Rousseau bleibt nichts anderes übrig, als diese schweren Fragen zu beantworten. Des Nachts, wenn die Professoren ihr Stroh zu Gold gesponnen haben, dann sitzt Rousseau mit Feder und Papier beim Kerzenlicht, und er verwandelt das künstliche Gold der Professoren wieder in natürliches Stroh. Aber die Professoren tanzen ums Feuer und freuen sich hämisch, weil niemand ihren Namen kennt, Rousseau dagegen sitzt friedfertig in seiner Stube und löst die schweren Rätsel. Er taucht die Feder in die Tinte und schreibt die Antworten auf das Papier.

Rousseau hatte die erste Frage der Akademie von Dijon gelöst, und er war bestürzt und beglückt zugleich, daß er dafür den ersten Preis errungen hatte. Aber o weh, kaum hatte er die Widerlegungen des Abbé Gautier und die Entgegnungen des Königs Stanislaus Leszczynski mit seinen Bemerkungen versehen, da kam schon die zweite Frage auf ihn zu. Die hämischen Rumpelstilzchen hatten sie sich ausgedacht, und der friedfertige Rätsellöser mußte von neuem nachdenken, wie er sie beantworten könnte.

Er packte seine Sachen zusammen, Kleider und Schuhe, aber vor allem Feder, Tinte und Papier, und zusammen mit Therese, mit ihrer Wirtin, die eine recht wackere Frau war, und mit einer ihrer Freundinnen trat er eine kleine Reise an. Es war das Jahr 1753. Die Sonne schien, obwohl es schon November war. Oh, dieser Ausflug nach Saint-Germain-en-Laye zählte zu den angenehmsten Reisen seines Lebens! Wie prachtvoll war das Wetter. Die guten Frauen übernahmen alle Besorgungen und Einkäufe, Therese vertrieb sich mit ihnen die Zeit, und Rousseau brauchte sich um nichts zu kümmern als um die Frage der Professoren von Dijon. Die Frage aber lautete: »Welches ist der Ursprung der Ungleichheit unter den Menschen, und wird sie vom Naturgesetz gebilligt?« Das war wirklich eine schwere Frage. Rousseau schnürte seine Wanderstiefel, nahm den Knotenstock aus der Ecke und begab sich auf den Weg. Von nun an stellte er sich nur noch zu den Essensstunden ein.

Den ganzen übrigen Tag verbrachte er tief innen im Walde. Er sah den herrischen Hochwald mit den mächtigen Stämmen und dem reichen Laubwerk, und er sah das geknechtete Unterholz mit den schwachen Ästen und dem armen Blätterstand. O weh, wie sollte er da an die Gleichheit denken! Das würde ihm schwerfallen, wo doch gerade im Wald von Saint-Germain das Unterholz so weit verbreitet und der Hochwald so selten ist. Und erst die Tiere im Wald von Saint-Germain! Er sah den herrischen Hirsch mit dem mächtigen Leib und dem reichen Geweih, und er sah die geknechteten Böcke mit den schwachen Körpern und den armseligen Spießen am Kopf. Wie sollte er da die Gleichheit finden, wo das Unterholz von Saint-Germain voller Böcke ist und nur noch hie und da ein Hirsch im Hochwald steht?

Aber da gab es nicht nur die Böcke und den Hirsch mit den stumpfen, da gab es auch die Füchse und den Wolf mit den spitzen Zähnen. Diese darwinistischen Fleischfresser streiften durch das Unterholz und jagten im Hochwald, und Rousseau mußte zusehen, wie die Hirsche mit ihrem Leib und ihrem Geweih angesichts der Füchse und der Wölfe gar nicht mehr so herrisch, so mächtig und so reich im Hochwald standen. Erstrebenswerte Gleichheit, wo kannst du nur zu suchen sein! Rousseau stöberte im Unterholz und spähte durch den Hochwald, er beobachtete den Hirsch und die Böcke, er beäugte den Wolf und die Füchse, da sah er plötzlich den Menschen im Ursprung der Geschichte, und er dachte für sich: nicht von Bäumen und Tieren, vom Menschen habe ich zu sprechen.

Dort stand er vor ihm, der schöne Wilde, nackt und brav, mit seinem Grimmdarm und seinen stumpfen Zähnen, friedfertig wie alle Körnerfresser, und zeigte ihm das Bild von der Unschuld, wie sie nur die Apfel- und Gemüsekost erhält. Rousseau sah den Wilden ganz deutlich vor sich, wie er auf zwei Füßen ging, wie er sich seiner Hände bediente, wie er seine Blicke über die ganze Natur schweifen ließ, und wie er mit den

Augen die weite Ausdehnung des Himmels maß. Er betrachtete den Wilden mit Wohlgefallen. Ganz gleich, ob er einstmals auf allen vieren gegangen, ob sein langer Nagel einmal eine gekrümmte Kralle, ob er wie ein Bär behaart und sein Blick auf die Erde geheftet war, Rousseau trug ihm seine Abkunft nicht nach.

Wie wild und brav war diese Zeit, als es der Mensch noch nicht nötig hatte, seine Gliedmaßen jedem neuen Gebrauch anzupassen und in einen zweckmäßigen Lamarckismus zu verfallen. Da gab es noch keine Glückspilze und keine Sonntagskinder, keine Giftmichel und keine Hitzgickel, keine Hundeschnauzen und keine Stockfische. Die Neigungen, der Blutdruck und die Eingebungen waren natürlich und schön; der eine warf mit Steinen, das war der Steinwerfer, der andere kletterte auf die Bäume, das war der Baumkletterer, der dritte lief durch den Wald, das war der Waldläufer.

Ja, damals gab es nur die stumpfen Zähne und den unverdorbenen Grimmdarm, diese kunstreiche Maschine des Descartes. War es eine tierische Maschine, so zog sie sich mit Hilfe ihrer Sinne, und war es eine menschliche Maschine, so zog sie sich mit Hilfe ihres Willens auf. Dank dieser trefflichen Mechanik entging das Tier nicht den Naturgesetzen, derweil der Mensch zu seinem großen Schaden das Opfer eines Fehlers in dieser Mechanik wurde. Dieser Fehler ist der Wille.

Der Wille ist ein Übel, das den Menschen dazu gebracht hat, immer wieder etwas anderes zu werden, als er ohnehin schon ist. Die Sinne sind vollkommen, der Wille aber ist unvollkommen. Während das Tier mit seinen vollkommenen Sinnen immer schon vollkommen gewesen ist, will der Mensch mit seinem unvollkommenen Willen immer wieder vollkommen werden. Und da dieser Wille nach der einen Seite hin unvollkommen, nach der anderen hin aber frei ist, kommt es zu den abwegigsten Vervollkommnungsanstrengungen. Das kann bis zum Schwachsinn führen.

Alles dieses würde einem Tier nicht passieren. Das Tier hat nichts zu gewinnen und nichts zu verlieren, und folglich läuft es auch nicht Gefahr, aus lauter Vervollkommnungswahn schwachsinnig zu werden. Das Tier ist festgestellt, der Mensch dagegen ist aufgehoben. Das, was beim Tier festgestellt ist, ist beim Menschen aufgehoben, und folglich ist der Mensch das nicht festgestellte Tier, eine Feststellung von Nietzsche. Das aber, was beim Menschen aufgehoben ist, ist beim Tier festgestellt, und folglich ist das Tier der nicht aufgehobene Mensch, eine notwendige Konsequenz. Das festgestellte Tier lebt und ist gesund, der aufgehobene Mensch denkt und kann schwachsinnig werden.

Nun kann, auf Grund seiner festgestellten Artung, das Tier nicht aufgehoben und etwa ein schwachsinniger Mensch werden, während umgekehrt der Mensch, auf Grund seiner aufgehobenen Entartung nicht einfach festgestellt und wieder ein gesundes Tier werden kann. Der Mensch ist aufgehoben, und das ist schlimm. Niemand wird ihn mehr für ein gesundes Tier halten können. Aber was würde eine Katze sagen, wenn du sie für einen schwachsinnigen Menschen halten würdest?

Der denkende Mensch ist ein entartetes Tier, was wäre dagegen der lebende Mensch für ein geartetes Tier geblieben, wenn es die Dialektik mit ihren Aufhebungen nicht gegeben hätte! Einst ging der schöne Wilde, brav und unschuldig, durch die Natur, noch war er nackt und festgestellt, friedfertig gebrauchte er seine Zähne und seinen Grimmdarm, so wie es die Natur ihm eingegeben hatte. Aber ach, was ist aus dem Wilden geworden? Er hat sich die spitzen Zähne angeeignet und den Grimmdarm verdorben, nun jagt er nach Beute und hat sich doch nicht in einen Fuchs verwandeln können. Wäre der Mensch doch bei Äpfeln und Gemüse geblieben! Seliger Arnold Gehlen, niemand hat es dir glauben wollen zu deiner Zeit.

Rousseau war jetzt tief in den Wald von Saint-Germain und auch tief in die Urzeit eingedrungen. Er streckte seine Hand aus und griff beherzt nach der Hand des schönen Wilden. Der Wilde trat aus dem Schatten eines Baumes und stand nackt und unschuldig in der warmen Novembersonne. Rousseau ergriff die Hand des Wilden, und er rief: »O ihr, die ihr vermögt, eure verhängnisvollen Errungenschaften, euren unruhigen Geist, euer verderbtes Herz und eure wahnwitzigen Begierden inmitten eurer Städte zu lassen. Kehrt zu eurer frühen und ersten Unschuld zurück, denn es hängt von euch ab. Geht in die Wälder und vergeßt Anblick und Erinnerung der Verbrechen eurer Zeitgenossen. Schaut euch diese Wilden an!«

Es war ein warmer November, dieser November des Jahres 1753. Stolz reckte sich der herrische Hochwald, demütig duckte sich das geknechtete Unterholz. Unter den mächtigen Stämmen verfärbte sich das reiche Laubwerk, unter den schwachen Ästen welkte der arme Blätterstand. Damals, unter der Platane auf dem Weg nach Vincennes, wo er das Bild der Neuzeit entworfen und beschrieben hatte, traf er Feststellungen und betrieb er Aufhebungen; jetzt, im Wald von Saint-Germain, wo er das Bild der Urzeit gesucht und gefunden hatte, wurde ihm inne, daß die Feststellung eine Voraussetzung der tierischen Unveränderbarkeit, und daß die Aufhebung eine Voraussetzung der menschlichen Vervollkommnungsbestrebung ist. Wer Feststellungen trifft, geht auf Unveränderbarkeit, wer Aufhebungen betreibt, geht auf Vervollkommnung aus.

Rousseau aber stellte seine Feststellungen fest und hob diese Feststellungen in Aufhebungen auf. Auf diese Weise stellte er die Aufhebungen wiederum fest und hob er die Feststellungen zum weiteren Male auf. Festgestellt wurden die Aufhebungen zu Festhebungen, und aufgehoben wurden die Feststellungen zu Aufstellungen. Nun lassen sich aber die Feststellungen, die zu Festhebungen und die Aufhebungen, die zu Aufstellungen werden, nicht mir nichts dir nichts als festgestellte Feststellungen und festgehobene Festhebungen beziehungsweise als aufgehobene Aufhebungen und aufgestellte Aufstellungen verwenden, wenn sie nicht auch als festgestellte Aufhebungen und als aufgehobene Feststellungen beziehungsweise als festgehobene Aufstellungen und aufgestellte Festhebungen in dieser ganzen Beweisführung Verwendung finden.

Denn wenn das Tier ein für alle Male festgestellt, und wenn der Mensch schon einmal aufgehoben ist, dann hat es das Tier verdient, daß es in seiner Festhebung wenigstens das Erhebende der Aufhebung zugesprochen bekommt. Dann kann auch der Mensch verlangen, daß ihm in seiner Aufstellung das Erstellte der Feststellung zukommt. Aber welche Ungleichheit! Zwischen tierischer Unveränderbarkeit und menschlichen Vervollkommnungsanstrengungen steht der Wilde und weiß nicht, wie er sich verhalten soll. Schon ist es ihm an den Zähnen ganz spitz, und schon ist es ihm auch im Grimmdarm ganz flau geworden. Aber immer noch steht er nackt in der warmen Novembersonne und ist unschuldig wie damals in der frostigen Eiszeit. O das gesunde Diluvium! Seinerzeit gab es keine Gicht und keinen Rheumatismus, keine Trunksucht und keine Verstopfung, da gab es noch nicht das ausschweifende Leben mit den verdorbenen Eßwaren und den gefälschten Drogen, da gab es noch keine Seefahrt mit Skorbut und Korsaren, keinen Krieg mit korrupten Heereslieferanten und schmutzigen Lazaretten, es gab auch nicht alle diese ungesunden Berufe, wie etwa den Bergbau mit den Quecksilber- und Kupfervitriol-, den Kobalt- und Arsenikdämpfen, und vor allem gab es noch keine Verzärtelung in der muffigen Stubenluft, worin die Wissenschaften und die Künste gedeihen, diese gesellschaftlichen Errungenschaften des Luxus und des Müßiggangs.

Pierre Louis de Maupertuis hatte das Prinzip der kleinsten Wirkung doch nicht umsonst erfunden, er hatte es zu einem guten Zweck mit Hilfe der Rechenkunst in die moralische Philosophie eingeführt und es zur Abwägung der Güter und der Übel auf einleuchtende Weise angewandt. Und so hatte die Wissenschaft und die Kunst wenigstens diesen einen Nutzen, die Summen der Güter und der Übel zusammenzurechnen und miteinander zu vergleichen. Aber ach, da gibt es auf der einen Seite die Abgründe, die der Mensch zugeschüttet, die Gebirge, die er vollkommen eingeebnet, die Felsen, die er zertrümmert, die Flüsse, die er schiffbar, den Boden, den er urbar gemacht, die Seen, die er abgegraben, die Sümpfe, die er getrocknet, die riesigen Gebäude, die er auf der Erde errichtet, das Meer, das er mit Schiffen und Matrosen übersät hat, und auf der anderen Seite gibt es die verpestete Luft und die verpesteten Seelen.

Auch Frau Noelle-Neumann hat es zusammengerechnet, und sie ist zu dem gleichen Ergebnis gekommen. Da steht sie vor den Mitgliedern des Rhein-und-Ruhr-Clubs in Düsseldorf, hält ihre demoskopischen Zahlen hoch über die Köpfe der lauschenden Industriemenschen und klagt. Seht her, wie sie da steht und klagt, denn wohin ist es mit der Sparsamkeit und mit der Bildung, wohin ist es mit der Bescheidenheit und mit der Höflichkeit gekommen? Frau Noelle-Neumann fragt und klagt mit ihren Zahlen, es ist ein Jammer.

Siehst du, es gibt nicht nur den physischen, es gibt auch den metaphysischen Menschen, und schlimmer als ein verdorbener

Grimmdarm ist eine verdorbene Phantasie. Jean Cocteau hatte den Amerikanern geschrieben: Wir hausen in einem Hühnerhof, und Ihr wohnt in einem Badezimmer. Während der Wasserleitungshahn bei Euch ausgezeichnet funktioniert, funktioniert er in Frankreich äußerst schlecht. Und er fügte hinzu: Der Düngerhaufen ist unser Luxus, die Klärgrube ist Euer Komfort. O du absoluter Cocteau, hättest du aber den Blick auch nach rückwärts gewandt, du hättest anders gesprochen, denn zu Rokokos Zeiten war Frankreich das komfortable Badezimmer der übrigen Menschheit, dieweil diese auf dem luxuriösen Misthaufen saß.

Die verdorbene Phantasie hat es zu Badezimmern und zu Wasserleitungshähnen gebracht, der verdorbene Grimmdarm war dagegen nur zur Düngung des Misthaufens gut. Der Ackerbau bringt aber seiner Natur nach am wenigsten, die Kunst des Installateurs dagegen am meisten ein. Dabei ist der Ackerbau so nützlich und die Installation eines Badezimmers so unnütz. Es steht die Einbringlichkeit des Ackerbaus und der Kunst im umgekehrten Verhältnis zu ihrer Nützlichkeit. Die Folgen davon sind Kinderlosigkeit und Landflucht, und zu guter Letzt sind die Wissenschaften und die Künste zu nichts anderem erfunden worden, als dazu, die Welt zu entvölkern.

Rousseau, mit dem schönen Wilden an seiner Hand, war nun am Carrefour de la Croix de Noailles angelangt. Dieser Carrefour ist ein wirklicher Kreuzweg, denn nach zwei Seiten geht es in die Zivilisation zu den Badezimmern und den Installateuren, und nach zwei Seiten geht es in die Natur auf die gedeihlichen Misthaufen. Rousseau und der Wilde gingen Hand in Hand, einer neben dem anderen.

Aber es gab trotzdem einen Unterschied, und dieser Unterschied war an dem Verhältnis ihrer Hände zueinander abzulesen. Rousseaus Hände waren aufgehoben, die Hände des Wilden waren aber noch festgestellte Hände. Rousseau hatte sich selbst in der Hand, und beherrscht ging er neben dem Wilden her. Er hatte den Wilden an der Hand, und dieser ging frei an seiner Seite. So war der Festgestellte frei, und der Aufgehobene war beherrscht. Ja, Rousseau hatte sich in der Hand, aber er wäre gern wie der schöne Wilde gewesen, den er an seiner Hand hatte, auch er wäre gern frei und festgestellt gewesen.

Was aber Menschen wie ihn anging, in denen die Leidenschaften für alle Zeiten die ursprüngliche Einfalt untergraben haben, die sich nicht mehr von Äpfeln und Gemüse ernähren können, noch auf Gesetze und Vorgesetzte verzichten mögen, ihm blieb nichts anderes übrig, als laut zu rufen: »O ihr, die ihr vermögt, eure verhängnisvollen Errungenschaften, euren unruhigen Geist, euer verderbtes Herz und eure wahnwitzigen Begierden inmitten eurer Städte zu lassen. Kehrt zu eurer frühen und ersten Unschuld zurück, denn es hängt von euch ab. Geht in die Wälder und vergeßt Anblick und Erinnerung der Verbrechen eurer Zeitgenossen. Schaut euch diese Wilden an!«

Rousseau und der Wilde gingen Hand in Hand, sie setzten einen Fuß vor den anderen. Dabei weiß der Wilde nicht einmal, daß er zwei Beine hat. Er kann sein linkes Bein betrachten, und er kann sein rechtes Bein betrachten, ja, er kann sogar beide Beine zusammen betrachten, weil sie ja zusammengehören und ein Paar bilden. Aber ist es wirklich nötig zu wissen, daß es zwei sind? Da kam eines Tages die Mathematik in die Welt, und sogleich fanden sich einige, die verfielen dieser gefährlichen Wissenschaft und dieser folgenschweren Kunst, und sie begannen, ihre Beine zu zählen.

Der schöne Wilde widersteht den Wissenschaften und den Künsten, der häßliche Zivilisierte widersteht der Natur. Wer der Natur widersteht, der schadet sich selbst, wer aber den Wissenschaften und Künsten widersteht, der nützt sich. Wer sich schadet, ist lasterhaft, wer sich dagegen nutzt, ist voller Tugend. Das Laster schadet sich nämlich selbst, weil es der Natur widersteht, die Tugend aber nützt sich, weil sie den Wissenschaften und den Künsten widersteht. Du schöner Wilder, du hast es gut! Bist du nun glücklich, oder bist du nicht unglücklich? Bist du frei, oder bist du nicht unfrei? Bist du gut, oder bist du nicht böse? Du kannst gar nicht böse sein, weil du nicht einmal weißt, was es bedeutet, gut zu sein. Du bist nichts anderes als immer der nämliche. Ja, der natürliche Wilde ist bei sich, er hat sich zu eigen. Der künstliche Zivilisierte ist außer sich, er unterscheidet. Die größte Tugend des Wilden ist folglich die Eigenliebe, das größte Laster des Zivilisierten ist die Selbstliebe. Eigenliebe und Selbstliebe sind nicht dasselbe. Die Eigenliebe ist ein natürliches Gefühl, die Selbstliebe ist eine künstliche Errungenschaft. Während der sich eigenliebende Wilde nur darauf achtet, daß alles Natürliche ihm eigen sei, macht der selbstliebende Zivilisierte künstliches Aufhebens von sich selbst. Der Wilde interessiert sich nur für das Eigentliche, deshalb sorgt er sich voller Wohlwollen um die eigene Erhaltung und sträubt sich voller Widerwillen gegen die Zerstörung unseresgleichen. Der Zivilisierte dagegen sieht darauf, was die anderen von ihm denken.

So ist die Eigenliebe die Wurzel des Mitleids und die Selbstliebe die Wurzel der Ehre. Die Natur sagt zu dem Menschen, der einen leidenden Mitmenschen sieht: Hilf ihm, auch du bist immer in Gefahr; die Philosophie sagt ihm: Laß ihn sterben, du bist ja in Sicherheit. Die Philosophie macht nämlich das allerlasterhaftigste, was der Mensch überhaupt tun kann. Sie argumentiert. Sie verläßt sich nicht auf das natürliche Gefühl, sondern sie bemüht die künstliche Errungenschaft, sie zieht die Argumente heran, womöglich jene bösartigen Funktoren der Logistik, wo Argumente als seelenlose Verrichter operieren, und wo der Wilde nichts anderes als das Argument des Funktors »schöner« im »schönen Wilden« ist.

Oh, wohin sind wir gekommen! Rousseau faßte seinen Wilden fester an der Hand, er vergewisserte sich, ob ein Wesen aus Fleisch und Blut oder ob ein Argument an seiner Seite ging. Ist es ein untrügliches Gefühl in seinem Herzen, das ihn leitet, oder ist es ein trügerisches Argument an seiner Hand, das ihn führt? Rousseau sagt: »Ich bin da.« Und der Wilde sagt: »Auch ich bin da.« Der Wilde, mit der Stimme Winnetous, spricht die Sprache der Natur, und Rousseau, mit der Stimme des Schriftstellers, spricht die Sprache der Wissenschaften und der Künste. Dabei gibt sich Winnetou alle Mühe, so künstlich wie möglich, und der Schriftsteller gibt sich alle Mühe, so natürlich wie möglich zu sprechen. Aber der Wilde im Wilden ist zu natürlich, als daß die künstliche Stimme Karl Mays, und der Zivilisierte in Rousseau ist zu künstlich, als daß die natürliche Stimme des Schriftstellers durchdringen könnte.

So gibt es die natürliche Ungleichheit und die künstliche Ungleichheit. Es gibt die Riesen und die Zwerge, die Geraden und die Krummen, die Rauhen und die Zarten; es gibt Nachteulen und Vogelscheuchen, Rübenschweine und Mistviecher, Courths-Mahler-Beine und Achillesfersen, Krummstiefel und Spitzköpfe, Knollennasen und Blumenkohlohren. Die eine Prinzessin hat den König Drosselbart nicht gemocht, weil er einen Drosselbart gehabt, und die andere hat den braven Prinzen nicht gewollt, weil er ihre drei Fragen nicht beantwortet hat. Du schöne graue Vorzeit, gesegnet seien deine wilden Männer, die sich nicht von einer Knollennase, gesegnet seien deine wilden Frauen, die sich nicht von Blumenkohlohren haben abhalten lassen, den geliebten Gatten heimzuführen. Da war ein Drosselbart, und da war auch ein schwaches Hirn kein Heiratshindernis.

Die natürliche Ungleichheit ist aber nur eine Folge der ungleichen Ernährung und die künstliche Ungleichheit ist eine Folge der ungleichen Erziehung. Doch vergeßt auch nicht die Leidenschaft, die es zu dem unruhigen Geist im Kopf, zu dem verderbten Herzen in der Brust und zu den wahnwitzigen Begierden im Bauch gebracht hat. Der unruhige Geist, das verderbte Herz und die wahnwitzigen Begierden führten zu jenen verhängnisvollen Errungenschaften. Ja, die Leidenschaft trieb den Menschen zur Vervollkommnung an. Ein wirrer Traum regte sich in seinem Bauch, eine deutliche Einsicht bildete sich in seinem Herzen, eine lebendige Idee entfaltete sich in seinem Kopf. Es war die Idee von der Regelmäßigkeit und von der Proportion.

Seit die Menschen sich einen Begriff von der Regelmäßigkeit und von der Proportion gebildet hatten, seit der Zeit hat es die Gleichheit schwer. Seit dieser Zeit haben es die regelmäßigen griechischen leichter als die Knollennasen, und seit dieser Zeit haben es die Schenkel der Aphrodite leichter als die Courths-Mahler-Beine. Die Welt läuft voller Riesen und Zwerge, voller Nachteulen und Vogelscheuchen, voller Rübenschweine und Mistviecher, voller Krummstiefel und Spitzköpfe, aber in diesen Menschen allen regt sich nicht eine natürliche Sinnlichkeit, sondern der Kunstsinn. Wohin sind wir gekommen, zur Regelmäßigkeit und zur Proportion.

Ihr armen Menschen, gebt euren Kindern zur Ernährung die gleichen Äpfel und das gleiche Gemüse, schickt sie zur Erziehung in die gleichen Kinderläden, denn nur mit dem gleichen

Gemüse im Bauch und mit der gleichen Erziehung im Herzen wird es zu gleichen Errungenschaften im Kopf kommen. Die natürliche Ungleichheit war noch eine ausgebildete Ungleichheit, sie war eine Konstitution. Die künstliche Ungleichheit ist eine eingerichtete Ungleichheit, sie ist eine Institution. Aus der einzelnen Ausbildung ist eine gesellschaftliche Einrichtung geworden. Einzeln ausgebildet, wird die Einrichtung zur Einbildung, und gesellschaftlich eingerichtet, wird die Ausbildung zur Ausrichtung. Der durch die Natur gewordene konstitutionelle Mensch, wohl ausgebildet, aber vereinzelt, hat sich in den durch Menschen gewordenen institutionellen Menschen, wohl eingerichtet, aber vergesellschaftet, verwandelt, und zwar mit Hilfe jener verhängnisvollen Kulturanlage der Vervollkommnung.

Ist nun die Überwindung des Naturzustandes auf natürliche oder ist sie auf künstliche Weise vor sich gegangen? Rousseau war an den Kreuzweg zurückgekehrt. Er konnte sich noch einmal umdrehen, sich dem Hochwald und dem Unterholz und damit der natürlichen Weise, er konnte aber auch den Weg zum Französischen Garten und damit zur künstlichen Weise nehmen. Ja, war die Überwindung des Naturzustandes ein Drang nach dem Baum der Erkenntnis, oder war sie ein Drang nach dem Licht der Erkenntnis? Ging der Drang nach dem Apfel, oder ging er nach dem Blitz? War er ein Sündenfall, oder war er ein Zufall? Jedenfalls, wenn es ein Baum war, dann war es ein lustiger Baum, weil er klug macht, während es, wenn es ein Licht gewesen sein sollte, ein plötzliches Licht gewesen sein muß, weil es blind macht.

Aber vielleicht macht dieser Drang klug und blind zugleich. Ecce homo, hat Nietzsche gerufen, warum ich so klug bin? Oben sind es die Locken, und unten ist es das Sitzfleisch. Nietzsche aber hat es herausgefunden. Oben waren es nämlich die Locken des Zufalls, nach denen er die Hand ausstreckte, und unten war es das Sitzfleisch, die eigentliche Sünde wider den heiligen Geist. Zuerst hat er gehend, springend, steigend, ja tanzend gedacht, am liebsten auf einsamen Bergen, oder dicht am Meer, wo sogar die Wege nachdenklich werden, und zwar fröhlich und dithyrambisch mit wehenden Locken; dann hat er sich unter dem Baum auf dem Sitzfleisch niedergelassen, und seitdem trachtete er nach der Erkenntnis. Aber hat am Ende jemals ein Mensch einem lustigen Baum, der obendrein noch klug macht, widerstehen können?

Rousseau und der schöne Wilde waren am Rande des Waldes von Saint-Germain angelangt. Sie standen Hand in Hand auf Le Nôtres berühmter Terrasse. Unten im Tal floß die Seine, in der Ferne waren die Türme der Stadt Paris zu sehen. Zwar gab es damals zwischen der Terrasse von Saint-Germain und den Türmen von Paris noch nicht die silbernen Benzinbehälter von Esso und den aufgeblasenen Gummimann von Michelin, diese verhängnisvollen Errungenschaften verderbter Herzen und unruhiger Geister. Aber die wahnwitzigen Begierden, die es zu Wissenschaft und Kunst hatten kommen lassen, hatten Rousseau schon damals vor Augen gestanden, denn er rief: »O ihr, die ihr vermögt, eure verhängnisvollen Errungenschaften, euren unruhigen Geist, euer verderbtes Herz und eure wahnwitzigen Begierden inmitten eurer Städte zu lassen. Kehrt zu eurer frühen und ersten Unschuld zurück, denn es hängt von euch ab. Geht in die Wälder und vergeßt Anblick und Erinnerung der Verbrechen eurer Zeitgenossen. Schaut euch diese Wilden an!«

Der schöne Wilde widerstand dem Baum der Erkenntnis und damit den verderblichen Wissenschaften und den eitlen Künsten. Er tat einen verächtlichen Blick auf den Benzinbehälter und den Gummimann, die damals nur in Gestalt von Türmen zu erkennen waren. Dann schlug er sich seitwärts in die Büsche, genau wie in dem Gedicht von Johann Gottfried Seume, und sogleich tauchte er im Wald unter. Nun ging er wieder im herrischen Hochwald, wo sich unter den mächtigen Stämmen das reiche Laubwerk verfärbte, und er ging im geknechteten Unterholz, wo unter den schwachen Ästen der arme Blätterstand welkte. Rousseau stand auf der Terrasse des Schlosses von Saint-Germain-en-Laye und schaute nach der Stadt Paris. Gut, er sah noch nicht die silbernen Behälter und den aufgeblasenen Gummimann, aber Rousseau machte sich schon damals nichts vor.

Wie bitter sind die Vormachungen! Sind die Vormachungen erst einmal festgestellt, dann sind sie als Feststellungen rasch zu Festmachungen, und sind sie dann erst einmal aufgehoben, dann sind sie als Aufhebungen im Nu zu Aufmachungen geworden. Festmachungen und Aufmachungen sind aber die allerschlimmsten Laster der Zivilisation. Wie leicht und locker bewegt sich Winnetou, schaut seine eisernen Muskeln, schaut seine stählernen Flechsen, schaut diesen samtartigen Glanz in seinem Auge! Nichts an ihm ist festgemacht. Wie leicht und locker ist er gekleidet, schaut seine zierlichen Mokassins, schaut seine feinen Leggins, schaut diese herrlichen Zierstiche an seinen Nähten! Nichts an ihm ist aufgemacht. Mit Festmachungen und Aufmachungen ist nämlich nichts getan.

Winnetou steht in der Mitte der Welt, weder festgemacht noch aufgemacht, und lenkt alle Blicke auf sich. Jedermann ist von seiner Person angezogen, die so natürlich und so tugendhaft ist, selbst die Mücken, die um den Busch fliegen, hinter dem er sich verborgen hält. Katholischen Glaubens wäre er womöglich sogar für Frau Noelle-Neumann akzeptabel geworden, sparsam und gebildet, bescheiden und höflich, wie er sich am Rande der Wildnis erhebt.

Rousseau

und Therese fahren mit Herrn von Gauffecourt
nach Lyon

Der alte Tahitianer wandte sich an Bougainville und sagte:
»Du, Häuptling jener Räuber, die dir gehorchen, entferne dich
mit deinem Schiffe schnell von unserem Gestade. Wir sind
unschuldig, wir sind glücklich, und du kannst unserem Glück
nur schaden. Wir folgen dem reinen Trieb der Natur; du aber
hast versucht, seine Eigenart in unseren Gemütern auszulö-
schen. Hier gehört alles allen; du aber hast uns irgendeinen
Unterschied von Mein und Dein gepredigt. Unsere Töchter
und unsere Frauen gehören uns allen; du hast dieses Vorrecht
mit uns geteilt, hast in ihnen aber fremde Leidenschaften ent-
facht. — Was ist das für ein Zustand, den es nicht mehr gibt,
den es vielleicht nie gegeben hat und den es wahrscheinlich nie
geben wird, von dem wir aber doch einen rechten Begriff haben
müssen, um über unseren gegenwärtigen Zustand richtig ur-
teilen zu können.

Am 1. Juni 1754 fuhr eine Kutsche durch die Porte de Charenton. Hinter dem Bois de Vincennes bog sie zur Marne hin,
überquerte den Fluß und rollte in Richtung Melun weiter. In
der Kutsche saßen drei Menschen, Jean-Jacques Rousseau, Therese Levasseur und Victor Capperonnier von Gauffecourt.
Therese Levasseur und Herr von Gauffecourt saßen Rousseau
gegenüber, so daß der Schriftsteller Gelegenheit hatte, die
beiden Mitreisenden fortwährend im Auge zu behalten. In großen Sprüngen holperte die Kutsche über das Kopfsteinpflaster.
Das heftige Stoßen der Räder und das sanfte Schwingen der
Federn, zwei so gegenteilige und einander zuwiderlaufende Erscheinungen, verursachte innere Erregungen in den Insassen.
Diese waren anfangs aber so geringfügig, daß die Reisenden sie
wohl bei sich selbst, nicht aber gegenseitig wahrnehmen konnten.

Rousseau hatte den Kopf voller Gedanken, Therese hatte die
Brust voller Gefühle, und Herr von Gauffecourt hatte den

Bauch voller Gelüste. Aber weder Rousseau nahm Thereses Gefühle und Gauffecourts Gelüste, noch nahm Therese Gauffecourts Gelüste und Rousseaus Gedanken wahr. Gauffecourt seinerseits war so angestrengt mit seinen Gelüsten beschäftigt, daß ihm Rousseaus Gedanken und Thereses Gefühle entgingen. Woher rührt diese Ungleichheit, ja woher rührt überhaupt die Ungleichheit unter den Menschen?

Der Mensch ist mit äußeren Organen und mit einem inneren Sinn ausgestattet. Während aber die äußeren Organe wohlgeübt und ausgebildet sind, ist der innere Sinn ohne Übung geblieben und folglich verkümmert. Wie tief verborgen und unsichtbar müssen Rousseaus Gedanken, müssen Thereses Gefühle und müssen Gauffecourts Gelüste gewesen sein, daß keiner vom anderen, trotz ausgebildeter Ohren, trotz geübter Nase und Zunge, weder Gedanken noch Gefühle noch Gelüste erriet. Da saßen sie, halb äußerliche und halb innerliche Wesen, empfanden wechselweise heftiges Stoßen und sanftes Schwingen, und richteten ihre Blicke auf die Gegenstände, die jeweils mit ihren Erregungen in einer eigentümlichen Verbindung standen.

Rousseau, mit seinen Gedanken im Kopf, schaute aus dem Fenster der Kutsche nach den vorüberfliegenden Feldern und Wiesen; Therese, mit ihren Gefühlen in der Brust, schaute auf die gestickten Rosen der Wandbespannung; und Herr von Gauffecourt, mit seinen Gelüsten im Bauch, schaute auf das Mieder Thereses, das sich in den Abständen ihres Ein- und Ausatmens regelmäßig hob und senkte.

Die Kutsche war unterwegs nach Genf. Sie sollte Rousseau und Therese zu Freunden und Vergnügungen und sollte Herrn von Gauffecourt zu Partnern und Geschäften bringen. Das waren einigermaßen verschiedenartige Ziele, und diese Ungleichheit der Reisezwecke wirkte sich auf die Gesellschaft aus. Herr von Gauffecourt stand im Begriff, eine Reihe großer Geschäfte zum Abschluß zu bringen, Rousseau dagegen hatte gerade seine »Abhandlung über die Ungleichheit der Menschen untereinander« vollendet. Eine ganze Woche lang war er mit dem schönen Wilden durch den Wald von Saint-Germain gelaufen, dann hatte er herausgefunden, daß es zweierlei Menschen gibt, den natürlichen Menschen und den künstlichen Menschen. Das war eine Entdeckung für ihn, denn dieser natürliche Wilde, der ein festgestellter Mensch war und sich selbst genügte, er wäre so gerne künstlich gewesen; und er selbst als künstlicher Zivilisierter, der ein aufgehobener Mensch war und sich den anderen allen angepaßt hatte, er wäre so gerne natürlich gewesen. Sie waren ungleich untereinander und waren ungleich in sich selbst.

So ist der Mensch nicht nur ein zweiseitiges Wesen, sondern dieses Wesen in seiner Zweiseitigkeit ist der zweiseitige eine Teil eines Wesens, zu dem ein zweiseitiger anderer Teil dazugehört. Der Mensch ist ein zweiseitiges Doppelwesen. Er ist nicht nur natürlich und künstlich zugleich, das heißt, natürlich mit einem Vervollkommnungsdrang zum Künstlichen beziehungsweise künstlich mit einem Reduktionsstreben zum Natürlichen hin, sondern er ist auch ungleich, und zwar auf natürliche Weise und auf künstliche Weise ungleich.

Es gibt zum Beispiel Kartoffelnasen, und es gibt griechische Nasen. Unter den Kartoffelnasen gibt es natürliche, das heißt wilde Kartoffelnasen, und es gibt künstliche, das heißt zivilisierte Kartoffelnasen. Bei den griechischen Nasen ist es nicht anders. Es gibt natürliche, das heißt wilde griechische Nasen, und es gibt künstliche, das heißt zivilisierte griechische Nasen. Aber dabei bleibt es ja nicht. Der Mensch in seinem Drange möchte es nicht bei Kartoffelnasen und nicht bei griechischen Nasen bewenden lassen.

Auf Grund des Vervollkommnungsdrangs und des Reduktionsstrebens gibt es nun wilde Kartoffelnasen mit dem Drang zur wilden griechischen, und es gibt wilde griechische Nasen mit dem Streben zur wilden Kartoffelnase, wie es umgekehrt zivilisierte Kartoffelnasen mit dem Drang zur zivilisierten griechischen Nase und zivilisierte griechische Nasen mit dem Streben zur zivilisierten Kartoffelnase gibt. Doch auch die wilde Kartoffelnase hat einen Hang zur zivilisierten griechischen, und die zivilisierte griechische hat eine Schwäche für die wilde Kartoffelnase, nicht zu vergessen der Hang der zivilisierten Kartoffelnase zur wilden griechischen und die Schwäche der wilden griechischen zur zivilisierten Kartoffelnase.

Aber es gibt keinen größeren Unterschied als den zwischen einer wilden Kartoffelnase und einer zivilisierten griechischen Nase, und dieser Unterschied ist so auffallend und deshalb auch so schwerwiegend, daß nur er allein zur Ursache des ganzen Elends der Ungleichheit wurde. Denn die Menschen haben diese Unterscheidungsmerkmale zum Gegenstand ihrer geheimen Beachtung, und die menschlichen Gesellschaften haben sie dann zum Gegenstand ihrer öffentlichen Achtung gemacht. Schließlich wurde unter den wilden Kartoffelnasen die wildeste, und unter den zivilisierten griechischen die zivilisierteste zuerst am meisten beachtet und dann am höchsten geschätzt.

Das aber war der erste Schritt zur Ungleichheit und damit gleichzeitig zum Laster. Aus diesen ersten Bevorzugungen gingen einerseits Eitelkeit und Verachtung, andererseits Scham und Neid hervor. Jedermann wollte die wildeste Kartoffel- oder die zivilisierteste griechische Nase besitzen. Wo aber Besitz ist, da ist auch Nichtbesitz. Niemand kann zugleich eine griechische und eine Kartoffelnase besitzen. Entweder besitzt er eine griechische Nase, dann ist er im Nichtbesitz einer Kartoffel-, oder er besitzt eine Kartoffelnase, dann ist er im Nichtbesitz einer griechischen Nase. Wo Besitz und Nichtbesitz herrschen, da herrscht die Ungleichheit.

Einst saßen die Menschen friedlich auf dem Lande oder am Wasser, und niemand kümmerte sich um die Nase des anderen. Der eine saß auf dem Land und nähte seine Häute mit Dornen, der andere saß am Wasser und nähte sie mit Gräten zusammen, aber weder der Landmann noch der Wassermann hätte neidisch auf des anderen Nase geschaut. Ein anderer saß auf einem Berg und schnitzte Pfeil und Bogen, ein nächster saß vor seiner Hütte und zimmerte sich einen Fischerkahn, aber weder der Jäger noch der Fischer war von der Eifersucht geplagt, nicht eine solche Nase wie der Nachbar zu besitzen. Ein fünfter saß in der Höhle und malte Rentiere auf die Wand, ein sechster saß unter einem Baum und spielte auf seiner Flöte, aber weder dem Maler noch dem Musiker kam es in den Sinn, des anderen Nase erstrebenswerter als die eigene zu halten, obwohl gerade unter den Künstlern die ausgebildete Nase eine große Rolle spielt.

Rousseau wandte seinen Kopf und blickte Herrn von Gauffecourt ins Gesicht. Gauffecourt schaute unverwandt auf Thereses Mieder, und Therese hielt ihren Blick fest auf die gestickten Rosen geheftet. Die Räder der Kutsche rollten hart, und die Federn schwangen sanft, so daß die Insassen sowohl äußerlich als auch innerlich in großer Erregung verblieben. Rousseau sah auf Gauffecourts großporige Nase und dachte sich sein Teil.

Aber mit dem Denken wird der Mensch zahm. Als ihm die Bäume zu hoch und die Tiere zu wild wurden, da hatte er schon nachgedacht, und das freie Leben war zu Ende. Bald schliefen die Menschen nicht mehr unter dem ersten besten Baum, und bald jagten sie auch nicht mehr dem nächstbesten Tiere nach. Sie nahmen einer des anderen Hilfe an, und in diesem Augenblick schauten sie sich zum ersten Mal auf die Nase. Siehe da, des einen Nase war anders geraten als die des anderen, und es dauerte nicht mehr lange, bis sich herausgestellt hatte, daß es keinen größeren Unterschied gibt als den zwischen der Nase eines Ackerbauern und der Nase eines Schmiedes. Die einen schmiedeten die Pflüge und hatten alle griechische Nasen wie Hephästos, die anderen beackerten den Boden und hatten Kartoffelnasen wie der kräftige Baldur. Die einen schmiedeten die Pflüge, damit die anderen ackern konnten, die anderen ackerten den Boden und pflanzten das Getreide, damit die einen Kraft bekamen, ihren Pflug zu schmieden. Das war ein Ackern und ein Schmieden, daß es nur so seine Art hatte! Ja, das war der Wettbewerb! Wenn nun aber der Ackerbauer im Besitz einer griechischen Nase und der Schmied im Besitz einer Kartoffelnase war, dann war die Rivalität doppelt groß.

Rousseau kehrte seinen Blick von Gauffecourts Nase ab und schaute erneut aus dem Fenster der Kutsche. Draußen rauschten die Eichen im Wald von Fontainebleau. Bald hatte sich Rousseau ein ganzes Jahrhundert in die Vergangenheit zurückversetzt und war mit Bougainville in die Südsee gefahren, bald aber hatte er sich ein ganzes Jahrhundert in die Zukunft vorausgedacht und war mit Tocqueville in die nordamerikanische Wildnis gereist. Rousseau und Bougainville waren am Strand von Melanesien, Rousseau und Tocqueville waren am Ufer der Großen Seen angekommen. Dort standen sie und lauschten dem Rauschen des Waldes. Waren es die Palmen von Melanesien, oder waren es die Hickorybäume vom Michigan, die so rauschten? Ach, es gibt nichts Herrlicheres als das Rauschen des Waldes.

O du neurasthenischer Knut Hamsun, wie zittern deine Nerven, wenn du dasitzt und dem Rauschen des Waldes zuhörst!

Bougainvilles Wilder, wie war er noch so kräftig und gesund. Aber schon Tocquevilles Indianer war nicht mehr von kupferroter Hautfarbe, er war schon bronzefarben geworden, und seine Zähne waren kariös vom vielen Tabakkauen. Da standen sie, auf der einen Seite der gesunde Südseeinsulaner und auf der anderen der angekränkelte Indianer, und sahen zu, wie der Ackerbauer und der Schmied in ihren Wettbewerb traten.

Hephästos mit seiner griechischen Nase schlug auf seinen Amboß, daß die Funken stieben, und Baldur mit seiner Kartoffelnase trieb die Ochsen an. Hephästos war der stärkste unter den Schmieden, er hieb auf das Eisen ein, daß es auf dem Amboß sprang. Baldur war der stärkste unter den Ackerbauern, er hieb auf die Ochsen ein, daß sie durch die Furchen setzten. In diesem Wettbewerb erzeugte Hephästos immer mehr Pflüge und erzeugte Baldur immer mehr Getreide, und alle Schmiede und alle Ackerbauern taten es ihnen nach. Über den Ambossen röteten sich die griechischen, und hinter den Ochsenschwänzen blähten sich die Kartoffelnasen. Ihr lasterhaften Wettbewerbe, wie weit seid ihr von der Natur entfernt!

Immer noch schaute Rousseau aus dem Fenster der Kutsche. Außerhalb seines Kopfes huschten jetzt Blumenwiesen und Obstgärten vorüber, innen in seinem Kopf entstand, komplementär dazu, das Bild der Tugend. Die Natur ist grün, die Philosophie ist rot. Auf künstliche Weise hatte er sich in die Natur begeben, um auf natürliche Weise die Kultur zu erklären. Er war ausgezogen, die Natur zu suchen, und er hatte die Tugend gefunden. Therese schaute immer noch auf die gestickten Rosen der Wandbespannung, Herr von Gauffecourt starrte auf ihr Mieder, das sich aufwärts und abwärts bewegte und ihn auf diese Weise in eine Bedrängnis versetzte.

Rousseau und Gauffecourt waren Freunde von altersher. Gemeinsam war ihnen ihre Herkunft aus einem Uhrmacherhaus, gemeinsamer war ihre Beschäftigung mit dem Salz, am gemeinsamsten war aber ihre Beschwerde mit dem Harn. Nun stehen Zeit, Geist und Körper in vielerlei ausdeutbarem Zusammenhang zueinander, und folglich wirkten die Uhrmacherei, das Salz und der Harn auf verschiedene Art und Weise auf Rousseau und Gauffecourt ein.

Ein Uhrmachersohn, der dann zum Schriftsteller geworden

ist, hat ein anderes Verhältnis zur Zeit als ein Uhrmachersohn, der dann selbst Uhrmacher geworden ist. Ein Mensch, dessen Umgang mit dem Salz ein einigermaßen spirituelles Geschäft mit den Wörtern ist, hat ein anderes Verhältnis zum Geist als ein Mensch, der den weltlichen Salzhandel mit einer jährlichen Einnahme von zwanzigtausend Livres betreibt. Und ein Kranker, dessen Harngebaren sich durch eine gewisse Versagung auszeichnet, hat ein anderes Verhältnis zu seinem Körper als ein Kranker, dessen Harngebaren geradezu einer Entlastung gleichkommt.

Rousseau litt an einer Harnverhaltung, Herr von Gauffecourt litt am Harndrang. Rousseau konnte das Wasser nicht lassen, Gauffecourt konnte das seine nicht halten. Kurz, Rousseau wollte, aber er konnte nicht; Herr von Gauffecourt konnte, aber er wollte nicht. Rousseau hatte es im Kopf, Gauffecourt hatte es in der Hand. Auf diese Weise war Rousseaus Verhältnis zu Zeit, Geist und Körper sein Leben lang voller ängstlicher Bedenken, Gauffecourt dagegen hatte zu keiner Zeit irgendwelche Skrupel gekannt. Weh, diese Ischuria paradoxa! Rousseau wollte so gerne, aber er konnte es nicht, sein Leben war Regsamkeit und blieb Kargheit. O du harnsaure Diathese, o du königliches Zipperlein! »Bacchus der Vater/Venus die Mutter/Ira die Hebamm/zeugen Podagram!« Gauffecourt konnte, was er nur zu wollen brauchte, aber er wollte es nicht, sein Leben war Trägheit und es wurde Üppigkeit.

Wie war sie gelassen und erstrebenswert, die Trägheit der Frühzeit; wie ist sie hektisch und verachtenswert, die Regsamkeit der Spätzeit! Rousseau, regsam und karg, beobachtete aufmerksam seine Verhaltung, aber Gauffecourt, träge und üppig, übersah nachlässig seinen Drang. Dabei hätte Rousseau bei seiner Regsamkeit eher der Drang und Gauffecourt bei seiner Trägheit eher die Verhaltung angestanden.

Es ist besser, eine Verhaltung in ihrer Passivität mit einer gewissen Verachtung zu übersehen und einen Drang in seiner Aktivität aufmerksam zu beobachten, als daß man sich mit allen Mitteln darauf versteift, das aus Nichtkönnen nicht Geschehende mit Aufmerksamkeit zu beobachten und das aus Nichtwollen nicht Geschehende mit Nachlässigkeit zu übersehen. Der Wille ist es wert, daß der Mensch sich seiner zur rechten Zeit und zum rechten Gebrauche bedient. Rousseau wandte erneut seinen Kopf und blickte nach Gauffecourt, der immer noch das Mieder Thereses im Auge hatte. Rousseau hatte lange Zeit in die Natur geschaut und grün gesehen, jetzt dachte er nach und sah rot.

Die Ackerbauern waren mit ihren Pflügen, und die Schmiede waren an ihren Ambossen beschäftigt. Baldur schlug auf seine Ochsen, und Hephästos schlug auf das Eisen ein. Alle taten es ihnen nach, aber Baldurs Schlag auf die Ochsen und Hephästos' Schlag auf das Eisen waren wirkungsvoller als die Schläge ihrer Nachbarn. Wenn Baldur auf seine Ochsen schlug, dann setzten sie schneller durch die Furchen als die Ochsen seiner Nachbarn; und wenn Hephästos auf das Eisen schlug, dann sprang es höher auf dem Amboß als das Eisen seiner Nachbarn. Alle arbeiteten gleich viel, aber Baldur und Hephästos erreichten alles, und ihre Nachbarn erreichten nichts. Da sagte Baldur zu den Ackerbauern: »Ich will euch lehren, wie man auf die Ochsen schlägt, damit sie schneller durch die Furchen setzen.« Und Hephästos sagte zu den Schmieden: »Ich will euch lehren, wie man auf das Eisen schlägt, damit es höher auf dem Amboß springt.«

Baldur lehrte die Ackerbauern das bessere Ackern, und Hephästos lehrte die Schmiede das bessere Schmieden. So wurde Baldur der Herr der Ackerbauern und Hephästos der Herr der Schmiede. Bald aber arbeiteten die Ackerbauern nur noch für Baldur, und die Schmiede arbeiteten nur noch für Hephästos. Baldur und Hephästos wurden reich und waren Eigentümer, die anderen Ackerbauern und die anderen Schmiede aber blieben arm und waren Habenichtse. Dahin hat es nun also die Perfektibilität kommen lassen, zur Teilung der Arbeit und zum Besitz von Eigentum. Unseliger Ackerbau, fatale Metallverarbeitung! Die Arbeit wurde geteilt, aber nicht in gleiche Teile. Und auch der Besitz wurde geteilt, und auch er nicht in gleiche Teile. So kam die Ungleichheit unter die Menschen, und die natürliche Tugend mußte dem künstlichen Laster weichen. Der reiche Eigentümer hatte in Zukunft die Dienste des armen Habenichts nötig, er wurde hart und gebieterisch. Der arme Habenichts hatte den Schutz des reichen Eigentümers nötig, er wurde arglistig und spitzbübisch. Der reiche Baldur besaß bald alles Land, und der reiche Hephästos besaß bald alles Eisen. Aber damit nicht genug, der reiche Baldur und der reiche Hephästos besaßen obendrein noch die erstrebenswerten Nasen.

Es gibt Gleiche, und es gibt Ungleiche. Die reichen Eigentümer mit den ausgeprägten griechischen und Kartoffelnasen, das sind die Gleichen. Die armen Habenichtse mit den alltäglichen griechischen und den Allerwelts-Kartoffelnasen, das sind die Ungleichen. Aber die Gleichen sind untereinander ungleich, die Ungleichen sind untereinander gleich. Die Gleichen sind alle anders, sie besitzen. Die Ungleichen dagegen sind immer dieselben, sie haben nichts. Unselige, fatale Perfektibilität! Einst gab es den natürlichen Zustand, und der einzelne Naturmensch ging darin umher. Dann kam der künstliche Zustand, und nun sitzt der gesellschaftliche Kulturmensch mitten in ihm.

Rousseau streckte die Hand aus dem Fenster der Kutsche und winkte auf und ab. Der Kutscher zog die Zügel straff, die Pferde hielten an, und dann stand die Kutsche still. Rousseau öffnete den Wagenschlag und trat ins Freie. Er gab dem Kutscher ein Zeichen mit der Hand, und die Kutsche setzte sich wieder in Bewegung. Rousseau folgte ihr zu Fuß. Er nahm erneut seine Gedanken auf. Sobald er auf die Natur einer Sache zurückgriff, griff er auf die Sache der Natur zurück. Aufmerksam folgte er dem Gang der Natur, und indem er ihm folgte, erfand er das Bild des wirklichen Menschen. Er verhielt sich ruhig, wenn er nicht gehen konnte; er ging, sobald er sich dazu imstande fühlte, und er rief: »Was ist das für ein Zustand, den es nicht mehr gibt, den es vielleicht nie gegeben hat und den es wahrscheinlich nie geben wird, von dem wir aber doch einen rechten Begriff haben müssen, um über unseren gegenwärtigen Zustand richtig urteilen zu können.«

Rousseau ging am Wegrand. Die Kutsche fuhr voraus. Aber während Rousseau das Bild des wirklichen Menschen in seinem Kopf erfand, regten sich die Gelüste im Bauche Gauffecourts, und die Gefühle in der Brust Thereses waren nicht mehr allein von den gestickten Rosen der Wandbespannung entfacht. Gauffecourt ergriff die Hand Thereses und legte sie auf sein Knie. Draußen ging Rousseau hinter der Kutsche her und erwog die Lage der Eigentümer und der Habenichtse. Was gehört wem?

Im Naturzustand waren alle Menschen einander gleich, und jedem gehörte das seine. Aber die Gesellschaft hatte die Menschen in den Kulturzustand versetzt, und im Kulturzustand sind die Menschen ungleich geworden. Nur den Stärkeren und den Geschickteren gehört alles, und den Tollpatschen mit den linken Händen gehört nichts. Das war die erste Ungleichheit, auf der einen Seite standen die Reichen, und auf der anderen Seite standen die Armen.

Aber die reichen Eigentümer wollten ihren Besitz sichern. Sie schufen die Eigentümerrechte und verschafften sich die Macht, diese Rechte gegen die armen Habenichtse durchzusetzen. So kam es zur zweiten Ungleichheit, aus den Reichen wurden die Mächtigen, und aus den Armen wurden die Schwachen. Aber die reichen Eigentümer, die durch ihre Eigentümerrechte zu Mächtigen geworden waren, wollten auch diese Macht sichern. Sie schufen aus den Eigentümerrechten die Erbrechte und vergrößerten ihre Macht, um auch diese Rechte gegen die armen Habenichtse, die zu Schwachen geworden waren, durchzusetzen. So kam es schließlich zur dritten Ungleichheit, aus den reichen Mächtigen wurden die Herren, und aus den armen Schwachen wurden die Knechte.

Die Kutsche war inzwischen an der Loire angelangt. Aber auch Rousseau war mit seinen Gedanken, Gauffecourt war mit seinen Gelüsten, und Therese war mit ihren Gefühlen weitergekommen. Während Rousseau schon stundenweise am Tag zu Fuß der Kutsche folgte, befand sich Gauffecourts Hand inzwischen an Thereses Mieder, und Thereses Augen waren nicht mehr auf die gestickten Rosen, sondern auf Gauffecourts großporige Nase geheftet. In Rousseaus Kopf regte sich eine Idee, in Gauffecourts Bauch regte sich ein Trieb, und in Thereses Brust regte sich der Abscheu.

Es ging über Stock und Stein, weder Therese noch Gauffecourt blieb von den Stößen und den Schwingungen verschont. Im Innern der Kutsche, wo Gefühle eine Brust schwellten und Gelüste in einem Bauch rumorten, regte sich die Stimme der Natur. Draußen, wo Gedanken sich in einem Kopf zusammensetzten, sprach die Stimme der Wissenschaft und der Kunst. Gauffecourt, wie er da lasterhaft mitten in der verderbten Kultur saß, genoß das Glück der Natur, denn ihn gelüstete; Rousseau dagegen, wie er da tugendsam in der reinen Natur spazierte, mußte das Unglück der Kultur erleiden, er dachte nach. Therese, mit ihren Gefühlen in der Brust und ihrer Hand auf dem Knie Gauffecourts, verspürte den Abscheu. O du unverderbter, reiner Wilder, du brauchtest das Gesetz der Natur gar nicht zu verstehen, um glücklich zu sein! Rousseau ging wacker, weil er sich dazu imstande fühlte, und er rief: »Was ist das für ein Zustand, den es nicht mehr gibt, den es vielleicht nie gegeben hat und den es wahrscheinlich nie geben wird, von dem wir aber doch einen rechten Begriff haben müssen, um über unseren gegenwärtigen Zustand richtig urteilen zu können.«

Kein einziger Mensch aber versteht das Gesetz der Natur, außer den Besserwissern und den Metaphysikern. Einst gab es die Gleichheit unter den Menschen, sie beruhte auf dem natürlichen Recht. Dann aber gab es die Ungleichheit, sie ist auf dem künstlichen Recht gegründet, einer Erfindung der Besserwisser und der Metaphysiker. Es ist das Eigentumsrecht der Reichen, und es ist das Erbrecht der Mächtigen, und die Besserwisser und die Metaphysiker sind niemand anderes als die Nachfahren der Ackerbauern und der Schmiede, die die beste Nase hatten.

So gibt es das Naturrecht und das Kunstrecht. Das Naturrecht ist das Recht, vor dem alle Menschen gleich sind; das Kunstrecht ist das Recht, vor dem alle Menschen ungleich sind. Das Kunstrecht heißt positives Recht. Ist aber das Naturrecht darum ein negatives Recht? Das Naturrecht folgt der Stimme der Natur, sie ruft zur freien Zugesellung. Das positive Recht dagegen folgt der Stimme der Eigentümer, der Starken und der Herren, sie befiehlt die erzwungene Vergesellschaftung. Aber ist es darum gleich ein positives Recht? Der Mensch befindet sich immer in der Mitte zwischen den Besserwissern und den Metaphysikern. Er trägt die Fesseln, die für das Recht geschmiedet sind, entweder eiserne Ketten oder Blumengirlanden.

Rousseau ging unentwegt hinter der Kutsche her. Seine Gedanken setzten sich in seinem Kopf zusammen und bildeten die Idee des Rechts. Gauffecourt saß im Innern der Kutsche, er hielt seine Hand auf Thereses Mieder. Seine Gelüste rumorten in seinem Bauch und lösten die Idee des Rechts wieder auf. Therese atmete tief, die Gefühle schwellten ihre Brust und stritten sich mit dem positiven und dem negativen Recht. Therese fühlte Abscheu in ihrer Brust, und sie streifte Gauffecourts Hand von ihrem Mieder ab. Gauffecourt lehnte sich zurück. Er schaute aus dem Fenster der Kutsche. Draußen war Rousseau zu sehen, wie er sich in der freien Natur bewegte.

Manchmal konnte er nicht gehen, dann verhielt er sich ruhig; ein andermal fühlte er sich dazu imstande, dann ging er. So stand er zuweilen auf der Stelle, und obgleich er gerne gegangen wäre, blieb er doch stehen, weil das Stehen sein gegenwärtiger Zustand war, den er nicht aufheben wollte; aber danach ging er wieder, und er freute sich am Gehen, weil er nun einen Zugang zum Gehen gefunden hatte, den er nicht mehr zwanghaft unterbrach. Rousseaus Zustand im Stehen und sein Zugang zum Gehen waren wechselseitige Bewegungs- und Gedankenverläufe, abwechselnd ging er und stand er, und auch seine Gedanken über die Eigentümer und die Habenichtse standen still und gingen dann voran.

Da standen die Eigentümer und reckten sich stolz wie der herrische Hochwald mit den mächtigen Stämmen und dem reichen Laubwerk, und dort standen die Habenichtse und duckten sich demütig wie das geknechtete Unterholz mit den schwachen Ästen und dem armen Blätterstand. Und sogleich sah Rousseau, wie sich die Eigentümer und Habenichtse in den Regeln des positiven Rechts bewegten. O diese Betriebsamkeit von Ackerbauern und Schmieden, o diese Ruhe des schönen Wilden! Der Ackerbauer und der Schmied, sie müssen denken und tätig sein, der schöne Wilde aber braucht nur zu leben und kann müßiggehn.

Es gab Tage, da verhielt Rousseau sich ruhig, weil er nicht gehen konnte, dann saß er in der Kutsche und rief: »Was ist das für ein Zustand, den es nicht mehr gibt, den es vielleicht nie gegeben hat und den es wahrscheinlich nie geben wird, von dem wir aber doch einen rechten Begriff haben müssen, um über unseren gegenwärtigen Zustand richtig urteilen zu können.« Ja, der natürliche Mensch ist der schöne Wilde, der in der Welt lebt; der künstliche Mensch aber ist der häßliche Zivilisierte, der über die Welt nachdenkt. Der natürliche Mensch bewegt sich, er wandert im Freien und lebt; der künstliche Mensch dagegen regt sich nicht, er sitzt in seiner Stube und denkt nach. Dieser Zustand ist sehr schwer zu ändern, denn wenn der natürliche Mensch in eine Stube gerät, dann denkt er nicht gleich nach, wie ja auch der Zivilisierte, wenn er aus seiner Stube ins Freie tritt, nicht auf einen Schlag zu leben beginnt.

So gibt es den Wilden, und es gibt den Zahmen. Der Wilde lebt sein wildes Leben, und der Zahme denkt sein zahmes Denken. Im zahmen Denken wird die Hektik des Lasters rege, es ist das Unsere. Im wilden Leben zeigt sich die Lässigkeit der Tugend, es ist das Andere. Der müßige Wilde freut sich unentwegt der freien Zugesellung, er ist noch nicht ganz Mensch geworden. Der geschäftige Zahme ächzt unter der erzwungenen Vergesellschaftung, er ist nicht mehr ganz Mensch. Um aber das Andere in das Unsere und das Unsere in das Andere zu übersetzen, hat der Anthropologe Lévi-Strauss das wilde Denken erfunden.

Nun gibt es das wilde Denken und das zahme Leben, und alle die natürlichen Wilden werden durch das zahme Leben gezähmt, während alle künstlichen Zivilisierten durch das wilde Denken verwildern. So sind die Wilden zahm und die Zahmen wild geworden, und des einen Glück wurde zum Unglück des andern. Denn einst lebte der Mensch in Gesellschaft mit der Natur, aber die Natur hat ihn verstoßen. Dem Menschen blieb nichts übrig, als die Gesellschaft der anderen Menschen aufzusuchen, um über die Gesellschaft der Natur nachzudenken. Nun aber sucht er wieder die Gesellschaft der Natur auf, um über die Natur der Gesellschaft nachzudenken. Aber da gibt es die Eigentümer und die Habenichtse, die Reichen und die Armen, die Herren und die Knechte, da gibt es das negative natürliche und das positive künstliche Recht, und diese ganze Ungleichheit ist durch nichts gerechtfertigt. Das wilde Leben hatte zu denken begonnen, ach, wenn nur das zahme Denken einstmal wieder zu leben begänne!

Als die Kutsche in Moulins angekommen war, griff Herr von Gauffecourt in seine innere Rocktasche und beförderte eine Zeitschrift zutage. Mit einer deutlichen Geste faltete er die Blätter der Zeitschrift auseinander. Die Blätter waren bebildert. Herr von Gauffecourt legte das Heft auf Thereses Knie. Therese betrachtete die Kupferstiche. Auf einem Bett lag eine

Frau, sie war nackt bis auf ein paar Pantoffel, die ihre Füße bedeckten. Ihre Beine hingen gespreizt über die untere Bettlade, und ihre Brüste lagen seitlich auf dem Leintuch, und zwar dergestalt, daß je ein Mann von der unteren und von der seitlichen Bettlade her auf den weiblichen Körper eindrang, des ersteren Drang galt dabei den gespreizten Beinen, des zweiteren dagegen den entblößten Brüsten. Therese erbleichte.

O du lasterhafte Pornographie! Du bist die schlimmste unter den schönen Künsten. Da sitzt das verkleidete Laster in der Kutsche, mit häßlichen Gelüsten im Bauch, träge und üppig; und draußen geht die nackte Tugend zu Fuß, mit schönen Gedanken im Kopf, rege und karg. Therese, mit ihren gemischten Gefühlen in der Brust, nahm die pornographische Zeitschrift von ihren Knien und schleuderte sie aus dem Wagenschlag.

Wer gehört wem, die Habenichtse den Eigentümern, die Armen den Reichen, die Knechte den Herren? Hat die Gesellschaft einen Anspruch auf den zivilisierten Wilden, der über die Kunst und die Wissenschaft nachdenkt? Geht der wilde Zivilisierte, der sich von der Kunst und von der Wissenschaft abzuwenden beginnt, in den Besitz der Natur zurück? Auf der einen Seite steht der Ackerbauer mit der vollkommenen Kartoffelnase, ihm gehört das Land; auf der anderen Seite steht der Schmied mit der vollkommenen griechischen Nase, ihm gehört das Eisen. In der Kutsche sitzt Herr von Gauffecourt, das verkleidete Laster, er gebietet über die Pornographie, über Kunst und Wissenschaft; draußen geht Rousseau, die nackte Tugend, er trägt die ganze Natur in seinem Kopf. Therese hatte sich von Herrn von Gauffecourt voller Abscheu entfernt, jetzt ging sie mit Rousseau neben der Kutsche her. Ja, wer gehört wem?

Oh, wie sind die Menschen ungleich untereinander, wie trachtet der eine nach des anderen Eigenschaft und Eigentum. Rousseau, gequält von seiner Harnverhaltung, hätte so gerne gewollt, aber er konnte nicht; und Herr von Gauffecourt, gepeinigt von seiner Gicht, hätte gekonnt, aber er wollte nicht. Welch ein Unterschied unter den Menschen! Des Abends, in der Herberge in Moulins, lag Herr von Gauffecourt tief in den Kissen versunken, matt und verstimmt. Durch seine Muskeln zog der fließende Schmerz, in seinen Waden zuckte der heftige

Krampf. Herr von Gauffecourt atmete schwer, nun würde sich bald das bekannte Gefühl einstellen, das des Drucks eines Schraubstocks, das des Einbohrens eines Nagels in den großen Zeh.

Da lag er nun, mit seinen unverbrannten Eiweißschlacken im Blut. Hei, dieser entzündliche Stich im großen Zeh! Herr von Gauffecourt griff in den Beutel mit den Heublumen, tat sie in den zinnenen Topf, übergoß sie mit heißem Wasser, preßte sie mit einem Tuch aus, legte sie auf seinen Zeh und umwand sie mit seiner wollenen Socke. Er hatte in lasterhafter Pornographie geschwelgt, nun tat ihm der große Zeh weh. Das hatte keinen Zusammenhang, nein, denn auch Rousseau litt seinen ganz persönlichen Schmerz, und er war tugendhaft in der Natur gewandelt.

Aber das verkleidete Laster, mit Gelüsten im Bauch, war nackt; und die nackte Tugend, mit Gedanken im Kopf, ging bekleidet. Rousseau war außer sich, und doch war er bei sich selbst, weil er sich in der Natur befand; Herr von Gauffecourt war bei sich selbst, und doch war er außer sich, weil er sich in Wissenschaft und Kunst und in die Pornographie verirrt hatte. Jeder war das eine, und jeder war das andere, jeder hatte sein wildes, und jeder hatte sein zivilisiertes Teil in Kopf und Bauch. Aber die Gedanken im Kopf Rousseaus riefen nicht Herrn von Gauffecourts Gefühle im Bauch, und Herrn von Gauffecourts Gefühle im Bauch riefen nicht Rousseaus Gedanken im Kopf hervor.

Der gelassene Weise ist der natürliche Mensch im gesellschaftlichen Zustand, aber was ist der gesellige Zivilisierte für ein Mensch? Ein afrikanischer Innenminister tritt auf, die Saison ist eröffnet. Der Minister schüttelt den Kopf, und er sagt: »Ja, was sind das doch für seltsame Menschen, erst kamen sie her, um uns das Kleidertragen beizubringen, und nun sind sie schon wieder da, um es uns wieder abzugewöhnen.« Der Wilde lebt in sich selbst, der Zivilisierte ist sich selbst fern. Ja, so steht es in der Tat um den wahren Grund aller Unterschiede.

In Lyon stiegen Rousseau und Therese aus der Kutsche, sie verließen Herrn von Gauffecourt und nahmen ihren Weg nach Genf durch Savoyen. Rousseau blieb vier Monate lang in seiner Geburtsstadt, er sann den verlorenen Eigenschaften, und er sann den fremden Eigenschaften nach. Ja, wie war er damals unschuldig, und wie war er glücklich gewesen. Guter Diderot, was ist es doch für eine Unsitte, moralische Ideen an gewisse physische Handlungen zu knüpfen, zu denen sie nicht passen. Guter Denis Diderot, wie recht du doch hast, Bougainvilles Reise nach Tahiti noch einmal mit dem Kopf zu machen, und nicht, wie Bougainville, mit dem Bauch.

Rousseau aber reist mit seinem Herzen, er macht sich endlich von den fremden Leidenschaften frei und sucht die verlorenen Eigenschaften wiederzugewinnen. Am 1. August 1754 tritt er wieder in die calvinistische Kirche ein und nimmt das Abendmahl in beiderlei Gestalt, am 25. August erhält er das Bürgerrecht von Genf, und sogleich plant er eine »Politische Ökonomie« und eine »Geschichte des Wallis«. Ja, er wäre für den Rest seines Lebens in Genf geblieben, hätte nicht Voltaire in Les Délices, an den Grenzen von Genf, gewohnt, und hätte nicht Frau von Epinay ihm das Landhaus L'Ermitage am Rande des Waldes von Montmorency zum Wohnen angeboten. So fuhr die Kutsche im Oktober 1754 wieder durch die Porte de Charenton. Rousseau hatte den Kopf voller Gedanken, Therese hatte die Brust voller Gefühle, und in beider Bauch regten sich die gleichen Gelüste, so daß Rousseau nicht unpassende Ideen an körperliche Handlungen zu knüpfen brauchte.

Rousseau
schreibt einen Brief an Herrn von Voltaire

O arme Sterbliche! o jämmerliche Erde!
O all der Sterblichen beklagenswerte Herde!
Du ewiges Geschehn nutzloser Katastrophen!
Ihr ruft: »Alles ist gut!« *Getäuschte Philosophen,*
kommt her und schaut euch an: entsetzliche Ruinen,
die Scherben und der Schutt, von Asche die Lawinen,
und Schicht auf Schicht gehäuft die Kinder und die Frauen,
zerstreuter Gliederstaub, vom Marmorstein zerhauen:
Zehntausend Arme wird das Erdenmaul verschlucken,
die blutend und zerfetzt im schweren Sterben zucken,
verschüttet unterm Dach, mit ausgestreckten Händen,
im Schrecken ihrer Qual die letzten Tage enden!
Ja, würdet ihr beim Schrei der ausgehauchten Stimmen,
ja, würdet sagen ihr beim hellen Aschenglimmen:
»Das ist das Resultat der ewigen Gesetze,
ein freier, guter Gott fing sie in seine Netze?«
Ja, würdet sagen ihr bei diesem Opferkreis:
»Gott ist gerächt, ihr Tod ist der Verbrechen Preis?«
Doch welches Falsch und Fehl war dieser Kinder Schuld
an offner Mutterbrust, die einst sie eingelullt?
Beherbergt Lissabon, das nicht mehr ist, mehr Laster
als London und Paris mit ihrem geilen Pflaster?
Zerstört ist Lissabon, inzwischen tanzt Paris,
ihr Schauer, seelenstill, ihr Geister, starr und fies,
ihr sinnt dem Scheitern nach, das eure Brüder beugte,
ihr forscht in Frieden nach, was diese Stürme zeugte:
Doch wenn die Schläge ihr des schlimmen Schicksals spürt,
dann jammert ihr wie wir und seid ganz tief gerührt.
Wenn solch ein tiefer Riß der Erde sich bemächtigt,
ist meine Klage rein und ist mein Schrei berechtigt.
Umgeben überall von Härten des Geschicks,
vom Zorn der Lästerer, des Todes bösen Tricks,
der Elemente Wucht, die uns zusammenschlagen,
Genossen unsres Leids, gestattet uns die Klagen!

Das ist der Stolz, sagt ihr, der Stolz, der widersteht,
uns könnte wohler sein, wenn es uns schlecht ergeht.
Geht an die Ufer hin den Tajo-Fluß erkunden,
geht hin und wühlt im Schutt, in diesen wüsten Wunden
und fragt die Sterbenden an ihrem grausen Ort,
obs Stolz ist der da schreit: »O Himmel, nimm mich fort!
o Himmel, rette mich und mache mich lebendig!«
Ihr sagt: »Alles ist gut, und alles ist notwendig.«
Was? das gesamte All besaß den bösen Drang,
bevor der Höllenschlund dies Lissabon verschlang?
Ja, seid ihr sicher, daß der ewige Grund der Welt,
der alles macht und weiß und für sich schafft und hält,
er die Vulkane braucht, die unterm Fuße glosen,
um uns an einen Ort der Traurigkeit zu stoßen?
Ihr würdet alsodann die höchste Macht beschränken
und ihr verbieten, uns mit Gnade zu bedenken?
Der ewige Schöpfer, hat er nicht in seinen Händen
unendlich Mittel, um sein Planen zu vollenden?
Bescheiden wünsche ich, und ohne all Gezeter,
daß dieser Flammenschlund aus Schwefel und Salpeter,
sein Feuer zünden mag in einem Wüstental;
ich achte meinen Gott, doch liebe ich das All.
Ach, wenn der Mensch es wagt, zu seufzen tief und kindsam,
dann ist er nicht mehr stolz, dann ist er, ach, empfindsam.

Das jämmerliche Volk in dem verheerten Tal,
ist es der Menschen Trost im Schauder dieser Qual,
wenn ihnen jemand sagt: »Sterbt ruhig, fallt hinfort,
zum Heil der ganzen Welt zerstört man euren Ort.
Es wird ein andrer Arm die Häuser neu erheben,
es wird ein andres Volk in euren Mauern leben.
Der Nordwind wird sich freun an eurem Untergang,
das Leid ist Gutes nur im allgemeinen Gang.
Gott, mit demselben Blick wie den gemeinen Wurm,
sieht euch als Opfer an im Grabe nach dem Sturm?«
Wie hart die Sprache ist, sie stiftet keine Ruh.
O ihr, fügt meinem Schmerz nicht noch den Schimpf hinzu.

O nein, o bietet mir nicht mit Behendigkeit
das eherne Gesetz der Weltnotwendigkeit,

die Kette dieses Alls aus Leib und Geist und Welt.
O Philosophentraum! o Trugbild, das nicht hält!
Gott hat sie in der Hand, er ist nicht angeschlossen,
durch seine weise Wahl ist alles fest beschlossen:
er ist gerecht und frei, er ist nicht unversöhnlich;
weswegen leiden wir zu Zeiten und gewöhnlich?
Das ist des Rätsels Kern, ihn müssen wir ermessen!
Ist unser Übel heil, indem wir es vergessen?
Es forscht ein jedes Volk, das unterm Gotte klagt,
dem Kern des Übels nach, das ihr zu leugnen wagt.
Wenn das Gesetz des Alls die Elemente preßt,
die Felsen unterm Druck der Winde brechen läßt,
wenn der belaubte Baum vom Blitze Feuer fängt:
sie fühlen nicht einmal den Schlag, der sie zersprengt.
Jedoch ich leb und fühl, mein Herz, bedrückt und matt,
um Gottes Hilfe fleht, der es geschaffen hat.

Wir Kinder haben all im Elend den Beginn,
doch strecken unsre Hand demselben Vater hin.
Der Schlamm, das ist gewiß, sich nicht zum Töpfer wendet:
»Was bin ich so gemein, so schwach und unvollendet?«
Er kann nicht sprechen und er kann auch denken nicht,
die Urne, die sich formt, die hinfällt und zerbricht,
hat aus der Töpferhand kein sterblich Herz empfangen,
das Unglück fühlen kann, verweigern und verlangen.
»Des einen Unglück ist«, sagt ihr, »das Glück des andern.«
Die Zellen meines Leibs sich in Insekten wandeln.
Wenn sich das Maß des Leids im Tode füllt auf Erden,
kommt die Erleichterung, der Würmer Fraß zu werden!
Berechner, die ihr seid, der Menschen Jammertal,
ihr tröstet mich nicht mehr, ihr reizt nur meine Qual;
in euch erkenne ich das schwächliche Bemühn,
ihr wollt zufrieden sein und seid im Unglück kühn.

Vom großen Ganzen bin ich nur ein schwaches Teil,
wer aber rettet der verdammten Tiere Heil,
geboren alle gleich und unabänderlich:
sie leben so im Schmerz und sterben so wie ich.

Der grimme Geier sitzt dem Opfer auf der Brust
mit Krallen, rot von Blut, ernährt er sich mit Lust.
Für ihn scheint alles gut, bis aber es gelingt,
daß mit dem Schnabelhieb ein Adler ihn verschlingt.
Der stolze Adler fällt des Menschen Blei zum Raub,
und auf dem Schlachtfeld liegt der arme Mensch im Staub,
von Schüssen tief durchbohrt auf einem Leichenhaufen,
um den gefräßig sich die wilden Vögel raufen.
So stöhnt ein jedes Glied der ganzen weiten Welt!
Geboren für die Qual ein jeder steht und fällt.
In diesem Chaoswust gewinnet Stück für Stück
aus jedem Unglück ihr ein allgemeines Glück!
Was ist das für ein Glück! O sterblich, schwach und wund.
Ihr schreit: »Alles ist gut!« mit jämmerlichem Mund.
Das All euch Lügen straft, und euer eignes Herz
den Irrtum eures Geists schreit kläglich himmelwärts.

Der Stoff, das Tier, der Mensch, ein jeder hat Beschwerden.
Man muß es eingestehn, das Böse herrscht auf Erden:
sein heimliches Prinzip, man kann es nicht vermuten,
woher das Böse kam, vom Schöpfer alles Guten?
Ist es der schwarze Gott, der grause Ariman,
mit dessen Herrschgesetz der Menschen Leid begann?
Sie gelten nicht für mich, die widerwärtgen Affen,
woraus die frühre Welt sich Götter hat geschaffen.

Wie aber einen Gott, das Gute selbst, erfassen,
von dessen Gütern all die Menschenkinder prassen,
doch dessen Hände auch das ganze Übel bringen?
Ein welches Auge kann in seine Pläne dringen?
Das Böse nicht entsprang aus dem vollkommnen Sein.
Es kommt woanders her, denn Gott ist Herr allein.
Er existiert gleichwohl. Gewißheit ohne Brüche!
Erstaunliches Gemisch der tiefen Widersprüche!
Ein Gott, er tröstet uns. Er kam dahergeschlendert,
hat das Geschlecht besucht und hat es nicht geändert.
»Er hat es nicht gekonnt«, sagt ein Sophist und grollt.
Ein andrer aber sagt: »Er hat es nicht gewollt,
er will es sicherlich.« Dieweil man überlegt,

ist unser Lissabon vom Blitz hinweggefegt.
Die Trümmer liegen rings von Stadt zu Stadt umher,
vom roten Tajofluß bis nach Cadix zum Meer.

Entweder Gott bestraft den Menschen voller Schuld,
oder es zeigt der Herr, in Ruhe und Geduld
kein Mitleid, keinen Groll; beschaulich, teilnahmslos
folgt er von Anfang an dem ewgen Strome bloß.
Entweder trägt der Stoff, den Herren zu verletzen,
die Fehler in sich selbst nach den Naturgesetzen,
oder es prüft uns Gott, und dieser Sterbensort
ist nur ein schmaler Gang zur Ewigkeit hinfort.
Gar flüchtiglich das Leid allhier sich dreht und wendet.
Ein Gutes ist der Tod, der unser Elend endet.
Doch sind wir erst dereinst durch diesen Gang gegangen,
wer hat es dann verdient und kann das Glück verlangen?

Was man auch eben tut, man zittert bis zum Schluß.
Nichts gibt es, das man kennt, das man nicht fürchten muß.
Ja, die Natur ist stumm. Man fragt, sie redet nicht.
Notwendig ist ein Gott, der zu den Menschen spricht.
Nur ihm allein kommt zu, sein Werk anheimzustellen,
dem Schwachen beizustehn, den Weisen zu erhellen.
Im Zweifel sucht der Mensch, der wechselnd hofft und irrt,
vergeblich nach dem Rohr, das ihm zur Stütze wird.
Herr Leibniz lehrt mich nicht, welch unsichtbare Knoten
in dieser besten Welt, die möglich und geboten,
ein ewiges Gewirr, ein schweres Unglücksringen
in unsre eitle Lust reelle Schmerzen schlingen,
und gleichfalls nicht, warum der eine, unverschuldet,
wie jener voller Schuld, das gleiche Leid erduldet.
Ach, ich begreife nicht, wie alles gut sein soll.
Mir geht es wie dem Arzt, ich weiß nichts und bin toll.

Doch Plato sagt: der Mensch besaß vorzeiten Flügel
und einen dichten Leib für jeden Todesprügel.
Die Schmerzen und der Tod bedrohten ihn vergebens.
Wie anders aber ist der Zustand unsres Lebens!
Er kriecht, er stöhnt, er stirbt: was atmet, das verhaucht.

Zerstörung heißt das Los für alles, was da kraucht.
Es kann ein schwacher Stoff aus Nerven und Gebein
im Schock des Elements nicht unempfindlich sein.
Das Blut, der Saft, der Staub sich nur zusammenschließen
als flüchtiges Gemisch, um wieder zu zerfließen.
Das plötzliche Gefühl der delikaten Nerven
den Schmerzen offen ist, die schmählich es verwerfen.
Dies alles lehrte mich die Stimme der Natur.
Ich gebe Platon auf, ich schmähe Epikur.
Bayle weiß mehr als sie, ich werde ihn befragen:
die Waage in der Hand lehrt er den Zweifel wagen.
Gescheit und groß genug, um ohne Plan zu sein,
hat er sie all zerstört und schlägt sich ganz allein,
wie dieser blinde Mensch, Philistern ausgesetzt,
den der geworfne Stein aus ihrer Hand zerfetzt.

Was denn vermag die Kraft des größten Geistes: Nichts.
Das Buch des Schicksals schließt vorm Blicke des Gesichts.
Der Mensch, sich selber fremd, ist andren unbekannt.
Wo renne ich jetzt hin? Woher bin ich gerannt?
Gepeinigtes Atom in diesem Haufen Dreck,
mit dem das Schicksal spielt, der Tod fegt ihn hinweg.
Doch denkendes Atom, Atome, deren Augen
zum denkenden Vergleich der Universen taugen.
Wir sehn und kennen uns nicht einen Augenblick.
Wir kehren in den Schoß des Weltenalls zurück.
Dies Welttheater ist voll Stolz und Korruption,
nicht einer lebt im Glück, doch jeder spricht davon.
Ein jeder klägt und ächzt und sucht das Wohlbegehren,
nicht einer will vergehn, nicht einer wiederkehren.

In Tagen voller Schmerz kann es uns manchmal wähnen,
als trockne eine Hand der Freude unsre Tränen.
Jedoch die Freude flieht, geht wie ein Schatten fort,
Bedauern, Kümmernis, Verlust sind wieder dort.
Ach, die Vergangenheit ist nur Erinnerung.
Die Gegenwart ist schlimm, die Zukunft ohne Schwung.
Das Wesen mit dem Geist sinkt in des Grabes Zimmer.
»Ein ganzer Tag ist gut«: das ist der Hoffnungsschimmer.

»Alles ist heute gut«: das ist die Illusion.
Die Weisen täuschten mich und Gott hat seinen Lohn.
Bescheiden senke ich in Qual und Schmerz den Blick,
erhebe ich mich nicht und trotze dem Geschick.
Mit nicht so grausem Ton tat früher mir gelingen,
das lockende Gesetz der süßen Lust zu singen.
Doch früher ist nicht jetzt: vom Alter auserlesen,
so schwach wie andere verführte Menschenwesen,
in einer dichten Nacht auf Helligkeit verfallen,
kann ich nur leiden noch und nicht einmal mehr lallen.

Ein einstiger Kalif, in seiner letzten Stunde,
schickt ein Gebet zu Gott, den er allein bewundert:
»Ich bringe dir, o Herr, du Herrscher aller Zeit,
all das, was du nicht hast in deiner Ewigkeit:
die Fehler, den Verdruß, das Übel, das Unwissen.«
Jedoch er hätte noch die Hoffnung nennen müssen.

Als Voltaire im Winter 1756 sein großes Gedicht über das Unglück von Lissabon schrieb, da stellte er die Sachfrage. Als Rousseau ihm zur Antwort im darauffolgenden Sommer einen Brief schrieb, da warf er die Menschfrage auf. Wie jedermann unschwer erkennt, gibt es die Sachfrage, und es gibt die Menschfrage.

Das alles wäre nicht weiter schlimm, und man brauchte kein Wort mehr darüber zu verlieren, wenn nicht Voltaire, indem er die Sachfrage stellte, die Sachlichkeit im allgemeinen eingeführt und folglich auch die Menschfrage sachlich zu erörtern begonnen hätte, was andererseits Rousseau dazu herausforderte, sich, indem er die Menschfrage aufwarf, auf die Menschlichkeit zu berufen und er folglich auch die Sachlichkeit menschlich zu behandeln begann. In dem Augenblick also, in dem Voltaire sich anschickte, auch die Menschfrage sachlich zu erörtern, da hatte sich Rousseau dazu entschlossen, die Sachfrage menschlich zu behandeln. Auf diese Weise kam am Ende der Naturgeschichte die sachliche Erörterung der Menschfrage und kam am Anfang der Geschichtsgeschichte die menschliche Behandlung der Sachfrage in die Welt, aber die Debatten darüber haben angehalten bis auf den heutigen Tag.

Was war geschehen? Die Enzyklopädisten hatten am Ende der Naturgeschichte nachgewiesen, daß es keine Wirkung ohne Ursache, daß es überhaupt kein Bestehendes ohne zureichenden Grund geben könne, und die Pädagogen hatten am Anfang der Geschichtsgeschichte herausgefunden, daß Ursache und Wirkung und daß vor allem zureichende Gründe zu grauenvollen Verheerungen in der menschlichen Seele Veranlassung sein könnten. Auch ist es ja nicht gleich, ob jemand im Winter oder im Sommer eine Frage von der Tragweite der Sachfrage stellt oder gar von der Tragweite der Menschfrage aufwirft.

Am Allerheiligentage des Jahres 1755 hatte ein gewaltiges Erdbeben die Stadt Lissabon heimgesucht, so daß Herr von Voltaire den ganzen Winter über damit beschäftigt war, die Ursachen und Wirkungen zu untersuchen und einen zureichenden Grund für dieses Ereignis zu finden. Er bediente sich sachlicher Argumente und wies nach, daß der gottverlassene Mechanismus der Welt gänzlich unvernünftig funktioniere und nur Kummer und Unglück über die Menschen bringe.

Es war kalt, Herr von Voltaire fror in seinem Landhaus im schweizerischen Waadtland. Wenn er aus dem Fenster schaute, sah er die winterlichen Boskette von Les Délices, wenn er sich im Zimmer umsah, erblickte er nichts als die Rücken seiner Bücher. Da stand er, dünn und gebrechlich, ein französischer Philosoph, mit blauen Strümpfen, mit weißen Schuhen, mit roten Kniehosen. Die Haare der Perücke quollen aus der schwarzen Samthaube hervor, die knochigen Arme ragten aus den Ärmeln des blumengemusterten Morgenrocks, ja, da stand er am Fenster, es juckte ihn wieder, und er mußte sich unentwegt kratzen. O dieses Jucken und dieser Anblick der hartgefrorenen Beete und der grauen Bücher, das kann einem empfindsamen Menschen schon Anlaß geben, die Sachfrage zu stellen!

Rousseau dagegen stellte seine Betrachtungen über diese Sachfrage Voltaires in der schönsten Zeit des Jahres an, im Juni, unter frischem Laub, beim Schlagen der Nachtigall, beim Plätschern der Bäche. Erst im April war er zusammen mit Therese und ihrer Mutter in die Eremitage von La Chevrette eingezogen. Nun war der Sommer gekommen, er trat aus dem Haus, und schon verlor er sich in der Unermeßlichkeit der Natur. Ja, von diesen Sommertagen würde er dem Präsidenten von Malesherbes berichten, er würde erzählen, wie er tagtäglich irgendeinen wilden Winkel des Waldes aufgesucht hatte, eine verborgene Stätte, wo nichts die Hand des Menschen verriet und von Herrschaft und Knechtschaft sprach, irgendeinen Zufluchtsort, wo kein aufdringlicher Dritter sich zwischen ihn und die Natur drängen durfte. Das Gold der Ginsterblumen und der Purpur des Heidekrauts entfalteten sich vor seinen Augen mit einer Üppigkeit, die sein Herz erregte. O diese Üppigkeit und diese Erregung des Herzens, das bringt einen Menschen dazu, unverzüglich die Menschfrage aufzuwerfen!

Voltaire hatte die Sachfrage gestellt. Sie lautete: »Ist das alles gut? Leben wir in der besten aller möglichen Welten?« Rousseau aber stellte die Menschfrage. Am 18. August setzte er sich an seinen Schreibtisch und schrieb den Satz: »Kein Mensch kann Beweise für oder wider geben.« Voltaire hatte die Sachfrage, die den Menschen betraf, beantwortet, und Rousseau beantwortete die Menschfrage, die die Sache betraf. Voltaire hatte gesagt: »Nein, der göttliche Konstrukteur hat seine Maschine sich selbst überlassen, und so ist alles schlecht in dieser schlechtesten aller Welten.« Rousseau aber sagte: »Man kann die Beweise nicht liefern ohne eine genaue Kenntnis der Einrichtung dieser Welt.« Voltaires Welt war geschlossen, Rousseaus Welt aber ist offen. In Voltaires geschlossener Welt regiert die Festsetzung, in Rousseaus offener Welt aber leuchtet der Vorschein. Voltaires Welt ist die Gesamtheit aller Tatsachen, und die Gesamtheit der Tatsachen bestimmt, was der Fall ist und auch, was alles nicht der Fall ist. Aber alles ist schlecht, ganz gleich, ob es der Fall oder ob es nicht der Fall ist, denn alles ist festgesetzt, und der Mensch muß wissen, auf welche Weise es festgesetzt ist, denn er ist ein denkendes Wesen. Deshalb sagt Wittgenstein: »Es kann für mich als vernünftigen Menschen kein Zweifel darüber bestehen.«

Rousseaus Welt ist aber noch nicht voller vollendeter Tatsachen, und der Mensch in ihr ist ein Hohlraum. In den hohlen Menschen ziehen die Träume und die Hoffnungen ein, und deshalb sagt Bloch: »Der Mensch ist nicht dicht.« Rousseau tauchte seine Feder in die Tinte und schrieb: »Man hat den Ursprung des Übels nirgends anders zu suchen als in dem freien, sich vervollkommnenden, folglich auch verderbten Menschen.«

Ja, der Mensch, er hat es sich nicht zu Herzen genommen, menschlich zu bleiben, er hat es sich in den Kopf gesetzt, sachlich zu werden. Er hat nicht sein Herz sprechen lassen, er hat immer nur seinen Kopf gebraucht. O du menschlicher Kopf, warum mußtest du immer sachlich sein! Du bist nicht lange den natürlichen Tugenden nachgefolgt, du hast allzu rasch die künstlichen Laster angenommen. Wissenschaft und Kunst haben dich verdorben, das neue Bauen und das schönere Wohnen, die Gartenkunst und die Möbelindustrie.

Lasterhaft sitzt der Mensch zwischen diesen Möbelstücken der Kultur und erfindet die silbernen Gaskessel von Esso und den aufblasbaren Gummimann von Michelin, anstatt daß er tugendhaft in Feld und Wald spazierengeht. Aus den Gasanstalten strömt die verdorbene Luft, und der dicke Gummimann wälzt sich über den Asphalt.

Abgeschiedene Eremitage von Montmorency, was ist aus dir geworden! Das neue Bauen hat ihr eine Fassade aus Kunstmarmor und das schönere Wohnen hat ihr Sessel aus Schaumstoff beschert. Gegenüber liegt nicht mehr der kühle Kastanienhain, es gibt nicht mehr die Majestät der Bäume, die Rousseau mit ihrem Schatten deckten, nicht mehr die Zartheit der Sträucher, die Mannigfaltigkeit der Kräuter und Blumen zu seinen Füßen. Hier steht S. C. I. La Châtaigneraie, ein Immeuble d'Habitation, und der Maître d'Ouvrage ist ein gewisser Herr Grimm aus der rue Lafayette.

Heimtückischer Baron von Grimm! Welchen Erben hast du hinterlassen, der so böslich die Majestät der Bäume beleidigt und so gröblich die Zartheit der Sträucher mißachtet! Hämischer Baron von Grimm, dein Erbe droht den Pfaden im Gehölz und den Schlupfwinkeln im Buschwerk mit Glas und Beton. Und du stehst in den Salons von ehedem, mit den trüben Augen und der schlottrigen Gestalt, bestreichst deine Haut mit einer weißen Schminke und putzt deine Fingernägel mit einem eigens dazu angefertigten Bürstchen. Heimtückischer, hämischer, verdorbener Baron von Grimm! Das Glas und der Beton deines Nachfahren zerstören dieweil Kräuter und Blumen, und eines Tages werden auch die Menschen aus den Türen stürzen und aus den Fenstern fallen, wenn nämlich ihre eigenen Handgriffe die tödliche Mechanik in den Quanten in Gang setzt.

Verehrter Herr von Voltaire, dachte Rousseau, er tauchte erneut seine Feder in die Tinte, und dann schrieb er: »Nehmen wir gerade das Lissaboner Erdbeben, so war es doch nicht die Natur, die da zwanzigtausend sechs- bis siebenstöckige Häuser zusammendrängte. Als zerstreut siedelnde Hüttenbewohner in einer Wildnis hätten sie das Erdbeben sehr leicht überstanden. Lieber Herr«, dachte Rousseau, und er blickte hinaus in den Garten, wo später einmal das Immeuble d'Habitation eines Herrn von Grimm die Majestät seiner Bäume schänden und die Zartheit seiner Sträucher verletzen würde. Lieber verehrter Herr von Voltaire. Dann schrieb er: »Sie verlangen, das Erdbeben hätte in einer Wüste sich zutragen sollen, nur nicht gerade in Lissabon. Also, die Weltordnung soll sich der menschlichen Willkür anbequemen, und wir dürfen es ihr übelnehmen, wenn sie ein Erdbeben eintreten läßt, wo wir gerade eine Stadt hingesetzt haben!«

Voltaire hatte zwar die Sachfrage gestellt, aber die Sachlichkeit hatte ihn bewogen, auch die Menschfrage sachlich zu erörtern; Rousseau dagegen hatte die Menschfrage aufgeworfen, und die Menschlichkeit hatte ihm eingegeben, auch die Sachfrage menschlich zu behandeln. Der dichte Mensch Voltaires, im schalen Gefühl des Nichts, saß mitten in der Kultur zwischen den lasterhaften Festsetzungen; der undichte Mensch Rousseaus aber, im süßen Gefühl des Daseins, er ging hinaus in die Natur, und so geht er dem tugendhaften Vorschein entgegen.

Die Festsetzungen sind nämlich festgesetzt, aber der Vorschein scheint vor. Die festgesetzten Festsetzungen des dichten Menschen, der die Menschfrage sachlich erörtert, lassen im schalen Gefühl des Nichts den Pessimismus entstehen. Der vorscheinende Vorschein des undichten Menschen, der auch die Sachfrage menschlich behandelt, läßt im süßen Gefühl des Daseins den Optimismus gedeihen.

Rousseau legte die Feder aus der Hand und erhob sich von seinem Stuhl. Er trat ans Fenster und schaute wieder hinaus in den sommerlichen Garten. Er dachte nicht, er vernünftelte nicht, er philosophierte nicht, er ging, um nicht sitzen zu müssen. Er ging aus gutem Grunde, er würde so weit gehen, Herrn von Malesherbes zu schreiben, er habe sich in diesem Sommer mit einer Art Wollust von der Wucht des ganzen Alls umfangen gefühlt, seine Phantasie habe sich im unermeßlichen Raum verloren, ja er wäre in jener betäubenden Ekstase glücklicher gewesen, als wenn er alle Geheimnisse der Natur entschleiert hätte.

Rousseau ging in seinem Zimmer auf und ab. Er durfte sich nicht auf seinen Stuhl setzen, nein, jetzt durfte er nicht sitzen, jetzt mußte er gehen und die Natur im Auge behalten. Verehrter Herr von Voltaire, dachte er, wer hat wohl das süße Gefühl des Daseins von Ihnen genommen und hat Ihnen an seiner Stelle das schale Gefühl des Nichts eingegeben? Rousseau ergriff seine Feder und schrieb: »Bei wem haben Sie da nachgefragt? Bei den reichen Leuten vielleicht, die übersättigt sind von den falschen Genüssen, die aber die wahren nicht kennen, oder bei den Literaten, die von allen Klassen der Menschen am meisten verhockten, ungesunden und folglich unglücklichsten?«

Ja, die Literaten! Da hocken sie in ihren ungesunden Stuben und haben auch die Sachfrage gestellt. Ihnen wehen nicht mehr Nietzsches natürliche Locken des Zufalls, nein, das künstliche Sitzfleisch juckt ihnen in der Hose. Sie hocken da und üben sich im analytischen Nachdenken. Sie schmähen Immanuel Kants intuitive Vernunft und seinen Blick, mit dem er alles auf einmal sah. Mit diskursivem Verstand stellen die Literaten die Sachfrage und rechtfertigen sich mit Argumenten.

Ja, die Literatur! Sie selbst ist zur Sachfrage geworden, und die Literaten nutzen ihr Sitzfleisch mit lauter Rechtfertigungen ab. Seht her, wie sie auf einmal alle so sachlich geworden sind! Sie hocken in ihren Mansarden und prüfen die Strapazierfähigkeit ihrer Argumente. Aber die Mansarden sind nicht gelüftet, und die bleichen Literaten mühen sich schwer mit der Sachlichkeit ab. So aber wird die Literatur diskursiv und immer diskursiver, und vor lauter Beweisen wird der Mensch am Ende festgesetzt und dicht geworden sein.

Soll es dahin führen, fragte sich Rousseau, soll es mit den Menschen dahin kommen? Das war der Augenblick, als er wieder an seinen Tisch zurückkehrte und den Satz schrieb: »Dann ist allerdings klar, daß kein Mensch direkte Beweise für oder wider geben kann.« Eine Weile später schrieb er den Satz: »Vielleicht ist die Einrichtung der menschlichen Dinge so, daß man weder von Recht noch von Unrecht reden kann.« Und schließlich fügte er noch folgenden Satz hinzu: »Es scheint mir, man müsse die Dinge in der physischen Welt von einem relativen, die in der moralischen von einem absoluten Standpunkt auffassen.«

O du undichter Mensch, nach beiden Seiten bist du offen, und es strömt dir einmal von der einen und einmal von der anderen Seite ein eigentümlicher Magnetismus zu. Einmal wirst du von dem einen und einmal wirst du von dem anderen Magneten angezogen. Dieser Magnetismus aber ist die Abhängigkeit. Es gibt die Abhängigkeit von den Sachen, und es gibt die Abhängigkeit von den Menschen. Die Abhängigkeit von den Sachen ist natürlich, und sie entspringt dem Alleinsein. Die Abhängigkeit von den Menschen ist künstlich, und sie entspringt der Gesellschaft. Die natürliche Abhängigkeit von den Sachen ist physikalischer Art. Sie schadet der Freiheit nicht, und sie erzeugt auch keine Laster. Die gesellschaftliche Abhängigkeit von den Menschen dagegen ist moralischer Art. Sie schadet der Freiheit und ist lasterhaft. So existieren wir nicht dort, wo wir sind, sondern wir existieren dort, wo wir nicht sind, dachte Rousseau, und er würde es eines Tages erklären.

Voltaire ließ im Boudoir der Frau von Pompadour Tee und Kaffee aus anderen Erdteilen auf dem Tisch erscheinen. Voltaire feierte die gegenseitige Abhängigkeit unbekannter Menschen untereinander. Das moderne Wirtschaftssystem funktionierte, und er sagte: »Neue Jahrhunderte können immer mehr als die früheren.« Er hatte die Sachfrage gestellt und dabei die Menschfrage auf sachliche Weise erörtert. Das ist die Idee des Fortschritts.

Aber auch Rousseau wird sich mit dem kleinen Emil an einen reichgedeckten Tisch setzen. Er wird aber den wirtschaftlichen Mechanismus verdammen, und er wird sagen: »Vielleicht haben zwanzig Millionen Hände lange daran gearbeitet, vielleicht haben Tausende von Menschen ihr Leben verloren, für diese einzige Mahlzeit auf unserem Tisch.« Rousseau hatte die Menschfrage gestellt und dabei die Sachfrage auf menschliche Weise behandelt. Das ist die Idee der Erhaltung.

Der Fortschritt ist lasterhaft, die Erhaltung dagegen ist tugendsam. Die einen haben ihr Leben vor lauter Sachlichkeit mißbraucht, und so ist es ihnen eine Last gewesen. Die anderen aber haben es in Menschlichkeit hingebracht, und es ist ihnen leicht geworden. Wenn auch der Mensch nicht gegen den Schmerz gefeit ist und er schreien muß, sobald er Zahnweh hat, so ist dieses Übel kein allgemeines, sondern ein ganz besonderes Übel. Das allgemeine Übel ist das des Pessimisten, der immerzu die Sachfrage stellt und davon den schalen Geschmack des Nichts im Munde spürt. Das besondere Übel ist das des Optimisten, der die Menschfrage aufwirft und davon den süßen Geschmack des Daseins auf seine Zunge bekommt. Ist es verwunderlich, daß Rousseau die Menschfrage aufgeworfen hat?

Rousseau knöpfte seine Jacke auf. Es war ihm heiß geworden beim Hin- und Herwälzen dieser Frage. Voltaire hatte seine stichhaltigen Argumente vorgebracht, sein diskursiver Verstand hatte mit Verstandesbeweisen gedroht. Er hatte sich entschieden. Rousseau konnte ihnen nur seine Gefühlsbeweise entgegenhalten. Er schwebte.

Schaut euch die Philosophen an! Es sind die entschiedenen Philosophen, die die Festsetzungen, und es sind die schwebenden Philosophen, die den Vorschein lehren. Dabei möchte der entschiedene Philosoph, der die Festsetzung lehrt, aber den Vorschein sieht, schweben, während der schwebende Philosoph, der den Vorschein lehrt, aber die Festsetzungen respektiert, sich entscheiden möchte.

Rousseau öffnete den obersten Hemdknopf, er nahm die Feder in die Hand und schrieb: »Wenn meine Vernunft hin und her schwankt, dann kann meine Seele sich nicht lange in der Schwebe halten und entscheidet sich ohne jene.« Dann hob er einen Augenblick den Kopf, senkte ihn wieder und schrieb: »Tausend Gründe des Gemüts machen mich der tröstlicheren Seite geneigt und legen sich in die Schale der Hoffnung beim Gleichgewichtszustand der rationalen Gründe.« Und schließlich fügte er noch den Satz hinzu: »Mit den Philosophen braucht man nicht zu streiten, denn das, was nur ein Gefühlsbeweis ist für uns, das kann kein Verstandesbeweis für sie werden.«

Er legte nun die Feder vor sich auf den Tisch und schaute aus dem Fenster. Draußen im Garten ging eben die Katze über den Kies. Sie streckte den Schwanz in die Höhe und schritt auf das Gebüsch mit den Rhododendron zu. Rosenbaum von Montmorency, die ersten Blüten lagen schon auf dem Boden, aber die Blätter standen noch fest am Stamm. Grüne Blätter, dachte Rousseau, er liebte das Grün der Blätter, die ganze salomonische Pracht der Erde, so würde er es eines Tages Malesherbes beschreiben.

Dagegen die Literaten in ihren Mansarden, die festgesetzten Literaten mit ihren Sachfragen, wie sie sich im analytischen Nachdenken abmühen! Da sitzt nun der erste und beweist seine Vorder- und seine Hintersätze aus der allgemeinen Meinung, dort sitzt der zweite und beweist sie aus der besonderen Lage, dort sitzt der dritte und beweist sie aus der Erfahrung, dort sitzt der vierte und beweist sie aus dem Gegenteil, dort sitzt der fünfte und beweist sie aus dem Gebrauch, dort sitzt der sechste und beweist sie aus logischen Erwägungen, dort sitzt der siebte und beweist sie, indem er sogar mit logistischen Funktoren operiert. O ihr sieben heiligen Argumente, ihr zudringlichen Bekehrer, ihr Proselytenmacher! Wie seid ihr unmenschlich und unduldsam, ihr Vormünder und Fanatiker. Rousseau ergriff seine Feder und schrieb wieder.

Er schrieb: »Weil es nämlich etwas Inhumanes ist, die Ruhe friedlicher Seelen zwecklos zu stören, wenn man ihnen aufdrängen will, was weder nützlich noch gewiß ist.« Er schrieb: »Daß ein Mensch es wagen darf, die Gewissen anderer zu bevormunden.« Er schrieb: »Von diesen Dogmen ist die Unduldsamkeit zweifellos das schrecklichste.« Dann tauchte er die Feder noch einmal ganz tief in das Tintenfaß und schrieb: »Die blutigsten Fanatiker reden immer eine andere Sprache, je nach den Verhältnissen. Sie predigen Geduld und Sanftmut, wenn sie nicht die Stärkeren sind. Ich heiße daher grundsätzlich unduldsam jeden, der meint, man könne kein rechtschaffener Mann sein, wenn man nicht glaubt, was er glaubt, und jeden, der erbarmungslos alle verdammt, die nicht denken wie er.«

Ja, die Literaten und ihre Medien, sie liegen sich so vertraulich in den Armen. Die Literaten haben die Sachfrage gestellt und haben auch die Menschfrage auf ihre sachliche Weise zu Ende gebracht. Sachlich begegnen sich die Literaten und die Medien, die Literaten und die Literaten, die Literaten und die Wirtschaftler, die Literaten und die Politiker, die Literaten und die Pädagogen, die Literaten und die Theologen, die Literaten und die Wirtschaftler und die Politiker und die Pädagogen und die Theologen und die Medien, und sachlich tauschen sie ihre Argumente aus. Wehe, wer nicht sachlich ist!

Dieser Austausch geschieht mit allem gebotenen diskursiven Nachdenken und auch mit dem erforderlichen Sitzfleisch. Dieser Austausch ist die Diskussion. Nun gibt es aber nicht die Sachdiskussion und die Menschdiskussion, sondern es gibt nur die Sachdiskussion und die Personaldiskussion. Der Mensch ist im Austausch der Argumente zum Personal verkommen, und auch die Literaten meiden im Umgang mit den Medien verschämt ihre wahre Zugehörigkeit. Die Sachfrage und die Personalfrage wird in den Diskussionen zuerst andiskutiert, dann wird sie durchdiskutiert, und schließlich wird sie ausdiskutiert. Am Ende steht die Ausgewogenheit, eine sachliche Ausgewogenheit, wenn es nach dem Urteil der Literaten, eine ausgewogene Sachlichkeit, wenn es nach dem Urteil der Medien geht. Die revolutionären und die konterrevolutionären Ideen verbinden sich sachlich in dieser Ausgewogenheit, die die Literaten und ihre Medien zustande gebracht haben.

Rousseau stieß das Fenster auf und atmete tief die Gartenluft ein. Der Tag würde nicht fern sein, an dem Napoleon Bonaparte erscheinen und die Sachfrage auf ganz eigenwillige Weise lösen würde. Wartet nur, bis der ausgewogene Napoleon gekommen sein wird, und wartet dann noch eine Weile, bis Heinrich Heine diese Eigenwilligkeit beschreiben und erklären wird. Die Lösung der Sachfrage kann nämlich über die Diskussion hinaus auch mit Hilfe der Intrige ins Auge gefaßt werden. Kleine analytische Geister intrigieren dabei im einzelnen, große synthetische Gemütsmenschen intrigieren, indem sie das große Ganze im Auge haben.

Aber die diskursiven Argumentierer scheitern am Ende, so wie auch die intuitiven Gemütsmenschen am Ende scheitern. Die Argumentierer scheitern, weil die Verfallenheiten und die Verhältnisse des Lebens nicht lange stabil sind, die Gemütsmenschen scheitern, weil sie die Labilität des Lebens wohl kennen und auf ganz natürliche Weise danach handeln würden, wenn nur nicht die diskursiven Intriganten, jene verhockten Literaten, sie mit ihren Argumenten einschüchtern, kleinlaut und am Ende mundtot machen würden. Auf diese Weise kommt es zu einer paradoxen Lage: die Pessimisten, die den schalen Geschmack des Nichts im Munde haben, sind befeuert und eilen auf die Straße, und die Optimisten, die den süßen Geschmack des Daseins auf der Zunge spüren, resignieren und ziehen sich in ihren Garten zurück.

Rousseau stand noch immer am Fenster, er atmete tief und sog den Duft des Rhododendron ein. Er dachte an Herrn von Grimm, diesen analytischen Bösewicht, dessen Erbe aus der rue Lafayette den Garten von Montmorency zum Standort eines Immeuble d'Habitation machen würde, und er dachte an Herrn von Voltaire, diesen diskursiven Intriganten, dessen Nacheiferer dieses Immeuble mit den Segnungen der modernen Zeit versehen und den alten Garten von Montmorency unbewohnbar machen würden, indem sie ihn bevölkern.

Rousseau schloß das Fenster und kehrte an seinen kleinen Tisch zurück. Er ergriff die Feder und schrieb: »Ich muß Ihnen noch sagen, mein Herr, daß ich in bezug auf das Thema dieses Briefes einen merkwürdigen Widerspruch zwischen mir und Ihnen feststellen muß. Mit Ruhm übersättigt und der Illusionen bar über eitle Größe leben Sie frei, mit Gütern im Überfluß gesegnet. Sicher Ihrer Unsterblichkeit philosophieren Sie ungestört über das Wesen der Seele, und wenn der Leib oder das Herz leiden, so haben Sie Tronchin als Arzt und als Freund, und trotzdem finden Sie nur Schlimmes auf der Erde. Und ich, ein unbekannter armer Mensch, der von einem unheilbaren Leiden geplagt ist, ich gebe mich in meinem stillen Winkel dem vergnüglichen Nachdenken hin und finde, daß alles gut ist. Woher kommen diese scheinbaren Widersprüche? Sie haben selbst die Erklärung gegeben: Sie genießen, ich hoffe, und die Hoffnung macht alles schön.«

Rousseau legte die Feder auf den Tisch und blickte auf. Über dem Garten vor seinem Fenster lag jetzt die volle Nachmittagssonne. Er war fast zu Ende gekommen. Der Genuß war also der schale Geschmack des Nichts im Munde, aber die Hoffnung war der süße Geschmack des Daseins auf der Zunge. Gab es darüber hinaus noch etwas zu sagen? Sollte es kein Aufhalten der Verfallenheiten und keine Änderung der Verhältnisse des Lebens geben?

Voltaire hatte seine Meinung sachlich verfochten. Er hatte sich auf die Einseitigkeit des Arguments versteift. Rousseau wollte sein Anliegen menschlich erklären. Er verließ sich auf die Zweiseitigkeit der Erläuterung. Aber sollte es für alle Zeiten bei Voltaires festgestelltem Zweifel und sollte es immerwährend bei Rousseaus vorscheinender Hoffnung bleiben? Sollte dem Zweifel kein Vorschein der Hoffnung beschieden sein, und sollte es in der Hoffnung nicht einmal die Festsetzung eines Zweifels geben? Rousseau griff noch ein letztes Mal nach seiner Feder und schrieb den Satz: »Alle Feinheiten der Metaphysik sind nicht vermögend, mir auch nur einen Augenblick Zweifel zu erregen.«

War das nun das Ende des Gesprächs zwischen ihm und Voltaire? Dann wird also die Abhängigkeit von den Sachen, die einst so natürlich war, zu Sachzwängen, und dann wird die Abhängigkeit von den Menschen, die so künstlich war, zu Menschzwängen führen. Dann wird aber auch die Notwendigkeit, die Menschfrage aufzuwerfen, nur darin begründet sein, daß das Stellen der Sachfrage nicht überhand nehmen darf. Und wozu ist der Mensch nun undicht? Werden die Festsetzungen unaufhörlich so festgesetzt sein, daß eines Tages Wittgenstein kommen, die Sachfrage stellen und einen ganzen Traktat darauf aufbauen würde, und wird der Vorschein unausgesetzt so vorscheinend sein, daß Bloch kommen, die Menschfrage aufwerfen und sie zum Prinzip erklären würde?

Ja, die Festsetzungen wären ein für alle Male festgesetzt, wenn es den Vorschein nicht gäbe; und auch der Vorschein schiene immerzu nur vor, wenn nicht die Festsetzungen wären. Mit Hilfe des Vorscheins werden die Festsetzungen zu Vorsetzungen, und das ist gut. Mit Hilfe der Festsetzungen wird aber der Vorschein zum Festschein, und das ist schön. Ein guter Vorsatz läßt die relativen Dinge in der physischen Welt, und ein schöner Festschein läßt die absoluten Dinge in der moralischen Welt in eine Ordnung eintreten. Wenn nun aber diese wittgensteinischen Festsetzungen und dieser blochsche Vorschein zusammenkommen, dann ist nur die Hälfte des Vorscheins nötig, um aus der Festsetzung eine Vorsetzung, und dann ist auch nur die Hälfte der Festsetzung nötig, um aus dem Vorschein einen Festschein werden zu lassen. Sie treten zusammen, und siehe da, der Vorsatz stachelt an, und der Festschein leuchtet, es ist eine wahre Pracht!

Rousseau

umarmt Frau von Houdetot unter der Akazie
von Eaubonne

Fern von dir, ich werde
keinen Tag bestehn,
ja die ganze Erde
kann für mich vergehn.
Auch die grünsten Hecken,
bist du nicht bei mir,
sind nur öde Flecken
ohne Reiz und Zier.

Wenns zu lange währte,
ein paar Stunden bloß,
such ich deine Fährte,
arm und hoffnungslos.
Hab ich sie verloren,
fang ich an zu schrein,
soll ich, kaum geboren,
schon gestorben sein?

Hast mein Herz gebrochen,
seit du mich erblickst,
bringst mein Blut zum Kochen,
wenn du mich bestrickst
und mit offnem Munde
in den Himmel führst.
Ach, ich geh zugrunde,
wenn du mich berührst.

Am 28. Juni 1712 wurde Rousseau geboren, am 9. April 1756
begann er zu leben. Damals stand er in seinem vierundvierzig-
sten Lebensjahr, und es war wirklich an der Zeit, endlich mit
dem Leben zu beginnen. Er sah sich an der Schwelle des Alters
stehen, er fühlte sich mit dem allerzartesten Empfindungsver-
mögen begabt, und er dachte: jetzt bist du fast fünfundvierzig

Jahre alt, und immer noch hast du nicht gelebt. Ja, er besaß die leicht entzündlichen Sinne, die die tiefen Neigungen im Bauch hervorrufen, er besaß das wild durchglühte Herz, das den hohen Blutdruck in der Brust bedingt, und er besaß das hell erleuchtete Gehirn, das die plötzlichen Eingebungen im Kopf heraufbeschwört. Aber er hatte sie nicht genutzt, und die rauschhaften Betäubungen, das heftige Herzklopfen und die augenblicklichen Atemnöte hatten immer noch nicht die richtigen Gegenstände gefunden, an denen sie sich hätten erschöpfen können.

Nun hatte Rousseau ja seit seiner Geburt schon einige Male zu leben begonnen, und zwar am 21. März, dem Palmsonntag 1728, als er in Annecy Frau von Warens unter die Augen trat, und an einem heißen Oktobertag des Jahres 1749, als er unter einer Platane zwischen Paris und Vincennes zu Boden sank. In Annecy hatte er einen Blick auf die Umrisse eines Busens, und zwischen Paris und Vincennes hatte er einen Blick in den »Mercure de France« getan. Der Blick auf die Umrisse des Busens hatte über seinen Charakter entschieden, der Blick in den »Mercure« hatte ihn zu einem ganz und gar anderen Menschen gemacht.

Da trat Frau von Epinay auf den Plan, die Gemahlin des Generalsteuerpächters von Epinay, die zuerst die Geliebte des Herrn von Franceuil und dann die Geliebte des Barons von Grimm gewesen war. Franceuil war ein Musikliebhaber und Grimm war ein Literaturliebhaber, aber beide waren gepudert und geschminkt, sie spielten mit Frau von Epinay und mit allen Leuten der Gesellschaft ihre Komödie, sie hoben das Tanzbein und fuchtelten mit den Armen, und kein Mensch hatte gemerkt, daß sie wie die Zaunkönige aus dem Märchen waren, wenn nicht Rousseau gewesen wäre, der sie, wie der Bär aus dem Märchen, mißachtete und ausrief: »Das ist ein erbärmlicher Palast! Ihr seid auch keine Königskinder, ihr seid unehrliche Kinder!«

So führte Frau von Epinay den mürrischen Rousseau eines Tages zu ihrem Schloß La Chevrette bei Montmorency, zeigte ihm das Gartenhaus, das dort im Walde lag und sagte zu ihm: »Da sehen Sie ihre Höhle, Sie Bär.« Wahrhaftig, Rousseau war ein Bär, und das scheint eine Feststellung, keine bildliche Beschreibung zu sein, so als wäre er ein besonders brummiger

Mensch gewesen, den man nur mit einem Bär vergleichen kann. War er also wohl ein wirklicher Bär, und sah man seine behaarten Beine und Arme nur deshalb nicht, weil er sie in einer Pumphose und in Schnallenschuhen und in einem Hemd mit weiten Ärmeln versteckt hatte, und trug er auf dem Kopf wohl einen Schäferhut, damit niemand seine spitzen Ohren sehen konnte?

Ja, er lebte am liebsten fern von allen Menschen im Walde wie ein richtiges Tier im Naturzustand. Schon der alte Tschudi hatte gesagt, kein anderes sei so drollig wie der gute Meister Petz. Ja, er hat ein gerades und offenes Naturell ohne Tücke und Falsch, er ist nicht so gierig, so reißend und so widerwärtig wie der Wolf. Er frißt nicht seinesgleichen, er lungert nicht des Nachts im Dorf herum, um ein Kind zu erhaschen, nein, er bleibt im Walde, und seine Nahrung ist der Honig.

Bald würde Frau von Epinay auf Schloß Chevrette und der Bär in der Eremitage wohnen, und der Bär würde tanzen müssen. Aber Rousseau hatte Frau von Epinay angesehen, und er würde die Tapetentür zwischen seinem Zimmer und dem Boudoir der Frau von Epinay auf Schloß Chevrette gar nicht erst entdecken. Ja, Rousseau hatte sie angesehen, aber er sah sie ganz anders als der brave Diderot und der schlaue Voltaire. Diderot sah sie an, und er sagte: »Einige Haarlocken sind unter dem Bande hervorgequollen und fallen teils auf ihre Brust, teils auf ihre Schultern herab. Es ist ein Bild der Zärtlichkeit und der Wollust.« Da rief Voltaire aus: »Du bist ein Adler in einem Schleierkäfig!«

Rousseau hatte sie auch angesehen, und er sagte: »Sie war sehr blaß, sehr mager, und es ist nicht angenehm, eine Frau wie eine Wespe entzweigeteilt zu sehen. Ihre Brust war flach wie meine Hand. Dieser Mangel hätte allein schon hingereicht, mich eisig zu machen; nie haben mein Herz oder meine Sinne in einer Person, die keine Brüste hatte, eine Frau zu sehen vermocht; und andere Gründe haben mich immer bei ihr das Geschlecht vergessen lassen.« O du schlimme Syphilis, die der Herr von Epinay auf seine Gattin übertragen und mit welcher diese wiederum die Herren Franceuil und Grimm angesteckt hatte! Ach, was würde den Bär in seiner Höhle erwarten? Zuerst würde ihn Frau von Houdetot mit dem Pfeil der Amazone von vorne, dann würde ihn Frau von Epinay mit dem Pfeil der Atalante von hinten, und ganz am Ende würde ihn der böse Baron von Grimm mit dem Giftpfeil treffen. Armer, scheuer Bär!

Nun war also der 9. April 1756 herangekommen. Frau von Epinay hatte ihre Kutsche anspannen und nach Paris kommen lassen, um Rousseau und seine beiden Wirtschafterinnen, Therese und ihre Mutter, mit nach Montmorency zu nehmen. Unvergeßlicher Ostersonntag, die Veilchen und die Primeln blühten im letzten Schnee, die Bäume trieben ihre ersten Knospen, und in der Nacht zum Ostermontag ertönte sogar der erste Nachtigallenschlag. Du stille Eremitage von Montmorency, hier im einsamen Gehölz durfte er nun endlich zu leben beginnen.

Der Blick auf die Umrisse des Busens der Frau von Warens und auch der Blick in den »Mercure de France« hatten ihn trotz rauschhafter Betäubungen, trotz heftigen Herzklopfens und trotz augenblicklicher Atemnöte nicht erschöpfen können; sollte dies der Wald von Montmorency mit seinen Vögeln und seinen Blumen etwa vermögen? Es war Frühling, ja, es war seine Jahreszeit, und im Frühling ist es gut möglich, daß der Anblick von Veilchen und Primeln und daß auch der Anruf einer Nachtigall gut und gerne den Anblick eines Busens und den Anruf einer Preisfrage aufwiegen können. Rousseau ordnete seine Schreibereien und teilte seine Beschäftigungen ein: er bestimmte seine Morgenstunden zum Schreiben und seine Nachmittage zum Spazierengehen.

Ach, was ist es für ein Glück, schon am frühen Morgen da zu sitzen und zu schreiben! Der Bauch ist noch nicht gebläht von schleichenden Fürzen, die Brust ist noch nicht zusammengeschnürt von hinterlistigen Lügen, und auch der Kopf ist noch nicht getrübt von lauter Blasphemien, nein, Bauch und Brust und Kopf sind am frühen Morgen nüchtern und frisch und gelüftet, und die Feder fliegt über das Papier, als sei sie noch gar nicht aus dem Gänsegefieder gerupft.

Und was ist es auch für ein Glück, am Nachmittag spazierenzugehen! Beim Spazierengehen entweichen die schleichenden Fürze, und der Bauch schwillt wieder ab. Da entweichen die hinterlistigen Lügen, und die Brust wird wieder frei. Da entweichen auch die Blasphemien, und der Kopf lüftet wieder aus. O wie schön sind die Spaziergänge und die Landpartien am

Nachmittag! Da winkt am Abend die ländliche Gaststätte mit Blut- und Leberwurst, und auf dem Tisch der Schankstube liegt das Buch neben dem Weinglas. Ja, es ist schön, im Freien ungehindert zu denken und in der Stube unaufhörlich zu schreiben!

Rousseau aber war immer allein. Therese hatte keine Aufmerksamkeit für seine Gedanken und keine Verwendung für seine Schriften. Sie kochte das Essen, und sie wusch die Wäsche, sie putzte das Haus, und sie pflegte den Garten. Die Alte dagegen konspirierte mit Grimm und Diderot, denn sie wäre lieber in Paris geblieben als in diese öde Einsamkeit gekommen. Rousseau saß in den Morgenstunden an seinem Schreibtisch und schrieb, und an den Nachmittagen ging er im Walde spazieren, und er war immer allein.

»Die Einsamkeit wird das Werk der Verdunkelung seiner Einbildungskraft vollenden«, schrieb Diderot, und in seinem Theaterstück »Der natürliche Sohn« fügte er hinzu: »Der gute Mensch lebt in Gesellschaft, nur der böse Mensch lebt allein.« Soweit hatten es nun die Freunde gebracht, ihre geblähten Bäuche strafften ihre Kniehosen, ihre zusammengeschnürten Brüste spannten ihre Hemden, und ihre getrübten Köpfe ließen ihre Perücken dermaßen anschwellen, daß Hosen, Hemden und Perücken schier zerplatzen wollten vor lauter Besserwisserei. Rousseau schrieb an Frau von Epinay: »Ich wünsche, daß meine Freunde meine Freunde sind und nicht meine Herren; daß sie mich beraten, doch nicht versuchen, mich zu beherrschen, daß sie jeden Anspruch auf mein Herz haben, doch keinen auf meine Freiheit.«

Aber die Freunde warfen argwöhnische Blicke auf den Einsiedler. Rousseau hatte sich von den wirklichen Menschen seiner Umgebung immer mehr abgewandt und den möglichen Menschen seiner Phantasie immer mehr zugekehrt. So geriet er zwischen Himmel und Erde, und er kam sich wie ein Papierdrachen vor, der am Strick angebunden ist. Er schwebte zwischen Therese und seiner Schwiegermutter, er schwebte zwischen Diderot und Holbach, bald würde er zwischen Frau von Epinay und Frau von Houdetot und zwischen Grimm und Saint-Lambert, und schließlich würde er gar zwischen Frau von Epinay und Grimm und zwischen Frau von Houdetot und Saint-Lambert schweben, und immer würde er mit dem Strick an der Erde angebunden sein, wo doch aber das andere Ende frei in den Lüften stand.

O ihr Dreierbeziehungen, ihr Dreiecksverhältnisse, o du unselige Liebe zu dritt! Rousseau fand diese schlimmen Verhältnisse vor, aber er fand sich nicht mit ihnen ab. Die Vorfindungen riefen Erscheinungen in ihm hervor, und so schwebte er ganz am Ende zwischen dem Weinen und dem Lachen, und mühsam hielt er das Gleichgewicht zwischen dem Natürlichen und dem Humor. Die natürlichen Vorfindungen, diese Dreiecksverhältnisse, weckten Erinnerungen in ihm, die ihrerseits zu komischen Erscheinungen wurden. Er dachte an Fräulein Gallay und an Fräulein von Graffenried, er dachte an das sanfte Fräulein von Breil, er dachte an Frau Basile und an Frau von Larnage, er dachte an seine hübschen Schülerinnen und sogar an die reizende Zulietta, ja, ein ganzer Serail von Huris umgab ihn, o ihr paradiesischen Jungfrauen von unvergänglichem Reiz.

Rousseau verwandelte die Vorfindungen in Erscheinungen, und verzückt sagte er später: »Die Unmöglichkeit, wirklichen Wesen nahezukommen, warf mich in das Land der Traumbilder, und da ich nichts leben sah, was meines Rausches wert war, nährte ich ihn in einer realen Welt, die meine schöpferische Einbildungskraft bald mit Wesen nach meinem Herzen bevölkert hatte. Nie kam mir diese Hilfe gelegener, und nie war sie so fruchtbar. In meinen unaufhörlichen Ekstasen berauschte ich mich im Übermaß an den köstlichsten Empfindungen, die je ein menschliches Herz erfüllt haben. Gänzlich das Menschengeschlecht vergessend, schuf ich mir Gesellschaften vollkommener Geschöpfe, so himmlisch durch ihre Tugenden wie durch ihre Schönheit, zuverlässige, zärtliche, treue Freunde wie ich sie nie hier auf der Erde fand.«

So war jede Vorfindung zu ihrem Vorschein, und so war jede Erscheinung zu einer Erfindung geworden, jede vorscheinende Erfindung verwandelte sich in einen erfundenen Vorschein, bis jede Ecke seiner Phantasie mit diesen vollkommenen Geschöpfen bevölkert war. Am vollkommensten aber waren zwei weibliche Wesen. Die eine machte er braun, die andere machte er blond; die eine geriet ihm lebhaft, die andere geriet ihm sanft;

die eine ließ er sittsam, die andere ließ er schwach sein, aber von einer so rührenden Schwäche, daß die Tugend eher noch zu gewinnen schien; der einen gab er einen Liebhaber, dem die andere eine Freundin und vielleicht sogar noch etwas mehr war; die eine nannte er Julie, und die andere nannte er Clara.

Es gab keine Nebenbuhlerei und keine Eifersucht, keinen Zank und keinen Hader, nichts von alledem. Aber Rousseau selbst träumte sich in den erfundenen Liebhaber und in den erfundenen Freund hinein, und weiß Gott, als eine junge und liebenswürdige Erfindung war er zu allerlei erfundener Taten imstande. Er fuhr mit Julie im Kahn, er führte sie in den Wald und führte sie in die Weinberge, schließlich verführte er sie ganz und gar, und Julie mußte ihre adelige Unschuld an einen armen Magister verlieren. Rousseau hatte, wenn auch in seiner Einbildung, eine Geliebte gefunden, und er nannte sie die Neue Heloise.

Nun gibt es die Alte Heloise, und es gibt die Neue Heloise, und kein Mensch wäre je auf den Gedanken gekommen, das Geschick dieser beiden Heloisen zum Gegenstand seiner Betrachtung zu machen, wenn es nicht Abälard und Rousseau gegeben hätte, die beide einen so verhängnisvollen Kastrationskomplex besaßen. Der Philosoph Abälard hatte die Tochter des Kanonikers Fulbert verführt, und dafür war er entmannt worden. Der Magister St. Preux hatte die Tochter des Barons von Etange verführt, und dafür hatte sich Rousseau selbst in die freiwillige Enthaltsamkeit begeben, was womöglich noch schwerer zu ertragen ist als eine wirkliche Entmannung. Ja, die Kanoniker, diese regulierten Chorherren, und die Barone, diese fügsamen Kronvasallen, bei denen gibt es keine Gnade für die gesellschaftlichen Einzelgänger!

Rousseau saß den ganzen Herbst und Winter über an seinem Schreibtisch in der Eremitage und schrieb die Briefe der beiden Liebenden nieder. »O Gefühl, Gefühl, köstliches Leben der Seele!« ließ er St. Preux ausrufen, und Julie antwortete ihm, indem sie sagte: »Diese ungemäßigten Gefühle!« Ja, Rousseau wußte um die Leidenschaft des Mannes, und er wußte um die Tugend der Frau. Den ganzen Dezember über führte er seine Paare an den sonnigen Ufern des Genfer Sees entlang, zwar gab es noch nicht die Zyklopenmauern und die Maschendrähte in den Weinbergen von Clarens, und auch im »Schlüssel« in Vevey standen noch nicht Barschfilets und Rehpfeffer auf der Karte, aber die milde walliserische Sonne schien mitten in seine winterliche Einsiedelei hinein.

Da klopfte es eines Abends plötzlich an seiner Tür. Es war der 30. Januar 1757, und draußen wehte ein stürmischer Wind. Rousseau öffnete die Tür, auf der Schwelle stand eine Frau. Sie trug hohe, schlammbedeckte Stiefel und eine regennasse Reisepelerine. Da stand sie auf der Schwelle, schüttelte ihre nassen Ärmel und stampfte mit ihren schmutzigen Stiefeln auf. Sie lachte hell, streckte ihm die Hände entgegen, und als er sie berührte, durchrieselte ihn ein eigenartiger Schauder. Alle Welt, so ein eigenartiger Schauder hatte ihn noch nie durchrieselt! Und weiß der Himmel, das war ja die Julie seiner Träume, die da auf der Schwelle stand! Das war niemand anders als diese vollkommene Erscheinung seiner Phantasien, dieses ideale Geschöpf seiner köstlichsten Ekstasen!

Nun gibt es für einen empfindsamen Menschen, dem sich gerade eine Vorfindung in eine Erfindung und eine Erscheinung in einen Vorschein verwandelt hat, und der überdies auch noch an einer Kastrationsangst leidet, nichts Schlimmeres, als wenn seine Träume und seine Phantasien sich urplötzlich als Wesen aus Fleisch und Blut entpuppen. Was soll ein hypochondrischer Dichter, der eben die erfundene Tochter eines Barons defloriert und den Vorschein einer verhängnisvollen Leidenschaft gezündet hat, mit einer lebendigen Frau anfangen? Auf der Schwelle stand Frau Elisabeth Sophie von Houdetot, die Tochter des Generalsteuerpächters von Bellegarde, eine Schwester des Herrn von Epinay und der Herren von der Live und von der Briche, die später Oberzeremonienmeister geworden sind, Sophie von Houdetot, die Frau des Grafen von Houdetot und die Mätresse des Marquis von Saint-Lambert, eine Frau mit Armen und Beinen aus Fleisch und Blut und nicht aus dem Stoff, aus dem die Träume sind. Da stand sie, siebenundzwanzigjährig, und Rousseau erschrak, als sie nun ihre Stiefel und ihren Umhang auszog, so daß das Fleisch und Blut zum Vorschein kamen. O war das ein Winter in der Eremitage! Frau von Houdetots Besuch hatte zwar nur kurz gedauert, nicht länger als man braucht, um einen ländlichen Imbiß zu verzehren, aber in diesem Jahr kamen die Veilchen und die Primeln noch viel früher zum Vorschein. Rousseau schaute aus dem Fenster, der ganze Garten war ein einziger Frühlingsblumenstrauß, ja, grün ist das Leben! Für einen Augenblick war ihm die Spucke weggeblieben, war er keiner Silbe mächtig, hatte er keine Worte gefunden, hatte er die Sprache verloren, aber jetzt tauchte er seine Feder wieder in die Tinte und schrieb die Briefe Julies an St. Preux und die Briefe St. Preux' an Julie.

Aber dann, mitten im Frühling, und Rousseau war gerade ein Jahr lang am Leben, erschien Frau von Houdetot zum zweitenmal in der Eremitage. Sie war in Männerkleidern zu Pferd gekommen, und Rousseau, der für solche Maskeraden gar nichts übrig hatte, stand mit geöffnetem Mund in der Haustür. Hui, sie schwang die Peitsche wie das Fräulein Lambercier, es knallte in der Diele. Frau von Houdetot blieb diesmal nicht erst auf der Schwelle stehen, nein, sie trat mit festem Schritt in die Stube, und da stand sie, gestiefelt und gespornt, kurzsichtig und blatternarbig, und als sie jetzt ihren Reiterhut vom Kopfe nahm, da fielen ihre schwarzen und gelockten Haare bis an die Kniekehlen hinab.

Wieder lachte sie laut auf, und wieder zitterte Rousseau am ganzen Leibe, als sie ihm die Hände reichte. Potztausend ja, es war eine lebendige Frau! Rousseau konnte nicht mehr nur seine Julie vorschützen, die ja immerzu in seinem Kopf und nicht leibhaftig vor seinen Augen auftrat. Jetzt mußte er sich an Fleisch und Blut halten, auch wenn er zuvor noch vielerlei Verwandlungen vornehmen mußte. Frau von Houdetot kam, er sah sie, er war liebestrunken ohne Gegenstand. Die Trunkenheit bezauberte seine Augen, und nun wurde sie zu ihrem Gegenstand. Zuerst erblickte er seine Julie in Frau von Houdetot, bald aber sah er nur noch Frau von Houdetot selbst, jedoch bekleidet mit allen Vollkommenheiten, mit denen er eben noch das Ideal seines Herzens versehen hatte.

Da war es in der Verwandlung, die er mit solchen großen Worten und später noch genauer beschrieb, als würde er seine Erfindung mit Haut und Haaren vorfinden und als sei der ganze Vorschein der Zukunft eine leibhaftige Erscheinung der Gegenwart. Ja, da mußte er sich selbst einen Ruck versetzen, und da durfte er auch alle anderen von ihrem angestammten Platz bewegen. Er tauchte erneut seine Feder in die Tinte und schrieb die Briefe Julies und St. Preux'. Aber jetzt ging es in den Briefen wie im wirklichen Leben zu, warum hatte er eigentlich nicht in den besseren Träumen verweilen dürfen? Rousseau saß und schrieb, wieviel lieber wäre er durch den Wald gelaufen und hätte geschwiegen. Er legte die Feder beiseite und rief: »Große Städte bedürfen der Schauspiele, verdorbene Völker der Romane. Ich habe die Sitten meiner Zeit gesehen und infolge dessen diesen Briefwechsel veröffentlicht. Weshalb habe ich nicht in einem Jahrhundert gelebt, in welchem ich ihn hätte ins Feuer werfen müssen!« Aber ach, wann wird es einmal die Zeit geben, in der die Schauspiele und die Romane überflüssig geworden sind, ja, wo sich sogar Briefe und Gedichte erübrigen? Was wird das für eine Zeit sein?

»Das wird noch eine Weile dauern«, ruft Urs Widmer, zweihundert Jahre später, »es gibt keinen Grund zur Freude darüber.« Ja, die Kunst und das Leben! »Wenn einmal alles möglich ist inklusive das Fliegen, das Zaubern, das friedliche Zusammenleben und das Immergesundsein, was brauchen wir da noch die Kunst.« Lieber zärtlicher Urs Widmer, wie recht du doch hast! Und so nimmt Rousseau die Feder wieder in die Hand und schreibt weiter. Aber nun hält es ihn nicht mehr in seinen Morgenstunden allein am Schreibtisch, und auch seine nachmittäglichen Spaziergänge sind nicht mehr nur in den Wald gerichtet. Nein, der Genfer Bürger ist wieder zum Schäfer geworden, er greift nach dem Wanderstock und geht über die Hügel von Andilly hinunter nach Eaubonne.

Sein Bauch ist nicht gebläht, seine Brust ist nicht zusammengeschnürt, sein Kopf ist nicht getrübt, nein, kaum fängt er wieder an, das Haus zu verlassen, so sind sein Kopf, seine Brust und sein Bauch auf ein Ziel gerichtet, und seine Füße schlagen den Weg schnurstracks nach diesem Ziele ein. Er ist ja zeitlebens ein guter Fußgänger gewesen, und sein Kopf, seine Brust und sein Bauch sind immer fleißig mitgegangen. Da geht er über die sanften Hügel, er schwingt den Wanderstock hoch in die Luft. Er fühlt sich nicht als ein bejahrter Liebhaber, auch wenn er schon graue Haare bekommt, so schreitet er aus wie ein Schäfer, der unter die Birken tritt und die Hirtin zur Polonäse führt.

Rousseau geht nach Eaubonne, wo Frau von Houdetot ein Sommerhaus gemietet hat. Saint-Lambert, ihr Liebhaber, ist mit der Armee nach Deutschland gezogen, und so führt Rousseau die schöne Geliebte spazieren. O ihr zärtlich liebenden Rokokomenschen, was ist das für ein Sommer, und was ist das für eine Liebe gewesen! Sie war gleich groß auf beiden Seiten, aber sie war nicht gegenseitig. Rousseau liebte Frau von Houdetot, aber Frau von Houdetot liebte Saint-Lambert, es war keine geteilte Liebe. Aber ihre Seufzer vermischten sich wie in den Rokokogedichten, sie waren zärtliche Vertraute, sie hielten sich bei den Händen und manchmal wagte es Rousseau sogar, seine Hand um ihre Hüfte zu schlingen.

Da aber kam die Nacht zum 7. Juni 1757 heran. Rousseau und Frau von Houdetot hatten zusammen zu Abend gegessen, nun stieg der Mond über den Bäumen des Gartens herauf. Sie traten vor die Tür, spazierten durch den Garten, durchschritten das ausgedehnte Gehölz und erreichten schließlich den kleinen Hain, in dem hinter braunen Felsen ein Wasserfall niederging. Dort stand eine über und über mit Blüten beladene Akazie, und unter der Akazie lag eine Rasenbank. O du blühende Akazie von Eaubonne, o du dornige Mimose! Jedermann weiß, daß Rousseau nie in seinem Leben sehr unternehmend gewesen ist, aber wer weiß, war es dieser sommerliche Mondschein, war es dieses versteckte Gebüsch, oder war es gar dieser aufdringlich duftende Akazienbaum, jedenfalls faßte sich Rousseau ein Herz, ergriff die Hand der Geliebten und machte ihr unumwunden ein Liebesgeständnis. »Ich liebe Sie!« sagte er, und sogleich stürzten die Tränen aus seinen Augen. Aber die Tränen tropften nicht ins Gras, nein, sie fielen geradezu auf ihre Knie, denn Frau von Houdetot saß auf dieser Rasenbank. Davon war sie so tief ergriffen, daß sie in einem plötzlichen Überschwang nach seinen Händen griff und rief: »Noch niemals war ein Mann so liebenswert wie Sie, noch nie liebte ein Liebender so wie Sie. Aber Ihr Freund Saint-Lambert hört uns, und mein Herz vermag nicht zweimal zu lieben.«

Oh, hätte sie das nicht gesagt, diesmals war sie zu weit gegangen! Und wie sollte der angebetete Saint-Lambert sie hören können, hier in diesem abgelegenen und lauschigen Gehölz, wo er doch in Deutschland bei der Armee stand, wo man bei dem Kanonendonner sein eigenes Wort nicht verstehen konnte? Nein, das war nicht zu erwarten, und so ließ es Rousseau nicht bei den Tränen und nicht bei den Wörtern bewenden, er nahm Frau von Houdetot kurzerhand in seine Arme und küßte sie. Heilige Akazie von Eaubonne, du allein bist Zeugin dieses Kusses gewesen! Heilige Akazie, da haben deine Äste gezittert, als Rousseau seine Frau von Houdetot auf den Mund küßte! Leider wurde die Akazie im Jahre 1873 gefällt, und so kann sie nichts mehr von dieser Julinacht erzählen. Aber Rousseau griff in die Äste und brach sich einen Zweig ab, damit er wenigstens ein Erinnerungsstück von diesem tiefgreifenden Erlebnis mit nach Hause nahm.

Frau von Houdetot war zu weit gegangen, sie hatte Rousseau zuerst zu einer Liebeserklärung, und dann hatte sie ihn obendrein auch noch zu einer Umarmung und zu einem Kuß ermuntert, was ja alles nur halb so schlimm gewesen wäre, wenn nicht diese rasende Aufwühlung der Sinne stattgefunden hätte. Das war nicht wie bei Therese oder wie damals bei Mama, o nein, diesmal war es richtige Liebe, denn diesmal war es mit Herzklopfen, mit Krämpfen und sogar mit Ohnmachten verbunden. Nicht daß Rousseau jetzt gleich nach einer Bettgemeinschaft mit Frau von Houdetot getrachtet hätte, dafür war er viel zu schüchtern, und ein zusätzlicher glücklicher Umstand enthob ihn der Verpflichtung, der Umarmung und dem Kuß auch noch eine Entkleidung und einen Beischlaf folgen zu lassen. Ja, ein glücklicher Umstand, er hüpfte nämlich auf dem Heimweg über die Hügel von Andilly vor lauter Tollheit und Raserei so heftig auf der steinigen Straße, daß er einen Leistenbruch erlitt.

Nun ist auf der einen Seite einer körperlichen Vereinigung nichts förderlicher als die Ermutigung eines Mannes durch eine Frau, die auch einmal über das Ziel der Schicklichkeit hinausschießt, und auf der anderen Seite ist dieser Vereinigung nichts hinderlicher als ein Leistenbruch oder sonst ein Gebrechen im Bereich der männlichen Lende. Ja, auch die Lende war zur Rokozeit nicht mehr das, was sie einmal zu Luthers Zeiten gewesen war. Damals war sie nicht nur die hintere und die seitliche Gegend der Bauchwand, damals war sie auch noch das, was dahinter ist. Und so machte Rousseau als gefühlvoller und hypochondrischer Mensch ein großes Aufhebens davon, denn sein Kopf und seine Brust mußten ihm seine Lende und seine Leiste ersetzen. Liebenswerte Frau von Houdetot, du hattest es gar nicht leicht mit dem armen Rousseau! Im Kopf entblößt er deine Brüste, in der Brust enthüllt er deinen Kopf.

So sitzt er in seiner Stube und schreibt Liebesbriefe. Es sind herrscherliche Billetts und kaiserliche Botschaften, und am Ende sind es flehentliche Bitten. Die Zettel und die Briefe bleiben offen auf dem Zimmertisch liegen, aber Therese kann ja nicht lesen, und das braucht sie auch gar nicht, um herauszufinden, was mit Jean-Jacques geschehen ist. Denn nun stehen nicht nur die Lakaien von Eaubonne vor der Tür, da stehen bald auch die gekränkte Frau von Epinay und der brüskierte Saint-Lambert, da steht der neidische Baron von Grimm und da steht auch der getäuschte Diderot, und alle halten sie anonyme Briefe in der Hand.

O ihr anonymen Briefe und ihr Indiskretionen, o List und Tücke dieser Frau von Epinay! Der kalte Saint-Lambert kehrte aus Preußen zurück und sorgte für die heimliche Abreise der Frau von Houdetot. Der böse Grimm öffnete die verborgene Tapetentür und sorgte für die heimliche Niederkunft der Frau von Epinay. Aber der arglose Diderot nahm Feder und Papier zur Hand und sorgte für die öffentliche Schmähung des armen Rousseau. Listige Frau von Houdetot, warum wolltest du so heimlich abreisen und den armen Rousseau in der Eremitage zurücklassen bei Therese und der alten Levasseur? Tückische Frau von Epinay, warum wolltest du so heimlich niederkommen und den armen Rousseau mit nach Genf nehmen als Reisebegleiter zu Dr. Tronchin? Und du, ahnungsloser Diderot, warum willst du den armen Rousseau öffentlich schmähen und ihn undankbar nennen, nur, weil er die listige Frau von Houdetot nach Paris, die tückische Frau von Epinay aber nicht nach Genf begleiten will? O ihr Ränke und ihr Verleumdungen, wenn die Psychoanalyse erst einmal erfunden ist, dann wird Professor Laforgue kommen und die Winkelzüge dieser Seelen beweisen.

Armer Bär, armer, brummiger, bärbeißiger Bär, jetzt ging es ihm an den Kragen. So sehr er sich auch auf die Hinterbeine stellte und seine Pranken gebrauchte, die Zaunkönige hatten zur Jagd geblasen, und sie brannten ihm eins auf den Pelz. Ach, jetzt erging es ihm wie dem Bär im Märchen. Die Zaunkönige hatten das ganze Geschmeiß mobilisiert, Mücken und Fliegen, Bienen und Hornissen. Aber auf seiner Seite standen nur Esel und Hornochsen, und als der Fuchs seinen Schwanz in die Höhe strecken wollte, da stach ihm die Hornisse auf die Hinterbakken, daß er den Schwanz zwischen die Beine nahm. Ja, und der Bär mußte vor das Loch der Zaunkönige kommen und Abbitte tun, genau wie im Märchen. Und am Ende wurde er aus seiner Höhle verjagt, und er mußte sich einen neuen Unterschlupf suchen.

Bärbeißig sind die Einzelgänger, und Rousseau, den es in keinem dieser schrecklichen Dreiecksverhältnisse gehalten hatte, stand wieder da und zeigte seine Zähne nach allen Seiten. Die Einzelgänger sind bärbeißig und grimmig, aber es fehlt ihnen auch ein liebender Partner, der ihnen in ihrem Grimm und in ihrer Bärbeißigkeit beisteht. »Der Einzelgänger ist ein Krüppel«, sagt Kirk Douglas in dem Film »Einsam sind die Tapferen«, und das ist wahr.

Mitten im Winter, schon am 15. Dezember 1757, stand die Bauernkarre vor der Eremitage, um Rousseaus Habseligkeiten nach Montmorency zu bringen. Ade! du schöne Eremitage, Willkommen! du stilles Haus auf dem Montlouis! Aber das Haus ist alt und naß, die Mauern bröckeln und die Böden faulen, es ist ein schwerer Neubeginn. An die Stelle der Frau von Houdetot trat wieder Therese, an die Stelle der Liebe trat wieder die wilde Ehe, an die Stelle der Geliebten die Schaffnerin des Haushalts. Rousseau atmete tief, nein, es waren nicht mehr die himmlischen Wonneschauer, die seinen Körper schüttelten.

Die Harnröhrensonden zwangen ihn wieder zum Sitzen. Eine porzellanene Sonde zerbrach, und Bruder Cosme kam, um ihn zu operieren. In seinem Bauch wühlte der Zweifel, und seine tiefen Neigungen peinigten seine Lenden. In seiner Brust bohrte der Argwohn, und sein hoher Blutdruck preßte seine Adern. In seinem Kopf zehrte das Mißtrauen, und seine plötzlichen Eingebungen marterten sein Hirn. Da saß er in seinem Sessel und schaute zum Fenster hinaus. Ganz hinten am Horizont lag Paris, diese lärmende, diese verrauchte, diese schmutzige Stadt. Rousseau schüttelte seinen Kopf. O nein, nicht die vergoldeten Säle dort in den Schlössern, die duftenden Hütten hier auf dem Land bergen die Tugend! Dort blüht das Laster, und seine Blüten sind giftig.

Rousseau tauchte die Feder in die Tinte und schrieb die Briefe Julies und St. Preux' zu Ende. Dem ersten Buch der Leidenschaft folgte das zweite Buch der Tugend. Die arme Julie mußte die Fehler ihrer Jugend in der Ehe sühnen, o weh! Ihre Eltern zwangen sie zum Verzicht auf ihren geliebten Hauslehrer, der einen so philosophischen Glauben gehabt hatte, und sie wurde einem Atheisten aufgezwungen. Aber siehe da, er war ein tugendhafter Mann, und sie bewahrte ihm die eheliche Treue. Auch als Herr von Wolmar den weitgereisten St. Preux wieder ins Haus bringt, damit er ihre Kinder erziehe, da geht die tugendhafte Julie nur noch in der Hauswirtschaft und in der Pflege ihrer Kinder auf. »Das Gute ist das in Tätigkeit gesetzte Schöne!« ruft St. Preux, und er hat gut rufen, wo ihm das Messer droht, das ihn entmannen will. Ja, das Gute und das Schöne, sie stehen untereinander in engster Verbindung, wenn nur erst einmal die wohlgeordnete Natur in ihr Recht eingesetzt ist. Diese Einsicht hat auch den klugen Kant zurechtgebracht, und unter seiner praktischen Vernunft sind wir heute noch allesamt zur Pflicht vergattert.

Liebliches Montmorency, du hast den armen Jean-Jacques bis heute nicht vergessen! In der Avenue Emile liegen die Aschenbecher und die Totenmasken im Schaufenster des Souvenirgeschäfts »Heloise«, auf dem Montlouis liegt die zerbrochene Sonde aus Porzellan auf der gewachsten Kommode, und an der Wand über dem Bett im Alkoven hängt das getrocknete Akazienblatt von Eaubonne im zierlichen Rokokorahmen. Rousseau hatte sich den Akazienzweig nicht an den Hut gesteckt, er hat ihn nicht einmal auf den Bauernwagen zu legen vergessen, als er die Eremitage verließ. Schöne Frau von Houdetot, du hast ihn mit deiner Hand berührt, aber jetzt gibt es nur noch dieses trockene Blättchen, das er selbst in der Hand gehabt hat. Er hat ein Jahr lang gelebt, aber dann ist er wieder gestorben, auch wenn er noch nicht richtig tot war.

Rousseau

und Emil suchen den Garten des Paradieses

Es war einmal ein Königssohn, niemand hatte sie viele und so schöne Bücher wie er; alles, was in dieser Welt geschehen war, konnte er darin lesen und in prächtigen Bildern abgebildet sehen. Über jedes Volk und jedes Land konnte er Bescheid bekommen, aber wo der Garten des Paradieses zu finden sei, darüber stand nicht ein Wort; und der, just der war es, an den er am meisten dachte. Seine Großmutter hatte ihm, als er noch ganz klein war, aber seinen Schulbesuch beginnen sollte, erzählt, daß jede Blume im Garten des Paradieses der süßeste Kuchen sei, und die Staubfäden der feinste Wein. Auf der einen stand Geschichte, auf der andern Geographie oder das Einmaleins, man brauchte nur Kuchen zu essen, dann konnte man seine Aufgabe; je mehr man äße, desto mehr Geschichte, Geographie und Einmaleins bekäme man in sich hinein. Das glaubte er damals; aber als er ein größerer Knabe wurde, mehr lernte und weit klüger ward, begriff er wohl, daß eine ganz andere Herrlichkeit im Garten des Paradieses sein müsse. »Oh, warum pflückte doch Eva vom Baume der Erkenntnis! Warum aß Adam von der verbotenen Frucht? Das hätte ich sein sollen, dann wäre es nicht geschehen! Niemals würde die Sünde in die Welt gekommen sein!« Das sagte er damals, und das sagte er noch, als er siebzehn Jahre alt war; der Garten des Paradieses erfüllte sein ganzes Denken. — Ja, man muß in die abgelegenen Provinzen gehen, wo es weniger Bewegung und weniger Handel gibt, wo Fremde weniger hinkommen, wo die Bewohner seßhafter sind und wo sie weniger Besitz und Beruf wechseln.

Diderot und d'Alembert, der hämische Baron von Grimm und der aufgeplusterte Baron von Holbach saßen in Paris und sprachen das Zäpfchen-R. Sobald sie ihre Lippen bewegten, spitzten die Leute in den Salons die Ohren, um ihnen zuzuhören. Sie brauchten nur zu murmeln, um verstanden zu werden. Infolge der ständigen Aufmerksamkeit errieten die Leute, die dauernd um sie herum waren, eher was sie sagen wollten, als was sie wirklich gesagt hatten. Diderot und d'Alembert, der Baron von Grimm und der Baron von Holbach gebrauchten ihr Zäpfchen-R, um Paris zum Mittelpunkt der Welt zu machen.

Rousseau dagegen saß in seinem Hause auf dem Montlouis in Montmorency und sprach das Zungen-R. Waren seine Sprechorgane etwa anders gebaut als die der Herren aus Paris? Nein, sie waren nur anders geübt. Er mußte seine Zähne weit auseinander machen, er mußte sehr deutlich und sehr laut sprechen, damit er sich auf beträchtliche Entfernung verständlich machen konnte. Ja, nur wer die Kraft seiner Stimme der Entfernung derer anpassen kann, die sie verstehen sollen, der kann sich wahrhaft verständlich machen. Rousseau gebrauchte sein Zungen-R, um Montmorency oder besser noch das ganze flache Land zum Mittelpunkt der Welt zu machen.

Diderot und d'Alembert, der Baron von Grimm und der Baron von Holbach wohnten in der Stadt, Rousseau aber lebte auf dem Lande. Diderot und d'Alembert, Grimm und Holbach waren Städter, Rousseau war ein Mann vom Lande. Der Städter lebt in der Enge der Straßen, deshalb schwebt er in höheren Regionen und hat Luft unter den Flügeln. Der Mann vom Lande lebt in der Weite der Gegend, er steht mit beiden Beinen auf der Erde, er hat Boden unter den Füßen. Der Städter, in der Enge der Straßen, schlägt mit den Flügeln und erhebt sich in die höheren Regionen, die den sogenannten Überbau darstellen. Seine Flügel haben sich zu Schwingen ausgewachsen, er schwingt in der Urbanität. Der Mann vom Lande, in der Weite der Gegend, tritt von einem Fuß auf den anderen und rammt sich auf diese Weise in die Erde ein, die den sogenannten Unterbau darstellt. Seine Füße haben Wurzeln geschlagen, er wurzelt in der Provinzialität.

Nun ist es nichts anderes als die Flügelhaftigkeit der Urbanität, die es im Kopf des Städters zur Vorstellung der Freiheit hat kommen lassen, so daß der Städter, trotz der Enge der Straßen, von der städtischen Weite spricht, während es die Wurzelhaftigkeit der Provinzialität ist, die es im Herzen des Mannes vom Lande zum Gefühl des Zwanges hat kommen lassen, so daß der Mann vom Lande, trotz der Weite der Gegend, von der ländlichen Enge spricht. Diderot und d'Alembert, Grimm und Holbach schnarren ihr Zäpfchen-R und sprechen von der städtischen Freiheit; Rousseau rollt sein Zungen-R und spricht vom ländlichen Zwang. Aber siehe da, in seinem Mund wird der Zwang zur natürlichen Notwendigkeit und wird die Freiheit zur künstlichen Libertinage.

Das alles scheint einigermaßen widersinnig zu sein, ist aber wahr, denn die vorgestellte Freiheit der städtischen Weite in den engen Straßen hat das höhere Ansehen des Flügels und des Überbaus nötig, um die künstliche Libertinage des Urbanismus zu rechtfertigen. Der spürbare Zwang der ländlichen Enge in der weiten Gegend aber kommt mit dem geringeren Ansehen der Wurzel und des Unterbaus aus, um die natürliche Notwendigkeit des Provinzialismus zu begründen.

Auf dem Lande herrscht die Geselligkeit, und das ist etwas Konkretes; in der Stadt herrscht die Gesellschaft, das ist etwas Abstraktes und ist immer schlimmer. Die Wurzelhaftigkeit des Unterbaus und das Zungen-R kommen der Tugend zustatten, sie ermuntern zur Schlichtheit, und sie nähren die notwendige Einfalt. Die Flügelhaftigkeit des Überbaus und das Zäpfchen-R rufen das Laster hervor, sie befördern die Galanterie, und sie begünstigen die Koketterie.

Was ist das für eine Welt, in der eine solche gegenläufige Kausalität waltet? In den engen Straßen gedeiht die weite Urbanität, und in der weiten Gegend macht sich der enge Provinzialismus breit. Hier gehen die Makler und die Bankiers mit ihren ledernen Koffertaschen, sie sprechen das galante und kokette Zäpfchen-R und fördern die Zivilisation und die Urbanität; und dort gehen die Bauern und die Schäfer in ihren ledernen Stiefeln, sprechen das Zungen-R und erhalten die Natur und den Provinzialismus.

Es gibt Dublin und es gibt Danzig, es gibt New York und es gibt Jerichow, es gibt Rugbüll und es gibt Tellingstedt, es gibt Jahrestage und es gibt schöne Tage. Aber wo sitzen die Schlafmützen und wo brennt das Kartoffelfeuer, wo singt der Gesangverein und wo lärmt die Kegelbahn, wo erscheint der Bayernkurier und wo tritt der Gartenzwerg vor die Mauer? Ist es auf dem Asphaltpflaster, wo die Tage dröhnen und die Nächte explodieren, oder ist es am Brunnen vor dem Tore und im schönsten Wiesengrunde?

Auf einmal schwingt sich nämlich der Geist der Urbanität mitten in die tiefste Provinz und schlägt der Geist des Provinzialismus urplötzlich Wurzel in der Urbs. Ja, der Flügelhaftigkeit und der Wurzelhaftigkeit sind keine Grenzen gesetzt! Den Wurzeln sind Flügel gewachsen, und die Flügel haben Wurzeln gezogen. Die fliegenden Koffer sind alle zu Boden gefallen, und die Stiefel sind zu Siebenmeilenstiefeln angewachsen.

Diderot und d'Alembert, Grimm und Holbach sitzen festgewurzelt in der Kultur, die Aktenkoffer mit den enzyklopädischen Unterlagen zwischen den Beinen, und sprechen immerzu vom Fortschritt. Rousseau aber geht in der Natur, in seinen schmucken Siebenmeilenstiefeln, leicht und beflügelt, und er spricht vom Erhalten. Ja, da kommt der Mann vom Lande, immer hungrig und immer fröhlich, und erfindet eine neue Natur; und da sitzen die Städter, satt und vergrämt, und beschreiben die ganze alte Kunst und Wissenschaft.

Der Mensch vom Lande ißt, wenn er Hunger hat, er lacht, wenn er fröhlich ist, und wenn er sich mit seinen Nachbarn verständigen will, dann rollt er sein mächtiges Zungen-R und erfindet eine neue Natur. Der Mensch aus der Stadt dagegen lebt diät, er kichert hinter der vorgehaltenen Hand und gurgelt sein schnarrendes Zäpfchen-R, weil er ja mit niemand etwas zu tun haben will. Er hat gar keinen rechten Hunger mehr, die Heiterkeit ist ihm abhanden gekommen, er sitzt am liebsten in seinen vier Wänden mitten in der verderbten Kultur. Ja, der wahre Urbanismus ist nichts anderes als das Gefühl, für alle Zeiten hungrig, und der wahre Provinzialismus ist die Vorstellung, für alle Zeiten satt zu sein. Aber um hungrig zu sein, muß der Mensch ja nicht in den engen Straßen einer Stadt, und um satt zu sein, muß er nicht unbedingt in der weiten Gegend des Landes wohnen.

Rousseau tritt vor seine Tür, das Immergrün blüht blau und hoffnungsvoll, Rousseau rollt sein Zungen-R und sagt: »Alle Hauptstädte sehen sich ähnlich ... Ihre Bewohner unterscheiden sich in einigen Vorurteilen, aber die einen haben nicht weniger als die anderen, und alle ihre praktischen Grundsätze sind die gleichen ... Man muß in die abgelegenen Provinzen gehen, wo es weniger Bewegung und weniger Handel gibt, wo Fremde weniger hinkommen, wo die Bewohner seßhafter sind und wo sie weniger Besitz und Beruf wechseln. Man sehe sich die Hauptstädte im Vorübergehen an, das Land beobachte man weit ab davon.«

Aber Hauptstadt ist nicht Hauptstadt, und flaches Land ist nicht flaches Land. Es gibt die zurückhaltenden Hauptstädte, wie zum Beispiel Paris, und es gibt die aufdringlichen Hauptstädte, wie zum Beispiel Berlin. »Gott in Frankreich«, sagt Friedrich Sieburg, und er blickt verklärt nach Paris. »Der deutsche Teufel«, sagt Luther, und er schaut zweiflerisch in die weite Gegend. Seliger Friedrich Sieburg, auf der einen Seite steht ihm die zurückhaltende Unbewußtheit des Parisers, der nicht weiß, wie groß seine Stadt ist. Auf der anderen Seite steht ihm die aufdringliche Bewußtheit des Berliners, der es gar nicht fassen kann, daß seine Stadt so groß ist. Der Pariser ist realistisch, er hat die Straßenecken seines Viertels genauer im Auge, er überblickt das Leben im Café. Der Berliner ist romantisch, er schwärmt für Notturnos aus Kabeln und Schienen, und Gleisdreiecke setzen seine Phantasie in Gang.

Der Pariser trägt seinen grauen Arbeitskittel, auch auf der Straße, aber er braucht nicht mehr viel zu tun, Milch und Honig fließen von selber, Gott ist französischer Nationalität, und der Pariser darf getrost seinen Atem anhalten. Der Berliner dagegen trägt Konfektion, auch in seinen vier Wänden, aber was geht unter den unauffälligen Sakkos und unter den weißen Westen nicht alles vor! Martin Luther sagt: »Unser deutscher Teufel wird ein guter Weinschlauch sein und muß Sauf heißen, daß er so durstig und höllisch ist, der mit so großem Saufen Weins und Biers nicht kann gekühlt werden. Und wird solcher ewiger Durst Deutschlands Plage bleiben.« Ja, der Teufel ist wohl deutscher Nationalität!

Gott in Frankreich spricht das Zäpfchen-R. Er packt seinen ledernen Aktenkoffer und fliegt, ein Musterbild des hauptstädtischen Urbanismus, über den Abgrund der Welt hinweg. Der deutsche Teufel spricht das Zungen-R. Er zieht seine ledernen Stiefel an und tritt, ein Beispiel des hinterwäldlerischen Provinzialismus, an den Abgrund heran. Ja, könnte man ein Stück Land an diesem Abgrund bewohnbar machen, könnte man sich in dieser ungeborgenen Welt einrichten, ach, könnte man die Schwerkraft aufheben, das wäre schön!

Aber die Welt ist nicht so, und wie die Hauptstadt nicht einfach Hauptstadt ist, so ist auch das flache Land nicht einfach nur flaches Land. Es gibt das flache Land in Lars Gustafssons västmanländischen Wiesen, und es gibt das flache Land in Lothar Baiers okzitanischen Weingärten. Es gibt das flache Land im geometrischen Heimatroman, und es gibt das flache Land in Arkadien. Das flache Land in Arkadien, das andererseits so gebirgig und so schwer zugänglich ist, es hat es allen angetan. Ja, Arkadien! Auf einmal möchte jeder in Arkadien sein. Jeder möchte den Atem anhalten, jeder möchte sich wohlbefinden, jeder möchte gesund und glücklich sein, und das kann man nur in Arkadien.

»Et in Arcadia ego« setzte der Maler Bartolommeo Schidone auf einen Totenkopf, den zwei junge Hirten ergriffen betrachten. »Et in Arcadia ego« hat auch Nicolas Poussin auf einem gemalten Grabhügel und hat Chateaubriand auf Poussins eigenem Grabmal anbringen lassen. »Wenn ich auf schönen Fluren einen Leichenstein antreffe mit der Überschrift ›Auch ich war in Arkadien‹«, schreibt Johann Georg Jacobi, »so zeig ich den Leichenstein meinen Freunden.« Wieland ruft aus: »Du arme Vastola / auch du warst in Arkadia!« Der ernste Herder dichtet: »Lies die Inschrift glänzend schön / auch hier ist Arkadien.« Und an anderer Stelle schreibt er sogar: »Doch ein Hauch wird lispelnd zu euch wehen; / ich, auch ich war in Arkadien!« Goethe setzte das Wort als Motto über seine Italienische Reise und E. T. A. Hoffmann als Überschrift über den zweiten Abschnitt der Lebens-Ansichten des Katers Murr. Herder sagte: »Auch ich war in Arkadien ist die Grabschrift aller Lebendigen in der sich immer wieder verwandelnden, wiedergebärenden Schöpfung«, und Schiller ging sogar so weit, zu sagen: »Auch ich war in Arkadien geboren.« Ja, Schiller wollte nicht nur in Arkadien gewesen, er wollte sogar dort geboren sein, wo doch jedermann weiß, daß er aus dem Württembergischen stammt, wo nicht die Schafzucht, sondern die weiterverarbeitende Metallindustrie und das Kleinmechanikerwesen prosperieren.

Was ist an Arkadien so schön, daß auf einmal jeder in Arkadien sein möchte? Ist es so schön, den lieben langen Tag Schafe zu hüten und Käse zu essen? Arkadien, das lag immer schon am äußersten Ende der Welt, da gab es nur Schafe und Esel, und auch die Arkadier selber galten als Tolpatsche und Einfaltspinsel.

Ja, was ist an Arkadien so schön, daß alle Welt auf einmal in Arkadien sein möchte? Ist Arkadien das Land, wo man den Atem anhalten, wo man sich wohlbefinden, wo man gesund und glücklich sein kann? Sollte dieses Land der Schafe und der Einfaltspinsel wohl das Land sein, worin es nur noch Ruhe und Frieden, Fliegen und Schweben und ewiges Wohlbefinden gibt? Oder ist Arkadien vielleicht gar kein Land, sondern das goldene Zeitalter, entweder das goldene Zeitalter in der besonnten Vergangenheit oder das goldene Zeitalter in der schöneren Zukunft, und man braucht noch nicht einmal von zu Hause aufzubrechen, um es zu finden. Jean Paul sagt: »Die nötigste Predigt, die man in unserem Jahrhundert halten kann, ist die, zu Hause zu bleiben.«

Zu Hause bezieht sich jeder auf das Seine. Ich erinnere mich an das Meine, Du träumst von dem Deinen, andere denken an das Ihre. Da gibt es die Hochzeiten im Freien und den ländlichen Wein, da gibt es aber auch die Erbschaftstragödien und den Hüttenrauch. Dem unbeschränkten Individualismus des Provinzlers steht der beschränkte Kollektivismus des Urbanisten gegenüber. Er hat nichts anderes im Sinn, als die einzelnen Nenner gleichnamig zu machen. Aber Robert Jungk zum Beispiel lehnt den höheren gemeinsamen Nenner ab, er bezieht sich nicht auf das Kernobst, sondern er läßt Äpfel Äpfel und Birnen Birnen sein, und er hat recht. Ein niederer Mirabelle ist immer noch besser als ein höherer Obstler.

Und so wird das Kleine und das Einzelne zum Muster für die ganze Welt, und nicht das Große und das Allgemeine. Die Arkadier in Arkadien, die Galater in Galatien, die Saarländer in Saarabien, sie sind verwandte Einzelne, sie tragen die utopischen Züge der Idylle und die idyllischen Züge der Utopie, ohne die es keine besonnte Vergangenheit gegeben hat und keine schönere Zukunft geben wird. Die ärgsten Feinde des menschlichen Glücks aber sind die Weltanschauungen. Die utopischen Züge der Idylle sind von den Weltanschauungen beseitigt worden, und die Städte kamen in die roten Zahlen. Die idyllischen Züge der Utopie sind von den Weltanschauungen begünstigt worden, und das flache Land kam zum grünen Plan. Wo die Weltanschauungen hausen, da wird die Urbs zur Steppe, und die Provinz wird zum Sumpf.

Und so kommt es einzig und allein darauf an, den Weltanschauungen zu widerstehen und eine neue Sprache zu lernen: das Arkadische, das Galatische, das Saarländische, keine urbanistischen Kunstsprachen, sondern die natürliche Sprache des hinteren Landes, die keine pessimistische Grammatik, keine hoffnunglose Wortbildung, keinen negativen Satzbau kennt. Der Saarländer hat nicht einmal mehr das provinzielle Zungen-R nötig, um seine arkadische Sprache zu sprechen. Nein, er spricht sogar das Zäpfchen-R, ohne je ein Urbanist zu werden.

Rousseau steht vor seiner Tür. Das Immergrün, das so blau und so hoffnungsvoll blüht, überzieht den ganzen vorderen Garten von Montlouis. Rousseau steigt die Stufen zu der kleinen Terrasse hinauf, von wo aus er die Stadt Paris in der Ferne liegen sieht. Und wieder rollt er sein Zungen-R und sagt: »Alle Hauptstädte sehen sich so ähnlich. Ihre Bewohner unterscheiden sich in einigen Vorurteilen, aber die einen haben nicht weniger als die anderen, und alle ihre praktischen Grundsätze sind die gleichen ... Man muß in die abgelegenen Provinzen gehen, wo es weniger Bewegung und Handel gibt, wo Fremde weniger hinkommen, wo die Bewohner seßhafter sind und wo sie weniger Besitz und Beruf wechseln. Man sehe sich die Hauptstädte im Vorübergehen an, das Land beobachte man weit ab davon.«

Rousseau sucht nicht den Parkplatz vor dem Einkaufscenter, er sucht den Garten des Paradieses. Er hat sich einen Zögling ausgedacht, und diesen Zögling hält er dicht bei sich und eng an seiner Seite. Dieser Zögling heißt Emil, und weil Rousseau gesagt hat: »Alles ist gut, wie es aus den Händen des Schöpfers der Dinge hervorgeht; alles verdirbt unter den Händen der Menschen«, ist also auch der kleine Emil gut, da er ja nicht einmal aus den Händen, sondern aus dem Kopfe Rousseaus hervorgegangen ist.

Rousseau und Emil leben auf dem Lande, auf dem Montlouis in Montmorency. Sie sind keine Urbanisten, denn die Urbanisten sind alle gleich, sie unterscheiden sich ja nur in ein paar Vorurteilen, aber ihre praktischen Grundsätze sind gleich. Emil ist kein Urbanist, er hat keine Vorurteile, und seine praktischen

Grundsätze sind anders. Emil soll glücklich sein. Aber um glücklich zu sein, muß er zuerst wissen, was Glück ist. Und so rollt Rousseau sein Zungen-R und sagt: »Das Glück des natürlichen Menschen ist so einfach wie sein Leben. Es besteht darin, nicht zu leiden.«

Rousseau erzählt von dem schönen Wilden, dem er im Walde von Saint-Germain begegnet war. Der Wilde hat kein Rheumatismus, er schweift durch die weite Natur und schlägt dem Wildschwein die Keule auf den Kopf. Ja, der Wilde ist gesund, er ist frei, und er erwirbt sich gesund und frei seinen Lebensunterhalt. Auch wenn er nicht reich ist, so ist er doch glücklich und glänzt von innen. Nun zeigt Rousseau auch auf den Städter, der auf seinem ledernen Koffer sitzt. Der Städter fürchtet sich vor nassen Füßen, er hockt in seiner engen Stube und muß sich Kalbfleisch und Rindfleisch und Schweinefleisch kaufen. Der Städter ist krank, er ist unfrei, und krank und unfrei sorgt er sich um seinen Lebensunterhalt. Auch wenn er nicht arm ist, so ist er doch unglücklich und glänzt nur von außen.

Emil ist ein Wilder, der in der Wüste leben könnte. Er ist aber ein Wilder, der unter den Menschen leben soll. Es besteht ein großer Unterschied zwischen einem natürlichen Menschen, der in der Natur lebt und einem natürlichen Menschen, der in der Gesellschaft lebt, genau so, wie ein Unterschied besteht zwischen einem künstlichen Menschen, der in der Gesellschaft lebt und einem künstlichen Menschen, der in der Natur lebt. Die Söhne der Enzyklopädisten sind solche Zahme, die sich zwischen den Mauern der Städte herumdrücken. Könnten sie auch in der Wüste leben?

Die Arkadier in Arkadien, die Galater in Galatien, die Saarländer in Saarabien und die Wüstensöhne in der Wüste, sie wohnen ganz nahe am Paradies. Atlantis und Orplid sind nicht weit, der Sonnenstaat und die Abtei Thelem befinden sich ganz in der Nähe, um die Ecke liegt das Land des Lächelns und der Händelstein, und gleich hinter dem Kap der Guten Hoffnung tut sich das Land der Liebe auf.

Da gibt es Verlangenau und die Stadt der Träume, da gibt es den Freudenstrom und das Vergnügte Hölzgen, da gibt es den Fluß der Wünsche und den Garten der Lüste. Rousseau und Emil rudern zur Insel der Glückseligkeit und steigen auf den Berg der Hoffnung. Sie essen vom Baum der Erkenntnis und trinken das Wasser des Lebens, sie wandeln auf dem Pfad der Tugend und schreiten auf dem Weg der Freiheit, der mitten in den Garten des Paradieses hineinführt. O wie befreiend ist ein Spaziergang auf dem Lande, wie beengend ist ein Bummel in der Stadt!

Rousseau und Emil sind am Garten des Paradieses, Diderot und d'Alembert sind auf dem Parkplatz vor dem Einkaufscenter angelangt. Dort wird französisch gesprochen. Ja, Diderot und d'Alembert sprechen die französische Sprache, Rousseau und Emil sprechen die arkadische Sprache. Die arkadische Sprache ist eine natürliche Sprache, die französische Sprache dagegen ist eine künstliche Sprache. Während Diderot und d'Alembert zu vermeiden trachten, unschickliche Redewendungen aus dem Seelen- und dem Wirtschaftsleben zu gebrauchen, sprechen Rousseau und Emil freimütig ihre keusche arkadische Sprache. Rousseau und Emil sagen: »Wir wollen besser werden.« Diderot und d'Alembert sagen: »Perfektibilität.« Und erst der böse Grimm und der kalte Baron von Holbach! Sie sagen: »Fortschritt.« Ja, um dasselbe, was Rousseau und Emil sagen, unschicklich werden zu lassen, braucht man es nur ins Französische zu übersetzen.

Was ist die französische Sprache für eine verdorbene Sprache! Sie kennt nicht die optimistische Grammatik, sie kennt nicht die hoffnungsvollen Wortbildungen und sie kennt nicht den positiven Satzbau der arkadischen Sprache. Die französische Sprache hat es darauf angelegt, keine Zuversicht aufkommen zu lassen. Wie zuversichtlich klingt dagegen das Arkadische aus Rousseaus und aus Emils Mund!

Da liegt also der Garten des Paradieses vor ihnen, und sie brauchen nur einzutreten. Emil will aber nicht nur in den Garten eintreten, er will den Garten in Besitz nehmen, er will den Boden des Gartens umgraben und Bohnen pflanzen. Im Garten des Paradieses sollen Emils Bohnen wachsen. Ja, dafür hat Rousseau die Stadt verlassen und ist aufs Land gegangen, damit Emil im Garten des Paradieses Bohnen pflanzen und ernten kann. Während Diderot und d'Alembert, während Grimm und Holbach, diese lasterhaften Urbanisten, auf dem Parkplatz vor dem Einkaufscenter angelangt sind, um ihr materialistisches Zäpfchen-R zu sprechen und zu makeln und zu handeln, handhaben Rousseau und Emil, diese tugendhaften Provinzmenschen, im Garten des Paradieses Hacke und Spaten und rollen ihr arkadisches Zungen-R.

Rousseau rollt es zum drittenmal und sagt: »Ja, man muß in die entlegenen Provinzen gehen, wo es weniger Bewegung und weniger Handel gibt, wo Fremde weniger hinkommen, wo die Bewohner seßhafter sind und wo sie weniger Besitz und Beruf wechseln.« Da stehen die beiden, hacken und graben, pflanzen und gießen, die Sonne scheint und wärmt die Bohnenblüten, der Regen fällt und gibt den Wurzeln Wasser.

Aber es war wohl ein sehr feuchter Sommer im Jahre 1758, oder woher kommt es, daß Rousseau mit einem Male nasse Füße hat? Der schöne Wilde aus dem Wald von Saint-Germain hatte kein Rheumatismus zu fürchten, er war robust und gesund, obwohl er auf nackten Füßen durch den feuchten Hochwald lief. Aber Rousseau spürt das Ziehen und das Reißen in den Gliedern, unter seinen Füßen knirschen die faulen Balken und die morschen Dielen. Ja, mit einem Male hat er nasse Füße und das Gliederreißen. War er wohl gar nicht im Garten des Paradieses angelangt, dort wo jedermann gesund und glücklich ist? War er wohl nur im Land der fixen Ideen herumgekommen?

Da tritt eines Tages der Marschall von Luxembourg mit seinem Gefolge durch die Pforte von Montlouis. Rousseau fürchtet, der Gast müsse samt seinen Begleitern durch den verfaulten Fußboden brechen, und so führt er die Herren ganz verschämt in den offenen Turm. Aber der Marschall schaut ihm in die Augen, er ahnt den Grund seiner Verlegenheit, er schnarrt sein städtisches Zäpfchen-R und sagt: »Lassen Sie mich Ihren Fußboden richten. Wohnen Sie derweil im Kleinen Schloß von Montmorency.«

Gütiger, menschenfreundlicher Marschall von Luxembourg! Sollte denn das ganze Glück an einem nassen Fußboden, sollte es an morschen Balken und faulen Dielen, sollte das Glück etwa am Rheumatismus zerbrechen? »Wir gehen wohl den Weg des Todes zum Garten des Paradieses«, sagt Rousseau, und das hatte ja auch schon der Prinz im Märchen gesagt, als er mit dem

Ostwind auf und davongeflogen war. Ja, es muß wohl wirklich eine ganz andere Herrlichkeit im Garten des Paradieses sein als nur das Kuchenessen und das Weintrinken, als nur das Wohlbefinden und das Gesundsein. Vielleicht muß man zuerst einmal die Natur finden, bevor man den Garten des Paradieses finden kann. Und diese Natur ist nicht eine urbanistische Fußgängerzone und ist auch nicht einfach nur ein bukolisches Arkadien in der Provinz.

Diese neue Natur liegt vielleicht gar nicht so weit in der Ferne, und doch ist sie schwer zu finden. Ja, vielleicht kann kein Mensch sie jemals fest besitzen. Rousseau rollt sein Zungen-R und sagt: »Es ist hundertmal süßer, dieses höchste Glück zu erhoffen, als es zu erlangen.« Und Robert Musil sagt: »Glück strengt genau so an wie Unglück.«

Rousseau

und Emil gehen in der Natur

*Fröhlich wanderte er den ganzen Tag, denn er war ja ausge-
zogen, um sein Glück zu suchen; wenn er einen Scherben auf
der Erde im Sonnenschein glänzen sah, so steckte er ihn gewiß
zu sich, im Glauben, daß er sich in den schönsten Diamant verwandeln werde; sah er in der Ferne die Kuppel einer Moschee
wie Feuer strahlen, sah er einen See wie einen Spiegel blinken,
so eilte er voll Freude darauf zu; denn er dachte in einem Zau-
berland angekommen zu sein. Aber ach! Jene Trugbilder ver-
schwanden in der Nähe, und nur allzubald erinnerte ihn seine
Müdigkeit und sein vor Hunger knurrender Magen, daß er
noch im Lande der Sterblichen sich befinde. — Soll man die Gesellschaft auflösen, den Unterschied zwischen mein und dein
aufheben und wieder in die Wälder zurückkehren, um dort mit
den Bären zu leben?*

Es war im Mai des Jahres 1759, als das Grün wieder lebendig
wurde, die Blüten sich entfalteten, die Bienen sich regten, die
Schwalbe zurückkehrte, die Nachtigall sang, der Schafbock auf-
hüpfte, der Stier brüllte, genau wie es der Graf von Buffon zu
dieser Zeit in seiner Naturgeschichte aufgeschrieben hatte, und
auch die Sonne wieder schien, warm und ganz natürlich. Da trat
Rousseau schon im Morgengrauen in den Säulengang des Kleinen Schlosses von Montmorency, um ja keine Zeit zu verlieren.
Mit welchem Eifer genoß er die Luft, welch guten Milchkaffee
trank er da! Seine Katze, sein Hund und auch Therese leisteten
ihm Gesellschaft, und er sagte: »Dieses Gefolge würde mir für
mein ganzes Leben genügen.« Aber nicht nur die Blüte und die
Biene, die Schwalbe und die Nachtigall, der Schafbock und der
Stier, nicht nur Jean-Jacques und Therese, seine Katze und sein
Hund, sondern auch der kleine Emil war mit der Sonne aufgestanden, und laut rief er durch den Säulengang: »Ich habe gute
Beine!«
    Schon hatte er sich mit kaltem Wasser gewaschen, schon
hatte er seine gymnastischen Übungen geturnt, schon hatte er

seinen weiten Rock in den heiteren Farben über seinen Körper gestreift. Er brauchte kein Rindsleder unter den Fußsohlen, er brauchte keine Kopfbedeckung wie ein Perser, er brauchte auch kein Butterbrot in seinem Ranzen. Rousseau hatte sich keinen europäischen Zögling ausgesucht, um einen Asiaten aus ihm zu machen, der wegen des Klimas ein Paar gefütterte Schuhe, einen dicken Turban und ein geschmiertes Brot im Ranzen braucht. Der kleine Emil rief: »Nichts ist mir lieber, als einen Spaziergang vor dem Mittagessen zu machen, denn Jungen laufen immer gerne, und ich habe gute Beine.«

Ja, die Beine. Schaut euch Emils Beine an. Seht, wie er auf seinem Standbein steht. Seht, wie er mit seinem Spielbein spielt. Schaut euch die Dehnung seines Oberschenkelschaftes an; er braucht nicht mehr über seine eigenen Füße zu stolpern. Sein Bein und sein Hirn greifen so reibungslos ineinander, daß er nicht mehr zu denken braucht, ehe er die Beine bewegt, und umgekehrt nicht mehr auf die Nase fällt, wenn er nicht zuvor nachgedacht hat. Er beugt sein Knie, sogleich kann er mit dem Unterschenkel kreiseln; er streckt seinen Unterschenkel, sogleich greift sein Fuß geräumig aus. Ja, sein Fuß hat alle Freiheit von vorneherein. Deshalb freut sich Emil nicht nur darüber, daß er Wünsche hat, er freut sich auch, daß er dem Gegenstand seiner Wünsche entgegengehen darf.

Und erst Jean-Jacques Rousseau! Schaut euch einmal seine Beine, schaut euch einmal sein Gehirn an! Sobald er stillsteht, stehen auch seine Gedanken still, sobald seine Beine in Gang kommen, kommen auch seine Gedanken in Gang. Sein Kopf bewegt sich nur zugleich mit seinen Beinen, so aufeinander abgestimmt sind diese beiden. Durfte er da noch länger bei Katze und Hund, bei Therese und ihrem Milchkaffee verweilen? O nein. Und so nahm er den kleinen Emil an die Hand, und gemeinsam traten sie vor das Haus. Von weitem kündigte sich die Sonne mit ihren feurigen Strahlen an. Rousseau und Emil begrüßten den hellen Schein, und fröhlich gingen sie von dannen. Jeder, der sie so gehen sah, mußte sie für ganz und gar natürliche Wesen halten. Sie regten sich wie die Biene, sie sangen wie die Nachtigall, sie hüpften wie der Schafbock, sie brüllten wie der Stier, und der kluge Buffon hätte seine helle Freude an ihnen gehabt. Und doch waren die beiden keine Musterexemplare aus der Naturgeschichte, es waren zwei vorgefundene Menschen, die dir plötzlich erscheinen, und es waren zwei Erscheinungen, die du eines Tages vorfindest. Sie waren zu zweit, aber es waren zweierlei Menschen; und die zweierlei Menschen, die da gingen, begaben sich in eine zweierlei Welt.

Diese zweierlei Welt ist die natürliche Natur und die künstliche Natur. Die natürliche Natur besteht aus Steinen, aus Holz und aus Fleisch und Blut; die künstliche Natur besteht aus Gestein, aus Gehölz und aus Geblüt. Beides, der natürliche Stein und das künstliche Gestein, das natürliche Holz und das künstliche Gehölz, das natürliche Fleisch und Blut und das künstliche Geblüt sind voneinander verschieden und haben doch etwas gemeinsam. Der Stein und das Gestein nehmen keine Nahrung zu sich, in ihnen regt und bewegt sich nichts, sie treiben aus ihrem Innern keine Teile nach außen hervor, keine Zweige, keine Blätter, keine Blüten und keine Früchte, sie wachsen nicht, sie empfinden nicht, sie sind beides leblose Mineralien. Das Holz und das Gehölz dagegen nehmen fleißig Nahrung auf, in ihnen regt und bewegt sich der Saft und das Chlorophyll, die Essigsäure und das Blühhormon, aus ihrem Innern treiben sie Zweige und Blätter, Blüten und Früchte hervor, aber sie können sich nicht von der Stelle bewegen, auch empfinden sie nicht und sind doch lebendige Pflanzen. Am lebendigsten aber ist das Fleisch und Blut. Fleisch und Blut sind rege, sie futtern, sie schwelgen sogar, in ihnen ist Bewegung, wie auch im Geblüt, denn das Blut selbst steigt auf und ab und beschreibt einen ganzen Kreislauf im Körper. Wenn es ein Schafbock ist, so hüpft er auf, wenn es eine Henne ist, so legt sie ein Ei, und wenn es ein Mensch ist, so lobt er die ganze Natur. Und doch, wenn du genauer hinsiehst, so glitzert ein Stein ein klein wenig heller als das Gestein es tut und ist nicht gerade so leblos wie dieses; wenn du genauer hinsiehst, so wächst auch ein Holz ein klein wenig krummer als das Gehölz, und so ist auch das Blut in den Adern frisch und rot, während das Geblüt schon abgestanden und blau ist, und es ist auch nicht mehr ganz so lebendig wie jenes.

Der Stein, das Holz und das Blut sind die natürliche Natur und waren immer schon vorhanden. Sie sind vorgefunden. Am Gestein, am Gehölz und am Geblüt dagegen hat der Mensch sich zu schaffen gemacht. Sie sind Erscheinungen. Der Stein, das Holz und das Blut befinden sich im natürlichen Zustand, das Gestein, das Gehölz und das Geblüt befinden sich im künstlichen Zustand. Die natürlichen Vorfindungen, die immer schon da waren, stehen aber zu den künstlichen Erscheinungen, an denen sich der Mensch zu schaffen gemacht hat, in einem ganz besonderen Verhältnis. Dieses Verhältnis kam durch die Gartenkunst und die Choreographie zustande. Gartenkunst und Choreographie sind nämlich die Künste und Wissenschaften, die der Mensch erfunden hat, um den Stein in das Gestein, das Holz in das Gehölz und das Fleisch und Blut in das Geblüt zu verwandeln. Mit Hilfe der Gartenkunst zwingt der Mensch einen Boden, die Erzeugnisse eines anderen Bodens und einen Baum, die Früchte eines anderen Baumes hervorzubringen, und mit Hilfe der Choreographie zwingt er einen Hund, damit er Männchen macht und an der Leine geht. Ein gedüngter Boden ist ein Gestein, ein geäugelter Baum ist ein Gehölz, ein dressierter Hund ist von Geblüt. Sie bilden die künstliche Natur.

Rousseau und Emil aber sind auf dem Weg in die natürliche Natur. Rousseau hat seine Bücher unter den Arm genommen, Emil darf mit freien Händen gehen. So kehren sie dem Haus den Rücken und gehen in den Park hinaus. Der Park von Montmorency liegt nicht in einer Ebene wie der von La Chevrette. Er ist hügelig, mit Erhöhungen und Vertiefungen, die ein geschickter Künstler benutzt hat, um Abwechslung in die Gebüschanlagen, Wasserkünste, Verzierungen und Aussichten zu bringen und durch Kunst und Geschick einen ziemlich beschränkten Raum sozusagen zu vervielfachen. Der Park ist auf seiner Höhe gekrönt von der Terrasse mit dem Schloß. In der Tiefe bildet er eine Schlucht, die sich gegen das Tal öffnet und erweitert und von einer großen Wasserfläche ausgefüllt wird. Der Park von Montmorency ist keine natürliche, sondern eine künstliche Natur. Inmitten von Gehölz und Gewässer liegt das zierliche Gebäude des Kleinen Schlosses, und das Gelände rund umher ist von lauter Gebüschanlagen übersät. In den Teichen tummeln sich die Goldfische und die Karpfen, in den Vogelhäusern schreien die Pfaue und die Papageien.

Rousseau und Emil gehen an Beeten und Bosketten entlang, aus der Orangerie dringt der Duft von Apfelsinenblüten, aus dem Gezweig tönt das Flöten der Nachtigall. Rousseau und Emil wenden sich dem Weiher zu, sie wandern an seinem Ufer entlang und steigen zum Schloß empor. Die Türen der Salons sind geöffnet, auf den Klavieren liegen Notenblätter, auf den Tischen Broschüren und L'Hombrespiele, auf den Sesseln Bänder und zierliche Handschuhe, die nach Ambraparfüm duften. Gestern abend hat es im Schloß von Montmorency ein großes Souper gegeben, und jetzt gehen die Diener zwischen den Tischen und Stühlen hin und her.

O wie schön ist es dagegen, in der Natur zu gehen, auch wenn es nur eine künstliche Natur ist! Ja, das Gehen hat etwas, das die Gedanken anregt. Das denkt auch Rousseau, und er sagt zu Emil: »Der Anblick der Landschaft, die Folge reizvoller Bilder, die freie Luft, das Gefühl von Gesundheit, das ich beim Gehen bekomme, das alles gibt mir größere Kühnheit der Gedanken, es wirft mich sozusagen in die Unermeßlichkeit der Dinge.« Sind die Dinge unermeßlich? Eifrig forschen die beiden Wanderer nach dem Gang der Natur. Ihre Schmetterlingsnetze schwirren in der Luft, und lustig klingen ihre Gesteinshämmerchen. Die natürlichen Dinge, die sie vorfinden, sind krumm und schief, sie haben keinen Anfang und kein Ende; aber die künstlichen Dinge, die ihnen erscheinen, sind alle abgemessen, sie beginnen vorne und hören hinten auf. Rousseau und Emil gehen in der Natur. Wie leicht werden die Beine, wie luftig ist der Kopf! Rousseau mag gar nicht stillstehn, um die Bewegung seines Kopfes und der Gedanken nicht aufs Spiel zu setzen. Ja, in diesem Frühling ist der kleine Emil immer an seiner Seite.

Die beiden natürlichen, vorgefundenen Füße Rousseaus gehen Seite an Seite mit den beiden künstlichen Erscheinungen des kleinen Emils. Da gehen sie hin und berühren die Erde, sie treten auf natürliche, vorgefundene Steine und auf künstliche Erscheinungen wie Treppen, Terrassen und Pflastergestein. Sie gehen zwischen natürlichem, vorgefundenem Holz und künstlichen Erscheinungen wie Taxus-, Buchs- und Ligustergehölz. Die vier Füße treten fest auf die Erde auf. Rousseau und Emil gebrauchen aber nicht nur ihre Beine und ihren Kopf, jetzt nehmen sie auch ihr Herz zu Hilfe. So gehen sie bergauf und bergab, durch dick und durch dünn.

Hinter ihnen liegt die Vergangenheit, und vor ihnen liegt die Zukunft. Aber wo liegt die Natur? Liegt sie hinten in der Vergangenheit, liegt sie vorne in der Zukunft, oder liegt sie ganz außerhalb des Parks von Montmorency? Rousseau klemmt seine Bücher fester unter den Arm. Emil winkt den Menschen vom Schloß zum Abschied mit der Hand. Sie haben die natürliche Natur im Park von Montmorency gesucht, aber sie haben nur die künstliche Natur gefunden. Die Sonne steht schon hoch am Himmel, Rousseau und Emil schreiten wacker aus. Weil sie aber die natürliche Natur im Park nicht gefunden haben, müssen sie in den Garten gehen.

Erhebend ist das Gehen im Garten. Deshalb schreiten Rousseau und Emil so wacker aus. Sie setzen einen Fuß vor den anderen, und auf diese Weise erreichen sie den Garten von Montmorency. Es sind vier Füße, die wechselweise den Boden berühren, zwei natürliche und zwei ganz und gar künstliche Füße. Die beiden natürlichen Füße sind die Füße Rousseaus, die beiden künstlichen Füße sind die des kleinen Emils. Rousseau hatte seine natürlichen Füße schon bei seiner Geburt vorgefunden, so daß sie als Vorfindungen angesehen werden müssen wie der Stein, das Holz und das Blut; Emils künstliche Füße sind aber Erscheinungen aus dem Kopfe Rousseaus und als solche dem Gestein, dem Gehölz und dem Geblüt vergleichbar; aber es sind Füße, mit denen es sich genauso gut gehen läßt wie mit den vorgefundenen. Rousseau sagt: »Es gibt nichts Lächerlicheres und Unbeholfeneres als den Gang von Menschen, die man als Kind zu lange am Gängelband geführt hat. Mein Schüler wird oft blaue Flecken haben, dafür ist er aber immer guter Dinge.« Und so geht Emil aufrecht in der Natur, mit blauen Flecken und guter Dinge.

Als sie nun aber in den Garten kommen, steht dort der Gärtner Robert und sagt: »Ihr jungen Herren, ihr habt mir mit eueren Bohnen meinen Garten zesrtört.« Da erschrickt der kleine Emil und sagt: »Guter Gärtner, wie ist das geschehen?« Der Gärtner Robert antwortet: »Ich hatte Melonen aus Malta gesät, deren Samen ein Vermögen wert sind. Nun habt ihr aber Bohnen in den Boden gepflanzt, und die Bohnen haben meine Melonen erstickt.« Rousseau nimmt den kleinen Emil an die Hand und sagt: »Wir hatten unrecht, dein Werk zu zerstören,

lieber Gärtner. Aber wir werden neuen Samen aus Malta schik-
ken lassen, und wir werden fürderhin keinen fremden Boden
mehr berühren.« Darauf antwortet der Gärtner und sagt: »Es
gibt aber keinen unbebauten Boden mehr. Alles Land, das ihr
seht, ist schon längst in Besitz genommen.« Emil sagt: »Herr
Robert, werden dir oftmals Melonenkerne zerstört?« Der
Gärtner antwortet: »Es kommen nicht oft so unbesonnene
junge Herren wie ihr daher. Niemand sonst vergreift sich am
Garten seines Nachbarn.« Emil sagt: »Ich habe aber keinen
Garten.« Darauf antwortet Rousseau und sagt: »Wir wollen
dir einen Vergleich vorschlagen, lieber Robert. Wenn du dem
kleinen Emil und mir eine Ecke deines Gartens zum Bebauen
einräumst, dann geben wir dir die Hälfte unserer Bohnen.« Damit ist der Gärtner zufrieden, denn er ist ja nicht der erste, der
ein Stück Land eingezäunt und dreist: »Das ist mein!« gesagt
und auf diese Weise einfältige Menschen gefunden hat, die das
glaubten. Rousseau aber schlägt sich an die Brust und ruft: »O
große Natur! Soll man die Gesellschaft auflösen, den Unterschied zwischen mein und dein aufheben und wieder in die
Wälder zurückkehren, um dort mit den Bären zu leben?«
Rousseau und Emil gehen im Garten von Montmorency.
Ist es ein natürlicher Garten und englisch, oder ist es ein künstlicher Garten und französisch? »Laß uns weitergehen«, sagt
Rousseau, »ich bin so gelangweilt von den Salons, von den
Springbrunnen, von den Boskets, von den Gartenbeeten und
von den noch langweiligeren Besitzern alles dessen. Ich bin so
übersättigt von den Broschüren, von den Klavieren, vom
L'Hombrespiel, von den Theaterverwicklungen, von den törichten Bonmots, von der faden Ziererei, von den kleinen
Schwätzern und von den großen Soupers. Wenn ich einen verstohlenen Seitenblick auf einen einfachen, armseligen Dorn-
busch, auf eine Hecke, auf eine Scheune, auf eine Wiese werfe,
wenn ich durch ein Dörfchen gehe und den Duft eines Omeletts
rieche, wenn ich von weitem den Kehrreim der Lieder einer
Ziegenhirtin höre, dann wünsche ich Schminke, Bänder und
Ambra zum Teufel!« Kaum hat Rousseau dieses gesagt, da
öffnet sich vor ihnen die Gartentür, und Rousseau und Emil
gehen schnurstracks nach Arkadien hinein.
Arkadien liegt weit fort in der Natur, so fern in der Welt,

daß du es nicht auf der Landkarte findest, und doch gehen Rousseau und Emil mitten hindurch. Da gibt es sonnige Triften und schattige Felswände, und da gibt es den arkadischen Hain. Auf den Triften weidet das männliche und weibliche Kleinvieh, und bei den Felswänden rauscht die kühle Quelle. Die arkadischen Hirten hüten das Schaf und die Ziege, sie singen den ganzen Tag über, und sie lieben sich in der Nacht. Sie spielen viel länger auf ihrer Flöte, als daß sie ihre Molke seihen, und sie schlagen viel lieber auf ihrer Leier, als daß sie ihren Käse rühren. Dabei singen sie, daß es weithin zu hören ist.

Rousseau hält sich die Hände hinter seine Ohren, und Emil hält sich die seinen über seine Augen. Angestrengt hören und sehen sie jetzt, denn ganz hinten am Horizont ist ein Mensch zu sehen. Es ist Theokrit. Er erhebt seine Stimme und singt: »Ich bin Daphnis, der hier seine Rinder weidet, ich bin der Daphnis, der hier seine Stiere und Kälber zur Tränke führt.« Aber auf der anderen Seite des Horizontes erscheint ein anderer Mensch, es ist Vergil. Auch er erhebt seine Stimme und singt: »Ich bin Daphnis aus den Wäldern, ich bin von hier bis zu den Sternen berühmt, ich bin der Hirt der schönen Herden, aber ich selbst bin noch viel schöner.« Und Vergils arkadische Hirten messen sich in Wechsel- und Wettgesängen mit den sizilischen Hirten des Theokrit, daß man es bis nach Montmorency hört.

Die Steine und das Holz, das Wasser und auch die Berge sind ganz gerührt von dem Singen, und selbst die Tiere lustwandeln wie Rousseau und der kleine Emil. Erst lustwandeln sie, dann schweifen und schwärmen sie. Alle Dinge und Menschen haben sich verwandelt. Die Dinge gelten nicht mehr nach ihrem praktischen Wert, und die Menschen gelten nicht mehr nach ihrem praktischen Tun. Ja, hier in Arkadien wird nicht mehr mit dem Kopf gedacht, sondern nur noch mit dem Herzen gefühlt. Oh, wie beglückt ist der arkadische Emil. Aber Rousseau steht da und schüttelt seinen Kopf. Er sagt: »Mein lieber Emil, ich muß dich noch lehren, welche Begebenheit der Ordnung der Natur entspricht und welche nicht.« Aber Emil ist von dem erhebenden Gehen und von dem Schweifen und Schwärmen in der arkadischen Natur ganz außer sich geraten. Er zeigt mit dem Finger nach einem Hügel und schaut Rousseau mit großen Augen an.

Auf dem Hügel liegt ein Mann mit Bocksfüßen. Es ist Pan. Dort liegt er unter einer Platane und schläft. Es ist hoher Mittag, kein Laut ist ringsumher zu hören. Nur die Bremsen schwirren um Pans Nase. Rousseau ist stehengeblieben. Sogleich stehen auch seine Gedanken still. Er legt den Finger auf den Mund und hält den erschreckten Emil fest an der Hand. Pan ist nicht Rübezahl, der den Geängstigten für seinen Schrecken entschädigt. Mit Pan ist nicht zu spaßen. Gottlob, bald wird er ausgeschlafen haben, und die Nymphen werden ihren Reigen beginnen. Dann wird Pan vor einer Grotte sitzen, die Bocksfüße gekreuzt, und er wird musizieren. Pan ist kein Kompositeur wie Apollo, er bläst nur die Schalmei. Die Schalmei ist aus sieben Schilfrohren geschnitzt, wegen der Sphärenharmonie, die aus den sieben Tönen besteht. Rousseau und Emil hören die Sphärenharmonie. Die Nymphen fassen sich bei den Händen, sie hüpfen und tanzen. Und Pan springt auf, er zupft den Esel Silens an den Ohren. Dann tanzt er vor dem Kentaurenwagen, und am Ende kutschiert er mit den Maultieren über die arkadische Weide. O weh! Rousseau ist zu Tode ersckrokken. Auf seiner Backe sitzt die panische Bremse.

Ist nun Arkadien eine natürliche Natur, oder ist es eine künstliche Natur? Rousseau und Emil stehen immer noch auf der Stelle, und auch Rousseaus Gedanken stehen still. Selbst die Hirten denken nicht mehr. Denkt euch nur, sie denken nicht mehr an die Versorgung ihrer Herden, sie denken nur noch ans Singen. Was ist aus Arkadien geworden? Durch die Gartenkunst und die Choreographie hat es sich aus einem Stück natürlicher Natur in ein Stück künstliche Natur verwandelt. Das Gehölz ist beschnitten, das Gewässer ist gezähmt, das Gestein liegt wohlgeordnet an seinem Platz. Die Hirten treten in Schäferkostümen aus den Kulissen, ein Nocturno erklingt auf der bukolischen Bühne, das Singen ist sogar zum Gesang geworden. Da läßt sich auch Pan vom Schnürboden herab. O die Choreographie! Sie hat sogar den Bock zum Gärtner gemacht. Er hat sein zottiges Bocksfell gekämmt und sich eine Narzisse hinter das Horn gesteckt. In der einen Hand trägt er eine Gießkanne, in der anderen einen Spaten. O die Gartenkunst! Pan wird doch nicht mit der Feldbestellung beginnen und Emils Bohnen gießen?

Rousseau verscheucht die Bremse von seiner Backe. Emil winkt den musizierenden Hirten zum Abschied mit der Hand. Sie haben in Arkadien die natürliche Natur gesucht, aber sie haben nur die künstliche Natur gefunden. Jetzt steht die Sonne am Mittag, und immer noch schreiten Rousseau und Emil aus. Weil sie aber die natürliche Natur nicht in Arkadien gefunden haben, müssen sie in Feld und Wald gehen.

Erhebender als das Gehen ist das Gehen in Feld und Wald. Das Gehen in Feld und Wald ist das Gehen in der Natur. Der Vogel fliegt in der Luft, der Fisch schwimmt im Wasser, aber der Mensch geht auf der Erde. So versteht sich der Mensch als einziger auf das erhebende Gehen in der Natur, obgleich er fliegen und schwimmen könnte wie der Lappentaucher und der Pelikan.

Hast du gesehen, auf welch vielfältige Art der Mensch fliegen und schwimmen kann? Der eine schwimmt auf dem Bauch, der andere schwimmt auf dem Rücken. Marcel Mauss schwimmt wie ein Dampfschiff, er schluckt Wasser und spuckt es wieder aus. Der kleine Emil dagegen schwimmt wie ein Fisch, das Wasser ist sein Element. Am Ufer steht Rousseau. Er hat seine Bücher ins Gras gelegt und wirft Steine ins Wasser. Im Wasser bilden sich Kringel und Kreise, sie werden größer und größer. Oh, wie erhebend ist das Gehen in der Natur!

Als sie nun in Feld und Wald kommen, steht dort der Fischer und sagt: »Ihr jungen Herren, ihr habt mir mit euren Steinen das ganze Wasser getrübt.« Da erschrickt der kleine Emil abermals und sagt: »Guter Fischer, wie ist das geschehen« Der Fischer antwortet: »Ich hatte junge Karpfen in den Weiher gesetzt. Nun habt ihr aber Steine in das Wasser geworfen, so daß das Wasser davon trüb geworden ist, und alle Karpfen, die so ängstliche Fische sind, haben die Flucht ergriffen.« Rousseau nimmt den kleinen Emil wieder an die Hand und sagt: »Wir hatten unrecht, dein Werk zu zerstören, lieber Fischer. Aber wir werden neue Karpfen aus England schicken lassen, und wir werden fürderhin kein fremdes Wasser mehr trüben.« Darauf antwortet der Fischer und sagt: »Es gibt aber kein unbenutztes Wasser mehr. Alles Wasser, das ihr seht, ist längst in Besitz genommen.« Emil sagt: »Herr Fischer, wird dir oftmals das Wasser deines Weihers getrübt?« Der Fischer antwortet: »Es kommen nicht so oft so unbesonnene Herren wie ihr daher. Niemand sonst vergreift sich am Weiher seines Nachbarn.«

Emil sagt: »Ich habe aber keinen Weiher.« Daraufhin antwortet Rousseau und sagt: »Wir wollen dir einen Vergleich vorschlagen, lieber Fischer. Wenn du dem kleinen Emil und mir eine Ecke deines Weihers gibst, dann geben wir dir die Hälfte unserer Fische, die wir fangen.« Damit ist der Fischer zufrieden, denn auch er ist ja nicht der erste, der ein Stück Wasser eingezäunt und dreist: »Das ist mein!« gesagt und auf diese Weise einfältige Leute gefunden hatte, die das glaubten. Rousseau aber schlägt sich zum zweiten Male an die Brust und ruft: »O große Natur! Soll man die Gesellschaft auflösen, den Unterschied zwischen mein und dein aufheben und wieder in die Wälder zurückkehren, um dort mit den Bären zu leben?«

Rousseau und Emil gehen in Feld und Wald. Sie fahren nicht, wie Eilboten, sondern sie wandern, wie vergnügliche Spaziergänger. Sie sitzen nicht in einer festverschlossenen Kutsche, wie in einem Käfig, sondern sie gehen mit ihren Füßen in der freien Natur, wie der kräftige Buschmann. Sie ruhen nicht in parfümierten Kissen, weichlich und ausgestreckt wie Frauen, sondern sie bewegen sich in der frischen Luft, wie starke Burschen. Bald haben sie Andilly und Margency und auch den Carrefour du Pont d'Enghien hinter sich gelassen.

Aber so sehr sie auch im Schatten des Waldes wandern, so sehr sie am Ufer des Flusses entlanggehen, so sehr sie die Schätze des Steinbruchs prüfen, Feld und Wald, die einmal eine natürliche Natur gewesen sind, haben Menschenhand zu spüren bekommen. Jede Pflanze, die sie sammeln, jede Felsecke, die sie abschlagen, jedes Fossil, das sie finden, hat schon ein anderer vor ihnen in der Hand oder im Auge gehabt. Da ist guter Rat teuer! Deshalb ruft jetzt Rousseau ganz laut. Er ruft, daß man es bis ins 19. Jahrhundert hört. Er ruft: »Ich brauche Wasserfälle, Felsen, Tannen, schwarze Wälder, holprige Wege, Abgründe an meinen Seiten, die reine Luft des Hochgebirges. Zurück zur Natur!« Kaum hat Rousseau dieses gerufen, da öffnet sich vor ihnen der Tannenwald, und Rousseau und Emil gehen schnurstracks ins 19. Jahrhundert hinein.

Rousseau hat so laut gerufen, daß es jeder im 19. Jahrhundert gehört hat. Auch im 19. Jahrhundert gibt es das Feld und die Au, den See und den Berg, aber auch das Moor und die Heide. Das ist ein Drängeln und ein Schieben, es wird aufgezäumt und ausstaffiert, der eine putzt die Schuhe, der andere schnürt das Bündel, jeder will hinaus aufs Land. Unverzüglich läßt der Vicomte von Chateaubriand anspannen und fährt über die Felder der Bretagne. Stehenden Fußes schlüpft Gérard de Nerval in seine Schnallenschuhe und wandert durch die Auen des Valois. Auf der Stelle besteigt Lamartine den Postwagen und begibt sich an die Gestade der savoyischen Seen. Im Handumdrehen sattelt Alphonse Daudet seinen Esel und reitet in die Berge der Provence.

Chateaubriand, auf den Feldern der Bretagne, hat nach wie vor sein Kopfsausen und das Kribbeln in den Beinen. Gérard de Nerval, in den Auen des Valois, hört immer noch die Stimmen in der Luft. Lamartine, auf seinem Stein am See von Bourget, zittert ohne Unterlaß. Und Alphonse Daudet, in den Bergen der Provence, verzehrt sich vor Heimweh nach Paris. Auch Rousseau und Emil sind weit gegangen, aber sie sind nicht weiter gekommen, als sie ganz am Anfang waren. Oh, die Gartenkunst, oh, die Choreographie! Aber zur Gartenkunst und zur Choreographie ist nun die Dichtkunst hinzugekommen, und das ist schlimm. Anstatt in die natürliche Natur, sind sie immer tiefer in die künstliche Natur, anstatt in die Wildnis, sind sie immer tiefer in die Buchstaben geraten. Sie haben sich verirrt, und nun ist guter Rat teuer. Rousseau wirft die Bücher in eine bretonische Ackerfurche, in einen walliserischen Wassergraben, in den See von Bourget und in eine Schlucht der Alpillen. Emil winkt den französischen Dichtern zum Abschied mit der Hand. Sie haben im 19. Jahrhundert die natürliche Natur gesucht, aber sie haben nur die künstliche Natur gefunden. Die Sonne steht schon am Horizont, und immer noch wandern Rousseau und Emil ihre Straße. Weil sie aber die natürliche Natur nicht im 19. Jahrhundert gefunden haben, müssen sie nach Deutschland gehen.

Am erhebendsten ist das Gehen in Deutschland. Dort gehen die Menschen im Naturzustand. Aber es ist nicht nur der deutsche Mensch, der sich im Naturzustand befindet, auch die deutsche Natur befindet sich im Naturzustand. Der deutsche Mensch trägt seinen Kopf hoch erhoben, und die Natur liegt ihm unberührt zu seinen Füßen. Im Naturzustand kann der deutsche Mensch wie der Neandertaler und die Polynesierfrau, wie der Buschmann und der Feuerländer mitten durch die Natur gehen, und keine Gartenkunst und keine Choreographie hindern ihn beim Gehen. Stellt euch den Buschmann vor, wie er durch das Mohrenland geht, mitten zwischen buckligen Kamelen und gelenkigen Zebras, und kein Gärtner wirft ihm die Benutzung des Bodens, kein Fischer wirft ihm die Benutzung des Wassers, und kein Dichter wirft ihm die Benutzung der Luft vor. Er kann Bohnen pflanzen, wohin er will, er kann Steine werfen, wohin er will, er kann so laut rufen, wie er will. Und stellt euch den deutschen Menschen vor, wie er durch Deutschland geht, mitten zwischen den tolpatschigen Bären und den listigen Füchsen, und kein Choreograph läßt ihn nach seiner Flöte tanzen. Auch er pflanzt seine Bohnen und wirft seine Steine, wohin er Lust hat, auch er ruft so laut, wie er will. Und jetzt rufen auch Rousseau und Emil ganz laut und aus vollem Herzen. Das soll nicht heißen, daß Rousseau und Emil splitternackt sind wie Tarzan und vor Freude jauchzen. Wie viel erhebender noch wäre das Gehen im Naturzustand, wenn es die Gartenkunst und die Choreographie nicht gäbe! Rousseau und Emil sind jetzt schon sehr weit gegangen, sie stehen vor der Türe, die nach Deutschland hineinführt.

Als sie aber nach Deutschland kommen, steht dort der Dichter Novalis und sagt: »Ihr jungen Herren, ihr habt mir mit euerem Rufen die ganze Luft verdorben.« Da erschrickt der kleine Emil zum dritten Mal und sagt: »Guter Dichter, wie ist das geschehen?« Der Dichter Novalis antwortet: »Die Natur ist eine Äolsharfe, ein musikalisches Instrument, dessen Töne wieder Tasten höherer Saiten in uns sind. Nun habt ihr aber so laut gerufen, daß die Luft in heftige Bewegung geraten ist, und die Saiten der Harfe sind zerrissen.« Rousseau nimmt den kleinen Emil an die Hand und sagt: »Wir hatten unrecht, dein Werk zu zerstören, lieber Dichter. Aber wir werden neue Saiten aus Frankreich schicken lassen, und wir werden fürderhin keine fremde Luft mehr in Bewegung bringen.« Darauf antwortet der Dichter und sagt: »Es gibt aber keine unberührte

Luft mehr. Schon der Dichter Jean Paul hat gesagt, die Herrschaft über das Land gehöre den Franzosen, die Herrschaft über das Wasser gehöre den Engländern, die Herrschaft über die Luft aber gehört den Deutschen, und diese ist längst in Besitz genommen.« Emil sagt: »Lieber Herr Novalis, wird dir oftmals die Luft verdorben?« Der Dichter antwortet: »Es kommen nicht so oft so unbesonnene junge Herren wie ihr daher. Niemand sonst vergreift sich an der Luft seines Nachbarn.« Emil sagt: »Ich habe aber keine Luft.« Daraufhin antwortet Rousseau und sagt: »Wir wollen dir einen Vergleich vorschlagen, lieber Novalis. Wenn du dem kleinen Emil und mir eine Ecke deiner deutschen Luft zum Bewegen gibst, dann geben wir dir die Hälfte unserer Musik.« Damit ist der Dichter zufrieden, denn auch er ist ja nicht der erste, der ein Stück Luft eingezäunt und dreist: »Das ist mein!« gesagt und auf diese Weise einfältige Leute gefunden hatte, die das glaubten. Rousseau aber schlägt sich zum dritten Male an die Brust und ruft: »O große Natur! Soll man die Gesellschaft auflösen, den Unterschied zwischen mein und dein aufheben und wieder in die Wälder zurückkehren, um dort mit den Bären zu leben?«

Rousseau und Emil gehen in Deutschland. Rousseau hat es jetzt gut. Seine Bücher liegen in den Abgründen des französischen 19. Jahrhunderts, und er kann unbeschwert ausschreiten. Ja, vielleicht gibt es in Moor und Heide ein besseres Vorankommen. Rousseau und Emil haben Glück, sie brauchen nicht allein in Deutschland zu gehen. Frau von Staël ist nämlich zu dieser Zeit in Deutschland unterwegs. Sie fährt über den Rhein, aber das zerreißt ihr schon das französische Herz. Das Wetter ist rauh und kalt, der Himmel düster und bewölkt. Auf der Erde liegt Schnee. Von den Alpen bis zum Meer, zwischen dem Rhein und der Donau ist das ganze Land mit Eichen und Tannen bestanden, von schönen Strömen durchschnitten und mit hohen Gebirgen durchzogen. Die verlassenen Felder, die rauchgeschwärzten Häuser und die gotischen Kirchen scheinen ganz für Hexen- und Gespenstergeschichten gemacht zu sein. Aus den kleinen Fenstern der Häuser schauen die Köpfe einiger Einwohner hervor, die das Geräusch des vorüberrollenden Wagens erschreckt. Frau von Staël tritt in die rauchgeschwärzten Stuben ein. Dort hängt nasses Wollzeug über eisernen Öfen,

aber aus der Ofenecke erklingt die zauberhaftigste Musik. Da
sitzen die deutschen Menschen in ihrer Engelsgeduld und führen ein pflanzliches Leben. Bis an die Dörfer heran reichen die
weiten Sandflächen und die ausgedehnten Heiden, und die Wege darin sind viel zu schmal für die Kutsche der reisenden
Dame. Frau von Staël schreibt in ihr Reisejournal: »Ein wilder
Volksstamm, Heidschnucken genannt, bewohnt die Lüneburger
Heide.«

O liebenswerte Frau von Staël! Es ist ein Unterschied, ob
man sich, wenn man zur Natur zurückkehrt, zu den Heidschnucken oder zu den Heiducken begibt. Beide zwar, die Heidschnucken und die Heiducken, sind eine kleinwüchsige und ge-
nügsame Rasse, beider Kopf und beider Arme sind schwarz
und mit einem zottigen Pelz bedeckt, beide sind kurzschwänzig
und auch gehörnt, aber es sind keine ländlichen, sondern es sind
literarische Schafe und Hirten. Die Hirten in Arkadien und die
Hirten in Sizilien liegen mit Pan im Thymian und spielen auf
der Flöte. In der Lüneburger Heide und im Allgäu aber sitzen
sie am Kartoffelfeuer und singen. In den herrlichen Gärten sind
die Äolsharfen angebracht, so daß der Wind gleichzeitig Töne
und Düfte durch die Luft trägt. Kühne Frau von Staël! Ganz
Deutschland kommt ihr wie eine verräucherte Stube vor, in die
die Menschen sitzen und konzertieren. Rousseau und Emil bleiben stehen. Es ist kalt, und sie zittern an Leib und Seele. Da
stehen sie, mitten in Deutschland, und auch hier ist der Stein
zum Gestein, ist das Holz zum Gehölz, und ist das Blut zum
Geblüt geworden. Auch hier dürfen sie keine Bohnen pflanzen,
weil der Boden dem Gärtner, auch hier dürfen sie keine Steine
ins Wasser werfen, weil das Wasser dem Fischer, hier dürfen
sie nicht einmal Äolsharfen in die Bäume hängen, weil die ganze
Luft den Deutschen gehört. Da schüttelt Rousseau seinen Kopf
von neuem und sagt: »Mein lieber Emil, wie machen wir es,
um hier herauszukommen?«

Emil fängt bitterlich an zu weinen und antwortet: »Ich weiß
es nicht. Ich bin müde, ich habe Hunger, ich habe Durst. Ich
kann nicht mehr.« Aber Rousseau tröstet ihn und sagt:
»Glaubst du, es ginge mir besser? Ich würde gerne weinen,
wenn ich davon essen könnte. Weinen nützt nichts, wir müssen
uns zurechtfinden. Sieh auf die Uhr. Wie spät ist es?« Da schaut

Emil auf seine Uhr und sagt: »Es ist Mittag, und ich habe noch nichts gegessen.« Rousseau antwortet: »Richtig. Es ist Mittag, und ich habe auch noch nichts gegessen.« Da fängt Emil wieder an zu klagen und sagt: »Was mußt du für einen Hunger haben.« Rousseau aber antwortet und sagt zu Emil: »Das Unglück ist, daß mir mein Essen nicht hierher nachläuft. Es ist Mittag. Gestern um dieselbe Zeit haben wir die Lage des Waldes von Montmorency untersucht. Wenn wir von dem Wald aus die Lage von Montmorency feststellen könnten!« »Ja!« antwortet der kleine Emil, »aber gestern haben wir den Wald gesehen, und von hier aus können wir unsere Stadt nicht sehen.« »Das ist natürlich schlimm«, antwortet Rousseau, »aber wenn wir sie gar nicht zu sehen brauchen, um sie zu finden. Wo liegt der Wald?« »Nördlich von Montmorency«, antwortet Emil. »Und wo liegt folglich Montmorency?« fragt Rousseau. Emil antwortet: »Es liegt südlich vom Wald.« Rousseau sagt: »Wir haben doch zur Mittagszeit ein Mittel, um Norden festzustellen?« »Ja«, antwortet Emil, »durch die Richtung des Schattens.« »Aber wo liegt Süden?« fragt Rousseau. »Ja, wie findet man ihn?« fragt Emil. Rousseau antwortet: »Der Süden liegt dem Norden gegenüber.« »Das stimmt!« ruft Emil, »man braucht nur die Richtung zu suchen, die dem Schatten gegenübersteht. Oh, da ist Süden! Bestimmt liegt Montmorency in dieser Richtung. Suchen wir!« Rousseau antwortet: »Du kannst recht haben. Gehen wir diesen Fußweg durch das Gehölz.« Rousseau und Emil gehen durch das Gehölz. Plötzlich schlägt Emil in die Hände und ruft vor Freude: »Ich sehe Montmorency! Da liegt es ganz nah. Gehen wir essen, gehen wir trinken, gehen wir schlafen. Laufen wir schnell. Die Sternenkunde ist doch zu etwas gut.«

Ja, die Sternenkunde, sie zeigt den rechten Weg. Nicht alle Kunst und Wissenschaft ist so verdorben wie die Gartenkunst und die Choreographie. Denn die Sternenkunde zeigt nicht den weg in die natürliche Natur, und sie zeigt auch nicht den Weg in die künstliche Natur. Sie zeigt allein den Weg nach Hause, und zwar mit Hilfe der Sterne und mit Hilfe der Gestirne. Ganz gleich, ob es sich um die Sterne der Nacht oder ob es sich um das Gestirn des Tages handelt, die Sternenkunde bedient sich ihrer auf ihre besondere Weise. Die Sterne der Nacht sind dem kleinen Mädchen in sein Nachthemd gefallen und waren lauter Taler. Das Gestirn des Tages hat dem kleinen Muck so heftig auf seinen Glasscherben geschienen, daß er in einen Diamanten verwandelt wurde. Taler und Diamanten sind aber keine untauglichen Sammelgegenstände, sondern es sind taugliche Zahlungsmittel. Mit Talern und Diamanten kann der Mensch sich Brot kaufen, um es zu essen, er kann sich damit Wein kaufen, um ihn zu trinken, und er kann sich damit ein Bett kaufen, um darin zu schlafen. Ja, wenn der Mensch erst einmal diese tauglichen Zahlungsmittel in ausreichendem Maße besäße, dann wäre er auch bald heimgekehrt!

Und so kann er sich alle die weiten Wege sparen, er braucht nicht hinaus in die Welt zu laufen, er braucht auch nicht in die Wälder zurückzukehren zu den Bären. Sollte er vielleicht die Gesellschaft auflösen und den Unterschied zwischen mein und dein aufheben, um endlich heimzukehren? Rousseau und Emil treten über die Schwelle. Wie lacht ihr Herz. Auf dem Tisch steht das Brot und der Wein, und in der Ecke steht das Bett. Ja, mit der Sternenkunde hat es seine eigene Bewandtnis. Sie zeigt den geraden Weg zur Natur.

Rousseau und Emil waren bis nach Deutschland gegangen. Einige gingen bis ans Ende von Europa, wo es noch kälter und wo es noch unfreundlicher ist. Andere sind viel weiter gegangen. Aber kein einziger hatte die Natur gefunden, denn nicht Park und nicht Garten, nicht Feld und Wald und nicht Arkadien, nicht Abenteuer und Ruhe, nicht das Ende der Welt und nicht die Bank vor der Haustür sind die Natur. Das allein ist die Tugend, und diese liegt noch hinter der eigenen Haustür. Man braucht gar nicht erst über die Schwelle zu treten. So ist Emil heimgekehrt. Aber als Rousseau sich gesättigt und gestärkt hat, schnürt er sein Bündel von neuem, betrachtet Emil mit viel Liebe und sagt zu ihm: »Lieber Emil, ich gehe wieder fort. Du aber bleibe daheim und sei tugendsam.« Und er steht auf, öffnet die Türe und verschwindet in der Natur. Dort geht er mit festem Schritt, und wenn er nicht gestorben wäre, so würde er immer noch gehen, und dabei wäre er doch so gerne heimgekehrt.

Rousseau

und der Prinz von Conti spielen
das Königsgambit

Es war einmal ein armer Bauer, der hatte kein Land, nur ein kleines Häuschen und eine alleinige Tochter, da sprach die Tochter: »Wir sollten den Herrn König um ein Stückchen Rottland bitten.« Da der König ihre Armut hörte, schenkte er ihnen auch ein Eckchen Rasen, den hackte sie und ihr Vater um, und wollten ein wenig Korn und derart Frucht darauf säen. Als sie den Acker beinah herum hatten, so fanden sie in der Erde einen Mörsel von purem Gold. »Hör«, sagte der Vater zu dem Mädchen, »weil unser Herr König ist so gnädig gewesen und hat uns diesen Acker geschenkt, so müssen wir ihm den Mörsel dafür geben.« Die Tochter aber wollt es nicht bewilligen und sagte: »Vater, wenn wir den Mörsel haben, dann müssen wir auch den Stößer herbeischaffen, darum schweigt lieber still.« — Es gibt so viele Widersprüche zwischen den Rechten der Natur und unseren sozialen Gesetzen, daß man, um sie in Einklang zu bringen, unaufhörlich ausweichen und Ausflüchte machen muß; man braucht viel Kunst dazu, um einen sozialen Menschen zu verhindern, durch und durch gekünstelt zu sein.

Es gibt die Natur mit ihren Rechten, und es gibt die Gesellschaft mit ihren Gesetzen. Die Natur mit ihren Rechten hat es gut, sie ist immer schon dagewesen, und ihre Rechte haben nichts anderes im Sinn, als die Freiheit des natürlichen Zustandes zu erhalten. Die Gesellschaft mit ihren Gesetzen aber hat es schlecht, sie ist erst später gekommen, und ihre Gesetze haben es darauf abgesehen, den Zwang des gesellschaftlichen Zustandes zu gewährleisten. Die Freiheit des natürlichen Zustandes ist tugendsam, wie schön wäre es, die Freiheit zu erhalten! Aber der Zwang des gesellschaftlichen Zustandes ist lasterhaft, wie gut wäre es, den Zwang abzuschaffen!

Da lag also ein goldener Mörsel mitten in der Natur. Weil aber der König der erste gewesen war, der dieses Stück Natur eingezäunt und mit einer Grenze versehen und dreist gerufen hatte: »Das ist mein!« und so einfältige Leute gefunden hatte, die das glaubten, und er die, die es nicht glauben wollten, mit dem Stock und mit dem Schwert in der Hand zu guter Letzt gezwungen hatte, es doch zu glauben, wurde er zum Gründer der bürgerlichen Gesellschaft. Er hatte den Naturzustand in den Gesellschaftszustand übergeführt, und der Mörsel, der zuerst in der Natur gelegen hatte, sollte am Ende in der Schatzkammer des Königs liegen.

Der einfache natürliche Bauer ist tugendsam, er glaubt, daß das eingezäunte Stück Natur dem König gehört. Wenn der Bauer einen Mörsel findet, dann will er den Mörsel sogleich zum König bringen, weil ja die ganze eingezäunte Natur dem König gehört. Der verdorbene künstliche König aber ist lasterhaft, er hat das Stück Natur aus reiner Willkür eingezäunt und dem Bauern seine Herrschaft aufgezwungen. Wenn der König einen Mörsel hat, dann will er auch den Stößer haben. So ist es in der Welt, und es ist keiner dagewesen, der die Pfähle herausgerissen und den Maschendraht abgeschnitten und gerufen hätte: »Hört ja nicht auf diesen Betrüger von König. Ihr seid allesamt verloren, wenn ihr vergeßt, daß die Früchte allen gehören und die Natur keinem!«, außer der Tochter des Bauern, die nicht so dumm war, sonst wäre sie ja am Ende nicht die Frau des Königs geworden.

Aber sie hat es nicht laut gesagt, sondern nur gedacht und danach gehandelt, was noch viel schlauer ist. Die Bauerntochter aus dem Märchen ist eine sogenannte paradigmatische Figur. Sie ist das Musterbeispiel für einen Menschen, der den Übergang vom natürlichen zum gesellschaftlichen Zustand nicht mit Gewalt, sondern mit Schlauheit vollzieht, sie ist das Muster für den Menschen schlechthin, sie ist das Beispiel des Allgemeinmenschen.

So steht auf der einen Seite der natürliche Mensch in der tugendsamen Freiheit des Naturzustandes, und auf der anderen Seite steht der gesellschaftliche Mensch im lasterhaften Zwang des Gesellschaftszustandes, und in der Mitte befindet sich der kluge paradigmatische Allgemeinmensch, der sich aus der natürlichen Freiheit in den gesellschaftlichen Zwang begibt und auf seine schlaue Weise den Stößer zum Mörsel hinzutut. »Der Mensch ist frei geboren, und überall liegt er in Ketten.«

Im Frühherbst des Jahres 1750, nachdem Rousseau diesen Satz niedergeschrieben, ein ganzes Frühjahr und einen ganzen Sommer lang darüber nachgedacht und schließlich begonnen hatte, ein Buch zu schreiben, erschien der Prinz von Conti in Begleitung eines kleinen Gefolges in Montlouis. Louis François von Bourbon war während des Österreichischen Erbfolgekrieges französischer Oberbefehlshaber in Italien, danach Heerführer in Flandern und immer schon ein Anhänger der heiteren katholischen Gesellschaft gewesen. Aber er liebte die Philosophie, er begünstigte die Enzyklopädisten und förderte die Kritik am Feudalismus. Er war selbst Feudalherr, aber er hing republikanischen Ideen nach wie der Herzog von Orléans und der Marschall von Luxembourg, wie der Vicomte von Noailles und die Grafen Mirabeau, Vater und Sohn. Seit einem halben Jahrzehnt war er in einen zunehmenden Gegensatz zum Hof geraten, und er machte kein Hehl mehr aus seiner Liberalität.

Es war einer der warmen Oktobertage, mit einem milden Licht, wie es Boucher und Watteau gemalt haben und wie es nur in der Ile-de-France und vornehmlich in Rokokozeiten vorkommt, als der Prinz an die Pforte von Montlouis klopfte. Rousseau saß in seiner Küche, genau wie Jean Houel ihn gezeichnet hat, er saß auf einem geflochtenen Korbstuhl am Kamin, neben sich die Kohlenschaufel und den Feuerhaken. Sein Körper war mit einem Hausrock und sein Kopf mit einer Haube bedeckt. Turc, sein Hund, lag zu seinen Füßen, und Doyenne, seine Katze, lag auf seinem Schoß. Auf dem Tisch brannte schon die Kerze, hinter seinem Rücken auf dem Schaft blinkten die Teller und blitzten die Töpfe, von denen er sagte, sie seien schmutzig und zerbrochen. Ja, der natürliche Mensch verwildert, und er wird immer besser.

Der gesellschaftliche Mensch dagegen verkünstelt, und er wird immer schlechter. Der Prinz von Conti war fünf Jahre jünger als Rousseau, er stand in seinem dreiundvierzigsten Lebensjahr. Auf dem Leib trug er die brokatene Weste und auf seinem Kopf die gepuderte Perücke. Er holte aus seiner Tasche ein Döschen hervor, öffnete es und streute sich eine Prise Schnupftabak auf den Handrücken. O diese kleinen Döschen für Pillen und Schnupftabak, für Schönheitskrem und Zuckerzeug! Der Prinz besaß eine Sammlung von achthundert Kästchen, alle verschieden geformt, alle aus Gold und Silber, mit Achat und Perlmutt, mit Bergkristall und Lapislazuli verziert, alle von künstlerischem Wert. O dieses Leben im Louis-Quinze-Stil, »wer nicht vor 1789 gelebt hat, wird nie wissen, wie süß das Leben sein kann«, würde der kluge Talleyrand sagen, o ja, falls man in der richtigen Klasse geboren war und der Guillotine entging.

Da saß also der bäuerliche Rousseau bei seinen schmutzigen Töpfen und seinen zerbrochenen Tellern in der Küche und wurde immer besser; und da stand der aristokratische Prinz mit seinen emaillierten Schachteln und seinen ziselierten Döschen vor der Pforte und wurde immer schlechter. Der bäuerliche Rousseau, ein natürlicher Mensch, lebte einsam in seiner heimlichen Küche; der aristokratische Prinz von Conti, ein zivilisierter Mensch, stand in Gesellschaft vor der fremden Pforte. Sieh nur die beiden an: der natürliche Mensch ist eine ganze, der zivilisierte Mensch dagegen ist nur eine Bruchzahl. Der natürliche Mensch *ist*, der zivilisierte Mensch scheint zu sein. In der Freiheit des natürlichen Zustandes gedeiht das glückliche Leben des einsamen Menschen, er besitzt ein reines Herz und einen ruhigen Geist, er ist tugendhaft. Im Zwang des zivilisierten Zustandes verkommt das elende Leben des gesellschaftlichen Menschen, er besitzt ein frevelhaftes Herz und einen stürmischen Geist, er ist lasterhaft.

Ja, der natürliche Zustand ist ein einsamer Zustand, der gesellschaftliche Zustand ist aber ein künstlicher Zustand. Es ist kein Wunder, daß die Menschen in Gesellschaft sich treten und spucken, und am Ende werden sie geschieden, oder sie bringen sich gegenseitig um. Der natürliche Mensch ist in jedem Augenblick er selbst. Er ist ein absolutes Ganzes. In jedem Augenblick macht er Gebrauch von seinem ganzen Sein. Der zivilisierte Mensch ist in jedem Augenblick ein anderer. Er ist ein relativer Bruch. In jedem Augenblick macht er Gebrauch von seinem gebrochenen Schein.

Rousseau sitzt in seiner Küche, ein natürliches Ganzes, und er hat die Katze auf dem Schoß und den Hund zwischen den Beinen. Der Prinz von Conti, eine zivilisierte Bruchzahl, steht vor der Pforte, und er hält die Döschen und die Schachteln in der Hand. Welches ist nun aber der Naturzustand? Ist es der Zustand, in dem der natürliche Mensch lebte, oder ist es der Zustand, in dem der zivilisierte Mensch eines Tages leben wird? Der Naturzustand ist entweder eine Feststellung, oder er ist eine Erfindung, er geht entweder auf die Quelle, oder er geht auf das Prinzip zurück. Rousseau hatte den Naturzustand festgestellt, und sein natürlicher Mensch war ein Mensch der Natur. Schiller aber hat den Naturzustand erfunden, und seine menschliche Natur war die Natur des Menschen. Worauf sollte das hinauslaufen?

Ist etwa der Naturzustand das goldene Zeitalter? Die natürlichen ungebildeten Menschen der ursprünglichen Zeiten wußten nicht, was es ist. Die zivilisierten gebildeten Menschen der heutigen Zeit aber wissen, was es ist. Die natürlichen Menschen empfanden es, ohne es zu wissen. Die zivilisierten Menschen aber verloren es schon, bevor sie es wußten. Was ist das für ein Kreuz! Das goldene Zeitalter ist immer gerade da, wo keine Menschen sind. Und so hat es der Mensch darauf angelegt, fortwährend seinen jeweiligen Zustand zu verändern, um schließlich eines Tages doch noch in den Genuß des goldenen Zeitalters zu kommen. Dann aber wird er nichts mehr ändern müssen, dann wird er in ewiger Glückseligkeit leben.

Was aber hat sich verändert bei diesem unseligen Übergang vom Naturzustand in den Gesellschaftszustand? Aus dem Instinkt ist die Intelligenz geworden. Der ungesittete, beschränkte Instinkt hat sich in die gesittete schrankenlose Intelligenz umgewandelt: was für ein Versehen der Natur! Aus dem Rechtssinn ist der Gerechtigkeitssinn geworden; während der Mensch im Naturzustand mit seinem bloßen Instinkt gelebt hat, braucht er im Gesellschaftszustand einen gebildeten Verstand, um sich am Leben zu erhalten. Ja, worauf soll das hinauslaufen?

Ionesco schreibt in seinem Tagebuch: »Die Intelligenz ist vielleicht nur eine niedere Form des Instinkts, eine Etappe auf dem Wege zum Instinkt. Nur der Instinkt reagiert fehlerlos. Vielleicht ist die Menschheit auf dem Wege zu einer Ameisenzivilisation, zu einer sicheren, stabilen Ordnung ohne Revolution und ohne Gefühle. Die Intelligenz ist ein noch nicht organisierter Instinkt, ein noch unvollkommener Instinkt. Die Intelligenz ist vielleicht nur ein Instinkt, der sich täuscht. Die Intelligenz ist vielleicht nur eine Übergangsform der Anpassung. Sie wird sich vielleicht in Instinkt verwandeln, und die psychologischen Reaktionen werden präzise Reflexe. Die Organisation um der Organisation willen, die Erziehung der Gruppen, die Kollektivismen, die Slogans, die Klischees, die reflexbildenden Schlagworte etc., die ›eiserne Disziplin‹, alles strebt dahin, die langsamen, unbestimmten Reaktionen der Intelligenz in Reflexe zu verwandeln. Vielleicht sind die Bienen und Ameisen einst intelligent gewesen. Jetzt haben sie das Stadium der ungeschickten Zivilisation überschritten und die vollkommene, endgültige ›Zivilisation‹ des Instinkts erreicht. Die technische, kollektivistische Zivilisation der ›eisernen Disziplin‹ kann uns zur Ameisenwelt hinführen.«

O weh, was steht dem Menschen nicht noch alles bevor! Er wird sich in eine Ameise verwandeln, und über die ganze Erde wird sich ein System aus lauter Ameisenstaaten hinziehen. Da wird es weiße und schwarze, da wird es grüne und rote, und da wird es am Ende vielleicht sogar nur noch blaue Ameisen geben. Ja, am Ende werden die Gesellschaftsmenschen ihre Intelligenz in lauter Instinkt umgewandelt haben, außer einigen wenigen, die ihren Verstand behalten und dafür sorgen, daß sie zum Mörsel immer auch den Stößer bekommen.

Es war Oktober, ein warmer Tag im Herbst, Rousseau und der Prinz von Conti saßen im kleinen Turm von Montlouis und spielten Schach. Der Prinz, der als Gast die weißen Figuren spielte, griff mit seinen spitzen Fingern den Bauern e2 beim Kopf und rückte ihn auf e4 vor. Rousseau bewegte seinen Bauern e7 auf e5 und legte die Hände in den Schoß. Aber der Prinz wartete nicht lange, er schaute über die Reihe seiner Bauern und zog den Bauern f2 auf f4 vor. Oh, was war das für eine schmähliche Finte, »dare il gambetto«, der Prinz wollte ihm ein Bein stellen! Wer denkt da nicht an die verhängnisvolle Partie, die Fischer und Spasskij zweihundert Jahre später in Mar del Plata gespielt haben! Spasskij hatte das Gambit angenommen, er hatte seinen Bauern von e5 auf f4 gebracht und Fischers Bauern geschlagen. Fischer hatte einen Bauern preisgegeben, um zu einem stärkeren Angriff zu gelangen, ja, er hatte einen Bauern preisgegeben!

Rousseau nahm seine Hände aus dem Schoß und überdachte

die Finte des Prinzen. Wenn er das angebotene Gambit annehmen würde, indem er seinen Bauern von e5 auf f4 brächte, dann würde er gezwungen sein, recht bald den Bauern von g7 auf g5 zu bringen, falls er seinen Gambitbauern noch retten wollte. Dadurch aber würde sein Königsflügel geschwächt werden, und der Prinz, der als heftiger Angreifer aus dem Zentrum bekannt war, würde schonungslos in die Lücke dringen. Rousseau schaute den Bauern des Prinzen an, wie er da stand, die Mütze tief über den Kopf gezogen, finster und entschlossen.

Die Bauern schätze man nicht gering und gebe auch nicht einen ohne Not preis. Beim Vorrücken suche man sie in Verbindung zu halten. Sie dürfen zwar im Gegensatz zu den Offizieren nur vorwärts gehen, im allgemeinen immer nur einen Schritt in gerade Richtung, aber mehrere einander deckende Bauern bilden einen starken Schutzwall gegen die feindlichen Offiziere, denen sie fortwährend im Wege stehn.

Ja, der König und die Dame, der Läufer und der Springer, sie dürfen sich hin und her bewegen, sie rücken vor und wieder zurück, sie sind nicht so unbeweglich wie die armen Bauern. Der Läufer saust quer über das Feld, das Rössel springt sogar über die anderen Figuren hinweg, und was darf sich die Dame erst alles erlauben! Auf der einen Seite steht die Aristokratie mit ihren Rechten und Privilegien, und auf der anderen Seite stehen die Bauern mit ihren Pflichten und Lasten. Dahin hatte es also die Gesellschaft mit ihren Verhältnissen gebracht, daß die einen zum Mörsel auch den Stößer haben wollen und daß den anderen nicht einmal der Mörsel gegönnt ist. Was ist die Gesellschaft doch nur für eine Ansammlung von Ungleichen!

Rousseau dachte an die neue Gesellschaftsform. Es kommt darauf an, eine andere Gesellschaftsform zu finden, dachte er, »eine Gesellschaftsform zu finden, die mit der ganzen gemeinsamen Kraft die Person und das Vermögen jedes Gesellschaftsgliedes verteidigt und schützt und kraft dessen jeder einzelne, obgleich er sich mit allen vereint, gleichwohl nur sich selbst gehorcht und so frei bleibt wie vorher.« Rousseau rückte den Bauern d7 auf d6, er lehnte das Königsgambit ab. Nein, er würde keinen Bauern opfern. Sie alle sollten frei sein und sich selbst gehorchen, und sie sollten zugleich mit allen anderen vereint sein und sich gegenseitig verteidigen und schützen.

Im Naturzustand herrschte die Einzelbestimmung, in der neuen Gesellschaftsform sollte die Gemeinschaftserfüllung herrschen. Aus der Profanität des natürlichen Rechtes wollte er nun die Heiligkeit der gesellschaftlichen Gesetze machen. Was war aus dem Anarchisten geworden? Rousseau hatte sich vom Menschen in einen Bürger verwandelt. Als Mensch hatte er einen Naturtraktat geschrieben, als Bürger schrieb er nun einen Gesellschaftsvertrag, der zugleich ein sozialer, ein nationaler und ein moralischer Vertrag sein würde.

Er hatte das Königsgambit abgelehnt und das Opfer, das der Prinz angeboten hatte, nicht angenommen. Der Prinz öffnete sein ziseliertes Döschen und entnahm ihm eine Prise Schnupftabak. Mit spitzem Griff faßte er den Bauern von g2 bei der Mütze und setzte ihn auf g3. Die Bauern waren gerettet. »Dieser Stand ist der einzig notwendige und zugleich der nützlichste«, sagte Rousseau, »er wird nur unglücklich, wenn ihn die anderen durch ihre Gewalttätigkeit tyrannisieren oder durch das Beispiel ihrer Laster verführen. In ihm liegt der wahre Wohlstand eines Landes, die Kraft und Größe, die ein Volk aus sich selbst schöpft, das in nichts von den anderen Völkern abhängt, das niemals nötig hat anzugreifen, um sich zu behaupten, und das die sichersten Mittel besitzt, um sich zu verteidigen.«

Die Bauern standen sich jetzt, einer hinter dem anderen, in schräger Aufstellung gegenüber, und der Prinz von Conti knöpfte seine brokatene Weste auf. O ja, Rousseau mochte den Prinzen leiden, der Prinz war zu ihm nach Montlouis gekommen, und dabei hatte er eine Zeit gewählt, in der Herr und Frau von Luxembourg nicht in Montmorency waren, nur, um ihm deutlich zu sagen, daß er seinetwillen gekommen war. Edler Prinz von Conti, da sitzt er dem braven Rousseau gegenüber, in gesellschaftlicher Ungleichheit, aber beide haben sie ihre Bauern gerettet.

Es gibt die natürliche Ungleichheit, und es gibt die gesellschaftliche Ungleichheit. Die natürliche Ungleichheit kam durch die Autorität des erfahrenen Alters, die gesellschaftliche Ungleichheit kam durch die Souveränität des angeeigneten Reichtums zustande. Die natürliche Ungleichheit führte zur erworbenen, die gesellschaftliche Ungleichheit führte zur erblichen Aristokratie. Die erworbene Aristokratie entspricht den einfachen Völkern, und sie ist gut. Die erbliche Aristokratie entspricht den verwickelten Staaten, und sie ist schlecht. Die beste aller Aristokratien ist die wählbare Aristokratie, es ist die Aristokratie im wahren Sinne des Wortes: der Beste ist der Erste. Rousseau sagt: »Es ist offensichtlich gegen das Gesetz der Natur, auf welche Weise man es auch definiert, daß ein Kind einem Greis befiehlt, daß ein Idiot einen Weisen leitet und daß eine Handvoll Leute im Überfluß schwelgt, während die ausgehungerte Masse des Notwendigen entbehrt.«

Da sitzt also der durch Verdienst zum Aristokraten erhobene Rousseau mit seinen zerbeulten Töpfen und seinen zertepperten Tellern, und da sitzt der durch Erbschaft erhobene Prinz von Conti mit seinen emaillierten Schachteln und seinen ziselierten Dosen, da sitzen sie in konstitutioneller Ungleichheit, aber einander freundschaftlich zugetan, und spielen Schach. Rousseau hat das Königsgambit abgelehnt, mit dem neuen Gesellschaftsvertrag im Kopf denkt er nicht an Philidor, den französischen Großmeister, der es immer schon für einen Nachteil gehalten hatte, das Gambit anzubieten und einen Bauern zu verlieren, nein, er dachte daran, wie man wohl mit den Bauern im Verein das Spiel bestreiten könne. 1960 in Mar del Plata hatte Bobby Fischer das Königsgambit angenommen, und Spasskij war in die Lücke eingedrungen. Nach dieser Partie hatte Fischer seinen berühmten Aufsatz verfaßt: »Das Königsgambit ist erledigt«, hieß es von nun an. Ja, das Opfern der Bauern, sein Nachteil kommt nicht von ungefähr! Was ist zu tun, wenn es am Ende keine Bauern mehr gibt?

Dem Souverän steht das Volk gegenüber. Und so steht auch dem Willen des einen der Willen aller anderen gegenüber. Der Wille des einen Souveräns ist der Einzelwille, der Wille des allgemeinen Volkes ist der Allgemeinwille. Rousseau spricht in seinem neuen Gesellschaftsvertrag von der Übertragung der Rechte und der Freiheiten des einen Souveräns auf die ganze Gesellschaft. Die neue Übereinkunft wird nicht mehr heißen: »Gehorche dem Souverän und seinem Einzelwillen!«, sondern sie wird heißen: »Unterwirf dich der Gesellschaft und ihrem Allgemeinwillen!«

Nun ist aber der Allgemeinwille nicht der Wille aller, sondern nur der Wille der Mehrheit. Der Geist der Mehrheit ist ein allgemeiner, ein öffentlicher Geist; wer soll wissen, woher dieser Geist auf einmal weht? Weht er aus der vergangenen Geschichte, weht er von den gegenwärtigen Notwendigkeiten, oder weht er von den zukünftigen Zielen her? Der öffentliche Geist weht in den Köpfen der Mehrheit, was aber soll mit den Minderheiten geschehen? Der allgemeine Wille wird es zum allgemeinen Wahlrecht, zur allgemeinen Dienstpflicht, zum allgemeinen Studentenausschuß und auch zur allgemeinen Wehrpflicht bringen. Die Kleidung des allgemeinen Willens ist die Uniform, die Kleidung des einzelnen Willens ist das Räuberzivil.

Mit der Erfindung des allgemeinen Willens ist der Mensch zum Bürger geworden. Im Naturzustand lief der Mensch in Räuberzivil durch Feld und Wald. Im Gesellschaftszustand steht der Bürger in Uniform in Reih und Glied. Ja, was war aus dem Anarchisten geworden? Jetzt sagte er: »Wir beginnen erst dann wirklich Menschen zu werden, wenn wir schon Bürger geworden sind.« Hat nun aber mit der Bildung der Gesellschaft die Gleichheit oder die Ungleichheit begonnen? Oder sind Gleichheit und Ungleichheit nicht eines und dasselbe? Hat nicht mit der Bildung der Gesellschaft die Gleichheit begonnen, wo die Ungleichheit, und hat nicht die Ungleichheit begonnen, wo die Gleichheit unterdrückt wird?

Friedrich Engels wird es marxistisch auslegen und sagen: »So schlägt die Ungleichheit wieder um in Gleichheit, aber nicht in die alte, naturwüchsige Gleichheit der sprachlosen Urmenschen, sondern in die höhere des Gesellschaftsvertrages. Die Unterdrücker werden unterdrückt. Es ist Negation der Negation.« Die Gesellschaft kann nicht mehr abgeschafft werden, der Anarchist mit seinem einzelnen Willen ist zum bürgerlichen Erfinder des allgemeinen Willens geworden. Der höchste Ausdruck dieses allgemeinen Willens aber ist das Gesetz. Das Erstrebenswerte des Menschen ist das Seelenheil, das Erstrebenswerte des Bürgers ist die Staatsmoral. Rousseau betrachtet seine Bauern, die in Reih und Glied stehen, er faßt sich an den Kopf, und die Haube rutscht ihm auf die Seite.

Rousseau bringt jetzt wohl oder übel den König ins Spiel. Er faßt ihn an der Krone und rückt ihn auf das nachbarliche

Feld. Der König kann ja immer nur einen Schritt tun, er bewegt sich gemessen, ja, er springt nicht herum wie das Rössel und saust nicht kreuz und quer wie der Läufer, nein, er hütet sich, ein Feld zu betreten, auf dem er geschlagen werden könnte. Rousseau bringt den König ins Spiel, und der Prinz von Conti hat längst schon verstanden, daß es mit ihm zu Ende geht. Da sitzt er mit seinen Schachteln und Dosen, der Chevalier von Lorenzy gestikuliert mit den Händen und zwinkert mit den Augen, aber der Prinz, der sein Augenmerk auf die Bauern zu richten begonnen hatte, ist ganz verblüfft, daß Rousseau jetzt den König ins Spiel bringt. Rousseau bringt den König ins Spiel, aber nicht, um den Souverän hinter seinen Offizieren zu verbergen, nein, er bringt ihn ins Spiel, um seine Bauern beim Vordringen zu decken.

Die Bauern besitzen nämlich eine eigentümliche Fähigkeit, die dem König und seiner Dame und allen seinen Offizieren abgeht. Die Bauern können sich in Damen und in Offiziere verwandeln. Ja, wenn ein Bauer bis auf das letzte gegnerische Feld vorgerückt ist, so verwandelt er sich in eine Dame oder in einen Offizier. Das ist tatsächlich eine Kuriosität, und wenn sie auch nur ganz selten vorkommt, so ist es doch ein schönes Schauspiel, einen Bauern auf seinem Gang in die Dame zu beobachten. Der Bauer darf alles, nur darf er nicht König werden, aber wann kommt ein Bauer auf die Idee, König werden zu wollen? Die Bauerntochter, ja, sie will Königin werden und zum Mörsel auch noch den Stößer hinzugewinnen.

Rousseau rückt seine Haube wieder zurecht. Er ist im Vorteil, und er nutzt ihn aus. Welch eine stille Freude, er wird den Prinzen von Conti im Schachspiel besiegen! Und dabei ist er nie ein guter Schachspieler gewesen. In Chambéry hatte er sich ein Brett und Figuren gekauft, und Herr Bagueret hatte ihn spielen gelehrt. Er hatte sich in sein Zimmer eingeschlossen, Tage und Nächte darin verbracht und alle Partien auswendig gelernt, er war nach drei Monaten größter Anstrengungen ins Kaffeehaus gegangen, abgemagert, gelb im Gesicht, völlig gerädert. Aber Herr Bagueret schlug ihn einmal, zweimal, zwanzigmal. Er hatte das Buch des Philidor studiert, aber er hätte sich Tausende von Jahrhunderten üben können und wäre nie weitergekommen, als Bagueret einen Turm vorzugeben und weiter nichts. Später in Paris hatte er mit Herrn von Legal, mit Herrn Husson, mit Diderot und mit Philidor persönlich gespielt, aber er kam nicht über die erste Lektion hinaus. Er sagte: »Wer in irgendeiner Sache der erste ist, ist immer sicher, gesucht zu werden. Werden wir also in irgendeinem Ding, einerlei in welchem, der erste!« Aber nein, im Schachspielen ist er immer der letzte geblieben.

Ach, wie haben es die Menschen mit der Gleichheit schwer! Immer wollen sie der erste sein, immer wollen sie zum Mörsel auch den Stößer haben, immer wollen sie gewinnen. Ihr Gehirn ist auf die Perfektionierung und auf die Gesellschaftung aus, und so heißen die häufigsten Vokabeln des Gesellschaftsvertrags »Recht« und »Gesetz«, »Körper« und »Zustand«, »Freiheit« und »Gleichheit«, »Ordnung« und »Interesse«, »Wille« und »Macht«, in mancherlei Abarten und vielen Zusammensetzungen, und jeder will im Spiel der Kräfte immer nur gewinnen. Nein, keiner will verlieren.

Rousseaus Bauern haben sich in Offiziere verwandelt, der Prinz von Conti blickt mit großen Augen über das Brett, sein König ist mattgesetzt. Rousseau nimmt seine Haube vom Kopf und sagt: »Gnädiger Herr, ich ehre Eure Durchlaucht zu sehr, als daß ich Sie im Schachspiel nicht immer schlagen sollte.« Gütiger Prinz von Conti, du hast ihm seine Ehrfurcht und seine Dankbarkeit vergolten, ja, du hast ihm nicht gezürnt, als er das Wildbret zurückwies, das du ihm mit eigener Hand erlegt hattest; du hast durch die Finger gesehen, als er deine Beamten angriff, die die Bauern mißhandelt hatten; und am Ende hast du ihn vor der Verfolgung gerettet, als die Schergen des Königs schon unterwegs nach Montmorency waren.

»Geschenke von Wildbret von einem Prinzen von Geblüt zurückzuweisen, der dazu so viel Freundlichkeit bei deren Übersendung zeigt, beweist weniger das Zartgefühl eines Mannes von Stolz, der seine Unabhängigkeit wahren will, als die Tölpelhaftigkeit eines Menschen ohne Erziehung, der sich überhebt.« Das schrieb Rousseau später in seinen Bekenntnissen, und es würde wohl auf etwas ganz anderes ankommen als auf einen Gesellschaftsvertrag, der die Begrenzung der bürgerlichen Welt vorsieht. »In der moralischen Welt sind die Grenzen des Möglichen weniger eng, als wir glauben; erst unsere

Schwächen, unsere Laster und unsere Vorurteile verengern sie. Gemeine Seelen glauben nicht an große Männer; erbärmliche Sklaven lachen spöttisch bei dem Worte Freiheit.« Das würde ein Satz für Hölderlin sein, und er wird ihn über seine »Hymne an die Menschheit« setzen. Hölderlin wird sagen: »Aufklärung, Bildung, Besserung des Menschengeschlechts«, ja, es kommt nicht darauf an, zum Mörsel auch noch den Stößer hinzuzugewinnen, aber wieviel Kunst braucht es, den sozialen Menschen die natürliche Einfachheit wieder zu lehren!

Rousseau räumt die Schachfiguren in den hölzernen Kasten. Der Kasten ist nicht geschmückt und verziert wie die ziselierten Döschen des Prinzen, es ist ein einfacher Holzkasten, und Rousseau stellt ihn auf das Regal neben die zerbeulten Töpfe und die kaputten Teller. Der eine hat den Mörsel, und der andere hat den Stößer.

Rousseau

und Mandeville beschwören den
Geist des Bienenstocks

*»Die erste Regel, die eine junge Biene sich merken muß«,
sagte Kassandra und seufzte, »ist, daß jede in allem, was sie
denkt und tut, den anderen gleichen und an das Wohlergehn
aller denken muß. Es ist bei der Staatsordnung, die wir seit
undenkbar langer Zeit als die richtige erkannt haben und die
sich auf das beste bewährt hat, die einzige Grundlage für das
Wohl des Staates. Morgen wirst du ausfliegen ... Meine kleine
Maja, du wirst den Sonnenschein kennenlernen, hohe grüne
Bäume und blühende Wiesen voller Blumen, Silberseen und
schnelle glitzernde Bäche, den strahlenden blauen Himmel und
zuletzt vielleicht sogar den Menschen, der das höchste und voll-
kommenste ist, was die Natur hervorgebracht hat. Über allen
diesen Herrlichkeiten wird dir deine Arbeit zur Freude werden. Sieh, dies alles steht dir ja noch bevor, mein Herzelein, du
hast Grund, glücklich zu sein.« — Es gibt aber keine wahren
Fortschritte in der Vernunft des Menschengeschlechts, da man
alles, was man auf der einen Seite gewinnt, auf der anderen
wieder verliert.*

In jenem heißen Sommer des Jahres 1761, von dem Rousseau
in seinen Briefen an Herrn von Malesherbes spricht, als er nämlich am allertiefsten die Freuden der Einsamkeit genoß, als er
allein mit sich selbst, mit seiner guten Therese, mit seinem geliebten Hund, mit seiner alten Katze, mit den Vögeln und Re-
hen des Waldes, ja mit der ganzen Natur unterwegs war, ohne
jemandem Rede und Antwort stehen zu müssen, als er oftmals
ohne alle diese mit ruhigen Schritten davonging, ein wildes
Plätzchen im Walde aufsuchte, ein köstliches Eckchen auf dem
Felde fand, ein weiches Fleckchen in der Wiese betrat, als er
endlich einmal frei atmen und laut singen konnte, ohne gleich
das scheele Auge des Nachbarn auf sich zu ziehen, als er angesichts des bescheidenen Immergrüns und der naseweisen Gänseblümchen die epochemachenden Tränen der Empfindsamkeit
vergoß, da sah er eines Tages einen Bienenstock.

Eben noch war in seiner Phantasie das goldene Zeitalter angebrochen, war er in den Garten des Paradieses eingetreten und hatte sich die Pforte der Glückseligkeit geöffnet, da sah er auf einmal den Bienenstock, und sogleich kehrte er aus den luftigen Höhen auf den festen Boden zurück. Ein Bienenstock war kein Gebilde in den luftigen Höhen, ein Bienenstock war ein Gebilde auf dem festen Boden. Die Bienen flogen ein und aus, der ganze Bienenstock dröhnte, so heftig rührten die Bienen ihre Flügel. Die einfliegenden Bienen trugen dicke Hosen an den Beinen, die ausfliegenden Bienen waren nackt, sie hatten ihre Hosen ausgezogen und in dem Stock zurückgelassen.

Rousseau hätte eine Fabel schreiben können, aber er war ja nicht der pädagogische Lafontaine; er hätte einen Roman schreiben können, aber er war nicht der symbolistische Maeterlinck. Rousseau erblickte den Bienenstock, und die ein- und ausfliegenden Bienen gaben ihm eine Idee des gesellschaftlichen Lebens ein. Da stand er, einsam und müßig, und da flogen die Bienen, gesellschaftlich und geschäftig. Nein, er würde keine Fabel und auch keine romanhafte Naturstudie schreiben, er würde diese Idee des gesellschaftlichen Lebens in einer politischen Schrift abhandeln. Rousseau trat ein paar Schritte zurück und setzte sich auf einen Baumstumpf. Er sah die nackten Bienen, die den Stock verließen, er sah die bekleideten Bienen, die den Stock betraten, und er rief in seinem Kopf Bernard von Mandeville herbei, den holländischen Arzt und Philosophen.

Rousseau und Mandeville betrachteten den Bienenstock. Da gab es die emsigen Arbeitsbienen, da gab es die faulen Drohnen, und da gab es die verehrte Königin. Die Arbeitsbienen mit ihren schlanken Taillen und ihren gelben Höschen flogen ein und aus und beförderten Blütenstaub und Honig; die Drohnen mit ihrem dicken Kopf und ihrem haarigen Körper saßen nur herum und warteten auf den Hochzeitsflug; die Königin mit ihren schönen Augen und ihrem langen Hinterleib thronte in ihrer Kammer und hütete ihre zehntausend Eier. Der ganze Bienenstock dröhnte und brauste, die Arbeitsbienen rührten ihre Flügel vor lauter Betriebsamkeit, die Drohnen rührten sie vor lauter Ungeduld, und die Königin rührte sie vor lauter königlicher Behaglichkeit.

Emsig und betriebsam waren die Arbeitsbienen mit dem Einsammeln des Honigs, mit dem Bau der Waben, mit der Pflege der Nachkommenschaft und mit der Reinigung des Stockes beschäftigt. Faul und ungeduldig waren die Drohnen mit dem Warten, und hochverehrt und behaglich war die Königin mit dem Eierlegen beschäftigt. Rousseau und Mandeville saßen auf dem Baumstumpf und betrachteten dieses Leben in den luftigen Höhen, das einen festen Boden unter den Füßen hatte. Es war ein heißer Tag im Juli, und außer ihnen beiden war sonst niemand im Wald von Montmorency, und ein plötzlicher Wanderer hätte überdies nur Rousseau wahrgenommen, weil ja Mandeville nur in seinem Kopf gegenwärtig war.

Rousseau und Mandeville betrachteten den Bienenstock, aber sie sahen ihn nicht so an wie der pädagogische Lafontaine und wie der symbolistische Maeterlinck. Nein, sie sahen die Emsigkeit der Arbeitsbienen nicht als eine Tugend an und sagten: sie arbeiten tagein, tagaus, und sie sind nützlich, darum sind sie es wert, daß wir sie schützen. Sie sahen die Faulheit der Drohnen nicht als ein Laster an und sagten: sie arbeiten nicht, und sie sind zu nichts nütze als nur zur Vermehrung des Geschlechts, darum geschieht es ihnen recht, daß sie nach dem Hochzeitsflug getötet werden. Und sie sahen auch die Verehrung der Königin nicht als etwas ganz Besonderes an und sagten: sie die Herrscherin in diesem Staate und obendrein die Mutter aller Bienen dieses Stockes, darum ist diese allgemeine Verehrung ein schöner Charakterzug.

O nein, Rousseau und Mandeville sahen in den Bienen auch nicht das Bild der Christenheit wie der Dichter Harsdörfer und nicht das Bild der vorsorglichen Hausfrau wie des Knaben Wunderhorn, sie haben nicht wie ganze spätere Schullesebücher den lieben Gott gepriesen, dem es gefallen habe, den kleinsten Tierchen eine reichere Vernunft zu schenken als dem großen Vieh, und keines habe mehr Verstand empfangen als die Honigbiene, o nein! Rousseau und Mandeville sahen die Bienen und ihr Leben ganz anders an.

Ja, schaut euch die Bienen einmal genau an! Was ist dieser Fleiß, was ist diese Vorsorglichkeit, was ist diese Wehrbereitschaft? Es ist rücksichtsloser Selbsterhaltungstrieb, und es ist konkurrierender Geschlechtstrieb, es ist blanke Aggression, und es ist neiderfülltes Herrschaftsstreben: es sind allesamt Laster.

In rücksichtslosem Selbsterhaltungstrieb plündern die Bienen Feld und Flur; in konkurrierendem Geschlechtstrieb schlagen sie sich gegenseitig tot; in blanker Aggression greifen sie benachbarte Völker an; und in neiderfülltem Herrschaftsstreben machen sie den Nachbarn alle Pfründe streitig. Was sind das für Tugenden?

Aber siehe da: das Laster des einzelnen schlägt sich zum Wohle des Ganzen aus. Der rücksichtslose Selbsterhaltungstrieb und der konkurrierende Geschlechtstrieb, die blanke Aggression und das neiderfüllte Herrschaftsstreben, dieser egoistische und skrupellose Wettbewerb des einzelnen ist ja die Triebfeder für das Gedeihen des Ganzen! Der dröhnende und brausende Bienenstock ist nicht ein ruinöses Bettlervolk, sondern ein prosperierendes Staatsgebilde. Alle die Laster und Leidenschaften der einzelnen tragen zu den gedeihlichen Konkurrenzkämpfen und zu den unaufhaltsamen Konjunkturaufschwüngen und also zum wirtschaftlichen Wohlstand bei. Die Bienen schwirren und summen, jede einzelne für sich und nur auf ihre Lust bedacht, und wenn nun die eine der anderen ein Päckchen abnimmt oder die Mahlzeit bereitet, so geschieht es nicht aus gesellschaftlichem Interesse oder aus Barmherzigkeit. Nein, das ganze System der gegenseitigen Dienste ist ein Netz aus privaten Lastern und Eitelkeiten.

Die Bienen schwirren und summen, sie plündern und töten, aber ihr Staat gedeiht. Das ist der ökonomische Nutzen des Lasters, und das Gesetz der Wirtschaftsgesellschaft lautet: Private vices, public benefits. Ja, private Laster, öffentlicher Segen, das ist das Gesetz. Entweder Armut und Tugend oder Wohlstand und Laster, es gibt keine andere Wahl. Was würde die plötzliche Konversion der Bienen von der Lasterhaftigkeit zur Rechtschaffenheit bewirken? Was würde geschehen, wenn die Bienen mit einem Male müßig und zufrieden, wenn sie säumig und barmherzig werden und den Stachel einziehen würden wie die Biene Maja? O weh, der blühende Bienenstaat würde zum siechen Haufen verkommen. Aber zum Glück ist ja die ganze Welt ein vom Laster angetriebener und in Gang gehaltener Mechanismus, und es braucht keinem bange zu sein um das Fortkommen, weder den Bienen noch den Menschen. Die Laster der ökonomistischen Arbeitsbienen würden sich dermaleinst in die harten Tugenden des Adam Smith, und die Laster der feudalen Drohnen würden sich in die sanften Tugenden des Grafen von Shaftesbury verwandeln. Mandeville regte sich in Rousseaus Kopf und sang:

> »Das Leben dieser Bienen glich
> genau dem unsern, denn was sich
> bei Menschen findet, das war auch
> en miniature bei ihnen Brauch,
> obwohl dies freilich nicht zu merken
> bei ihren kunstvoll kleinen Werken.
> Jedoch bei uns ist nichts bekannt
> in Haus und Hof, in Stadt und Land,
> in Handel, Kunst und Wissenschaft,
> wofür nicht dort Ersatz geschafft.«

Der Mensch ist wie die Biene, er schätzt sich selbst am allermeisten. Der natürliche Mensch besitzt Grundtriebe, der künstliche Mensch entwickelt Affekte, und mit Trieben und Affekten im Bauch, in der Brust und im Kopf schätzt sich der Mensch im hohen Maße. Die Grundtriebe des Menschen sind die gleichen wie die Grundtriebe der Biene, es ist der Selbsterhaltungstrieb und der Geschlechtstrieb, der Aggressionstrieb und der Neid. Die Affekte des Menschen sind Mut und Liebe, Mitleid und Barmherzigkeit. Aber die Affekte sind nur die Leidenschaften, die aus den Trieben hervorgegangen sind, weil die Herren der Gesellschaft sittliche Werte erfanden, mit Hilfe derer sie die anderen Menschen alle beherrschen konnten. So ging aus dem Selbsterhaltungstrieb der Mut, aus dem Geschlechtstrieb die Liebe, aus dem Aggressionstrieb das Mitleid und aus dem Neid die Barmherzigkeit hervor. O weh, wie sind die Triebe gräßlich pervertiert!

Rousseau und Mandeville beschwören den Geist des Bienenstocks. Sie haben ihr Auge fest auf den Bienenstock gerichtet, und sie betrachten das Leben der Bienen mit vergleichender Aufmerksamkeit. O ja, der natürliche Mensch mit seinen Trieben ist eine richtige Biene, er gleicht ihr mit seinem honigsüßen Munde vorne und mit seinem giftigen Stachel hinten, er gleicht der Biene wie ein Ei dem anderen. Aber ach, dieser natürliche Mensch, der so gerne allein leben möchte, muß künstliche Affekte wie Mut und Liebe, wie Mitleid und Barmherzigkeit entwickeln, damit er in Gesellschaft leben kann. Diese »ungesellige Gesellichkeit« des Menschen, sagt der Philosoph Immanuel Kant, und er hat recht.

Die künstlichen Affekte beschleunigen seinen Puls und seinen Atem, er wird abwechselnd bleich und rot, ja, die Triebe sind zu Süchten geworden. Da gibt es die Freßsucht und die Trunksucht, die Putzsucht und die Verschwendungssucht. Aber auch diese lasterhaften Süchte schlagen sich zum Guten des Ganzen aus: die Freßsucht fördert die Nahrungsmittelherstellung, die Trunksucht fördert die Schnapsfabrikation, die Putzsucht fördert das Juweliergewerbe, und die Verschwendungssucht fördert die Bekleidungs- und die Lederwaren-, die Möbel- und die Automobilindustrie. Ja, der Luxus bedingt die Wirtschaftsform der menschlichen Gesellschaft, er begünstigt die Herstellung der Waren, und er bringt den Handel in Schwung.

Ja, der Luxus und die Verschlagenheit, wie herrlich beschleunigen sie den Zirkulationsprozeß! Aber o weh, die Mäßigkeit und die Ehrlichkeit, wie hemmen sie die ökonomische Entwicklung! Die Tiere sammeln im Kampf ums Dasein, die Menschen produzieren im Kampf um die Genüsse. Sie schwirren und summen wie die Bienen, und es dröhnt der ganze Staat wie der Bienenstock. Wie zynisch aber ist der Staat, er fördert die Laster, weil er den Wohlstand braucht. Rousseau steht vor dem Bienenstock und schüttelt den Kopf. Würde der Staat die Tugend fördern, so würde er bald im Ruin verkommen. Rousseau erhebt sich von dem Baumstumpf und sagt: »Es gibt keine wahren Fortschritte in der Vernunft des Menschengeschlechts, da man alles, was man auf der einen Seite gewinnt, auf der anderen wieder verliert.«

Wie trefflich schlägt sich erst die Vernichtung von Gütern zum Wohle des Ganzen aus! Was wäre mit dem ehrsamen Handwerk, wenn nicht Erdbeben und Brände, wenn nicht Überschwemmungen und mutwillige Zerstörungen endlich auch einmal größere Unternehmungen ankurbelten als nur Altbausanierungen und Instandsetzungen von historischen Gebäuden! Was wäre mit der großen Industrie und überhaupt mit Wirtschaftswundern und heißer Konjunktur, wenn nicht hin und wieder Kriege das Land verwüsten und die Erde verbrennen würden! Die Reinlichkeit der Straßen und die Sauberkeit der Luft haben doch nur diejenigen im Auge, die auf ihre hellen Hosen und auf ihre empfindlichen Lungen ein Augenmerk haben. Aber das Gemeinwesen gedeiht am höheren Verkehrsaufkommen und am vermehrten Kraftstoffverbrauch, was gilt da eine helle Hose und eine empfindliche Lunge! Im Gegenteil, eine verschmutzte Hose bringt die Textilindustrie, und eine verschmutzte Lunge bringt das Arzneiwesen ins Brot.

»Der Allerschlechteste sogar/ fürs Allgemeinwohl tätig war!« singt jetzt Mandeville in Rousseaus Kopf, und Karl Marx wird kommen und sagen: »Ein Verbrecher produziert Verbrechen. Betrachtet man näher den Zusammenhang dieses letzten Produktionszweiges mit dem Ganzen der Gesellschaft, so wird man von vielen Vorurteilen zurückkommen. Der Verbrecher produziert nicht nur Verbrechen, sondern auch das Kriminalrecht und damit auch den Professor, der Vorlesungen über das Kriminalrecht hält, und zudem das unvermeidliche Kompendium, worin dieser selbe Professor seine Vorträge als ›Ware‹ auf den allgemeinen Markt wirft. Damit tritt Vermehrung des Nationalreichtums ein ... Der Verbrecher produziert ferner die ganze Polizei und Kriminaljustiz, Schergen, Richter, Henker, Geschworene usw.; und alle diese verschiedenen Gewerbszweige, die ebenso viele Kategorien der gesellschaftlichen Teilung der Arbeit bilden, entwickeln verschiedne Fähigkeiten des menschlichen Geistes, schaffen neue Bedürfnisse und neue Weisen ihrer Befriedigung. Die Tortur allein hat zu den sinnreichsten mechanischen Erfindungen Anlaß gegeben und in der Produktion ihrer Werkzeuge eine Masse ehrsamer Handwerksleute beschäftigt ... Bis ins Detail können die Einwirkungen des Verbrechers auf die Entwicklung der Produktivkraft nachgewiesen werden. Wären Schlösser je zu ihrer jetzigen Vollkommenheit gediehn, wenn es keine Diebe gäbe? Wäre die Fabrikation von Banknoten zu ihrer gegenwärtigen Vollendung gediehn, gäbe es keine Falschmünzer? ... Das Verbrechen, durch die stets neuen Mittel des Angriffs auf das Eigentum, ruft stets neue Verteidigungsmittel ins Leben und wirkt damit produktiv wie Streiks auf Erfindung von Maschinen. Und verläßt man die Sphäre des Privatverbrechens: Wäre je ohne nationale Verbrechen der Weltmarkt entstanden? Ja, auch nur Nationen? ... In dem Moment, da das Böse aufhörte, müßte die Gesellschaft verderben, wenn nicht gar gänzlich untergehen. Nur war Mandeville natürlich unendlich kühner und ehrlicher als die philisterhaften Apologeten der bürgerlichen Gesellschaft.«

Da ringt Rousseau schon im voraus die Hände. Was den Menschen also zu einem sozialen Wesen macht, sind nicht Mut und Liebe, sind nicht Mitleid und Barmherzigkeit, sondern ist der Selbsterhaltungstrieb und der Fortpflanzungstrieb, ist die Aggression und der Neid. Das alles macht der Staat sich zunutze. Da steht auf der einen Seite der strenge Hobbes und sagt: »Alle führen Krieg gegen alle.« Und da steht auf der anderen Seite der sanfte Rousseau und sagt: »Die Menschen sind von Natur aus gut.« Hobbes denkt an die Rettung der Menschen durch die Bildung. Rousseau denkt an die Rettung der Menschen durch die Natur. Ackerbau und Bienenzucht gegen die Philosophie, die Pflanze und der Honig gegen die Wörter.

Thomas Hobbes' Staat ist der Leviathan, die krumme Schlange, in deren Adern kein Blut fließt, es ist das kälteste aller kalten Ungeheuer, wie Nietzsche sagt. Rousseaus Staat ist die öffentliche Person, der aufrechte Körper, in dessen Adern das Blut pulsiert, er ist dem Menschen selbst vergleichbar, wie Pestalozzi sagt. Aber der Körper des Staates ist hinfällig wie der Körper des Menschen auch. Rousseau sagt: »Der Staatskörper beginnt, genau wie der Körper des Menschen, von seiner Geburt an zu sterben.«

O ja, das Leben des Menschen und das Leben des Staates ist eine Frage der guten oder der schlechten Konstitution. »Der eine wie der andere können eine mehr oder weniger robuste Konstitution haben, die geeignet ist, sie mehr oder weniger lange zu erhalten. Die Konstitution des Menschen ist das Werk der Natur, die Konstitution des Staates ist das Werk der Kunst. Es liegt nicht in der Hand der Menschen, ihr Leben zu verlängern, es liegt aber in ihrer Hand, das des Staates zu verlängern.« Rousseau beschwört den Geist des Bienenstocks und denkt an den Staat, aber seine Gedanken sind geteilte Gedanken, und ihm ist nicht wohl dabei. Mit Mandeville im Kopf beobachtet er das rege Hin und Her der Bienen, das gemeinschaftliche Erhalten des Stocks: private Laster, öffentliches Wohl, nein, dieses Gesetz gibt ihm nicht Auskunft über den Menschen, es gibt ihm nur Auskunft über die Gesellschaft. Die Bienen schwirren und summen in seinem Kopf, was hat der Geist des Bienenstocks aus ihm gemacht?

Auf einmal ist es nicht mehr der eine Emil, den er an der Hand führt, und ist es nicht mehr die eine Levana, die Jean Paul an der Hand hält, auf einmal sind es tausende von Emils und sind es tausende von Levanas, und er selbst ist nur noch der kleine Stifter im Votivgemälde ganz unten in der Ecke. Auf einmal gibt es nicht mehr das allmächtige Gefühl, nicht mehr die Zartheit und nicht mehr die Wonnen, nicht mehr die Ekstasen und nicht mehr den Enthusiasmus, auf einmal gibt es nur noch das fade Bürgergefühl.

Was ist aus Strom und Meer, was ist aus der ganzen Natur geworden? Der Strom und das Meer eignen sich nur noch zur Anlage von befestigten Häfen, die Berge sind natürliche, unübersteigbare Grenzen, der Staat ist von Mauern umgeben, die Luft ist unbewegt. Es gibt kein Wasser mehr, keine Felsen, keine Tannen, keine dunklen Wälder, die Blumen sind verblüht, die Gärten ausgerottet. Die Äolsharfen schweigen, Militärmärsche lärmen in den Straßen des Staates. Ach, was ist aus den Menschen geworden!

Das Ich war der einzelne Wille. Es stimmte mit sich selbst überein. Das Wir ist der allgemeine Wille. Das Ich stimmt mit ihm nicht überein. Es muß sich, um auch mit ihm übereinzustimmen, dem allgemeinen Willen unterwerfen. Dafür muß es aber sein Gedächtnis verlieren, denn je besser das Gedächtnis ist, um so besser stimmt es auch mit sich überein. So entspricht der Abnahme des einzelnen Gedächtnisses die Zunahme des allgemeinen Willens. Das Wir hat am Ende überhaupt kein Gedächtnis mehr, und der schöne Zukunftsstaat liegt nicht hinten in der Erinnerung, sondern vorne in der Vorstellung.

Rousseau fühlte und dachte. Er fühlte politisch, und er dachte pädagogisch, wo es doch viel zweckmäßiger gewesen wäre zu denken, wo es um die Politik, und zu fühlen, wo es um die Pädagogik ging. Mit dem gefühlten Politischen als Unterbau im Bauch und dem gedachten Pädagogischen als Überbau im Kopf schrieb er den politischen Traktat seines Gesellschaftsvertrags und die pädagogische Geschichte seines Zöglings Emil.

Bäuchlings schrieb er im Emil: »Ihr verlaßt euch auf die gegenwärtige Ordnung der Gesellschaft, ohne zu bedenken, daß diese Ordnung unvermeidlichen Revolutionen unterworfen ist und daß es euch unmöglich ist, diejenige, die eure Kinder betreffen kann, vorauszusehen oder ihr vorzubeugen.« Und kopflings schrieb er im Gesellschaftsvertrag: »Man muß nie die bestehende Regierung angreifen, wenn sie nicht unvereinbar mit der öffentlichen Wohlfahrt wird; aber diese Vorsicht ist ein politischer Grundsatz und keine Rechtsvorschrift ... Es ist ferner wahr, daß man in solchen Fällen nicht sorgfältig genug alle erforderlichen Formalitäten beobachten kann, um ein regelrechtes und gesetzmäßiges Vorgehen von einem aufrührerischen Getümmel zu unterscheiden und die Willensäußerung eines ganzen Volkes mit dem Zetergeschrei einer Partei.« Der Bienenstock dröhnt, und es dröhnt in Rousseaus Kopf. Der Bienenstock dröhnt im Wald von Montmorency, wo zwischen dem Ginster und dem Heidekraut ein lasterhafter Staat prosperiert; und es dröhnt in Rousseaus Kopf, wo zwischen dem Wachen und dem Schlafen die Träume vom tugendhaften Zeitalter entspringen. Über dem Ginster und dem Heidekraut fliegt eine kleine Biene, vielleicht ist es sogar die Biene Maja aus der Geschichte. Hieß nicht die Biene, von der sie die Ratschläge empfangen hatte, Kassandra?

Mandeville in Rousseaus Kopf beschwört immer noch den Geist des Bienenstocks, aber Rousseau hat sich längst abgewandt. Mandeville singt die Moral der Geschichte, er singt:

> »So klagt denn nicht, für Tugend hats
> in großen Staaten nicht viel Platz.
> Mit möglichstem Komfort zu leben,
> im Krieg zu glänzen und zu streben,
> von Lastern frei zu sein, wird nie
> was andres sein als Utopie.
> Stolz, Luxus und Betrügerei
> muß sein, damit ein Volk gedeih'.
> Mit Tugend bloß kommt man nicht weit;
> wer wünscht, daß eine goldne Zeit
> zurückkehrt, sollte nicht vergessen:
> man mußte damals Eicheln essen.«

Mandeville steht immer noch vor dem Bienenstock, er singt und nickt mit dem Kopf. Rousseau ist auf die andere Seite gegangen, er sitzt im Gras, und er schüttelt den Kopf. Das eine ist die Botanik, und das andere ist der Staat. Ach, wie weit liegen sie auseinander, die Botanik liegt als ein Schleier leicht und luftig über der jungen Natur, der Staat aber sitzt als Leviathan mitten auf der beklommenen Brust. Rousseau hat seine Briefe über die Botanik an ein junges Mädchen, seine Briefe über den Staat dagegen an ältere Herren geschrieben. Die leichten, die luftigen jungen Mädchen, sie haben immer schon das Herz Rousseaus gerührt, aber die beklommene Brust der älteren Herren, nein, das ist nie der Ort Rousseaus gewesen. Die Natur ist gut, aber der Staat ist böse. Ja, nur die Tugend ist gut, und das Laster ist böse. Trotz der Nützlichkeit des Lasters ist das Laster böse. Alles lasterhafte Tun und Lassen ist nur Zeitverschwendung. Die Zeitverschwendung ist ein großes Laster. Ein größeres Laster ist die Zeitverschwendung mit Wissenschaft und Kunst. Das größte Laster aber ist die Zeitverschwendung im Luxus. Nur der Müßiggang ist eine Tugend, denn im Müßiggang wird keine Zeit verschwendet. Im Müßiggang werden die Erinnerungen ihn wieder aufsuchen, es werden die Träumereien eines einsamen Spaziergängers das Gedächtnis wieder beleben, die Seele wird sich wieder an die Ideen erinnern: du große Idee der Natur! Rousseau faßt die Ufer der Seen und die Blüten der Blumen, das Lied der Nachtigallen und das Licht der Frühlingssonne in eins zusammen, wie konnte er das alles über der Beschwörung des Staates vergessen!

Es ist Tag. Rousseau befindet sich auf der anderen Seite. Er liegt im Gras und träumt. Es ist Tag, und er träumt mit offenen Augen. Er sitzt mitten in der Natur und träumt am helllichten Tag. Drüben steht Mandeville vor dem Bienenstock und beschwört. Mandeville sagt: »Der Egoismus des einzelnen fördert das gemeine Wohl. Tausende geben Bettlern Geld aus demselben Beweggrunde wie ihrem Hühneraugen-Operateur, nämlich des angenehmeren Gehens wegen.« Ja, es geht voran, der Fortschritt ist nicht aufzuhalten. Alexander Pope sagt: »Das Böse ist nur ein Teil des allumfassenden Guten.« Die Bank von England sagt: »Wer Mangel leidet, ist schlecht oder dumm.« Der Puritaner sagt: »Hilf dir selbst, so hilft dir

Gott.« Ja, das bürgerliche Zeitalter hat mit aller Macht begonnen.

Die Biene Maja fliegt und dient ihrem Staat zum Wohl und Nutzen. Die alte Kassandra sitzt in ihrem Kämmerchen und ißt den Gnadenhonig. Rousseau erhebt sich und geht weiter. Er sagt: »Alles, was man auf der einen Seite gewinnt, das verliert man auf der anderen wieder.« Aber niemand will es hören.

Rousseau

und Jean Paul wittern die Morgenluft

Der elysäische Zwischenraum zwischen dem 13ten Mai und dem 9ten Julius! — Für keinen Sterblichen fällt ein solches goldnes Alter von acht Wochen wieder vom Himmel, bloß für das Meisterlein funkelte der ganze niedergetauete Himmel auf gestirnten Auen der Erde. — Du wiegtest im Äther dich und sahest durch die durchsichtige Erde dich rund mit Himmel und Sonnen umzogen und hattest keine Schwere mehr; aber uns Alumnen der Natur fallen nie acht solche Wochen zu, nicht eine, kaum ein ganzer Tag, wo der Himmel über und in uns sein reines Blau mit nichts bemalt als mit Abend- und Morgenrot — wo wir über das Leben wegfliegen und alles uns hebt wie ein freudiger Traum — wo der unbändige stürzende Strom der Dinge uns nicht auf seinen Katarakten und Strudeln zerstöße und schüttelt und rädert, sondern auf blinkenden Wellen uns wiegt und unter hineingebognen Blumen vorüberträgt. — Aber der Mann, von dem ich rede, fühlt keine solche Unruhe, und wenn ihm wohl ist, wo er ist, kümmert er sich nicht darum, anderwärts zu sein.

Wie schön ist es in der freien Natur, davon das Land, wie Jean Paul sagt, den Franzosen, das Wasser den Engländern und die Luft den Deutschen gehört! O wie schön ist es in der Natur, wie einfältig ist das französische Land, wie unschuldig ist das englische Wasser, wie gut ist die deutsche Luft! Ja, das Land der Franzosen, es fließen Milch und Honig darin, und es ist einfältig und schön. Das Wasser der Engländer, es ist ihr Wirken in es hineingeschrieben, und es ist unschuldig und schön. Und erst die Luft der Deutschen, es hängen die Äolsharfen der Dichter in ihr, und sie ist gut und schön. Ja, die Luft der Deutschen, sie geht frisch und rein. In der freien Natur ist es immer schön.

Nun gibt es auf dem Land die verheerenden Überschreitungen, im Wasser gibt es den Kabeljaukrieg und in der Luft die schlimmen Verletzungen; aber das Land selbst bleibt immer einfältig, das Wasser bleibt unschuldig, und die Luft bleibt gut, wenn nur die Menschen nicht wären! Ein trockener Wind weht über das Land und läßt das Korn verdorren, ein eiskalter Sturm fegt über das Wasser und wirft die Schiffe um, ein mächtiger Tornado braust durch die Luft und stürzt die Flugzeuge zur Erde, ach, Wind und Sturm und Tornado, sie wären ja weiter nicht schlimm, wenn es nur die Menschen nicht gäbe. Daß die Menschen nicht ruhen können, bis sie das ganze Land, das ganze Wasser und die ganze Luft bevölkert haben!

Aber es gibt ja nicht nur die Grenzüberschreitungen, die Kompetenzstreitigkeiten in den Hoheitsgewässern und die Luftraumverletzungen, es gibt nicht nur die trockenen Winde, die eiskalten Stürme und die mächtigen Tornados, nein, es gibt darüber hinaus auch noch die Morgenluft und den Abendwind, und wer je in seinem Leben die Morgenluft gewittert und den Abendwind gekostet hat, der vertraut nicht mehr blindlings der Landmaschinentechnik, dem Schiffsbau und der Flugzeugindustrie. Morgenluft und Abendwind sind nämlich nicht einfach nur ein physikalisches Gasgemisch, sondern sie sind immerwährende Bewegung und Unruhe. Diese Unruhe ist die Turbulenz. Wo der Abendwind weht und wo die Morgenluft gewittert wird, da geht es turbulent zu.

Die Turbulenz kündigt sich vor allem beim Wittern der Morgenluft an. In der Morgenstunde bläst der Wind noch aus allen Fugen, und er ist außer Rand und Band. Jedermann öffnet seine Nasenlöcher, um zu riechen, woher der Wind weht und ob etwas in der Luft liegt. Außer dem Getast, dem Geseh und dem Gehör besitzt der Mensch nämlich das Geriech. Da das geübte Getast das Geseh ersetzt, warum sollte es nicht auch bis zu einem gewissen Grad das Gehör ersetzen, da doch Töne in Klangkörpern fühlbare Schwingungen erzeugen, die man ertasten kann? fragt der kluge Rousseau, und er legt seine Hand auf das Cello und fühlt ohne Augen und ohne Ohren, wie das Holz erzittert und erbebt.

Weil nun aber nicht nur das Holz, sondern vor allem die Phantasie erzittern und erbeben soll, muß der Mensch das Geriech besitzen. Das Geriech ist für das Geschmeck das gleiche wie das Geseh für das Getast: es warnt und kündigt an. Das Geriech ist der Sinn der Phantasie. Und Rousseau, mit diesen Feststellungen im Kopf, öffnet seine Nasenlöcher weit, weil ihm ja die Gerüche mehr auf die Phantasie als auf die Sinne wirken.

Zwar wollte Rousseau das Haus überhaupt nicht mehr verlassen, weil ja die Tugend nirgendwo außer Hauses zu finden ist, aber die Morgenluft ist so frisch, und sie weht so aufreizend, daß er den kleinen Emil an die Hand nimmt und zu ihm sagt: »Komm, wir reisen. Laß uns aber nicht einfach Herumtreiber sein, denn wer ein glückliches Naturell besitzt, und wer es gefördert hat und reist, um sich wahrhaft zu bilden, der kommt besser und weiser zurück, als er abgereist ist.« Sanft streicht die regelhafte französische Luft über das Haar des gelehrigen kleinen Emil, die französische Luft, die sich eigentlich eher zum linden Abendwind eignet, sie ist am Morgen noch recht unentschieden.

Ganz anders die deutsche Luft! Die deutsche Luft ist vor allem die Morgenluft. Der deutsche Mensch ist ein Liebhaber der Morgenluft, obgleich immer mehr deutsche Menschen den Morgen verschlafen. Aber viele sind so wetterkundig und auch so wetterfühlig, daß sie die Morgenluft schon gewittert haben, bevor sie sich überhaupt richtig geregt hat. Das ist des Deutschen Ahnung. Und so nimmt Jean Paul die kleine Levana an die Hand und sagt zu ihr: »Komm, laß uns reisen. Laß uns aber soweit über das Gewölke des Lebens hinausdringen, daß wir die ganze äußere Welt mit ihren Wolfsgruben, Beinhäusern und Gewitterableitern von weitem unter unseren Füßen nur wie ein eingeschrumpftes Kindergärtchen liegen sehen.« Und die deutsche Luft, diese würzige und regellose Morgenluft, weht durch das Haar der kleinen Levana und stachelt die beiden zum Reisen an.

Rousseau und Jean Paul treten aus ihren Haustüren heraus und setzen ihre Füße mitten in die freie Natur. Da stehen sie, auf dem einfältigen Land, und atmen in tiefen Zügen die gute Landluft ein. Rousseau hat den kleinen Emil, und Jean Paul hat die brave Levana an der Hand. Seht, wie sie da stehen und atmen! Schaut euch den kleinen Emil an. Durch alle Poren dringt die Luft in seine zarte und weiche Haut ein. Schaut euch auch die brave Levana an! Die freie Luft rötet sie früher als die Sonne den Apfel.

Aber noch liegt Nebel auf dem Land, und die vier Menschen

wandern in den Wolken, wo es ja besonders turbulent zugeht. Das ist ein Riechen und ein Schnüffeln, ein Schnuppern und ein Wittern in der wolkigen Morgenluft! Rousseau trägt Schnallen-, Jean Paul trägt Schnürschuhe, was sich natürlich auf ihren Wanderstil auswirkt. Während nämlich Rousseau bei jedem Schritt sein ausschreitendes Bein weit über die Spitzen der Gräser hebt, wegen der Empfindlichkeit der Schnallen, setzt Jean Paul unerschrocken einen Fuß vor den anderen, wie es eben ein wackerer Mensch aus dem Fichtelgebirge gewöhnt ist. Emil und Levana springen durch das betaute Gras, sie laufen voraus, sie haben ja eine gute Nase, und sie gehen immer ihrer Nase nach.

Rousseau und Emil reisen, um besser zu werden, Jean Paul und Levana reisen, um über das Gewölke des Lebens hinauszudringen. Das sind zweierlei Reiseziele, und doch reisen sie zusammen. Sollten vielleicht die besseren Menschen schließlich über dem Gewölke des Lebens angekommen und sollten umgekehrt die über das Gewölke des Lebens hinausgedrungenen Menschen am Ende besser geworden sein und sich auf diese Weise treffen? Diese Frage hängt in der Morgenluft, und Rousseau und Jean Paul gehen ihr nach, indem sie ihre Schnallen- und ihre Schnürschuhe voreinandersetzen. Die empfindlichen Schnallenschuhe Rousseaus knirschen, die robusten Schnürschuhe Jean Pauls kollern im nassen Gras. Rousseau und Jean Paul suchen nicht den kürzesten Weg, nein, sie machen allerlei Umwege. Sie gehen zwar immer ihrer Nase nach, aber ihre Nase führt sie ins Elysium.

Aber dieses Elysium ist nicht einfach eine griechische Insel der Seligen, wo immerzu der milde Südwind weht und wo sich die verstorbenen Lieblinge der Götter auf dem weichen Moos hinstrecken und in den Butterblumen tummeln, nein, dieses Elysium ist ein wirklicher Garten am Ufer des Genfer Sees. Es ist der Garten Julies und Wolmars. Und wie Rousseau und Jean Paul nun in diesen Garten eintreten, da fallen sie aus allen Wolken, genau wie St. Preux, als er zwischen dem Erlen- und dem Haselgesträuch durch eine enge Tür geführt wurde, aber schon beim Umwenden nicht mehr sah, wo er hereingekommen.

Ja wahrhaftig, das ist ja der gleiche Garten, worin sich St. Preux und Julies Kusine mit Pfirsichkernen beworfen hatten! Aber wie ist er verwildert, wie undurchdringlich ist er geworden! O Tinian! hatte St. Preux ausgerufen, o Juan Fernandez! und immer noch konnte Robinson Crusoe hinter der Zaunrebe oder im roten Trifolium sitzen. O du nahrhafter Rotklee, da wächst du in tiefgründigem Boden, und jetzt wälzt sich der kleine Emil in deinen Blüten. Levana springt derweil unter den Hopfen- und Windengirlanden, sie bekränzt sich mit Hexenzwirn und mit wildem Geißblatt. Ja, Levana ist ganz ausgelassen an diesem üppigen Ort. O Heckenkirsche, o Jelängerjelieber, alles ist hier gewunden und ineinander verstrickt, alles ist Dickicht oder auch tropischer Dschungel, und die Girlanden und Gehänge der Schmarotzerpflanzen sind mit ganz einfachen Kunstgriffen über Zweige und Wurzeln gebreitet, nicht anders wie in Julies und Wolmars Garten auch.

Auch hier wird das Wasser auf haushälterische Weise getrennt und wieder vereinigt, hier darf Emil an künstlichen Quellen das Entspringen, und hier darf auch Levana an künstlichen Wasserfällen das Fallen des Wassers studieren. Aber das ist alles nur vegetierende und unbeseelte Natur, bald wird ein Zwitschern und ein Kreischen die beseelte und fühlende Natur ankündigen. Emil und Levana klatschen in die Hände, hurra, hier gibt es ein natürliches Vogelhaus mit tausend und abertausend Vögeln darinnen.

Zwischen Buchen und Ulmen, zwischen Eichen und Akazien ist eine hohe lebende Hecke gepflanzt, die Vögel schwirren um Emils und Levanas Köpfe und picken die Hirse und den Hanfsamen auf, den die beiden Zöglinge so folgsam hingestreut haben, als handelten sie ganz und gar nach Julies Anordnung und Plan. Ja, die beiden Kinder haben sich fast in Vögelchen verwandelt, damit die anderen Vögel nicht das Gefühl haben müssen, als Sklaven zu leben unter den Menschen, die ihre Freiheit schon nicht mehr genießen wollen, wenn sie des anderen Freiheit stören. Und wie gerne wären sie sogar Fische geworden wie die Barsche im Wasserbecken, die der Pfanne entronnen sind, weil es eine tierliebende Hauswirtschafterin gab. Eine tierliebende Hauswirtschafterin, o du schweizerisches Elysium, wo die Nachtigallen aus freien Stücken in den Käfigen verweilen und wo die Barsche aus lauter Gutmütigkeit ihr fischiges Wesen vergessen!

Ihr seligen Ufer des Genfer Sees, es wäre gar nicht verwunderlich, wenn hier schon die Pardel und die Lämmer beisammen liegen und darüber hinaus die Heuschrecken und die Skorpione die helvetische Friedfertigkeit üben würden, wo dann zum guten Ende die Psalter und die Pfeifen und zwischen Chexbres und Clarens die Weingläser klingen.

Nein, Rousseau und Emil, Jean Paul und Levana sind nicht am Ende der Welt angelangt, ebenso wenig wie St. Preux am Ende der Welt angelangt war, als er sich in Julies und Wolmars Baumgarten aufhielt. Sie befinden sich mitten in der Natur, auch wenn es keine natürliche, sondern nur eine künstliche Natur ist. Aber man sieht es ihr nicht an, nein, nicht die mindeste Spur von Fleiß und Industrie sind erkennbar. Über die Kultur ist Gras gewachsen, jetzt täuscht sie nur noch vor. Wieviel Mühe hat es gekostet, den ganzen Aufwand der Mühe wieder vergessen zu machen!

Rousseau und Jean Paul schauen sich um, keine schönen Perspektiven, keine verlockenden Theaterkulissen, alle Spuren der unseligen Kultur sind getilgt. O köstlicher Augenblick im wallisischen Elysium! Später werden die Leute mit Geschmack und mit ihren Architekten kommen, um alles wieder zu verderben. Dann kommen sie mit dem Senkblei und mit der Rasenmähmaschine, aber ach, das Senkblei und die Rasenmähmaschine, sie sind die Erzeugnisse von Wissenschaft und Kunst, sie sind die Feinde der Wahrheit. Und mit ihnen werden zu allem Überfluß auch noch die Maler kommen, und sie werden japanische Gärten, ja sie werden sogar ganze Panoramen malen. O Illusionismus, o schlimme Augentäuscherei!

Rousseau und Jean Paul aber sind ganz unbeirrt und gehen wacker voran. Sie bleiben zwar nicht bei jedem Stiefmütterchen stehen, sie fallen auch nicht beim Anblick einer Ranunkel gleich in Ohnmacht und werfen sich nicht vor jeder Tulpe zu Boden, beileibe nicht, verehrter St. Preux, o nein, der kleine Emil und die freundliche Levana werden nicht vor jedes holländische Mistbeet geführt und auch nicht mit Lupe und Pinzette ausgestattet, damit sie Kelche und Stiele zergliedern. Aber bei aller Ehrfurcht vor dem Großen und bei aller Anerkenntnis des Allgemeinen, hier geht es ums Kleine und ums Einzelne. Keine augentäuschenden Perspektiven, keine illusionistische Panoramen, nein!

Rousseau wendet sich an Jean Paul und sagt: »Der Geschmack an Aussichten und weiten Fernen entspringt aus dem Hange, den die meisten Menschen haben, sich nur da zu gefallen, wo sie nicht sind. Sie sind stets voll Begier nach dem, was fern von ihnen ist, und der Künstler, der sie nicht zufrieden genug mit dem zu machen weiß, was sie umgibt, schlägt jenen Hilfsweg ein, sie zu vergnügen; aber der Mann, von dem ich rede, fühlt keine solche Unruhe, und wenn ihm wohl ist, wo er ist, kümmert er sich nicht darum, anderwärts zu sein.«

Ja, die Künstler, Rousseau ist ihnen nicht grün! Sie nähren den Geschmack an Aussichten und weiten Fernen, indem sie Perspektiven erfinden und Panoramen malen, und dem Menschen, der den Regenbogen am Himmel erscheinen sieht, ihm kribbelt es in den Beinen, und schon in der frühesten Morgenstunde macht er sich auf den Weg nach diesen kunterbunten Aussichten in den weiten Fernen. Was tun also Rousseau und Jean Paul? Sie können nicht von der Morgenluft leben, und so durchqueren sie mit Julie und Wolmar das Elysium von Clarens, und dann schreiten sie mit Liane und Albano in das Elysium von Lilar fort.

Sie durchqueren, und sie schreiten fort. Aber Rousseau ist mißtrauisch, er fürchtet dieses Durchqueren und dieses Fortschreiten, ihm wäre viel lieber, sie kehrten zur Natur und zu den Quellen der Tugend zurück. Guter Rousseau, weicher Rousseau! Du wolltest das Haus schon gar nicht mehr verlassen. Aber jetzt bläst ihm der Wind geradewegs in die Nase, und ihm bleibt nichts anderes übrig, als das Taschentuch hervorzuziehen und sich zu schneuzen.

Emil soll nicht fortschreiten, er soll heimkehren in der Natur. Vorbedingung dafür ist die freie Nase. Denn was hat sich nicht alles zwischen den kleinen Emil und die Natur gedrängt, das er mit seiner Nase aufspüren muß? Nein, Emil soll sich nicht in alle Personen verwandeln, die er vor sich sieht; er braucht nicht bald Cicero, bald Trajan, bald Alexander zu sein. O nein, wenn es ihm zustoßen sollte, daß er bei einem solchen Versetzspiel lieber ein anderer sein möchte, und wäre es Sokrates oder Cato, so wäre alles umsonst gewesen. Wer einmal anfängt, fremd zu gehen, der vergißt sich bald ganz. Muß da Jean Paul über das Gewölke des Lebens dringen?

Aber Emil darf es nicht bei der Nase bewenden lassen, die so vortrefflich aufspüren kann, wenn sie ordentlich geschneuzt ist. Er muß auch alles aus dem Wege schaffen, was sich zwischen ihn und die Natur gedrängt hat. Da kommt es auf das Lockern an, und zwar nicht nur auf das Lockern der Wickeln und der Korsette, sondern vor allem auf das Lockern der Gesetze und der Vorschriften. Ja, die Rückkehr zur Natur ist das Stillen des Säuglings an der Mutterbrust und das lockere Wickeln der Windeln, es ist aber auch das Stillen der Neugierde und das lockere Leben ohne den Zwang der Kopf- und der Bauchfesseln. Der savoyische Vikar war gekommen und hatte diese Fesseln gelockert, so brauchte Emil nicht nur Urteile zu fällen, sondern er durfte auch Gefühle äußern, er brauchte nicht nur Komplimente zu machen, sondern er durfte sogar tanzen. Und noch 150 Jahre später würde der deutsche Dichter Walter Serner kommen, und er würde die letzte Lockerung vornehmen. Er würde sagen: »Mache kein Aufhebens . . . Meditiere nie!«

Die neue Naturlehre ist keine Rechenaufgabe. Es kommt nicht auf das Zusammenzählen, es kommt nicht auf das Sammeln, es kommt nicht auf das Haben, auf all diese Akkumulationen an. Rousseau sagt zu Emil: »Wer ein richtiger Kenner ist, der darf sich keine Sammlung anlegen. Deine Sammlung ist die ganze Welt. Jedes Ding steht an seinem Platz.« Und Emil antwortet: »Der Naturalist, der dafür sorgt, hat alles in die schönste Ordnung gebracht.« So scheint diese neue Ordnung auf, und Rousseau selbst hat den Vorschein gezündet. Am Himmel erscheint erneut der Regenbogen, und in den Beinen macht sich wieder das Kribbeln bemerkbar.

Der gute Junge, das brave Mädchen! Da gehen sie, mit ihren protestantischen Gesinnungen, ihren musikalischen Anlagen, ihren philosophischen Interessen, mit ihren tiefen Neigungen, ihrem hohen Blutdruck, ihren plötzlichen Eingebungen. Sie sind nicht kleine Erwachsene, nein, sie sind Kinder geblieben, und sie laufen jetzt mitten in die neue Natur hinein. Da regnet es goldgrüne Wolken, da tropft flüssiges Licht, und da fallen heiße Freudentränen herab, weil Jean Paul neuen Wind bekommen hat, den er jetzt Rousseau in die Nase bläst. Sollte der wirkliche rousseauische Wind wohl in einen ganz und gar metaphorischen Wind umgeschlagen sein?

Ja, es weht auf einmal ein poetischer Luftzug, und der Zustand der natürlichen Natur, der Zustand des natürlichen Menschen in dieser natürlichen Natur, und der Zustand der natürlichen Ordnung des natürlichen Menschen in der natürlichen Natur scheint irgendwo in einem Irgendland auf, und Rousseau sagt aufs neue: »Der Geschmack an Aussichten und weiten Fernen entspringt aus dem Hange, den die meisten Menschen haben, sich nur da zu gefallen, wo sie nicht sind. Sie sind stets voll Begier nach dem, was fern von ihnen ist, und der Künstler, der sie nicht zufrieden genug mit dem zu machen weiß, was sie umgibt, schlägt jenen Hilfsweg ein, sie zu vergnügen; aber der Mann, von dem ich rede, fühlt keine solche Unruhe, und wenn ihm wohl ist, wo er ist, kümmert er sich nicht darum, anderwärts zu sein.«

Was ist nun mit der Morgenluft? Braucht sie nicht mehr zu wehen? Rousseau hat sich doch wohl nicht gegen die Morgenluft und gegen das Kribbeln in den Beinen ausgesprochen? O du heilige Gruppendynamik, was soll aus deinen Kontaktverhältnissen und aus deinen Rollendifferenzierungen werden, wenn schon der brave Rousseau das bewegte Wehen nicht mehr verträgt? Ja, was ist nun mit der Morgenluft?

Jetzt aber bläst Jean Paul kräftig durch die Finger, es ist höchste Zeit. Er bläst, daß es zu neuen Turbulenzen kommt und daß es Rousseau auf einmal gar nicht mehr so wohl ist, wo er sich gerade befindet. Und siehe da, da setzt auch das Wehen wieder ein. Jean Paul läßt das herrliche Getümmel schnurstracks aus seinem Munde hervorquellen, und es ergreift den Regenbogen, es wiegt ihn hin und her und wirft ihn mitten in die Wiese. Da blüht es auf einmal, und die Orangengänge vor den Bergen, die bunten Gärten im Tal wären wirklich und wahrhaftig titanische Ruheplätze der Wünsche, wenn nicht Jean Paul das Wehen und das Kribbeln in den Beinen ausnutzen wollte.

Ja, Jean Paul packt Rousseau und die beiden Zöglinge an den Händen und führt sie in den Garten von Lilar. Er streckt mit pädagogischer Gebärde den Arm aus, und immer wieder nennt er den Garten ein Naturspiel und ein bukolisches Gedicht, in dem aber die Zukunft das Vorspiel der Gegenwart ist, zwar nicht ein so dunkles wie es Albano erleben wird, aber ein

Vorspiel, das die Gegenwart nicht dazu kommen läßt, sich lang zu erinnern.

Es gibt die Erinnerung, und es gibt die Hoffnung. Die Erinnerung liegt hinten in der Vergangenheit, und die Hoffnung liegt vorne in der Zukunft. Nun ist am hinteren und am vorderen Ende des elliptischen Zeitgewölbes je eine deutsche Äolsharfe angebracht, und Jean Paul erklärt es Emil und Levana, daß die Erinnerung die hintere und daß die Hoffnung die vordere Äolsharfe zum Klingen bringe, sobald sich auch nur ein geringer Erinnerungsfetzen oder ein schwacher Hoffnungsstrahl im Äther bewege. Aber der Mensch kann leider weder die Vergangenheit noch die Zukunft erleben, »weil sie nur zwei verschiedene Dichtungsarten unseres Herzen sind«, sagt Jean Paul jetzt wörtlich. In der Mitte dagegen, wo das volle Menschenleben liegt, ist nichts zu hören.

Was bleibt also dem Menschen anderes übrig, als sich selbst zum Klingen zu bringen. Er ergreift die Flöte, er faßt nach der Violine, ja er nimmt die Posaune an den Mund und bläst sich die Zeit und den Raum zurecht. Köstlich geblasene Zeit, herrlich geblasener Raum, hier läßt es sich selig leben! Und Jean Paul wendet sich an Rousseau und sagt: »Als die Morgenluft mich wie ein Flügel anflatterte und hob und als ich mich tiefer in den blauen Himmel tauchte, so sagt ich: nun bist du in Elysium.«

Ja, das Elysium von Lilar, es ist nicht das gleiche Elysium wie das walliserische Elysium am Genfer See. Hier ist es bald nicht mehr mit Lustlagern und mit Lusthainen, mit offenen Baumgärten und mit gelbblühenden Gründen getan. Jean-Jacques und Emil, Jean Paul und Levana schwingen sich auf die grüne Brücke, und die Brücke trägt sie durch die Pappel- und die Lindenwipfel in die freie Gegend.

Es gibt freie Gegenden, und es gibt geschlossene Landschaften. In einer geschlossenen Landschaft steht jedes und alles an seinem Platz. Da gibt es kein Wasserbecken, auf dem nicht ein Schwan seine Kreise zieht, da gibt es kein Gebüsch, in dem nicht ein Fasan herumstolziert, da gibt es auch keinen Hügel, an dem nicht die Lämmer grasen, wie es sich gehört. In einer freien Gegend aber hat sich der Wolf längst schon über die Lämmer hergemacht, die Fasane sind an die Grillstäbe geraten, und auch die Schwäne haben Federn gelassen. Nein, eine freie Gegend ist noch nicht einmal eine geschlossene Landschaft mit gemähten Hügeln, gerodeten Gebüschen und eingerissenen Wasserbecken. Eine freie Gegend ist ein Stück Natur, das im Gehirn, und eine geschlossene Landschaft ist ein Stück Kultur, das in den Eingeweiden entsprungen ist.

Ein Flötental ist eine freie Gegend, ein Baumgarten ist eine geschlossene Landschaft. Und aus dem Baumgarten treten nun Rousseau und Emil, Jean Paul und Levana heraus und begeben sich in das Flötental. Was Rousseau und Emil da für Augen machen! Jean Paul und Levana stehen Hand in Hand, und ganz vorne gehen zwei andere Menschen, vielleicht sind sie schon bei der vorderen Äolsharfe angelangt. Tatsächlich, da geht Albano mit seinen bewegten Träumen, und da schreitet die zarte Liane mit ihrem Strickzeug neben ihm her. Da sieht auf einmal die ganze Gegend, und da sehen auch die vier Morgenwanderer in der Gegend ganz anders aus.

Emil spricht, aber Levana singt. Emil spricht, und er gebraucht seinen Akzent. Ja, der Akzent gibt seiner Rede Anmut und Kraft, der Akzent ist die Seele seiner Rede. Emil ziert sich nicht, weil er beim Sprechen einen Akzent verrät, o nein, er verbirgt seinen Akzent nicht. Rousseau spricht den freundlichen Genfer Akzent, Jean Paul spricht den liebenswerten Akzent aus dem Fichtelgebirge, aber Emil spricht den Akzent, den die Modepuppen und die Hofleute so böslich verachten. Sein Akzent ist hart und eckig, es ist ein entschlossener Akzent. Ja, Emils Akzent ist das Grollen des Donners in der Ferne, wo schon der wütige Robespierre seine Zunge übt. Emil ist zwar noch nicht im Stimmbruch gewesen, aber sein Akzent wird sich schon noch in den Donner verwandeln.

Levana aber singt, und ein kleines Mädchen läuft hinter ihr her und schlägt die Harfe. Levana singt, sie will eben nichts sagen als immer nur dieselbe Sache unersättlich im Wiederholen. Jean Paul sagt, Levana sei unersättlich und ihre holde Stimme sei die Philomele einer Frühlingsnacht. Emil muß mit seinem Akzent sprechen, aber Levana darf unersättlich singen. Sie braucht nicht nur zu häkeln und Strickmusterbogen zu zeichnen, nein, sie darf singen und tanzen, und sie darf auch sonst eine der gefälligen Künste ausüben. Liebreizende Nachtigall, sing, damit Mensch und Ton und Herz zusammenfallen, sing du lieber anstatt zu sprechen, bevor dir ein mythologischer Balkanese die Zunge aus dem Mund schneidet!

Levana singt unersättlich immer dasselbe, dieweil Emil mit dem Grollen in der Stimme seinen Akzent setzt. Levana ist hungrig, und Emil ist durstig. Aber wann immer Emil Durst hat, soll er zu trinken bekommen, und zwar klares Wasser ohne jede Zubereitung und ohne Abstehen. Rousseau empfiehlt nur, auf die Qualität des Wassers zu achten. Ja, Emil ist durstig nach dem Wissen. Und so schenkt ihm Rousseau die Wissensgüter reinsten Wassers ein. Die unersättliche Levana aber ist hungrig, sie ist hungrig nach der allseitigen Bildung. Und Jean Paul füttert sie mit dem harten bildenden Brot. Emils Durst ist der Wissensdurst der Knaben, und er spricht. Levanas Hunger ist der Bildungshunger der Mädchen, und sie singt.

Soweit haben es Rousseau und Jean Paul in der Morgenluft gebracht, daß Emil spricht und Levana singt. Aber ist es mit dem Sprechen und ist es mit dem Singen getan? Wie nun die Morgenluft durch die nachgetragene Harfe streicht, da tönt es zwar so schön wie von den walliserischen Psaltern, und die herzzerreißenden Töne greifen derart rührend an das Herz, daß Jean Paul sich augenblicklich umdreht und sich an die Leser und an die Zuhörer wendet und zu ihnen sagt: »Wie oft, ihr schönen Seelen, hab' ich in diesem Kapitel mein ergriffenes Herz bezwingen müssen, das euch anreden und stören wollte!«

Aber Jean Paul hüpft ja nicht herum und ist der Archimismus, der die zerfallenen Gestalten der Vorzeit nachspielt, auch wenn Albanos schöne Liane nach Otaheiti und nach der patriarchalischen Zeit ruft, so wie St. Preux nach der Insel Juan Fernandez und womöglich nach Robinson Crusoe gerufen hatte, nein, nein, nein, Jean Paul reckt sich, er fuchtelt geradezu mit seinen Armen in der Morgenluft herum. Denn jetzt geht er dazu über, die sich zusammensetzenden Figuren der Nachzeit vorzuspielen. Nun wird das Innere nach außen und das Äußere nach innen gewendet, und es zeigen sich die Freude und das Leid auf einen Schlag.

Aber die Freude weint, und das Leid lacht. Das Leid lacht wegen des verlorengegangenen, und die Freude weint wegen des wiedergefundenen Paradieses, wie der Clown im Zirkus. Jean Paul hat Rousseau aus dem Elysium herausgeführt, und er sagt: »Wer die poetischen Träume ins Wachen tragen will, ist toller als der Nordamerikaner, der die nächtlichen realisiert... Wenn hienieden, sag' ich, das Dichten Leben würde und unsere Schäferwelt eine Schäferei und jeder Traum ein Tag: o so würde das unsere Wünsche nur erhöhen, nicht erfüllen, die höhere Wirklichkeit würde nur eine höhere Dichtkunst gebären und höhere Erinnerungen und Hoffnungen — in Arkadien würden wir nach Utopien schmachten.«

Ja, die Nordamerikaner, was haben wir nicht alles mit ihnen erleben müssen! Sie haben nicht die Tagträume, nein, sie haben sogar die Träume der Nacht in die Tat umgesetzt, alle diese Alpträume und die parapsychologischen Prophezeiungen. O du heiliger Bloch mit deinen Tagträumen, o du seliger Freud mit deinen Träumen der Nacht, die Nordamerikaner haben sich auf ihre Weise um euch gekümmert. Was haben sie uns nicht alles eingebrockt! Sie haben den Traum nicht einfach den Hüter des Schlafs sein lassen, nein, sie haben das kompensatorische Prinzip auf ihre umtriebige Weise gemodelt und den Taylorismus erfunden. Sie haben es nicht nur zur Klimaanlage und zur Mondfahrt gebracht, was ja schöne Träume hätten bleiben können, nein, sie haben es zur totalen Ausschöpfung kommen lassen; und zu allem Überfluß übernehmen sie auch noch für alles dieses die Verantwortung, sogar für die Nachtträume und für das Alpdrücken.

O diese Vervollkommnung, diese lasterhafte Perfektibilität! Der Vorteil des Lasters ist ganz äußerlich, jeder kann ihn sehen. Aber der Genuß der Tugend ist innerlich, er bleibt allen verborgen. So tut Rousseau lieber nichts, um nichts zu verderben. Einziger, guter, teurer Rousseau. Jean Paul aber zieht sich in die Windungen seines eigenen Gehirns zurück und sagt: »Ich bin ein Ich.« Und während in den Bäuchen der Nordamerikaner die moderne Zivilisation entspringt, entspringt in den Köpfen Rousseaus und Jean Pauls die neue Natur. Emil und Levana sind keine neuen Theorien, Emil ist ein neuer Mensch, und auch Levana ist ein neuer Mensch. Emil lebt in der Gegenwart, aber er tut nichts der Logik und dem System zuliebe. Emil ist zum Glück geschaffen, und so trinkt er begierig die flüssige Nahrung des Wissens, damit er lernt, was zum Glücklichsein nützlich ist. Das Unglück brauchte gar nicht zu sein. Emil spricht, er spricht vernünftig, trotz seines Akzents, er stellt sich kein bißchen bockbeinig an. Er ist von unten nach oben gewachsen, wie es sich gehört, und wenn er spricht, dann geht er unerschrocken den Weg, der geradeaus zurück zur Natur führt.

Levana ist nicht bloß nach oben gewachsen, wie die Pflanze oder das Hirschgeweih, sie ist auch nicht bloß nach unten gewachsen, wie die Federn und die Zähne, nein, sie ist nach allen Seiten gewachsen, und jeder kann es sehen, daß Levana kein Glied, sondern ein ganzer Mensch geworden ist. Sie ißt die feste Nahrung der allseitigen Bildung, sie singt und tanzt und springt in die Zukunft. Ja, Levana hüpft, sie übt sich im Aufschwung, weil ja Jean Paul mit ihr über das Gewölke des Lebens hinausdringen will. Emil dagegen eifert mehr der Gemse nach und klettert.

Rousseau schaut zurück zur Natur, und Jean Paul schaut voraus auf den Menschen, sie haben die natürlichen, und sie haben die künstlichen Paradiese im Auge, das begrenzte Ertragen und das grenzenlose Verlangen. Rousseau und Emil stehen mit beiden Beinen fest auf dem Boden der Tatsachen, was vor ihnen beiden aufscheint, wird größer und größer und dehnt sich beständig aus. Rousseau fürchtet für Emil die Flügel der Phantasie. Jean Paul aber ist mit Levana zum Aufschwung über das Gewölke des Lebens bereit, und aus ihren Flügelknochen wachsen die Federn der Sprache.

Emil und Levana gehen Hand in Hand, ein idealer Naturmensch und ein natürlicher Idealmensch, die aber beide rein und gleichförmig vom Säkularmenschen abliegen. Der natürliche und der ideale Preismensch sind der Mühe wert gewesen, schaut euch dagegen den Säkularmenschen an, wie er die geleerten Bierdosen und die vollgeschneuzten Papiertaschentücher in den Wald wirft, wo aber die Bäume und die Pilze wachsen sollen. O die Tugend, sie ist das Sparen von Geist und von Seele, sie ist das Verlieren von Zeit. Der Säkularmensch mag aber keine Zeit verlieren, und so macht er viel zu früh von seinem Geist und von seiner Seele Gebrauch, wie der Nordamerikaner, der nicht einmal den Tag abwartet und schon die nächtlichen Träume realisiert.

Was ficht es eigentlich Rousseau an, einen Knaben auf nichts anderes als auf den Boden der Tatsachen zu stellen? Soll er die Relativitätstheorie und die Mondrakete erfinden, damit Levana über das Gewölke des Lebens dringen kann? Aber Jean Paul blickt Rousseau in die Augen, und er sagt zum anderen Mal: »Wer die poetischen Träume ins Wachen tragen will, ist toller als der Nordamerikaner, der die nächtlichen realisiert... Wenn hienieden, sag' ich, das Dichten Leben würde und unsere Schäferwelt eine Schäferei und jeder Traum ein Tag: o so würde das unsere Wünsche nur erhöhen, nicht erfüllen, die höhere Wirklichkeit würde nur eine höhere Dichtkunst gebären und höhere Erinnerungen und Hoffnungen — in Arkadien würden wir nach Utopien schmachten.« Und Jean Paul, in dieser scharfen Morgenluft, in diesem wechselhaften Reizklima, er zieht sein buntgeblümtes Schnupftuch aus der Hosentasche, schneuzt sich die Nase und sagt: »Und auf jeder Sonne würden wir einen tiefen Sternenhimmel sich entfernen sehen, und wir würden — seufzen wie hier!«

Soll man nun die Welt hinter sich oder soll man sie unter sich, soll man sie rechts, oder soll man sie links liegen lassen, oder soll man sie nicht viel lieber immer vor sich haben und im Auge behalten, wie Urs Widmer und der Luftschiffer Giannozzo? Seht den Luftschiffer Giannozzo, seht den Dichter Urs Widmer, wie sie über ihre Vaterländer fliegen! Dort liegt das rechte Land, und dort im rechten Lande wächst auch das Immergrün, das Rousseau einst mit Madame de Warens gepflanzt, und das Jean Paul jetzt reichlich gegossen hat, damit es ja nicht verdorrt. Und dort wachsen auch die beiden jeanpaulischen Balsampappeln, die so nützlich für das Leben sind. Die eine Pappel ist der Witz, und die andere ist die Menschenliebe, und beide duften sie so angenehm und so stark, daß Jean Paul sagt: »Leben sitzt mir um die Nase.«

O ihr stinkenden Schaumstoffmatratzen, ihr Acryl- und Polyesterhemden, ihr seid es ja nicht schuld! Schuld allein sind die unempfindlichen Nasen, die den nordamerikanischen Gestank schon gar nicht mehr riechen, und die abgefeimten Häute, die unter dem Polyester schwitzen, ohne sich darum zu kümmern, was ihnen Schlimmes widerfährt. Nein, der Mensch soll die Wirkung des Immergrüns und der Balsampappel nicht unterschätzen. Wie froh kann er sein, daß es das Immergrün und die Balsampappel gibt!

Der Mensch ist ein empfindliches Doppelwesen. Das Bedürfnis seines Kopfes steht ihm nach dem Immergrün, und das Bedürfnis seines Bauches steht ihm nach der einen Balsampappel. Er hat sich hartnäckig ein Gedächtnis bewahrt, er möchte zurückkehren, und in seinem Gehirn entspringt die ganze Natur. Er hat sich aber auch die Annehmlichkeit vorgenommen, er möchte fortschreiten, und in seinen Eingeweiden entspringen Wissenschaft und Kunst. Dazwischen steht, wie allezeit, das arme Herz. Ach, das Herz des Menschen, es ist nur das Stiefkind dieser anderen Balsampappel. Nichts zersetzt die Eingeweide wirkungsvoller und löst das Herz rascher auf als das Reflektieren und das Abstrahieren.

Das habt ihr am Ende davon, ihr Pädagogen, nichts als praktische Hauptschüler und lauter sachliche Oberschüler, ein ganzes Heer von ernsten akademischen Menschen. Worauf es aber ankommt, ist die Verknüpfung, es ist die Verknüpfung des Witzes mit der Menschenliebe. Rousseau und Jean Paul haben das wallisersche und das lilarische Elysium durchquert, sie sind mit Giannozzo und mit Urs Widmer im Ballon nach dem rechten Lande geflogen, aber immer noch üben sich Emil und Levana an der nützlichen Verknüpfung. Ja, ihr Pädagogen und ihr Lehrer der Moral, bildet und übt den Witz!

Emil glänzt nicht mit Geist, und auch Levana ist keine Intellektuelle, aber sie beide üben sich im Witz und in der Menschenliebe. »Mit einem Wort«, sagt Rousseau, »lehrt euren Zögling, alle Menschen zu lieben, selbst diejenigen, die die anderen geringschätzen. Sorgt dafür, daß er sich keiner Klasse zurechnet, sondern in allen zu Hause ist... Bedenkt, daß die Dinge nicht schlechter stünden, wenn man alle Könige und Philosophen ausmerzte.«Ja, schon in Rousseaus Menschenliebe hat Jean Pauls Witz vorgeschienen, diese brüderliche Weisheit des Hanswurst. In Jean Pauls Witz aber ist Rousseaus Menschenliebe aufgehoben. Sie ist gut aufgehoben.

So hat die Aufhebung Jean Pauls vorgeschienen und war zur Vorhebung geworden, und so wurde auch der Vorschein Rousseaus aufgehoben und ist zum Aufschein geworden. Die Menschenliebe ist sichtbar hervorgehoben, hell scheint der Witz auf, und Jean Paul sagt: »Freiheit gibt Witz (also Gleichheit mit), und Witz gibt Freiheit. Die Schuljugend übe man mehr im Witze.«

Da stehen nun die beiden, Jean-Jacques und Jean Paul, und haben gemeinsam den Wiesenhobel angesetzt. Es sind keine Witzfiguren, o nein, aber wenn man sieht, wie sie den Wiesenhobel, mit dem Jean Paul sonst die Maulwurfshaufen auf seiner Blumenwiese wegebnet, so werkzeugkundig handhaben, und ihn über die Herrensitze und die Königsthrone hinwegziehen, dann kann man die Freude nicht unterdrücken, denn der Wiesenhobel sieht gar nicht nach einem bekannten Hobel aus.

»Sonst war die Poesie Gegenstand des Volks, so wie das Volk Gegenstand der Poesie«, sagt Jean Paul. Aber nun wird auf einmal der Gegenstand zur Poesie des Volkes, und jedermann greift nach dem Wiesenhobel, diesem wirksamen, aber gänzlich unblutigen Gerät. Und während Rousseau und Jean Paul den Wiesenhobel bedienen, erscheint ganz hinten am Horizont ein Mann in der Jakobinermütze und bläst die Marseillaise. Es ist Robespierre, und Jean Paul sagt: »Der Tornado des Säkulums, der eiskalte Sturm des Terrorismus.« Jean Paul schüttelt den Kopf, er faßt Rousseau bei den Schultern und sagt: »Es war viel leichter, das Körperliche zu beseelen und zu sagen: der Sturm zürnet, als das Geistige so zu verkörpern: der Zorn ist ein Sturmwind.«

Ja, Jean-Jacques und Jean Paul, diesen beiden, sie hatten die Morgenluft gewittert, und nun stehen sie im eiskalten Sturm des Terrorismus, der die Schiffe umwirft, und im Tornado des Säkulums, der die Flugzeuge vom Himmel stößt. Emil und Levana sitzen längst in der Stube, sie lesen und studieren, sie lernen und sie üben in Gesellschaft, damit sie bald handeln können. Wie schön ist es in der freien Natur, wie häßlich dagegen ist es in der geschlossenen Gesellschaft. In der freien Natur darf der Mensch gehen und betrachten, in der geschlossenen Gesellschaft aber muß er sitzen und lesen. Oh, wie ist der Mensch in der Gesellschaft heruntergekommen!

Was ist nun aber der ganze Witz der Sache? Ist der glücklichste Zustand erreicht, wenn der Mensch nicht mehr lesen muß, sondern nur noch zu handeln braucht? Da erscheinen ganz hinten im 20. Jahrhundert, dort wo die eine Äolsharfe so schrill nach der Gitarre klingt, die Professoren und rufen im Colloquium: »Paradigma-Wechsel!« O weh, da dürfte Rousseau nicht mehr betrachten, und da dürfte auch Jean Paul nicht mehr dichten, da müßten sie handeln, und alle Welt wird fortan nur noch betrachten und lesen dürfen, um dann schnurstracks zur Tat zu schreiten. Rousseau bekennt: »Es ist leichter, ein Buch zu schreiben als einen Bengel zu erziehen«, und alle Welt nickt mit dem Kopf. Jean Paul sagt: »Wie kann sie Rousseaus Bekenntnisse gesehen und gelesen haben, die Wutz schrieb und die dato noch unter seinen Papieren liegen?«

Da bricht der Sturm los, der Sturm der Empörung tobt, der Sturm der Entrüstung wütet, der Sturm der Leidenschaften rast, es beginnt eine schreckliche Imitation der Heroen, eine ergebene Nachfolge der Heiligen, ja es wird bis zum Sturm auf die Bastille, es wird schließlich sogar zum Sturm und Drang und auf diese Weise auch wieder zu einem Blatt Papier kommen. Nein, Papier ist nicht dazu da, auf ihm herumzutrampeln, so daß ganz am Ende die Bildung und die Erziehung umsonst und alles nur Flegeljahre waren, und am Ende die beiden Menschen einander in wechselseitiger Luftperspektive entlegen erblicken, und der eine zum anderen sagt: »Du bist nicht zu ändern, ich nicht zu bessern.«

Jean Paul ist über das Gewölk des Lebens hinausgedrungen, bis zu der vorderen Äolsharfe. Auch Rousseau ist weit herumgekommen, bis nach Deutschland. Aber diesem guten Alumnus der Natur fielen acht solche Wochen wie dem braven Schulmeister Wutz nicht zu. Im Gegenteil, zwischen dem 13. Mai und dem 7. Juli 1762 wurde Rousseaus »Emil« ergriffen, verdammt und verbrannt. Jahrelang war er mit Emil im Kopf spazierengegangen, aber er wollte nicht mit ihm über das Leben wegfliegen. Nun hatten ihn die Häscher ereilt. Wenn er jetzt noch hätte fliegen mögen, so hätte er eines besonders tragfähigen Windes bedurft. Die Morgenluft war weggeblasen, und ihm stand ein heißer Sommer bevor.

Rousseau

sät den Wind und erntet den Sturm

Ein Bauer grub und hackte sein Stückchen Acker und säte Rübsamen. Der Same ging auf, und es wuchs da eine Rübe, die ward groß und stark und zusehends dicker und wollte gar nicht aufhören zu wachsen, so daß sie eine Fürstin aller Rüben heißen konnte; denn nimmer war so eine gesehen und wird auch nimmer wieder gesehen werden. Zuletzt war sie so groß, daß sie allein einen ganzen Wagen anfüllte, und zwei Ochsen daran ziehen mußten, und der Bauer wußte nicht, was er damit anfangen sollte, und ob's sein Glück oder sein Unglück wäre. Endlich dachte er: »Verkaufst du sie, was wirst du Großes dafür bekommen, und willst du sie selber essen, so tun die kleinen Rüben denselben Dienst: Am besten ist, du bringst sie dem König und machst ihm eine Verehrung damit.« Also lud er sie auf den Wagen, spannte zwei Ochsen vor, brachte sie an den Hof und schenkte sie dem König. »Was ist das für ein seltsam Ding?« sagte der König, »mir ist viel Wunderliches vor die Augen gekommen, aber so ein Ungetüm noch nicht; aus was für Samen mag die gewachsen sein? Oder dir gerät's allein, und du bist ein Glückskind?« — Wenn ich das eine tue, kümmere ich mich um nichts anderes, und jeden Tag lebte ich so, als gäbe es kein Gestern und kein Morgen. Da ich mit dem Volk Volk bin, bin ich Bauer auf dem Feld, und wenn ich über die Landwirtschaft rede, so braucht mich kein Bauer auszulachen.

Rousseau hatte die Morgenluft gewittert, und mit dem Geruch der neuen Natur in der Nase war er vor die Haustür getreten. Er hatte gesät, und nun würde er ernten. Er hatte den Wind gesät, aber er würde den Sturm ernten. Es war im Herbst des Jahres 1761. Eben lagen sich die weltlichen und die geistlichen Gewalten Frankreichs in den Haaren. Das Parlament war im Begriff, die Jesuiten zu vertreiben, aber die Kirche setzte sich zur Wehr. Da trat Rousseau zwischen die Gewalten, ach, ein unbefangener savoyischer Vikar, und säte geduldig den freien Wind. Sorgloser Jean-Jacques Rousseau! Dieser Wind stand der Kirche in der Nase, und das Parlament durfte ihn nicht nutzen. Wohin also mit dem Wind? »Er schlägt uns ins Gesicht und hinterläßt unauslöschliche Spuren«, sagte Rousseau vom Wind. Ja, wohin mit diesem Wind?

Herr Chrétien Guillaume von Malesherbes, der königliche Zensor, hielt die Druckbogen des »Emil« in der Hand. Er schwenkte die Blätter hin und her und sagte: »Dies ist der Wind auf die Mühlen der Behörden.« Herr von Malesherbes bat Rousseau, einige Stellen zu streichen, damit der Wind nicht gar so arg ins Gesicht schlagen würde und auch die Spuren wieder auszulöschen seien. Aber Rousseau setzte sich hin, furchtlos und unbekümmert, und im Januar des Jahres 1762 schrieb er vier Briefe an Herrn von Malesherbes. Er erklärte ihm sein Leben und die Unerbittlichkeit des Windes.

Er schrieb: »Ich fühle wohl, daß ich seit zehn Jahren ein wenig abgetrieben worden bin, aber wenn ich nur noch vier weitere Jahre des Lebens erwarten dürfte, sähe man mich einen zweiten Anlauf nehmen ... Es ist mir durch die Erfahrung bewiesen, daß der Zustand, den ich erwählt habe, der einzige ist, in dem der Mensch gut und glücklich leben kann, weil es der unabhängigste von allen ist ... Frei! Nein, ich bin es noch nicht; meine letzten Schriften sind noch nicht gedruckt.«

Ja, aber die Mühlen der Behörden! Da gab es die weltlichen Behörden, da gab es die geistlichen Behörden, und da gab es die Philosophen. Und als im Frühjahr des Jahres 1762 Rousseaus »Emil« als Buch erschien, da trat die weltliche Behörde auf in Gestalt des Staatsanwalts, des Maître Omer Joly de Fleury, da trat die geistliche Behörde auf in Gestalt des Erzbischofs von Paris, des Monseigneur Christophe von Beaumont, und da traten auch die Philosophen auf in Gestalt des Herrn von Voltaire.

Der Staatsanwalt schwang das Buch Rousseaus über den Köpfen des Parlaments und rief: »Dieses Werk ist einzig mit dem Ziel verfaßt worden, das verbrecherische System der Naturreligion für die Erziehung eines Knaben zu entwickeln.« Der Erzbischof nahm Papier und Feder zur Hand, schrieb einen Hirtenbrief und sagte: »Er mischt das Ernste mit dem Spielerischen, reine Maximen mit Obszönitäten, große Wahrheiten mit großen Irrtümern, den Glauben mit Gotteslästerung.« Und

Herr von Voltaire, gerührt und belustigt, holte die Tinte aus dem Sekretär und schrieb: »Er sagt ebenso viele verletzende Dinge gegen die Philosophen wie gegen Jesus Christus, doch die Philosophen werden nachsichtiger sein als die Priester.«

Das Parlament, die Repräsentanten der weltlichen Behörde, ordnete an: »Das besagte Buch soll im Hof des Justizpalastes, am Fuß der großen Treppe, zerrissen und verbrannt, und Jean-Jacques Rousseau soll gefaßt und in das Gefängnis der Concièrgerie des Palastes gebracht werden.« Der Erzbischof, der Repräsentant der geistlichen Behörde, entschied: »Wir verbieten bei Strafe jedweder Person, das besagte Buch zu lesen oder zu besitzen.« Aber Herr von Voltaire, der Repräsentant der Philosophen, rief aus: »Laßt ihn zu mir kommen. Ich werde ihn mit offenen Armen empfangen!« Ja, die Philosophen, sie waren nachsichtiger als die Vertreter der weltlichen und der geistlichen Behörde. Sie waren keine Leviathane.

Rousseau stand mitten zwischen den Behörden und den Philosophen. Die Philosophen zeigten zwar mit dem Finger auf ihn, so daß die Vertreter der weltlichen und der geistlichen Behörden ihn besser sehen konnten, aber sie waren nachsichtig und nannten ihn einen Narren. Die Vertreter der weltlichen und der geistlichen Behörde dagegen sahen ihn da stehen, wie die Philosophen mit dem Finger auf ihn zeigten, aber sie waren nicht nachsichtig, sondern sie waren erbarmungslos und nannten ihn einen Verbrecher. Sie waren Leviathane.

Sie standen alle hintereinander, einer dicht bei dem anderen, und so bildeten sie den Riesenleviathan, Verbrecher wie Rousseau stehen immer außerhalb dieser Schlange, sie achten nicht Recht und Ordnung, die ja die Knochen der Schlange sind. O du heiliges Recht, o du gepriesene Ordnung, wie sicher stützt ihr den gefräßigen Leviathan! Der Leviathan aber, diese krumme, gewundene Schlange, das ist der Staat.

Es gibt den weißen Staat, und es gibt den schwarzen Staat. Das Weiße des weißen Staates ist die weiße Lilie, und das Schwarze des schwarzen Staates ist die schwarze Rose. Die weiße Lilie und die schwarze Rose sind allerdings nur Wappenblumen, sogenannte heraldische Zeichen, und sie sagen über den Staat, dessen Wappen sie so köstlich schmücken, zunächst einmal und auf den ersten Blick betrachtet, nicht mehr aus, als daß die Lilie des weißen Staates von weißer, und daß die Rose des schwarzen Staates von schwarzer Farbe ist.

Nun sind weiß und schwarz andererseits gar keine Farben, sondern genaugenommen sind es Lichterscheinungen, und zwar Lichtfülle, wo es sich um das Weiß, und Lichtmangel, wo es sich um das Schwarz handelt. Ein Körper ist weiß, wenn er erfüllt ist von allen denkbaren Farben, das heißt, dieser Körper erscheint weiß, weil er alles auf ihn fallende Licht wieder zurückwirft und die erforderliche Kälte bewahrt. Schwarz dagegen ist ein Körper, wenn er frei von jeder Farbe ist, das heißt, dieser Körper erscheint schwarz, weil er alles auf ihn fallende Licht verschluckt und in Wärme verwandelt. Die weiße Lilie des weißen Staates ist folglich das Wappenzeichen der Reflexion, während die schwarze Rose des schwarzen Staates das Wappenzeichen der Absorption ist. Folglich ist auch ein weißer Staatskörper immer von einer gewissen Reflexionskälte, und ein schwarzer Staatskörper immer von einer gewissen Absorptionswärme erfüllt. Das Ganze ist eine Lichtfrage, und zwar eine Aufklärungsfrage im Falle der reflektierenden weißen Lilie und eine Verfinsterungsfrage im Falle der absorbierenden schwarzen Rose.

Diese Reflexions- und diese Absorptionsneigungen haben ihren Niederschlag gefunden in den staatsförderlichen Maximen des weißen und des schwarzen Staates. Die staatsförderliche Maxime des weißen Staates lautet: je weniger sich der Staat zeigt, um so besser trägt er zur Beförderung der Reflexion bei. Die staatsförderliche Maxime des schwarzen Staates dagegen lautet: je mehr sich der Staat zeigt, um so trefflicher wird die Absorption befördert. Das Förderliche des weißen Staates ist also die Beförderung der Reflexion, das Förderliche des schwarzen Staates ist die Beförderung der Absorption.

Nun ist heutigen Tages das Erkennungsmerkmal des weißen Staates längst nicht mehr die weiße Lilie, sondern die weiße Weste, und das Erkennungsmerkmal des schwarzen Staates ist nicht mehr die schwarze Rose, sondern die schwarze Kutte. Die Symbole haben gleichsam ihren Erscheinungsraum gewechselt, sie sind, ganz im Sinne der Perfektibilität, aus dem vegetalischen in den konfektionären Bereich übergegangen. Weiße Weste und schwarze Kutte waren dabei von vorneherein maßgeschneidert und dann Fertigmaße, und heute fragt schon niemand mehr nach der weißen Lilie und der schwarzen Rose, wie es Rousseau und Montesquieu noch getan haben.

Aber mit der Weste und der Kutte kam nicht nur die Bekleidungsindustrie, sondern auch das Ständewesen an die Hebel des Staates. Die Repräsentanten des weißen Staates sagen nicht mehr wie ihre Vorgänger zur Zeit der weißen Lilie: Wir brauchen weniger Staat, sondern sie sagen: Wir brauchen zwar nicht weniger Staat, aber wir wollen auch keinen Metzgerstaat. Und die Repräsentanten des schwarzen Staates sagen nicht mehr wie ihre Vorgänger zur Zeit der schwarzen Rose: Wir brauchen mehr Staat, sondern sie sagen: Wir brauchen nicht mehr Staat, aber wir wollen auch keinen Nachtwächterstaat. Die Repräsentanten des weißen Staates wollen nicht unbedingt den Metzger, der schon einmal hinlangen kann, wo es nötig ist, zum Gewerbsmann ihres Staates machen, und die Repräsentanten des schwarzen Staates wollen nicht auf Teufel komm raus den Nachtwächter, der sich alles und jedes gefallen läßt, als Gewerbsmann ihres Staates sehen.

Dabei soll die weiße Weste des Metzgers zwar weiß, und die schwarze Kutte des Nachtwächters soll auch schwarz bleiben, aber der Metzger als solcher und auch der Nachtwächter in seiner Eigenschaft sollen als Drohgestalten immer leibhaftig sichtbar bleiben, wo doch eigentlich dem Metzger die schwarze Kutte und dem Nachtwächter die weiße Weste viel besser anstehen würde.

Die Vertreter des weißen Staates sagen: Wir brauchen nicht weniger Staat, und die Vertreter des schwarzen Staates sagen: Wir brauchen nicht mehr Staat, was bei genauem Hinsehen ja dasselbe ist, nämlich: den Vertretern des weißen Staates und den Vertretern des schwarzen Staates ist der Staat, wie es ihn gibt, schon recht so wie er beschaffen ist, denn beide haben ja Staat genug. Es kommt ihnen zwar auf den kleinen Unterschied an, und dieser Unterschied in der Beschreibung soll auch nicht zu gering veranschlagt werden, aber die Schlüsse, die beide aus der Gleichheit ziehen, sind zwangsläufig die gleichen.

Am 11. Juni 1762 traten die Vertreter der weltlichen Behörde vor die große Treppe des Justizpalastes, und, wie vom Parlament verordnet, zerrissen und verbrannten sie Rousseaus

Buch. Die gehorsamen Gläubigen der Diözese von Paris ergriffen das Buch und warfen es aus dem Fenster. Die weißen Hände zerrissen es, und die schwarzen Hände warfen es aus dem Fenster. Ach, um wieviel lieber hätten sie Rousseau selbst in ihren weißen und schwarzen Händen gehabt! Rousseau aber hatte zu dieser Zeit schon die Schweizer Grenze überquert, er warf sich zu Boden, umschlang und küßte die Erde und rief in seinem entsetzlichen Entzücken aus: »O Himmel, Beschützer der Tugend, ich preise dich, denn ich berühre freien Boden!« Großmütiger Marschall von Luxembourg, du hast ihm die leichte Kutsche, hochherziger Prinz von Conti, du hast ihm das nötige Geld gegeben! So war der Dichter aus Frankreich geflohen, wie hoffte er, einen wirklich freien Boden zu betreten! Ach, wie kalt war der Kuß der warmherzigen Marschallin gewesen, aber dafür brannte der Kuß der kühlen Frau von Mirepoix noch ganz heiß auf seiner Wange. Leb wohl, schönes Montmorency! Rousseau eilte nach Yverdon, ans Südufer des Neuenburger Sees. Er suchte Schutz und Zuflucht bei seinem alten Freund Roguin. Ja, wenn die Mühlen der Behörden nicht gewesen wären! Auch hier gab es die weltlichen, und hier gab es auch die geistlichen Behörden. Die weltliche Behörde trat auf in Gestalt des öffentlichen Anklägers des Rates der Stadt Genf, Herr Jean-Robert Tronchin, und die geistliche Behörde trat auf in Gestalt des gesamten Klerus der reformierten Kirche.

Der öffentliche Ankläger schwang aber nicht nur ein Exemplar des »Emil« über den Köpfen des Rates der Fünfundzwanzig, sondern in seiner anderen Hand hielt er ein Exemplar des »Gesellschaftsvertrages«, und er rief aus: »Diese Bücher sind gottlos, skandalös, frech, voll von Lästerungen und Beleidigungen gegen die Religion. Unter dem Deckmantel von Zweifeln hat der Autor alles angehäuft, was dazu geeignet ist, die Hauptfundamente der geoffenbarten Christenreligion zu untergraben, zu erschüttern und zu zerstören. Diese Bücher sind um so gefährlicher und verwerflicher, als sie in Französisch in dem verführerischsten Stil geschrieben sind und unter dem Namen ›Bürger von Genf‹ erscheinen.«

Hierauf ordnete der Rat der Fünfundzwanzig an, daß beide Bücher verbrannt, ihr Verkauf verboten und der Autor verhaftet werden sollte, sobald er wieder Genfer Territorium betreten würde. Und schon im Juli des Jahres 1762 teilte auch der Senat von Bern dem Dichter mit, er könne seine Anwesenheit auf Berner Territorium nicht länger dulden. Rousseau blieb eine kleine Frist, sein Leben zu retten. Innerhalb von vierzehn Tagen sollte er das Land verlassen, danach würde er eingekerkert werden, wenn die weißen oder die schwarzen Hände ihn faßten. Armer gejagter Rousseau, nun solltest du also keine Ruhe mehr finden in deinem Leben!

Er hatte den Wind gesät, nun hatte er den Sturm geerntet. Aus dem dumpfen Rollen, das dem Gewittersturm vorhergeht, war inzwischen ein lautes Donnern geworden, und das Gewitter grollte näher und näher. Aber er stand da, ungeschützt und vogelfrei, und säte weiter seinen Samen. Er sagte: »Wenn ich das eine tue, kümmere ich mich nicht um anderes, und jeden Tag lebte ich so, als gäbe es kein Gestern und kein Morgen. Da ich mit dem Volk Volk bin, bin ich Bauer auf dem Feld, und wenn ich über die Landwirtschaft rede, so braucht mich kein Bauer auszulachen.«

Aber die weißen Westen und die schwarzen Kutten bewegten sich landauf, landab, aus den weißen Westen ragten die Metzgerhände, und aus den schwarzen Kutten ragten die Nachtwächterhände, fortan und Tag und Nacht waren diese weißen und diese schwarzen Hände nach ihm ausgestreckt. Rousseau floh vor den Klauen des Staates und vor den Klauen des Staates im Staate. Ja, die weißen Klauen und die schwarzen Klauen blieben jetzt nach ihm ausgestreckt, schreckliche weiße Metzger- und furchterregende schwarze Nachtwächterklauen.

Nun gibt es aber nicht nur diese Schwarzweiß-Theorie, sondern es gibt auch Goethes Farbenlehre. Im Mittelpunkt dieser Theorie steht die subjektive Natur. Das ist bemerkenswert im Hinblick auf ein Phänomen, das nicht nur im Auge stattfindet. Es ist die Umstimmung. Alle die subjektiven Nachbilder, die farbigen Schatten und die Helligkeitstäuschungen beruhen nach Goethe auf dem Phänomen der Umstimmung, und das ist sicher wahr, auch wenn es der große Newton ganz anders gesehen hat. Aber Newton hat nur auf die Physik, und Goethe hat aufs Ganze gesehen, und das ist immer besser. Das Licht müsse mit Dunkel gemischt werden, damit es Farbe hervorbringe, sagte

Goethe, und er sagte, diese Verdunkelung geschehe durch die Medien.

Ja, die Medien, schon zu Goethes Zeiten haben sie für die Verdunkelung und die Umstimmung gesorgt! So erscheint ein Licht durch das Wasser hindurch grün und durch den Dunst hindurch rot. Die Verwässerung und die Trübung durch die Medien haben subjektive Umstimmungen hervorgerufen, und das hat sich auch auf die Staatsbildungstheorien ausgewirkt. Es ist nicht bei dem weißen und dem schwarzen Staat geblieben. Die Umstimmung durch die Medien hat es zum grünen und zum roten Staat kommen lassen.

So gibt es den grünen Staat, und es gibt den roten Staat. Das Grüne des grünen Staates ist das Chlorophyll, und das Rote des roten Staates ist das Blut. Beides geht auf Rousseau zurück. Die Tatsache, daß die Natur grün und die Philosophie rot ist, hatte Rousseau bewogen, einen komplementären Staat zu erfinden, in dem das Grüne des Chlorophylls, das er so liebte, und das Rote des Blutes, das er so haßte, eine gewisse Verschmelzung eingehen sollten. Ja, das lebendige Grün der Natur und das pulsierende Rot der Philosophie sollten sich miteinander verbinden, auch wenn es ihm dabei schwer ums Herz werden sollte. Aber es sollte sich ein neuer Staat herausbilden, in dem nicht allein die reflektierende Kälte des weißen Staates, und auch nicht allein die absorbierende Wärme des schwarzen Staates herrschten. In diesem neuen Staat sollte auch die Natur mit ihrem Chlorophyll und die Philosophie mit ihrem Blute einbezogen sein. Dieser neue Staat sollte nicht allein der Herstellung der Sicherheit, sondern er sollte vor allem der Wiederherstellung der Freiheit dienen.

Aber die reinen Verfechter des Chlorophylls und die reinen Verfechter des Blutes haben es nicht zu diesem neuen Staat kommen lassen. Schuld daran waren auch ihre staatsfördernden Maximen, die sich mit den Maximen des weißen und des schwarzen Staates haargenau decken. Denn die Maxime des grünen Staates lautet wie die des weißen, und die Maxime des roten Staates lautet wie die des schwarzen Staates. Die Maxime des grünen Staates lautet: je weniger sich der Staat zeigt, um so besser trägt er zur Beförderung der Reflexion bei; und die Maxime des roten Staates lautet: je mehr sich der Staat zeigt, um so trefflicher wird die Absorption befördert. Da haben es der weiße und der schwarze, der grüne und der rote Bürger, sofern sie sich an die Maximen ihres Staates halten, verhältnismäßig leicht. Lebt der Bürger in einem weißen oder in einem grünen Staat, dann reflektiert er und zeigt die entsprechende Kälte, ohne allerdings dem Metzger, der bekanntlich hinlangen kann, zu nahe zu kommen; lebt er dagegen in einem schwarzen oder in einem roten Staat, dann läßt er sich absorbieren und entwickelt die nötige Wärme, ohne dem Nachtwächter, der sich alles und jedes gefallen läßt, nun gerade auf die Füße zu treten.

Was sollte aber Rousseau nun tun? D'Alembert riet ihm, seinen Wohnsitz im Fürstentum von Neuenburg zu nehmen, dieses unterstand der Gerichtshoheit Friedrichs II. von Preußen und wurde verwaltet von dem königlichen Lordmarschall George Keith. So nahm Rousseau am 10. Juli 1762 die Einladung von Roguins Nichte, Frau von der Tour, an, ein ihr gehörendes Haus in Môtiers im Tal von Travers zu beziehen. Rousseau wandte sich an den Gouverneur und schrieb an den König von Preußen.

Er tauchte seine Feder in die Tinte und schrieb: »Ich habe viel Schlechtes über Sie gesagt; ich werde wahrscheinlich noch mehr Schlechtes über Sie sagen, jedoch, aus Frankreich, aus Genf, aus dem Kanton Bern verjagt, bin ich gekommen, in Ihren Staaten um Asyl zu bitten.« Friedrich antwortete, und er schrieb an Keith: »Wir müssen diesem armen Unglücklichen helfen. Sein einziges Vergehen ist es, wunderliche Meinungen zu haben, von denen er glaubt, daß sie richtig seien. Ich werde Ihnen hundert Taler senden mit der Bitte, ihm davon soviel zu geben, wie er braucht. Ich glaube, er wird Unterstützung lieber in natura annehmen als in barem Geld. Wenn wir nicht im Kriege und bankrott wären, würde ich ihm eine Einsiedelei mit einem Garten einrichten, wo er so leben könnte, wie nach seiner Meinung unsere Vorfahren gelebt haben. Ich meine, Ihr Rousseau hat seinen Beruf verfehlt: er sollte offenbar ein berühmter Anachoret, ein Wüstenvater werden, berühmt für seine Sittenstrenge und Selbstkasteiung, ein Säulenheiliger. Also schließe ich, daß die Sittlichkeit Ihres Wilden ebenso rein ist wie sein Geist unlogisch.« Der Gouverneur schickte Rousseau daraufhin Holz und Kohlen und allerlei Lebensmittel in die Berge. Dort saß der Dichter, weit entfernt von den weißen und den schwarzen, den grünen und den roten Klauen, er aß und trank, und er wärmte sich am fremden Holz- und Kohlenfeuer und an seinen eigenen Wörtern.

Jean-Jacques Rousseau, Bürger von Genf, verbannt in die Berge von Môtiers, schrieb einen Brief an Christoph von Beaumont, Erzbischof von Paris. Rousseau saß an seinem Holzfeuer, er schürte sein Kohlenfeuer: was hatte doch der Erzbischof in seinem Hirtenbrief gesagt? Er hatte den heiligen Paulus wortwörtlich gegen Rousseau ins Feld geführt und gegen ihn ausgerufen wie dieser gegen Timotheus: »Das sollst du aber wissen, daß in den letzten Tagen werden greuliche Zeiten kommen. Denn es werden Menschen sein, die von sich selbst halten, geizig, ruhmredig, hoffärtig, Lästerer, den Eltern ungehorsam, undankbar, ungeistlich, lieblos, unversöhnlich, Verleumder, unkeusch, wild, ungütig, Verräter, Frevler, aufgeblasen, die mehr lieben Wollust denn Gott; die da haben den Schein eines gottseligen Wesens, aber seine Kraft verleugnen sie.« Ja, diese Zeiten waren gekommen!

Aber Rousseau saß auf seinem bäuerlichen Stuhl in Môtiers, er trug den armenischen Rock auf dem Leib und die Pelzmütze auf dem Kopf, ihn fror bei diesen geistlichen Wörtern. Die weißen und die schwarzen, die grünen und die roten Wörter hatten ihn verjagt, jetzt saß er da, und er mußte Wörter finden, die ihn wieder wärmen konnten. Tagelang ging er in seiner Stube auf und ab, dann wieder begab er sich hinaus in die Natur. Ja, er liebte das Grün der Natur, aber er haßte das Rot der Philosophie. Wie ist doch der Widerspruch so groß zwischen dem, was wir glauben und dem, was wir predigen! Ach, hier liegt der Grund für das Laster der modernen Zivilisation!

Rousseau setzte sich an seinen Tisch und schrieb: »So sind die Menschen: sie wechseln ihre Sprache mit ihren Kleidern; sie sagen die Wahrheit nur in ihren Schlafröcken; in ihren Straßenkleidern wissen sie nur zu lügen.« Und Rousseau trat auf die Straße, im armenischen Rock und in der Pelzmütze, er trug sie, wenn er den Gottesdienst, und er trug sie, wenn er den Lordmarschall besuchte. Lord Keith sagte: »Salem aleikum!«

Das war alles, was er zu ihm sagte. Aber Rousseau trug von jetzt an keine andere Tracht mehr als diese.

Ja, was soll der Dichter machen, dieser sonderbare Mensch mit den wunderlichen Meinungen, der den Beruf verfehlt hat, der weder weiß noch schwarz, weder grün noch rot, sondern ein bunter Vogel ist, der aber weder dem weißen noch dem schwarzen, weder dem grünen noch dem roten Staat ein Lied singen oder gar eine Huldigung darbringen will? Was soll der Dichter machen, dieser Anachoret und Wüstenvater, dieser sittenstrenge, sich selbst kasteiende Säulenheilige? Was soll er tun in seiner sittenreinen Wildheit, wenn er nur einen unlogischen Geist besitzt?

Der Dichter, der so recht ein Mann dieses neuen Staates sein würde, er will nämlich, wie Schiller es ihm empfiehlt, mitten in dem furchtbaren Reich der Kräfte und mitten in dem heiligen Reich der Gesetze unvermerkt an einem dritten fröhlichen Reich des Spiels und des Scheins bauen. Und das soll ein Reich sein, worin er dem Menschen die Fesseln aller Verhältnisse abnimmt und ihm von allem, was Zwang heißt, sowohl im Physischen als auch im Moralischen, entbindet. Und Schiller fügt noch hinzu, Freiheit zu geben durch Freiheit sei das Grundgesetz dieses Reichs.

Lieber treuherziger Dichter Schiller, du rufst alle anderen Dichter in ein schweres Amt! Der eine lebt in einem weißen oder in einem grünen Staat. Darum zieht er sein fröhliches Spiel auf mit den furchtbaren Kraft- und den heiligen Gesetzeswörtern dieses weißen oder dieses grünen Staates. Aber die Repräsentanten des weißen und des grünen Staates sagen: wir wollen ja keinen Metzgerstaat, aber weniger Staat können wir uns angesichts dieses Dichters, der den Menschen die Fesseln aller Verhältnisse abnehmen will, auch nicht leisten. So schaffen sie den Paragraphen 88a, und damit verleumden und entehren sie den Dichter.

Der andere lebt in einem schwarzen oder in einem roten Staat. Darum zieht er sein fröhliches Spiel auf mit den furchtbaren Kraft- und den heiligen Gesetzeswörtern dieses schwarzen oder dieses roten Staates. Aber die Repräsentanten des schwarzen und des roten Staates sagen: wir wollen keinen Nachtwächterstaat, aber weniger Staat können wir uns angesichts dieses Dichters, der den Menschen von allem Zwang, sogar im Moralischen, entbinden will, auch nicht leisten. So schaffen sie die Zensur, und damit verfügen und verbrennen sie die Dichtwerke des Dichters.

Ach, wenn alles so einfach wäre! Aber nein, weißer Staat und schwarzer Staat, grüner Staat und roter Staat sind nicht immer säuberlich weiß und vollkommen schwarz, natürlich grün und philosophisch rot, o nein. Das eine verwandelt sich gern in das andere, das andere gern in das eine über, und die Medien leisten dabei ihr umstimmendes Teil. Es gibt den weißen Staat im schwarzen, und es gibt den schwarzen Staat im weißen, bevor der weiße Staat schwarz und der schwarze Staat weiß geworden ist. Es gibt den grünen im roten und den roten im grünen, bevor der grüne rot und der rote grün geworden ist.

So ist das Weiße und das Schwarze, das Grüne und das Rote zumeist gar nicht einmal weiß und schwarz, grün und rot, sondern grau. Ihr Repräsentant ist nicht leicht auszumachen, auch er ist farblos, denn er muß sich fortwährend verwandeln, je nach den Läuften der Zeit. Er wirkt aus dem Hintergrund und gibt sich nicht gern zu erkennen. Es ist die graue Eminenz. Graue Eminenzen wenden den Paragraphen 88a und die Zensur an, sie verfügen und verbrennen, sie verleumden und entehren, wie es in ihrem Staate gerade geboten erscheint.

Rousseau, verjagt und verbannt, saß zwischen den Bretterwänden des Hauses in Môtiers. Er tauchte seine Feder in die Tinte und schrieb an den Erzbischof von Paris. Er schrieb: »Die einen verfügen und verbrennen, die anderen verleumden und entehren, ohne Recht, ohne Grund, ohne dafür getadelt zu werden, und zwar nicht einmal im Zorn, sondern allein, weil es sich gerade empfiehlt.« Rousseau schrieb: »Weil es sich empfiehlt.« Er benutzte das Wort arrangieren, und dieses ist das Zauberwort der staatlichen Repräsentanten. Die Repräsentanten des weißen und des schwarzen, des grünen und des roten Staates arrangieren, und sie arrangieren sich. Sie richten es ein, und sie richten sich ein. Sie machen es ab, und sie machen es untereinander ab. Sie kommen überein, wie es sich empfiehlt. Der Dichter aber, der im fröhlichen Spiel die Fesseln aller Verhältnisse abnehmen und vom Zwang entbinden möchte, er steht außerhalb dieses Arrangements. Rousseau schrieb an den

Erzbischof von Paris, er sei bei sich selbst, und deshalb sei er allzu weit entfernt vom Publikum. Er gehöre nicht zu denen, die stets nahe am Publikum, aber immer weit von sich selbst entfernt seien. Er schrieb: »Das sind meine Vergehen, und eben das sind meine Tugenden.« Der Dichter, im Spiel mit den furchtbaren Kraft- und den heiligen Gesetzeswörtern des Staates, da steht er, ungeschützt und vogelfrei. Er hat sich nicht arrangiert, wie es sich empfiehlt, nicht mit den weißen Westen und nicht mit den schwarzen Kutten, er ängstigt sich vor dem Chlorophyll, und ihm graust vor dem Blut. Was soll er tun?

Rousseau war zwischen den weißen und den schwarzen Staat geraten. Da saß er nun, mitten zwischen den weißen Westen mit den Lilien und den schwarzen Kutten mit den Rosen. Da saß er zwischen den Stühlen, aber nicht auf einem Sessel, sondern zwischen den Bretterwänden eines Hauses in Môtiers und trug die armenische Tracht am Leib. Die Kinder auf der Straße zeigten mit dem Finger auf ihn, sie riefen: »Salem aleikum!« und hielten ihn für einen Narren.

Aber er war kein Hofnarr geworden wie die anderen Dichter, die die weiße Tracht im weißen, die schwarze Tracht im schwarzen, die grüne Tracht im grünen und die rote Tracht im roten Staat tragen. Er trug auch nicht die weiße Narrentracht im schwarzen oder die schwarze im weißen, er trug nicht die grüne Tracht im roten oder die rote im grünen Staat, ja er trug nicht einmal die schwarze im roten, oder, was viel gefährlicher ist, die rote Narrentracht im schwarzen Staat, nein, er trug den Kaftan mit dem Gürtel und die Pelzmütze auf dem Kopf, er trug den bunten Flickenrock des Eulenspiegels, der nicht zu Häupten und nicht zu Füßen eines Staates sitzen kann. Er war verjagt und verbannt. In einem Bauernhaus in Môtiers bediente er sich der Wörter eines Hirtenbriefes, und in ironischen Parenthesen hob er sie allesamt auf.

Aber da war das fröhliche Spiel auf einmal gar nicht mehr fröhlich, und am Ende war es ein todernstes Spiel geworden. Da stand Rousseau zwischen den Scherben seiner eingeschlagenen Fensterscheiben, eine Spottgestalt im Flickenrock. Er hatte den Menschen die Fesseln der Verhältnisse abnehmen und sie vom Zwang entbinden wollen, aber die Repräsentanten des Staates hatten getreulich ihre Maximen befolgt.

Ihr Dichter, schaut die bunten Flicken an eurem Rock, es gibt nicht nur die weißen und die schwarzen, die grünen und die roten, es gibt auch die blauen und die gelben, und es gibt vor allem die violetten, die euch ganz besonders kenntlich machen. Da tummelt ihr euch auf der Spielwiese, die euch der Staat gelassen hat, ihr Menschen mit den wunderlichen Meinungen, ihr Wüstenväter und Säulenheiligen. Aber ihr dürft nur Verstecken spielen, denn der neue Intendant hat gesagt: »Keine Entlarvung als Gesellschaftsspiele.«

Und ihr anderen Menschen, schaut auch ihr euch die bunten Flicken am Rock des Dichters an, schaut nach den violetten Flicken, die so ganz anders sind als eure weißen und schwarzen, eure grünen und roten Flicken, schaut euch den Dichter an, ihr Menschen, aber laßt ihn nicht im Staat verkommen. Denn kein König im Staat nimmt das Geschenk des Dichters an, der da steht und den übrigen Menschen die Fesseln aller Verhältnisse abnimmt und sie von allem, was Zwang heißt, auch im Moralischen, entbindet, so wie der König im Märchen die große Rübe des Bauern angenommen und ihn obendrein noch reich beschenkt hat.

Nein, die große Rübe des Bauern ist zwar ein wunderliches und seltsames Ding und ein Ungetüm, aber nicht so ein Ungetüm wie das Gedicht des Dichters. Eine Rübe ist etwas Sinnvolles, gerade wenn sie groß und dick ist, denn man kann sie ja essen. Aber ein Gedicht ist etwas Widersinniges, voller Aberwitz und Ungereimtheit, und niemals ist jemand davon satt geworden. Aber da steht Rousseau, unbeirrt und vogelfrei, und er sagt: »Wenn ich das eine tue, kümmere ich mich um nichts anderes, und jeden Tag lebte ich so, als gäbe es kein Gestern und kein Morgen. Da ich mit dem Volk Volk bin, bin ich Bauer auf dem Feld, und wenn ich über die Landwirtschaft rede, so braucht mich kein Bauer auszulachen.«

Rousseau
spricht mit Boswell und schweigt mit
Bernardin de Saint-Pierre

Oft ging ihre Mahlzeit vorüber, ohne daß Paul und Virginie ein Wort miteinander sprachen. Ihr Schweigen, ihre zwanglosen Stellungen, die Schönheit ihrer nackten Füße hätten können glauben lassen, man erblicke eine antike Gruppe von weißem Marmor, etwa ein Paar von Niobes Kindern darstellend; nach ihren Blicken aber, die sich zu begegnen suchten, nach ihrem Lächeln, das durch noch gewinnenderes erwidert wurde, hätte man sie für Kinder des Himmels, für ein paar jener seligen Geister halten mögen, deren Wesen es ausmacht, sich zu lieben, und die kein Bedürfnis empfinden, Gefühle durch Gedanken und Freundschaft durch Worte zu äußern. — Schränken wir also den Wortschatz der Kinder soweit wie möglich ein. Es ist sehr nachteilig, wenn es über mehr Wörter als Begriffe verfügt; wenn es mehr sagen als denken kann.

Drei Jahre lang, vom Sommer 1762 bis zum Herbst 1765, lebte Rousseau in seinem Schweizer Exil, zuerst in Môtiers im Tale von Travers, und dann auf der Petersinsel im Bieler See. Es kamen Verwandte und Bekannte, Prediger und Abenteurer, Frömmler und Freigeister, und es kamen die hinterlistigen Spione, um ihn zu besuchen. Kamen sie aus Frankreich, so kamen sie, um ihn zu bewundern oder zu verhöhnen, kamen sie anderswoher, so kamen sie, um ihn zu belehren oder auszuzanken. Kamen sie aber aus dem gleichen Dorf, so kamen sie, um seine Fensterscheiben einzuschlagen und seine Sitzbank neben der Haustüre zu zertrümmern.

Es kam ein Edelmann aus Schottland, um mit ihm zu sprechen; und es kam ein Dichter aus Frankreich, um mit ihm zu schweigen. James Boswell, der schottische Edelmann, war, um mit ihm zu sprechen, nach Môtiers in die Berge gestiegen; Bernardin de Saint-Pierre, der französische Dichter, war, um mit ihm zu schweigen, auf der Petersinsel im Tal geblieben. O ihr lasterhaften Gespräche in der Stube von Môtiers, o du tugendhaftes Schweigen auf den Feldern und Wiesen der Petersinsel! Rousseau streckte seine Beine unter den Tisch, und er mußte sprechen; dann aber schritt er wacker aus, und er durfte endlich schweigen.

Es gibt Menschen, mit denen spricht man, aber es wäre besser, mit ihnen zu schweigen; und es gibt umgekehrt Menschen, mit denen schweigt man, obgleich es schöner wäre, mit ihnen zu sprechen. Ja, wie gut ist es, schweigend in der Natur zu gehen und nicht einem Menschen in sein Auge schauen zu müssen. Die Tugend entfaltet sich beim Gehen. Das Gehen wird zum feierlichen Begängnis und führt schließlich zur festlichen Begehung der ganzen Natur. Ja, beim Gehen entweicht das letzte Gränchen Falschheit aus jedem ränkevollen Herzen. Rousseau ging mit einem jungen Ungarn, der ihn als Spion auf französischen Boden locken sollte, zu Fuß von Môtiers nach Pontarlier, nur, um ihn dort zu umarmen. Beim Gehen hatte sich die Tugend entfaltet, und der ungarische Mensch hatte seine ganze Hinterlist vergessen.

Wie schön ist es aber auch, sprechend in der Stube zu sitzen und einem Menschen in sein Auge schauen zu dürfen. Ja, wenn der Mensch schon einmal sitzen muß, dann soll es ihm auch vergönnt sein, mit einem anderen Menschen zu sprechen. Aber beim Sitzen entfaltet sich allmählich das Laster, denn nicht zu jeder Stunde des Tages gibt es einen Menschen, der dir gegenübersitzt und mit dir sprechen kann. Doch lasterhaft ist es, mit sich selbst zu sprechen. Aber noch lasterhafter ist es, allein in der Stube zu sitzen und vor sich hinzubrüten. Wer nämlich in der Stube sitzt und vor sich hinbrütet, dem kommt die Vervollkommnung in den Sinn, und in seinen Eingeweiden regt sich der Drang nach der Kultur. In dem Augenblick, in dem der Mensch nicht mehr spricht, sondern vor sich hinbrütet, beginnt sein Bauch sich zu blähen, seine Brust sich zusammenzuschnüren und sein Kopf sich zu trüben. Das Sitzen wird auf diese Weise zur Besessenheit und führt schließlich zum Besitz der gesamten Kultur.

Das Laster aber gipfelt im Geradesitzen. O du sitzender Mensch, hüte dich vor den Orthopäden und vor den Jogi! Die Orthopäden schicken dich erst in die Turnhalle, und dann darfst du nur noch auf modernen Stühlen sitzen; und die Jogi verweisen dich erst in die Hocke, und am Ende darfst du nur noch auf dem Boden sitzen. O nein, Rousseau würde den Orthopäden und den Jogi nicht zum Opfer fallen. Er dreht den Orthopäden eine Nase und nimmt den Spazierstock in die Hand. Er schlägt den Jogi ein Schnippchen, legt seine armenische Tracht an und ist selbst ein Weiser. Obwohl er im Anfang dieser Zeit in Môtiers nichts anderes getan hatte, als sprechend geradezusitzen, tat er am Ende dieser Zeit auf der Petersinsel nichts anderes mehr, als schweigend spazierenzugehen.

Aber o weh, zuvor hatte er lesend und sogar schreibend geradegesessen. Und dabei hatte er lange sitzen müssen, denn Jean-Robert Tronchin, der Vetter von Voltaires Arzt aus Genf, hatte ihm schmähliche Briefe vom Lande geschrieben; und nun mußte er sitzen und diese Briefe lesen und darüber hinaus auch noch beantworten. Und er schrieb die neun Briefe vom Berge.

Er verteidigte seine Bücher, das Lebensbekenntnis der Neuen Heloise, das Glaubensbekenntnis des savoyischen Vikars, das Staatsbekenntnis des Gesellschaftsvertrages, und laut redete er den Repräsentanten des Großen Rates der Zweihundert ins Gewissen. »Citoyens und Bourgeois!« rief er mit lauter Stimme, »ihr seid die Sklaven einer despotischen Macht geworden, ihr seid der Gnade von fünfundzwanzig Gewaltherren ausgeliefert!« Aber die Repräsentanten, die einstmals als souveräne Gesetzgeber aufgetreten waren, sie sahen Rousseau als einen gefährlichen und als einen unberechenbaren Verbündeten an und machten von diesen seinen Briefen keinen Gebrauch.

Wie schlimm ist es, sitzen zu müssen, Briefe zu lesen und Briefe zu schreiben, und doch ist es zu nichts nütze! Wenn die ganze Maschine stillsteht und sie dabei in sich selbst all der Kräfte bedurft hätte, die sie in Gang halten, ja, wenn die Maschine stillsteht, dann gibt es keine Bewegung mehr. Würde sich die Bürgerschaft doch noch einmal an den Konstrukteur der Maschine wenden, an diesen Rat, der die Meditationsakte von 1738 geschaffen hatte, die den Bürgern jede Art von Zusammenkunft und Beratung verboten hatte, ja, würde sie selbst noch einmal in Bewegung geraten, wer weiß, die Maschine würde wieder in Gang gekommen sein. Aber die Repräsentanten mißtrauten Rousseau, und so hatte er umsonst gesessen.

Ja, das Sitzen und das Schreiben, ja, das Sitzen und das Sprechen, schon ist der Bauch gebläht, schon ist die Brust zusammengeschnürt, schon ist der Kopf getrübt. Da fordert ihn das Konsistorium von Neuenburg auf, sich gegen den Vorwurf der Ketzerei zu verantworten, und wieder hätte er sitzen müssen. Rousseau sprang auf seine Füße, rannte durch die Stube und rief: »Es wäre mir unmöglich, trotz meines guten Willens, ein längeres Sitzen zu ertragen!« Er schnürte seine Wanderschuhe, nahm den Spazierstock aus der Ecke und trat über die Schwelle. Es war der 3. Dezember 1764.

Aber da stand ein Mensch unter der Haustüre. Ja, da stand der vierundzwanzigjährige Schotte, unter seinem Überrock aus grünem Kamlot, dessen Kragen und Ärmelaufschläge mit Pelz besetzt waren, glänzten die Beinkleider aus Buckskin und die Stiefel aus Hirschleder, und als er dann seinen Dreispitz mit der massiven Goldtresse, den er unter dem Arm geklemmt hielt, ablegte und den Überzieher aufknöpfte, so daß sein scharlachroter Rock mit Goldborte und seine gleichfarbene Weste zum Vorschein kamen, da hätte ihn niemand mehr für einen Schotten gehalten.

Da stand dieser Mensch und wollte mit ihm sprechen. Rousseau sagte: »Wollen Sie Platz nehmen oder lieber mit mir im Zimmer auf und ab gehen?« Boswell entschied sich zwar für das Gehen, aber er sprach unentwegt. Sie gingen hin und her, von der Fensterwand zur Bilderwand, und von der Bilderwand wieder zurück zur Fensterwand, Rousseau in seiner schwarzen armenischen Tracht und Boswell in seinem bunten schottischen Gewand, und er sprach unaufhörlich. Rousseau sagte zu ihm: »Lassen Sie uns hinsetzen«, und sie setzten sich hin, jeder auf einen Stuhl.

Ja, wenn der Mensch schon einmal sprechen muß, dann soll es ihm auch vergönnt sein, mit einem anderen Menschen zusammenzusitzen. Dieses war nun der höchste Augenblick für Boswell, wenn nämlich es schön ist, sprechend in der Stube zu sitzen und einem Menschen in sein Auge schauen zu dürfen, und wenn dieser Mensch gar Jean-Jacques Rousseau ist. Aber Rousseau war das Sitzen und das Sprechen lästig, und allmählich entfaltete sich das Laster selbst.

Rousseau war mäkelig und grillig, er war ungehalten und garstig, er rümpfte die Nase und zeigte Boswell die kalte Schulter, er kehrte ihm den Rücken und sah ihn über die Achsel an. Erst als Boswell sich anschickte, seinen Hut zu nehmen, zog ein sanftes Entzücken in sein Herz, das Wohlbefinden, das vom Gehen und vom Schweigen kommt.

An diesem 3. Dezember sagte er zu Boswell: »Ich komme nicht mit Ihnen. Ich gehe nur auf den Gang hinaus.« Am 4. Dezember sagte er zu ihm: »In Frankreich habe ich Bergschotten gekannt. Ich bin ein großer Freund der Schotten, aber Sie sind mir lästig. Das liegt in meiner Natur. Ich kann es nicht ändern.« Boswell antwortete: »Tun Sie sich meinetwegen keinen Zwang an.« Rousseau sagte: »Gehen Sie weg.« Am 5. Dezember sagte er: »Eigennutz oder bloßer Brauch läßt Sie vielleicht anders reden, als Sie denken.« Boswell antwortete: »Wollen Sie es übernehmen, mir Anweisung zu geben?« Rousseau sagte: »Das kann ich nicht. Ich kann nur mein eigenes Leben verantworten.« Boswell antwortete: »Aber ich komme wieder.« Rousseau sagte: »Ich verspreche nicht, daß ich Sie empfange, von Schmerzen geplagt, wie ich bin. Jeden Augenblick brauche ich den Nachttopf.« Boswell antwortete: »Sie werden mich schon empfangen.« Rousseau sagte: »Scheren Sie sich weg.«

Am 14. Dezember saß Rousseau auf einem Stuhl, er hatte gerade eine Sonde in die Harnröhre eingeführt, Schweißtropfen standen auf seiner Stirn, er sagte: »Man glaubt, ich sei verpflichtet, mich mit jedermann abzugeben.« Boswell antwortete: »Das ist ganz natürlich.« Rousseau sagte: »Kommen Sie am Nachmittag wieder. Legen Sie aber die Uhr auf den Tisch.« Boswell antwortete: »Wie lange denn?« Rousseau sagte: »Genau eine Viertelstunde.« Boswell antwortete: »Zwanzig Minuten.« Rousseau sagte: »Machen Sie, daß Sie wegkommen.« Aber er lachte, trotz seiner Schmerzen.

O wie liebenswert ist die schweizerische Redlichkeit, aber wie lästig ist das schottische Feilschen! Rousseau lachte, und sogleich entspannte sich sein geblähter Bauch, sogleich lockerte sich seine geschnürte Brust, sogleich lüftete sich sein getrübter Kopf. Je lästiger Boswell wurde, um so nachgiebiger wurde Rousseau. Am Nachmittag sagte er: »Sind Sie ein starker Esser?« Boswell antwortete: »Jawohl.« Rousseau sagte: »Schade.« Boswell antwortete: »Ich machte nur Spaß, weil Sie in Ihren Werken für die Tafelfreuden eintreten.« Rousseau sagte: »Wenn Sie kein Vielfraß sind, wollen Sie morgen bei mir speisen? Aber ich warne Sie, Sie werden schlecht fahren.« Boswell antwortete: »Nein, ich werde bestimmt nicht schlecht fahren.« Rousseau sagte: »Dann kommen Sie also um zwölf, damit wir Zeit zum Reden haben.«

Am 15. Dezember saßen sie in der hellen und sauberen Küche und aßen zu Mittag. Therese trug ein einfaches Mahl auf, zuerst einen Teller Suppe, dann gekochtes Rindfleisch und gekochtes Kalbfleisch, dann Kohl, Steckrüben und Möhren, danach kalten Schweinebraten, danach eine marinierte Forelle und schließlich ein Plättchen, an das sich Boswell später nicht mehr erinnerte. Zum Nachtisch gab es entkernte Birnen und Kastanien, und Boswell, der kein Vielfraß, aber ein Schotte war, aß mit großem Appetit.

Boswell vergaß sich und sagte zu Rousseau: »Darf ich Ihnen etwas von dieser Platte geben?« Rousseau antwortete: »Nein, ich kann mich selber bedienen.« Boswell sagte: »Darf ich noch etwas von jener Platte haben?« Rousseau antwortete: »Ist Ihr Arm denn nicht lang genug? Den Gastgeber spielt einer aus reiner Selbstgefälligkeit. Er will nicht, daß man vergißt, wer der Herr des Hauses ist. Ich sehe es aber lieber, wenn jeder sein eigener Herr ist und die Rolle des Gastgebers unbesetzt bleibt. Jeder soll verlangen, was er wünscht; wenn es vorhanden ist, soll er es bekommen; andernfalls muß er eben darauf verzichten.«

Rousseau sprach mit Boswell. Sie sprachen über Hund und Katze, sie sprachen über Paulus und Georg III., sie sprachen über Samuel Johnson, der Rousseau verhöhnt hatte, und über Herrn von Voltaire, der ihn beleidigen würde. Rousseau saß auf einem Stuhl und sprach, er gab keine Orakelsprüche zum besten, er hielt nicht gravitätisch Vortrag, wie Boswell es sich gewünscht hatte, o nein. Er mußte ja sitzen und sprechen, wo er doch so gerne gegangen wäre und geschwiegen hätte.

Schließlich sagte Rousseau: »Und nun gehen Sie!« Boswell antwortete: »Noch nicht. Ich gehe erst um drei Uhr, habe also noch fünfundzwanzig Minuten.« Rousseau sagte: »Ich kann Ihnen aber keine fünfundzwanzig Minuten mehr geben.« Boswell antwortete: »Ich gebe Ihnen noch mehr als nur das.«

Rousseau sagte: »Wie, von meiner eigenen Zeit? Alle Könige der Welt können mir nicht meine eigene Zeit geben.« Boswell antwortete: »Wenn ich aber bis morgen bliebe, hätte ich noch fünfundzwanzig Minuten, und am nächsten Tag nochmals fünfundzwanzig. Diese Minuten nehme ich Ihnen nicht weg. Ich schenke sie Ihnen.« Rousseau sagte: »Ach so, Sie stehlen mir mein Geld nicht, also schenken Sie es mir.« Dann sagte er einige Zeilen einer französischen Satire auf, wo es am Schluß heißt: »Was sie einem nicht nehmen, das rechnen sie als Geschenk.« Boswell wandte sich an Therese: »Bitte, Mamsell, legen Sie ein Wort für mich ein.« Und zu Rousseau sagte er: »Ich habe hier eine treffliche Fürsprecherin.« Rousseau sagte: »Das ist ja die reine Verschwörung.« Therese setzte hinzu: »Ich sage es Ihnen, sobald es drei Uhr schlägt.« Rousseau sagte: »Kommen Sie, nach dem Essen muß ich an die frische Luft.«

Sie schlenderten am Ufer des Baches entlang, hinten und vorne lag das zerklüftete Tal, rechts und links türmten sich die schroffen Berge, oben glitzerte der blaue Schnee, unten schäumte das silberne Wasser, o ja, an der frischen Luft hatte der Bauch keine Gelegenheit mehr, sich zu blähen, da brachte es die Brust nicht mehr fertig, sich zusammenzuschnüren, da gelang es auch dem Kopf nicht mehr, sich zu trüben. Die frische Luft wehte durch ihre Körper, und es drohten nicht mehr die Vervollkommnungen der Kultur. Boswell sagte zum Abschied: »Ich werde mich immer an den Gedanken klammern, mit Rousseau verbunden zu sein. Ich werde bis ans Ende meiner Tage leben.« Rousseau antwortete: »Das muß man ja wohl zweifellos.«

Die Philosophen, das Konsistorium und alle Welt hatten Rousseau zum Sprechen aufgefordert, und er hatte mit Boswell sitzen müssen. Lord Keith würde ihn zum Schweigen einladen, und er würde mit Bernardin de Saint-Pierre spazierengehen dürfen. Kühl hatte er Boswell empfangen, denn er mußte sitzen und mit ihm sprechen; warmherzig würde er Bernardin de Saint-Pierre umarmen, denn er würde mit ihm gehen und schweigen dürfen. Boswell war gekommen und hatte sprechend die Freuden des Wissens beschrieben. Bernardin würde schweigend die Wonnen der Unwissenheit preisen. Schränken wir also den Wortschatz der Kinder soweit wie möglich ein. Es ist sehr nachteilig, wenn es über mehr Wörter als Begriffe verfügt; wenn es mehr sagen, als denken kann. Und Rousseau hatte am Ende so sehr mit Bernardin geschwiegen, daß er ihn schließlich ganz und gar verschwiegen hat.

O du lasterhaftes Sitzen, o du tugendhaftes Gehen, wie seid ihr so recht verschieden voneinander und macht den Menschen böse oder gut. Häßliches Laster des Sprechens im Sitzen, schöne Tugend des Schweigens im Gehen! Da gibt es das tugendhafte langsame und das tugendhafte rasche Gehen, da gibt es das tugendhafte In-Strümpfen- und das tugendhafte Barfuß-Gehen, da gibt es das tugendhafte In-die-Schule- und das tugendhafte In-Ferien-Gehen, da gibt es das tugendhafte Mit-einem-Mädchen- und das tugendhafte Mit-einem-Jungen-Gehen. Die Uhren gehen und die Gedanken gehen, ja alle Dinge gehen ihren Gang, von Hand zu Hand, von Mund zu Mund, auf Holz- und auf Umwegen, auf Schleich- und auf Auswegen. Der Dichter Ovid sagt: »Der Tugend ist kein Weg unwegsam.« Die Tugend gipfelt im Spazierengehen. Nichts auf der Welt ist tugendhafter als ein Gang in der freien Natur. Bei einem Gang durch den Wald ist dein Wille beständig auf das Gute gerichtet und aus deinem Bauch gehen tiefe Neigungen hervor. Bei einem Gang am Wasser taugt dein Herz zu mancherlei Anteilnahme und in deiner Brust steigt der Blutdruck an. Bei einem Gang in der Luft regen sich brave Denkungsarten und in deinem Kopfe kommt es zu plötzlichen Eingebungen. Ja, ein Gang in der freien Natur ist darüber hinaus auch lehrreich, du brauchst dich nur zur Erde niederzubücken und den Bau der Pflanzen zu betrachten. Diese beständige Gleichartigkeit! diese wechselhafte Verschiedenheit! welche Widersprüche birgt der Gang der Natur!

Oh, was geht nicht alles in der freien Natur, und was **geht** nicht alles in der freien Natur vor! Hier ist es der Waldgang eines Spaziergängers, und dort ist es der Feldgang eines Wanderers. In der Frühe ist es der Morgengang, und am späten Nachmittag ist es schon der Abendgang. Unten gibt es den Talgang, und oben gibt es den Berggang. Auf der Wiese stolziert ein Storch im Stelzengang, und in der Wüste müht sich ein Kamel im Paßgang. Ein Jäger ist auf dem Pirschgang, und ein Kaiser befindet sich auf dem Gang nach Kanossa. Es gibt die gruppendynamischen Peripathetiker im Wandelgang, und es gibt die einsamen Fußballspieler im Alleingang. Ein Fortgang wird zu einem Heimgang, und ein Tiefgang artet in einem Gedankengang aus. Welch ein tugendhaftes Tun ist das Gehen, welch ein Wohlbefinden birgt ein tugendhafter Gang!

Der auf das Gute gerichtete Wille bei einem Gang im Walde gilt dem Jakobskraut und der Balsamine, die da wachsen und nicht an den Hut gesteckt und in die Botanisiertrommel gepackt sein mögen. Die mancherlei Anteilnahme bei einem Gang am Wasser gilt der Ente und dem blauen Karpfen, die da schwimmen und nicht unter das Messer geraten und in die Pfanne hüpfen mögen. Die braven Denkungsarten bei einem Gang an der Luft gelten dem braven Emil und der schönen Levana, die da gehen und nicht in eine alte Didaktik und auch nicht in ein neues Curriculum gepreßt sein mögen. Pflanze, Tier und Mensch sind als empfindliche Kreaturen in deine mitfühlende Tugendhaftigkeit eingeschlossen, und dieser barmherzige Gedankengang weitet sich zu einem Ideengang aus.

Der höchste Gang aber ist der Müßiggang. Im Müßiggang geht der Mensch in völliger Ruhe mitten durch die freie Zeit. Da gibt es nicht mehr die erzwungenen Arbeitsgänge und nicht mehr die konkurrierenden Gänge der Wirtschaft, in denen der Mensch fremd gehen muß, um die Natur und sich selbst zu zerstören. Im Müßiggang gibt es auch nicht mehr dieses lasterhafte Sitzen in der Kultur, das die Bäuche bläht, die Brüste schnürt und die Köpfe trübt. Im Müßiggang findet das Laster der Leistungsmaximierung und auch das Laster der sogenannten ursprünglichen Akkumulation sein Ende, und der Mensch kehrt heim zu sich selbst.

Ja, die ursprüngliche Akkumulation, sie ist nicht nur ein Laster, sie ist sogar ein Sündenfall, wie Karl Marx herausgefunden hat. Nachdem Adam in den Apfel gebissen hatte, war der Mensch dazu verdammt, sein Brot im Schweiße seines Angesichts zu essen; das war der theologische Sündenfall. Nachdem sich aber einige Schlauköpfe etwas auf die hohe Kante legten, während alle übrigen armen Schlucker ihre Habe verjubelten, waren diese letzteren am Ende dazu verdammt, die ihnen noch verbliebene eigene Haut zu verkaufen; das war der ökonomische Sündenfall.

So getraut sich niemand mehr müßigzugehen, weder der reiche Schlaukopf, noch der arme Schlucker, und das Laster der produktiven Prozesse nagt an der Seele des einen und am Leibe des anderen. Ihre Köpfe rauchen wie die Schlote, die ihre Produktionsexkremente über die tugendhafte unschuldige Natur ergießen. Wer hat den Mut zum Müßiggang, wer wirft den rohen Meterstab zur Seite und ergreift den sanften Wanderstab? O du segensreicher Müßiggang, du bist nicht aller Laster Anfang, nein, du bist das Ende aller Laster! Ja, der Müßiggang ist die höchste Tugend!

Descartes hatte gesagt: »Cogito ergo sum«, das hatte geheißen: »Ich denke, also bin ich.« Schopenhauer würde sagen: »Volo ergo sum«, das würde heißen: »Ich will, also bin ich.« Nun kommt aber Gassendi und sagt: »Ambulo ergo sum«, das heißt: »Ich gehe spazieren, also bin ich.« Descartes hatte das Denken und das Sein zuerst in die Beziehung von Obersatz und Untersatz und dann in die völlige Übereinstimmung gebracht und damit bewiesen, daß das Wesen der Seele im Denken bestehe und nur das Gedachte wahr sein könne. Schopenhauer dagegen würde den Willen und das Sein zuerst in die Beziehung von Obersatz und Untersatz und dann in die Übereinstimmung bringen und damit behaupten, daß das Wesen der Seele im Wollen bestehe und nur das Gewollte wahr sein könne.

Gassendi aber brachte das Spazierengehen und das Sein in die Beziehung von Obersatz und Untersatz und in die Übereinstimmung, und niemand wird mehr bestreiten, daß das Wesen der Seele im Spazierengehen besteht, und daß auch das Spazierengehen das einzig Wahre ist. Ja, es ist noch nicht einmal nötig, mit dem Obersatz und dem Untersatz, und es ist darüber hinaus völlig überflüssig, mit dem Gedanken der Übereinstimmung zu spielen, um das Spazierengehen als die wahre Bedingung des Seins zu erkennen.

Rousseau ging über die Hänge der Insel, und er ging am Ufer des Sees, sein Aufenthalt auf der Petersinsel war ein einziges Spazierengehen. Er ging nicht spazieren, weil Gassendi es gesagt hatte, o nein, er ging mit Gassendi im Kopf und mit Bernardin de Saint-Pierre an seiner Seite. Ja, er ging mit ihnen beiden, aber er ging, ohne ein einziges Wort an sie zu richten. Gassendi regte sich in seinem Kopf und Bernardin de Saint-

Pierre bewegte sich an seiner Seite, und doch war Rousseau allein in seinem Müßiggang.

Es gibt nämlich den Müßiggang in Gesellschaften, und es gibt den Müßiggang in Einsamkeit. Der Müßiggang in Gesellschaften ist tötend, weil er erzwungen ist. Der Müßiggang in Einsamkeit ist köstlich, weil er gewollt ist. Rousseau ging zwischen Jakobskraut und Balsaminen und dachte an seinen Müßiggang in Gesellschaften und an seinen Müßiggang in Einsamkeit. Oh, wie waren ihn die Müßiggänge in Gesellschaften hart angekommen! Er mußte entweder auf seinem Stuhl festgenagelt sitzen oder aufgepflanzt wie ein Pfahl dastehen, er durfte weder Fuß noch Hand rühren, er durfte es nicht wagen zu laufen, zu springen, zu singen, zu schreien und Gebärden zu machen, wenn ihn gerade dazu eine Lust anwandelte, ja, er durfte noch nicht einmal träumen. Im Gegenteil, er mußte auf alle Dummheiten merken und auf alle Artigkeiten achten, die gesagt wurden, und mußte darüber hinaus unaufhörlich sein eigenes Hirn abplagen, um ja nicht den Augenblick zu verpassen, in dem auch er seinen dummen Witz reißen oder seine dreiste Lüge anbringen mußte. Daran dachte er jetzt, und er würde es bald laut bekennen.

Wie köstlich dagegen waren seine Müßiggänge in Einsamkeit! O nein, das waren nicht die Müßiggänge des Nichtstuers, der mit gekreuzten Armen dasitzt und überhaupt nichts tut und noch nicht einmal nachdenkt. Ja, er würde es eines Tages für alle späteren Müßiggänger aufschreiben: sein Müßiggang war der Müßiggang eines Kindes, das sich unaufhörlich regt, ohne etwas zu vollbringen, und zugleich die Muße eines Schwätzers, der das Blaue vom Himmel herunterfaselt, sobald er die Hände in den Schoß legt. Er liebte es, sich mit Nichtigkeiten zu befassen, bald hierhin und bald dorthin zu schlendern, wohin es gerade verlockte, in jedem Augenblicke seinen Vorsatz zu ändern, eine Fliege auf all ihren Fahrten zu verfolgen, sich mit dem Umwälzen eines Felsbrockens abzuplagen, um zu sehen, was darunter liegt, eine Arbeit, die zehn Jahre erfordert, mit Feuereifer zu beginnen und sie nach zehn Minuten gleichgültig wieder aufzugeben, kurz und gut, den ganzen Tag wirr und planlos zu vertändeln und bei jeder Sache nur der Laune des Augenblicks zu folgen.

Was gibt es da schöneres als Pflanzen zu sammeln! Und so wuchs bald kein einziges Grashälmchen mehr auf der Petersinsel, das Rousseau nicht betrachtet und umgewendet und untersucht hätte. Er bückt sich tief zur Erde nieder, Gassendi rumort in seinem Kopf, und Bernardin de Saint-Pierre tritt von einem Fuß auf den anderen. Rousseau schlägt in den Nomenklaturen nach, er blättert in den Systemen und vergleicht die aufgedruckten Rosentafeln mit den aufgeblühten Tafelrosen. Er ist ganz und gar dazu geschaffen, müßiggehend in der Einsamkeit zu denken, und nicht zu reden, zu handeln und mit den Menschen über ihre Angelegenheiten zu sprechen.

Rousseau geht denkend spazieren, und spazierengehend denkt er. Nein, es ist nicht dasselbe, ob jemand denkend spazierengeht oder ob er spazierengehend denkt. Rousseau läßt sich die Natur durch den Kopf gehen, und er läßt sich die Natur durch die Füße gehen. So denkt er mit seinen Füßen und läßt sie derweil spazierengehen, und so denkt er auch mit seinem Kopf und läßt auch ihn spazierengehen. Er geht durch ein Gehölz, da wachsen Pilze; er tritt an das Ufer des Sees, da breitet sich der Horizont vor ihm aus. Er atmet den Duft der Pilze ein, er blickt über den Horizont, und dann ruft er laut aus: »O Natur, o meine Mutter, hier steh ich unter deinem Schutz allein, hier kann sich kein listiger und schurkischer Mensch zwischen dich und mich drängen!«

Ja, wenn es nur die Menschen wären! Aber es sind ja nicht allein die Menschen selber. Auch wenn sie längst gegangen sind, so liegen doch alle ihre listigen und schurkischen Errungenschaften ringsumher. O wie naturrein ist die Zigarette von Reval, wie naturrein ist die Herrensocke von Falke, wie frisch und abenteuerlich duftet das irische Moos! Aber da liegen die Zigarettenschachteln und die Sockenhülle aus Polyester und PVC, da liegt die bunte Dose mit dem Sprayverschluß, o du lasterhafte Verpackungsindustrie! Wie angenehm ist ein Tischtuch, wie liebenswert ist ein Taschentuch! Wie unangenehm aber ist die Papierserviette, wie verachtenswert ist das Papiertaschentuch! Was ist aus der Natur geworden, seit es die listige und schurkische Kultur gibt?

Einst lag der feine Staub über Feld und Wald, Flugstaub und Blütenstaub, und nur der Regen hat ihn fortgewaschen.

Heute ist jedermann geschäftig, sobald ihm nur ein Staubkörnchen auf die Wange fällt. Es öffnen sich die Waschbeutel, und mit künstlichen Toilettenseifen eifern die Menschen gegen den natürlichen Staub. Und erst der künstliche Staub aus den Schloten von Völklingen und Burbach, wie zwingt er die Menschen zu Waschlappen und Seife, und dabei läßt der Staub der Industrie die allerschönsten Buchen wachsen!

Die Staubbeutel öffnen sich auf natürliche Weise, und der natürliche Staub fliegt, als sei weiter nichts geschehen. Aber die Waschbeutel öffnen sich mit dem Kreischen der Reißverschlüsse, und die Finger regen sich dabei künstlich auf. Ja, der Staubbeutel und der Waschbeutel, wie sind sie so recht die Zeugen von Natur und Kultur! Der Waschbeutel ist ein Kulturbeutel, der Staubbeutel ist ein Naturbeutel. Der Kulturbeutel ist aus Plastik, es ist ein toter Plastikbeutel. Der Naturbeutel aber ist aus Zellulose, es ist ein lebendiger Zellulosebeutel. Ihr endlosen Ketten aus Glukose, ihr süßen Honigblätter, wie teuer ist uns die Natur geworden, wie billig ist dagegen die Kultur!

Schaut euch diese Baumwollhemden, schaut euch die Heringe an, wie sind sie teuer geworden! Was aber ist mit den Synthetics? Da liegen sie herum in den Supermärkten, kümmerlich und schäbig. Und was hat der Mensch gehabt, bis er endlich so weit war? Nichts als Mühe und Arbeit! Hat er wohl auch Lust dabei empfunden? Ach, was hat wohl Carl Ludwig Schleich über die Freude gedacht, als er sagte, die Arbeit sei die Emanzipation des Menschen von der Natur? In der Natur darfst du über jede Wiese, durch jeden Wald und auf jede Heide gehen, in der Kultur dagegen ist das Betreten des Rasens verboten. Dahin haben wir es mit der Arbeit und mit der Emanzipation gebracht. Du darfst nicht einmal mehr über einen Rasen gehen.

Rousseau geht quer über die ganze Insel. Bernardin de Saint-Pierre weicht nicht von seiner Seite. Bernardin träumt von der alten Natur, in der die Vergangenheit lebendig war, wo noch eines auf das andere folgte und alle Dinge an ihrem Platz standen. Paul und Virginie springen aus seinem Bauch und laufen Hand in Hand durch das Gras von Mauritius. Ja, sie leben fern von den europäischen Vorurteilen, und dort wollen sie auch bleiben, weit fort in der längst vergangenen Zeit.

Rousseau aber träumt von einer neuen Natur, in der die

Gegenwart ewig dauert und diese Dauer sich nicht einmal aufdrängt und nicht die geringste Spur einer Reihenfolge aufweist. Er träumt von einem Zustand, in dem der Mensch nur sich selbst und sein eigenes Dasein genießt. Aber was ist mit Emil und Levana? Sie springen aus seinem Kopf und gehen mitten in dieser ewigen Gegenwart. Sie gehen aber nicht müßig. Sie haben ihre grünen Schürzen umgebunden, Emil hat einen Spaten geschultert, Levana trägt eine Gießkanne in der Hand.

Emil und Levana gehen fröhlich in der Sonne. Sie haben die Morgenluft gewittert, und nun eilen sie auf einmal in den hellen Tag. Was wollen sie aber mit Spaten und Gießkanne? Wollen sie nicht sich selbst und ihr eigenes Dasein genießen? Emil und Levana eilen in die neue Natur. Vielleicht haben sie die Patenschaft für einen zukünftigen Baum übernommen.

Aber was ist mit Paul und Virginie? Sie lagen in derselben Wiege, sie saßen in derselben Badewanne, sie standen unter demselben Tamarindenbaum. Dann gingen sie durch dasselbe mauritianische Gras. Tragen sie nicht gemeinsam einen Schößling des Tamarindenbaumes unter dem Arm? Sie schweigen, sie sind ja zu Marmor erstarrt, Bernardin de Saint-Pierre läßt sie nur lächeln.

Ja, wozu braucht es eigentlich den zukünftigen Baum? Die basischen Staubemissionen düngen den Boden, und es wachsen die allerschönsten Wälder von selbst. Aber der marmorne Paul und die marmorne Virginie zerbröckeln unter dem basischen Staub, und ganz am Ende steht der robuste Baum vor den Überresten der Kultur. Das ist der Müll. Einst war es der Staub, heute ist es der Müll. Da liegt der Industriemüll, da liegt der Sperrmüll, und da liegt der Atommüll. Da stehen Mülleimer, und da stehen Mülltonnen, da fahren Müllwagen, und da fahren Müllkutschen, da sind Müllschlucker, und da sind Müllverbrennungsanlagen installiert, da findet Müllaufbereitung, und da findet Müllveredelung statt. Das Aschenputtel hat sich in ein Müllputtel verwandelt, und der Aschermittwoch ist zum Müllmittwoch geworden. Rousseau und Bernardin de Saint-Pierre gehen und schweigen.

Sollen wir aber den Wortschatz der Kinder wirklich soweit wie möglich einschränken?

Rousseau
und David Hume untersuchen den menschlichen Verstand

Es waren zwei Feen, die jüngste war wohl nicht das Glück selbst, aber eines der Kammermädchen von einer seiner Kammerjungfern, die die geringeren Gaben des Glücks umhertragen; die ältere sah so grundernst aus; es war die Sorge ... »Ich muß noch erzählen«, sagte das Kammermädchen, »daß heute mein Geburtstag ist, und ihm zu Ehren sind mir ein paar Galoschen anvertraut, die ich der Menschheit bringen soll. Diese Galoschen haben die Eigenschaft, daß jeder, der sie anzieht, sich augenblicklich an dem Ort und in der Zeit befindet, wo er am liebsten sein will. Jeder Wunsch in bezug auf Zeit oder Ort wird sofort erfüllt und der Mensch dadurch endlich einmal glücklich hienieden!« »Ja, das kannst du glauben!« sagte die Sorge, »er wird sehr unglücklich werden und den Augenblick segnen, da er die Galoschen wieder los ist.« — Jedes Alter hat seine Triebfedern, die es in Bewegung setzen; aber der Mensch ist immer derselbe. Mit zehn Jahren wird er durch Zuckerwerk geleitet, mit Zwanzig durch eine Geliebte, mit Dreißig durch die Vergnügungen, mit Vierzig durch den Ehrgeiz, mit Fünfzig durch den Geiz. Läuft er nicht allem nach, nur nicht der Weisheit? Glücklich der, den man gegen seinen Willen hinführt.

Jean-Jacques Rousseau war kein Hans im Glück. Wer weiß, wohin er getreten wäre, hätte er die Zauberlampe in seiner Hand, wer weiß, wohin er gesprungen wäre, hätte er die Siebenmeilenstiefel unter seinem Fuß, wer weiß, wohin er geflogen wäre, hätte er den fliegenden Koffer unter seinem Hintern gehabt? Hätte er den Schatz finden, hätte er das Schlaraffenland betreten, hätte er der Königstochter Märchen erzählen können? Nein, der Geist der Lampe, der Geist der Stiefel, der Geist des Koffers, sie waren ihm nicht gewogen. O nein, Rousseau war kein Hans im Glück, der leichten Herzens und frei von aller Last fortspringen konnte, bis er daheim bei seiner Mutter war. Der wirkliche Hans im Glück aus dem Märchen befolgte geradeswegs die Gelüste von Bauch und Brust, dem armen Rousseau kam der Kopf dazwischen. Hans im Glück war ein Mensch der Einsicht, Rousseau war ein Mensch des Widerspruchs. Hans im Glück sah die Umstände des Lebens ein. Mit dem Gold hätte er die ganze Welt, mit dem Pferd hätte er ein bequemes Fortbewegungsmittel, mit der Kuh hätte er Butter und Käse, mit dem Schwein hätte er Schinken und Würste, mit der Gans hätte er Bettfedern und Leberpastete, und mit dem Wetzstein hätte er alle Tage ein paar Groschen in seiner Tasche besessen. Aber das Gold war zu schwer, das Pferd war zu schnell, die Kuh war zu ungeduldig, das Schwein war gestohlen, die Gans war zu fett, und der Stein war zu glatt. Er aber wollte den Kopf geradehalten und ein freier Mensch sein, und so sah er ein, daß er nur ohne Last ein leichtes Herz gewinnen konnte.

Rousseau dagegen widersprach den Umständen des Lebens. Er schlug das Gold des Königs aus, aber nicht, weil es zu schwer gewesen wäre; er schlug die Rebhühner des Prinzen von Conti aus, aber nicht, weil sie zu fett gewesen wären; und er schlug auch den Rat seiner Freunde aus, aber nicht, weil er zu dumm gewesen wäre; nein, er wollte alle Last auf sich selber nehmen, um frei zu werden. Aber mit einer Last auf der Seele gewinnt man kein leichtes Herz und kann fortspringen, bis man daheim bei seiner Mutter ist.

Rousseau sprach die Sprache der Philosophen, aber er leugnete alle ihre Einsichten; er klagte die Wissenschaften an, aber er pflegte sie mit aller Sorgfalt; er pries die Erhabenheit des Evangeliums, aber er zerstörte seine Lehre. Mit Zehn, in Bossey, schmeckte er die Prügel des Fräulein Lambercier, das war die Zeit des Zuckerwerks. Mit Zwanzig, in Annecy, erdrückte ihn der Busen der Frau von Warens, das war die Zeit der Geliebten. Mit Dreißig, in Venedig, floh er vor den zweierlei Brustwarzen der schönen Zulietta, das war die Zeit der Vergnügungen. Mit Vierzig, in Paris, kopierte er Noten und komponierte er Operetten, das war die Zeit des Ehrgeizes. Mit Fünfzig, in England, sparte er am Porto und am Briefpapier, das war die Zeit des Geizes. Als David Hume, der schottische Philosoph, ihn gegen seinen Willen zur Weisheit führen wollte, da sträubte er sich und nannte es Komplott und Ränkespiel.

Rousseau war im vierundfünfzigsten Lebensjahr, als er, mitten im Winter, am 4. Januar 1766 in Begleitung David Humes in London eintraf. Von der Schweiz aus war er in der Kutsche nach Straßburg gereist, die Marquise von Verdelin und die Komtesse von Boufflers hatten sich des Flüchtlings angenommen und ihm zu einem vorübergehenden Aufenthalt in Frankreich einen Paß besorgt. Rousseau schwankte, ob er sich nach England oder nach Preußen begeben sollte. In Preußen lag Schnee, in England lag Nebel, ach, was würde den geplagten Kranken in diesen unwirtlichen Ländern noch alles erwarten?

Er sagte: »Wenn man mich nach einem Zusammensein unter vier Augen vorfindet mit einem Dolch in der Brust, braucht man mich nicht zu fragen, ob und von wem ich getroffen bin.« Ja, es gibt die gute Idee und die schlechte Idee, die komische Idee und die politische Idee, die glänzende Idee und die fixe Idee. Die glänzende Idee ist eine völlig freie Vorstellung, die fixe Idee dagegen ist eine Zwangsvorstellung. Die glänzende Idee ist eine geschmeidige Aussicht, die fixe Idee ist eine hartnäckige Einbildung. Als Rousseau im Januar 1766 englischen Boden betrat, hatte er eine fixe Idee. Er bildete sich ein, alle Welt habe die Verfolgung gegen ihn aufgenommen.

Voltaire hatte ihn immer schon verspottet, Grimm hatte ihn stets von oben herab behandelt, Diderot hatte alle Zeit recht behalten wollen, Frankreich hatte ihn verbannt, die Schweizer hatten ihn steinigen wollen, und erst die Frauen, sie hatten ihn mit zwiefachen Brustwarzen geschreckt und mit opulenten Busen bedrückt. Sollte er der Einladung des Mister Malthus folgen und sich nach Wales begeben? Sollte er der Einladung des Grafen Grigori Gregorewitsch folgen und sich nach Petersburg begeben? Sollte er der Einladung des Grafen von Mirabeau folgen und nach Frankreich zurückkehren? Die einen sahen ihn schon als Gesetzgeber in Korsika, die anderen sahen ihn als Ehrengast in Sanssouci, die dritten sahen ihn als Flüchtling in Edinburgh. In Korsika wartete Pasquale Paoli, der aufgeklärte Freiheitskämpfer, auf ihn. In Potsdam wartete Friedrich II., der aufgeklärte Monarch, auf ihn. In England wartete David Hume, der aufgeklärte Philosoph, auf ihn. Rousseau schaute nach Korsika, er schaute nach Potsdam, und er schaute nach England, abwechselnd von einem zum anderen und sagte schließlich:

»Läuft der Mensch nicht allem nach, nur nicht der Weisheit? Glücklich der, den man gegen seinen Willen hinführt.«

Der Frost lag drei Grad tief, und der Schnee lag drei Fuß hoch, da begab sich Rousseau nach England, der aufgeklärte Philosoph war ihm der Vertrauenswürdigste unter den Aufgeklärten. David Hume hatte eine »Untersuchung über den menschlichen Verstand« geschrieben, und er betrachtete Rousseau mit dem ruhigen Auge des unparteilichen Beobachters. Rousseau dagegen hatte kürzlich seine rechtfertigenden »Briefe vom Berge« verschickt, und er musterte David Hume mit dem irren Blick des argwöhnischen Betrachters. Da stand also auf der einen Seite der mißtrauische Rousseau und flackerte mit den Augen, und auf der anderen Seite stand der vertrauensselige Hume und zuckte mit keiner Wimper; und beide, einer vom anderen, untersuchte den menschlichen Verstand.

Was ist doch der Kopf des Menschen für ein seltsames Gebilde! Einst wurden die Flossen zu Daumen, die Augen rückten von der Seite des Kopfes nach vorne über die Nase, und dem sich aufwölbenden Schädel blieb nichts anderes übrig, als in seinem Innern das Gehirn zu entwickeln. Da nun die eine Theorie den Geist ins Gehirn und den Sex in den Muskel, die andere Theorie den Muskel rechts und den Sex links, und die dritte Theorie das Sprachzentrum bei Linkshändern rechts und bei Rechtshändern links ins Gehirn verlegt, ist folglich das Gehirn von den gegensätzlichsten Kräften total besetzt. Mit dem Geist im Gehirn und dem Sex im Muskel würde sowohl die rechte als auch die linke Gehirnhälfte dem Geist vorbehalten, mit dem Muskel rechts und dem Sex links würde dagegen für den Geist kein Platz mehr im Gehirn bleiben, während mit dem rechts besetzten Sprachzentrum für Linkshänder genügend Sex- und Muskelraum auf der linken, und mit dem links besetzten Sprachzentrum für Rechtshänder genügend Sex- und Muskelraum auf der rechten Seite bleiben würde.

Nun kommt Gail Sheely und sagt: In der linken Gehirnhälfte sei der Volkstribun, und in der rechten Gehirnhälfte sei der Technokrat angelegt. So wird unversehens der rechtshändige Volkstribun zum Sex- und der linkshändige Technokrat zum Muskelprotz, während der linkshändige Volkstribun zum Muskelpaket und der rechtshändige Technokrat zum Eroten ausarten und womöglich noch Flügel bekommen würde, falls es die Linkshändigkeit überhaupt je zum Volkstribunen und die Rechtshändigkeit zum Technokraten bringen kann.

Ja, der Kopf des Menschen ist ein seltsames Gebilde, das aber nicht nur eine besondere innere, sondern auch eine besondere äußere Beschaffenheit besitzt. Des einen Menschen Kopf ist mit Haaren bedeckt, des anderen Menschen Kopf ist kahl. Als Rousseau und David Hume anfingen, gegenseitig ihren Verstand zu untersuchen, da blickte Rousseau auf David Humes, und David Hume blickte auf Rousseaus Kopf. Rousseaus Kopf war behaart, David Hume aber hatte eine Glatze. Der behaarte Rousseau musterte argwöhnisch den glatzköpfigen Hume, und der glatzköpfige Hume untersuchte vertrauensselig den behaarten Rousseau.

Aber sie beschäftigte nicht das kosmetische Problem, was sich auf, sondern sie beschäftigte das metaphysische Problem, was sich in dem menschlichen Kopfe zuträgt. O nein, es kommt nicht darauf an, was auf dem Kopfe, es kommt vielmehr darauf an, was im Kopfe vor sich geht, aber das haben die meisten Menschen noch gar nicht verstanden. O ja, nicht nur das Innere des menschlichen Kopfes, auch das Äußere ist von eigenartiger Beschaffenheit. Rousseau hatte schon viele Haare gelassen, und doch hatte er noch keine Glatze, während David Hume ungeschoren geblieben war, und doch war er ratzekahl. Wie viele Menschen sorgen sich nur noch darum, was sie auf als was sie im Kopfe haben, und das ist schlimm.

Aber die äußere und die innere Kopffrage ist nicht nur eine Frage der gesunden und der kranken Haarwurzeln und des gesunden und des kranken Menschenverstandes, auch die hormonale Frage muß in Rechnung gestellt werden, wie ja die Kinder- und die Affenliebe nur die Reaktion eines hormonalen Reizes und nicht eine besondere Tugend ist. Ja, die Geheimnisse der äußeren und der inneren Sekretion, sie wirken sich auch im menschlichen Kopfe aus. Und so sind die geschmeidigen Aussichten einer glänzenden Idee nicht unbedingt gesunde Einflüsse, und sind die hartnäckigen Einbildungen einer fixen Idee nicht unbedingt krankhafte Auswüchse des Menschenverstandes.

Am 13. Januar 1766 traf die Kutsche mit Hume und Rousseau in London ein. Vor dem Hotel drängten sich die Menschen, die Zeitungen hatten Rousseaus Ankunft gemeldet. Das Tambourkorps der königlichen Leibgarde zog unter seinem Fenster auf, und laut dröhnten die Trommelwirbel. Mitglieder des Parlaments und der Admiralität, Herrschaften der Aristokratie und sogar der Schwager des Königs, der Erbprinz von Braunschweig-Wolfenbüttel persönlich, fuhren in ihren Wagen vor und lüfteten die Hüte. Ramsay erschien mit Pinsel und Leinwand und malte ihn. Der Schauspieler Garrick bot ihm seine Loge im Drury Lane Theater an. Dort saß das königliche Paar und erwartete ihn. Hume eilte die Treppe seines Hotels hinauf, klopfte an seine Tür und trat ein, um ihn abzuholen. Aber Rousseau saß in einem Sessel, streichelte seinen Hund und sagte: »Was soll ich bloß mit Sultan anfangen?« Hume sagte: »Den lassen Sie zu Hause.« Rousseau entgegnete: »Aber sobald jemand die Türe aufmacht, läuft Sultan auf die Straße hinaus, um mich zu suchen, und dann findet er alleine nicht mehr zurück.« Hume sagte: »Dann müssen Sie ihn eben im Zimmer einsperren.« Als sie schon auf der Treppe waren, fing der Hund jämmerlich zu heulen an, und Rousseau sagte: »Ich bringe es nicht über mich, den lieben Sultan in diesem Zustand zurückzulassen.« Aber Hume umarmte ihn und führte ihn aus dem Haus. Der gute David! jauchzten die Londoner Damen. Ja, der gute David wollte ihn zur Weisheit führen, gegen seinen Willen.

Erst wenn die ins Gehirn eingeflossenen glänzenden Aussichten zu Einsichten und wenn die aus dem Gehirn ausgewachsenen fixen Einbildungen zu Ausbildungen geworden sind, dann gibt es sichere Anzeichen dafür, daß sich die Geister geschieden haben. Die Einsichten sind als weiche Furchen ins Gehirn eingegraben, sie zeigen den Geist der Übereinstimmung mit sich selber an; aber die Ausbildungen stehen als harte Überbeine am Gehirn, sie künden vom Geist des Widerspruchs. Die Furchen sind eben und glatt, sie existieren unbemerkt. Die Überbeine sind spitz und anstößig, sie fallen ins Auge.

Rousseau und Hume gehen über die Straße. Rousseau trägt seine Pelzmütze auf dem Kopf und seinen Purpurmantel auf dem Leib. Er führt Sultan an der Leine und pfeift das Lied von den verliebten Schäfern. David Hume, kahlgeschoren und wohlbeleibt, geht neben ihm her und schwingt seinen Spazierstock. Er hatte an Frau von Brabante geschrieben: »Ich würde mein Leben in seiner Gesellschaft zubringen, ohne daß eine Wolke zwischen uns auftaucht.« Holbach hatte zu ihm gesagt: »Sie nähren eine Schlange an ihrem Busen.« Rousseau hört mit Pfeifen auf, er beugt sich zu Sultan hinunter und streichelt ihn. O London! Diese düsteren Gebäude, dieser dichte Nebel, diese verschlossenen Menschen, und ihn ergreift ein Widerwillen vor dem englischen Land, ein Grauen vor dem englischen Klima, ein Abscheu vor den englischen Sitten. Ja, düster, grau und verschlossen, so ist ganz England, und dieser David Hume, ein echt englisches Paradoxon: eine republikanische Seele mit einem Hang zum Wohlleben.

Rousseau und Hume gehen nebeneinander her. David Hume, der Stubenhocker, hat die Welt mit seinem Kopf erdacht, auch wenn er behauptet, daß er sie nur betrachtet. Rousseau, der Spaziergänger, hat die Welt mit seinen Füßen erfahren, auch wenn er behauptet, daß er sie bedenkt. Rousseaus Leben, das eine Fußfrage gewesen war, wurde zur Kopffrage; und Humes Leben, das eine Kopffrage gewesen war, wurde zur Fußfrage. Zur Kopffrage kommt die Fußfrage hinzu, und eine ganze Welt müht sich im ausgleichenden Belasten von Kopf und Fuß. Die Menschen stehen nicht mehr auf den Füßen, wo sie ja eigentlich hingehören, sondern sie stehen auf dem Kopf und machen Kreativitätstraining, welch ein folgenschwerer Irrtum! Die einen brauchen Weckamine, und die anderen brauchen Tranquilizer, aber von der Kreativität hat der Mensch noch keine eingeschlafenen Füße und auch noch kein Kopfweh bekommen. Haben David Hume und Jean-Jacques Rousseau jemals auf dem Kopf gestanden?

Was ist nur mit dem menschlichen Verstand passiert? Die einen machen mit dem Fuß ihre Erfahrungen und erfahren dabei die Erklärungen ihres Lebens, die wiederum auf die Füße passen. Und die anderen machen mit dem Kopf ihre Erfindungen und erfinden dabei die Erklärungen ihres Lebens, die allesamt auf den Kopf passen. Rousseau und David Hume sind am Kreuzweg angelangt, und da steht auch schon der zukünftige Carnap mit seiner Wahrheitstafel. Wenn das Eine das Eine ist, so ist das Andere das Andere, sagt er und zeigt auf seine Wahrheitstafel. Aber das hatte schon David Hume bezweifelt, als es Bacon und Galilei behauptet hatten. O nein, die Welt ist gar nicht logisch aufgebaut.

David Hume zweifelt, und er behauptet sich damit. Rousseau ist sich sicher, und er entschuldigt sich dafür. Er sagt: »Was mich so sicher macht und mich, wie ich glaube, auch dafür entschuldigt, ist die Tatsache, daß ich mich nicht dem Geist des Systems verschreibe. Ich gebe dem Theoretisieren so wenig Raum wie möglich und verlasse mich nur auf die Beobachtung. Ich stütze mich nicht auf das, was ich erdacht, sondern auf das, was ich gesehen habe.« David Hume hört es gern, und er nickt mit dem dicken Kopf.

Der Spaziergänger und der Stubenhocker haben beide herausgefunden, der eine gehend und der andere sitzend, daß die Welt nicht logisch aufgebaut ist. Und doch sehen zwei verschiedene Menschen mit dem gleichen Blick die Welt nicht auf dieselbe Weise. Rousseau, der erfahrungspraktische Gläubige, hat eine dünne Haut, und er weint über die Wechselfälle des Lebens. David Hume, der erkenntnistheoretische Skeptiker, hat dagegen ein dickes Fell, und er lacht über die Fährnisse des Lebens. Horace Walpole sagt: »Für die, die denken, ist die Welt eine Komödie, für die, die fühlen, ist sie eine Tragödie.«

Inzwischen ist Therese, in Begleitung Boswells, von Paris aus nach Calais abgefahren. Boswell hat in den kalten Herbergen mit ihr das Bett geteilt, dreizehnmal im ganzen. Am 13. Februar übergibt er sie Rousseau, wie er selbst sagt. Er sagt: »Quanta oscula, wie ist er so alt und schwach geworden!« Rousseau ist aus London geflohen, er wohnt bei einem Kolonialwarenhändler in Chiswick, aber die umtriebigen Engländer behelligen ihn mit Einladungen, mit Briefen, mit Besuchen. Er klagt über die lästigen Verpflichtungen, er jammert über das teure Porto, er nörgelt über die zudringlichen Touristen. Es ist Winter, er sitzt mit Sultan in der zugigen Stube und sagt: »Läuft der Mensch nicht allem nach, nur nicht der Weisheit? Glücklich der, den man gegen seinen Willen hinführt.«

O diese lästigen Einladungen! Hume sagt über Therese: »Daß seine Begleiterin mit am selben Tisch esse, das ist stets seine Bedingung, was natürlich einiges Befremden erregt. Sie ist so beschränkt, daß sie weder Jahr noch Monat noch Wochentag, ja noch nicht einmal den Wert des Geldes kennt.« O dieses teure Porto! Hume bringt ihm persönlich die Post stoßweise aus London mit, aber Rousseau nimmt sie nicht an. O diese zudringlichen Touristen! Schon wenn die Nebelhörner auf der Themse tuten, verkriecht er sich im hintersten Winkel.

Er fürchtet sich. Ja, die ganze Welt ist aufgebrochen, um ihn zu verfolgen. Sie sind ihm auf den Fersen. Sie sind ihm auf den Eisen. Sie sind ihm auf den Socken. Sie wollen ihm die Hammelbeine lang ziehen. Sie wollen ihm die Eier schleifen. Sie wollen ihn zu Tode hetzen. Überall geheimnisvolle Phiolen, verräterische Korrespondenzen, erbrochene Schubladen. Er fürchtet Diebstahl, er fürchtet Meuchelmord, er fürchtet Leichenfledderei. Da bietet ihm Richard Davenport sein Landhaus Wootton im Tal von Dovendale an, und sogleich reist er mit Therese in die Berge von Derbyshire. Es ist Frühling geworden, am 22. März rollt die Kutsche über das Pflaster von Chiswick, David Hume winkt mit dem Hut, und Rousseau ruft ihm zu: »My dear Patron, love me pour toujour!« Rousseau untersucht den menschlichen Verstand, aber was schreibt er Frau von Verdelin? Er schreibt: »Sie müssen diesen David Hume, dem Sie mich ausliefern, kennenlernen. Seit unserer Ankunft in England wühlt er heimlich gegen mich, und zwar mit erstaunlichem Erfolge. Alles, was in der Schweiz geschah, wurde verzerrt, mein letzter Aufenthalt in Paris und mein Empfang hier verfälscht. Man verbreitet, daß ich in Frankreich wegen unmoralischen Lebenswandels verschrien sei. Man hat in Zeitungen veröffentlicht, daß ich ohne Humes Schutz nicht gewagt hätte, Frankreich zu durchqueren. Man hat einen gefälschten Brief des Königs von Preußen, ein Machwerk d'Alemberts, unter die Leute gebracht. Man hat mich in London überall mit Fräulein Levasseur vorstellen wollen, nur um mich lächerlich zu machen. Besonders die mit Hume liierten Kreise tun sich in auffallendster Mißachtung meiner Person hervor, indem sie vorgeben, mir helfen zu wollen, ohne jedoch die geringste wirkliche Zuneigung spüren zu lassen. Als ob einem Menschen wie mir allein mit Geld gedient wäre.«

Auch David Hume untersucht den menschlichen Verstand. Er schreibt an Hugh Blair: »Rousseau hat nur gefühlt, während des ganzen Verlaufs seines Lebens, und in dieser Beziehung steigt seine Empfindlichkeit zu einer Höhe, über die hinaus ich kein Beispiel gesehen habe, doch sie läßt ihn Schmerz viel schärfer empfinden als Lust. Er ist wie ein Mensch, der nicht nur seiner Kleider, sondern auch seiner Haut beraubt wurde.«

Rousseau ist undankbar, aber ein erkenntnistheoretischer Skeptiker hat ja ein dickes Fell, und die Dickfelligen sind nachgiebig. David Humes glänzende Idee hat es zu Einsichten kommen lassen, die als weiche Furchen im Kopf eingegraben sind, er untersucht den menschlichen Verstand und sagt: nein, es gibt nicht die Abhängigkeit einer Ursache und einer Wirkung voneinander, zuerst war es so, wie es war, und dann ist es so, wie es ist, die ganze Kausalität ist nichts anderes als Gewohnheit und Erwartung.

David Hume ist nachsichtig, aber ein erfahrungspraktischer Gläubiger ist dünnhäutig, und die Dünnhäutigen sind undankbar. Rousseaus fixe Idee hat es zu Ausbildungen kommen lassen, die als harte Überbeine vom Kopf abstehen, er untersucht den menschlichen Verstand und sagt: ja, weil es so war, wie es war, darum ist es so gekommen, wie es gekommen ist. Er verwünscht die verhängnisvollen Kausalitäten und verdächtigt alle Welt grundlos und ohne Anlaß.

Sein Freund Du Peyrou warnt ihn, Lord Keith beschwört ihn, die Gräfin Boufflers schimpft ihn, Mister Davenport flieht ihn, Herr von Ivernois mahnt ihn, die Marquise von Verdelin tadelt ihn, und David Hume meidet ihn fortan. Pfui, der dicke David! Er hatte ihm eine königliche Pension erwirken wollen, er hatte ihm die Kutsche nach Wootton bezahlen wollen, er hatte ihn von aller Welt absondern wollen, und alles das nur, um ihn sich selbst zu verpflichten, damit er sich ihm auslieferte, daß er am Ende beherrscht und ausgenutzt und schließlich ganz vernichtet werde.

Das Landhaus von Wootton liegt auf dem halben Hang des Tals, zwischen Baumalleen und Bauernhöfen spaziert der Ausgestoßene einher, am Bach und im nahen Wald schwingt er die Botanisiertrommel, in der Stube und auf der Terrasse hantiert er mit Wolle und Nadel. Er wandelt, mit seinem morgenländischen Gewand angetan, als ein Märchenkönig mitten unter dem Landvolk, er widmet sich mit Herrn von Burlington dem Studium der Mineralien und der Fossilien, er häkelt ein Halsband für das Lieblingsschäfchen des Fräulein Granville aus der Nachbarschaft. Er spricht mit niemand, denn er spricht nur französisch. Er gebraucht die List der Affen, die, wie die Neger sagen, obwohl sie es können, nicht sprechen wollen aus Furcht, daß sie dann arbeiten müssen, wie er Du Peyrou selbst gesteht. Nein, er will das Laster dieser Welt nicht noch mit Arbeit vermehren! Er will lieber wie die Affen sein, die keine Diskurse halten; er will lieber mit dem Denken aufhören, das so unglücklich macht; er will viel lieber zurückkehren zur Natur, die die einzige Quelle der Weisheit ist: »Von Natur aus denkt der Mensch nicht. Denken ist eine Kunst, die man wie jede andere, nur noch schwerer, lernen muß.«

Ja, das Gehirn, wie ist es von eitlen Potenzen besetzt, da entspringen Kunst und Wissenschaft, da regen sich rechte und linke Volkstribune und rechte und linke Technokraten, da macht sich ein rechter und ein linker Sex und ein rechter und linker Muskel breit, anstatt daß das Gehirn frei und offen bleibt zum Ursprung der Natur in ihm. »Ach!« ruft er zum dritten Male aus, »läuft der Mensch nicht allem nach, nur nicht der Weisheit? Glücklich der, den man gegen seinen Willen hinführt.«

David Hume, der dickfellige Erkenntnistheoretiker, er bläht sich auf, er bläht sich und seine Wörter auf, er bläht seine Wörter zu einem Romanzitat aus dem 20. Jahrhundert auf, er würde »nicht lockerlassen, seinem Konfrater zur Eudämonie zu verhelfen, und wenn er ihm den misandrischen, aber offenbar keineswegs misogynen Dämon der Anthropophobie manu propria sänftiglich austreiben müsse!« Rousseau aber, der dünnhäutige Erfahrungspraktiker, er ist kein Hans im Glück, der mit jedermann seinen Handel treibt, er rafft seine Siebensachen zusammen, er flieht aus Wootton, er kehrt England den Rücken. Er sagt: »Ich lebe außerhalb der Welt, und ich bleibe ohne Wissen von vielem. Ich weiß nur, was ich fühle.« Ach, diese erkenntnistheoretischen Engländer, wer weiß, ob nicht eines Tages ihre ganze Misere auf die übereilte Einführung des Dezimalsystems zurückzuführen sein wird!

Am 1. Mai 1767 verlassen Rousseau und Therese Hals über Kopf das Landhaus von Wootton. Sie reisen mit Hund und

Handgepäck, aber ohne Geld und ohne Jean-Jacques Notenblätter. Soll sich doch der hinterlistige David das vorgestreckte
Reisegeld zurücknehmen! Soll sich das putzsüchtige Fräulein
Davenport Haarwickel aus seinen Musikalien machen! Am
18. Mai, nach Irrfahrten durch die englische Provinz, schreibt
Rousseau an Staatssekretär Conway: »Es bestand ein bestimm-
ter Plan, als ich nach England geführt wurde. Er ist ausgeführt:
meine völlige Diffamierung in diesem Lande fürs ganze Leben.
Nach meinem Tode erst wird die große Revolution alles an
den Tag bringen und meinen Namen rehabilitieren.« Am
25. Mai betreten sie wieder französischen Boden. O nein, er
ist kein Hans im Glück gewesen. Er zieht die Galoschen des
Glücks aus und gibt sie dem Kammermädchen aus dem Märchen zurück.

Noch immer besteht Haftbefehl.

Rousseau

geht bis ans Ende seines Lebens

Den ersten Keim des Todes fand der Minister im Orden des grüngefleckten Tigers mit zwanzig Knöpfen ... Die Sache hängt folgendermaßen zusammen: Das schwere Ordenszeichen am Bande, vorzüglich aber die Knöpfe auf dem Rücken wirkten nachteilig auf die Ganglien des Rückgrats. Zu gleicher Zeit verursachte der Ordensstern einen Druck auf jenes knotige, fadichte Ding zwischen dem Dreifuß und der oberen Gekröspulsader, das wir das Sonnengeflecht nennen, und das in dem labyrinthischen Gewebe der Nervengeflechte prädominiert. Dies dominierende Organ steht in der mannigfaltigsten Beziehung mit dem Cerebralsystem, und natürlich war der Angriff auf die Ganglien auch diesem feindlich. Ist aber nicht die freie Leitung des Cerebralsystems die Bedingung des Bewußtseins, der Persönlichkeit, als Ausdruck der vollkommensten Vereinigung des Ganzen in einem Brennpunkt? Ist nicht der Lebensprozeß die Tätigkeit in beiden Sphären, in dem Ganglien- und Cerebralsystem? Nun, genug, jener Angriff störte die Funktionen des physischen Organismus. Erst kamen finstere Ideen von unerkannten Aufopferungen für den Staat durch das schmerzhafte Tragen jenes Ordens usw., immer verfänglicher wurde der Zustand, bis gänzliche Disharmonie des Ganglien- und Cerebralsystems endlich gänzliches Aufgeben der Persönlichkeit herbeiführte. Diesen Zustand bezeichnen wir aber mit dem Worte Tod! Ja, gnädigster Herr, der Minister hatte bereits seine Persönlichkeit aufgegeben, war also schon mausetot, als er hinstürzte in jenes verhängnisvolle Gefäß. So hatte sein Tod keine physische, wohl aber eine unermeßlich tiefe psychische Ursache. — Die Melancholie ist die Freundin der Wollust; Rührung und Tränen begleiten die süßesten Genüsse, und die höchste Freude selbst entlockt uns eher Tränen als Lachen.

Es gibt öffentliche Menschen, und es gibt private Menschen. Die öffentlichen Menschen führen ein öffentliches, und die privaten Menschen führen ein privates Leben. Die öffentlichen

Menschen, die ein öffentliches Leben führen, tragen öffentlich, das heißt sichtbar, hinten Knöpfe auf den Rockschößen und tragen vorne Orden auf den Rockaufschlägen. Die privaten Menschen, die ein privates Leben führen, tragen privat, das heißt unsichtbar, hinten ihr Kreuz und vorne ihren Kummer. Das öffentliche Leben, mit den sichtbaren Knöpfen und Orden, ist ein Leben voller Druck, und der Druck kommt von außen. Auch das private Leben, mit dem unsichtbaren Kreuz und Kummer, ist ein Leben voller Druck, aber der Druck kommt von innen.

Da es nun ausschließlich entweder öffentliche oder private Menschen gibt, weil ja ein privater Mensch kein öffentliches und ein öffentlicher Mensch kein Privatleben führen kann, kommt ein öffentlicher Mensch nie in die Lage, den inneren, und kommt auch kein privater Mensch je in die Lage, den äußeren Druck zu verspüren. So gibt es, bei den öffentlichen Menschen, einen äußeren hinteren und bei den privaten Menschen einen inneren hinteren, bei den öffentlichen Menschen einen äußeren vorderen und bei den privaten Menschen einen inneren vorderen Druck. Von hinten drücken die Knöpfe und das Kreuz, und zwar sind es bei den öffentlichen Menschen die Knöpfe, und ist es bei den privaten Menschen das Kreuz; und von vorne drücken die Orden und der Kummer, und zwar sind es bei den öffentlichen Menschen die Orden, und ist es bei den privaten Menschen der Kummer. Die Knöpfe und das Kreuz drücken von hinten auf die Ganglien, die Orden und der Kummer drücken von vorne auf das Sonnengeflecht.

Einzig Jean-Jacques Rousseau, dem die Ärzte und die Psychologen eine labile Konstitution und eine bionegative Struktur bescheinigt haben, nämlich eine prämorbide hypochondrisch-sensitive Persönlichkeit mit schwerem psychotisch-neurotischem Verhalten, er mußte den Druck des öffentlichen Menschen und den Druck des privaten Menschen erdulden, und zwar den äußeren und den inneren hinteren und den äußeren und den inneren vorderen Druck, ohne daß er je die Knöpfe und die Orden des öffentlichen Menschen trug, dafür aber das Kreuz und den Kummer des privaten Menschen als eine doppelte Last tragen mußte.

Sein zwanghafter Wander- und sein pathologischer Stehltrieb, sein toxischer Beziehungs- und sein chronischer Verfolgungswahn, sein Argwohn und sein Mißtrauen, Monomanie und Hysterie, Nosophobie und Adynamie, Psychästhesie und Psychasthenie bedingten diesen Druck von außen, und seine Empfindsamkeit und seine Schüchternheit, seine Linkischkeit und seine Befangenheit, seine Furcht und seine Menschenscheu, Infantilismus und Narzißmus, Exhibitionismus und Masochismus, Onanismus und Autismus bedingten diesen Druck von innen. O ihr Ärzte und Psychologen, was habt ihr nicht alles erst erfunden und dann ausgetrieben, weil es euch nicht gesund und nicht normal erschien! Euer Gewerbe ist Windbeutelei und Hokuspokus, ihr Beutelschneider und Bauernfänger!

Rousseau hält seinen Bauch, er drückt seine Brust, er faßt sich an seinen Kopf und sagt: »Ich frage mich, welche Wohltat diese Kunst den Menschen gebracht hat. Wer vernünftig ist, spielt nicht in dieser Lotterie, in der es so viele Nieten gibt. Leid, stirb oder werde gesund! Vor allem aber leb bis zu deiner letzten Stunde.« Ja, um das zu wissen, war er weit gegangen. Am 5. Juni 1767 langt er nach seinem englischen Exil mit einer einfachen Droschke in Meudon an. Aber er ist noch lange nicht bis ans Ende gegangen.

Er wohnt bei dem Grafen von Mirabeau in Fleury bei Meudon in der Nähe von Paris; er wohnt bei dem Prinzen von Conti auf Schloß Trye bei Gisors in der Normandie; er wohnt beim Wirt »Zur Goldenen Quelle« in Bourgoin bei Grenoble in der Dauphiné; er wohnt beim Grafen von Cesarges in einem Landhaus auf der Berghöhe unweit von Monquin in der Dauphiné; er wohnt in einem Mansardenstübchen in der rue Plâtrière in Paris; und ganz am Ende wohnt er bei dem Grafen von Girardin in Ermenonville bei Senlis in der Ile-de-France. Aber überall drohen ihm Netze und Fallen, Verrat und Hinterlist. Und dann die Giftanschläge, die ihn erschlaffen, die ihn erschöpfen, die ihn ersticken, die ihn für alle Zeiten einschläfern sollen. Er schwankt zwischen Gesundbleiben und Krankwerden, zwischen Krankbleiben und Gesundwerden.

In Fleury quält ihn der Graf, er solle seine Bücher lesen. In Trye quält ihn der Prinz, er möge sanfte Musik hören. In Bourgoin quält ihn der Wirt, er müsse sein Mißtrauen fallenlassen. In Monquin quält ihn Therese, er könne ihr nicht länger ihre Kinder vorenthalten. Aber Rousseau will keine fremden Bücher lesen, er will keine sanfte Musik hören, er will sein Mißtrauen nicht begraben, und er will auch seine Kinder nicht kennenlernen. Ach, Therese, so weit er auch gegangen ist, sie ist ihm bis ans Ende nachgefolgt. Seinetwegen hat sie ihre Kinder ins Findelhaus gegeben, seinetwegen hat sie ihre Mutter aus dem Haus gejagt, seinetwegen hat sie ihre Heimat verlassen. Am 30. August 1768 heiratet er Therese Levasseur, geboren am 21. September 1721, seine Gefährtin und Haushälterin, mit der er nun fast 25 Jahre zusammengelebt hat. Therese ist siebenundvierzig Jahre alt, Rousseau ist Mitte Fünfzig.

Von seiner Krankheit, die ihn als Fünfundzwanzigjährigen traf, als er noch bei Frau von Warens lebte, sagt er: »Der Anfall, der meinen Körper hätte töten müssen, tötete nur meine Leidenschaften, und ich segne den Himmel jeden Tag dafür um der glücklichen Wirkung willen, die er auf mein Gemüt hervorbrachte. Ich kann wohl sagen, daß ich nicht eher zu leben begann, bis ich mich als einen toten Menschen betrachtete.«

Von seiner Krankheit, die ihn als Fünfunddreißigjährigen traf, als er gerade mit Therese zusammenzuleben begonnen hatte, sagt er: »Ich war lange Zeit Opfer grausamster Leiden wegen einer unheilbaren Störung der Zurückhaltung des Urins, verursacht durch eine Blutstauung in der Harnröhre, die den Kanal so sehr blockierte, daß in ihn nicht einmal die Katheter des berühmten Dr. Daran eingeführt werden können.« Aus dem einen und demselben Bett waren längst zwei verschiedene Betten geworden, und er sagte: »Bis jetzt war ich gut gewesen, von diesem Augenblick an wurde ich tugendhaft.«

Von seiner Krankheit, die ihn als Fünfundvierzigjährigen traf, als er Frau von Houdetot zu lieben begann, sagt er: »Ich schwöre im Angesicht des Himmels, daß ich, wenn ich zuweilen, durch meine Sinne hingerissen, versucht habe, sie untreu zu machen, sie doch nie wirklich begehrt habe. Ich liebte sie zu sehr, um sie besitzen zu wollen, und dieser Zustand, besonders seine Dauer durch drei Monate fortwährender Aufregung und Enthaltung, stürzte mich in ein Leiden, von dem ich mich mehrere Jahre lang nicht habe befreien können, und führte endlich zu einer körperlichen Erschlaffung, die ich ins Grab mitnehmen werde.«

Im Jahre 1770 kehrt er nach Paris zurück. Aus dem Wanderer ist ein Flüchtling, aus dem Flüchtling ist ein Heimatvertriebener geworden, aber überall nimmt man ihn in die Arme und auf den Schoß. In Turin, in Annecy, in Chambéry, in Lyon, in Venedig und in Paris ist er immer nur der heiteren Rokokowelt der zartfühlenden Aristokratie begegnet. O diese Aristokraten, wie freundlich haben sie die Reisenden, die Abenteurer, die Ausgestoßenen, alle diese Neuankömmlinge aufgenommen! Sie sind so huldreich und so harmlos, Rousseau liest der Marschallin von Luxembourg seine »Neue Heloise« und den »Emil« vor, er schmiert ihr das häßliche Paris aufs Brot und wirft ihr die Schmähungen des Adels an den Kopf. Aber die Marschallin lächelt gnädig, sie ist entzückt. O diese blasse, diese pastellfarbene Rokokogesellschaft! Jeder hat das gleiche Gesicht, jeder trägt die gleiche Haartracht, jeder blickt mit den gleichen Augen, jeder macht die gleichen Gesten, jeder geht mit dem gleichen Schritt. Niemand ist so unhöflich und zeigt seine Blatternarben oder sein rotes Haar, niemand ist so unhöflich und schreit oder rollt mit den Augen, niemand ist so unhöflich und fuchtelt mit den Armen oder hüpft in die Höhe, mitten in einem Salon und vor aller Augen.

Nur er selbst, in den Armen der Kavaliere der Marquisen und im Schoß der Gattinnen der Steuerpächter, er rollt seine Augen, und er ballt seine Fäuste, auch wenn es den Schöngeistern und den Liebedienern nicht gefällt, ja, auch wenn es den Damen und den Herren der Gesellschaft geschmacklos vorkommt. Die Kannibalen und die Kanaken liegen in den Armen und sitzen auf dem Schoß der katholischen Rokokomenschen, sie fuchteln mit den Armen, sie reißen die Augen auf, aber die Gesellschaft sieht es mit Wohlgefallen, auch wenn es ein wenig exotisch und nicht nach dem Geschmack ist. Sie lacht über die wilden Gebärden und amüsiert sich selbst mit Säbel- und Revolverduellen. Ja, die Tugend der Wilden ist das Gestikulieren, dieses unschuldige Gebaren der Natur. Das Laster der Weißen aber ist die Schußwaffe, dieses hinterhältige Instrument der Wissenschaft und Kunst.

Rousseau ist nach Paris zurückgekehrt, er hat einen weiten Weg zurückgelegt. Einst war er in das Land mit den Baumgärten am Ufer des Genfer Sees gegangen, nur um ein eingebil-

detes Glück mit einem zuverlässigen Freund und einer liebenswürdigen Frau, mit einer Kuh und einem Kahn zu suchen. Dort
wollte er ein Leben lang sein und nirgendwo anders. Im Gehen
hatte er den Bau dieses Glücks errichtet, und nun war er in
Paris angekommen, in einer Dachmansarde im vierten Stock.

Rousseau steht hinter dem Fenstervorhang und blickt auf die
Straße. Es kommt Professor Björnstäls aus Upsala, der Professor hat die Botanik bei Linné persönlich studiert, und so darf
er eine Weile bleiben. Es kommt der Herzog von Alba aus
Madrid, der Herzog ist ein martialischer Kriegsmann, und so
muß er den Bratspieß mit eigener Hand bedienen. Es kommt
der Ritter Willibald von Gluck aus Wien, der Ritter ist ein
Komponist, der es sich vorgenommen hat, Musik auf französische Texte zu schreiben, und so weist ihm Rousseau die Tür.
Es kommt der Graf Wielhorski aus Polen, der Graf ist ein re-
formistischer Politiker, und so schickt Rousseau ihm ein halbes
Jahr später den Entwurf eines föderalistischen Systems unter
dem Titel »Betrachtungen über die polnische Verfassung und
ihre Reform«.

Rousseau studiert Botanik und kopiert Noten, er spielt Spinett und schreibt sein Leben auf. Zuerst sind es Bekenntnisse,
dann sind es Geständnisse. Die »Bekenntnisse«, von 1766 bis
1769 geschrieben, erzählen sein Leben, sie sagen: »Ich.« Sie beginnen: »Ich fange ein Unternehmen an, das bis heute bei-
spiellos ist und dessen Ausführung keinen Nachahmer finden
wird. Ich will meinen Mitgeschöpfen einen Menschen in seiner ganzen Naturwahrheit zeigen; und dieser Mensch werde
ich selbst sein. Ich allein. Ich fühle mein Herz, und ich kenne
die Menschen. Ich gleiche keinem von allen.« Und sie enden:
»Ich für meine Person erkläre laut und ohne Scheu: Wer mit
eigenen Augen meine Natur, meinen Charakter, meine Sitten,
meine Neigungen, meine Vergnügungen, meine Gewohnheiten
prüft, und wenn er meine Werke nicht gelesen hat und mich
dann noch für einen unredlichen Menschen halten kann, der ist
wert, erdrosselt zu werden.«

Die Geständnisse, unter dem Titel »Gespräche, Rousseau als
Richter über Jean-Jacques« von 1772 bis 1776 geschrieben, untersuchen sein Leben. Sie sagen: »Ich«, und sie sagen: »Er.« Sie
beginnen: »Ich verfolgte, so gut ich konnte, den Faden seines

Gedankenganges, und da entdeckte ich überall die Entwicklung seines einen großen Grundsatzes, daß die Natur den Menschen glücklich und gut gemacht hat und daß die Gesellschaft ihn herunterbringt und elend macht.« Und diese Stelle endet: »Ein solcher Mann mußte kommen und sich selbst malen, um uns den ursprünglichen Menschen zu zeigen. Wäre der Mann nicht so einzigartig gewesen wie seine Bücher, nie hätte er sie geschrieben. Hätten Sie mir nicht Ihren Jean-Jacques gezeichnet, nie hätte ich geglaubt, daß es den Menschen der Natur noch gäbe.«

Rousseau hat sich gespalten, hier steht Rousseau, der Richter, und dort steht Jean-Jacques, der Angeklagte. Ja, Rousseau ist soweit gegangen, daß er sich gezweiteilt hat. Gibt es jetzt noch einen Widerspruch zwischen dem Individualismus der Diskurse und dem Kollektivismus des Gesellschaftsvertrags? Gibt es einen Widerspruch zwischen den Affekten der Diskurse, die sich gegen Kunst und Wissenschaft richten, und den Argumenten des Gesellschaftsvertrags, die sich gegen die Natur wenden? O nein, Rousseaus Leben ist ja das Aushalten des ganzen Widerspruchs zwischen der tugendsamen Natur und der lasterhaften Zivilisation. Er sagt: »Ich war bald da, wo ich mich befand, bald da, wohin ich ging, und nie anderswo.«

Hier steht Jean-Jacques, und dort steht Rousseau. Der eine ist der Liebling der Aristokratie, der andere ist der Genosse der Vagabunden. Der eine ist der monomanische Gefühlsmensch, der andere ist der dialektische Denkmensch. Der eine ist krank, der andere ist gesund. Der eine leidet, der andere handelt. Der eine ist so passiv wie die sterbende, der andere ist so aktiv wie die aufsteigende Klasse. Der eine ist der Pädagoge, der einen ganzen Erziehungsroman schreibt, der andere ist der Rabenvater, der seine eigenen Kinder ins Findelhaus bringt. Der eine ist der Narziß und der Liebhaber seiner selbst, der andere ist der Erfinder des Gesellschaftsvertrags. Der eine sagt immer: »Ich«, der andere sagt immer: »Wir.« Der eine ist der Artist, der mit den Gegensätzen spielt, der andere ist der Philosoph, der die Gegensätze aufheben möchte.

Jean-Jacques Rousseau ist ein Spaziergänger, er treibt sich herum, er ist ein rechter Ambigu. Er ist mit sich selbst so vertraut, daß er sagt: »Niemand außer mir kennt mich.« Dann aber ist er sich auf einmal so fremd, daß er sagt: »Ich kenne mich selbst nicht mehr.« Von der höchsten Verzückung fällt er in die tiefste Niedergeschlagenheit, jetzt noch hüpft er fröhlich durch das Gras, und im nächsten Augenblick sitzt er traurig auf einem Stuhl. Im fröhlichen Sich-selbst-Vergessen hüpft er durch das Gras und ist ganz bei sich. Im traurigen Sich-selbst-Erinnern sitzt er auf dem Stuhl und ist außer sich. Er ist nahe bei sich selbst und denkt nur an sich; er ist weit weg von sich selbst und erinnert sich seiner nicht einmal mehr. Was sind das für Widersprüche: im Selbstvergessen nur an sich selber denken und im Selbsterinnern das Gedächtnis verlieren? Rousseau schüttelt den Kopf und sagt: »Man könnte sagen, daß mein Herz und mein Geist nicht der nämlichen Person angehören.«

Oh, wie ist er so empfindsam! In Rousseaus Körper gibt es sogar zwei Empfindsamkeiten, die organische Empfindsamkeit und die moralische Empfindsamkeit. Die organische Empfindsamkeit ist ganz und gar passiv, und sie dient nur dazu, seine Neigungen an sich selbst zu knüpfen. Die moralische Empfindsamkeit dagegen ist aktiv, und sie verleitet ihn, seine Neigungen an andere zu verschwenden. Aus der organischen Empfindsamkeit entsteht die unschuldige Eigenliebe, und Rousseau hüpft vor Glück und Wonne durch das Gras. Aus der moralischen Empfindsamkeit aber erwächst die perverse Selbstliebe, und Rousseau sitzt vergrämt und niedergeschlagen auf einem Stuhl. Ja, die tugendsame Eigenliebe sieht auch nach dem fremden Wesen, das ganz anders ist. Die lasterhafte Selbstliebe mißt und vergleicht sich mit dem Fremden, und es kommt zu Neid und Mißgunst.

Wenn Rousseau durch das Gras hüpft, dann sieht er, wie der Bauer ackert und wie der Schäfer seine Herde weidet, und er freut sich dieses Anblicks. Wenn er dagegen auf dem Stuhl sitzt, dann denkt er an Herrn von Voltaire und an Frau von Epinay, und das stimmt ihn verdrießlich. Er hüpft durch das Gras und fühlt sein eigenes Dasein in völliger Passivität. Er sitzt auf seinem Stuhl und denkt sich die Welt in totaler Aktivität, außer daß er selber sitzt. Soll er diesen Widerspruch beseitigen?

Was ist hier die Wahrheit? Rousseau tut einen Hüpfer im Gras und sagt: »Die Wahrheit ist partikulär und individuell.«

Dann rückt er seinen Stuhl und sagt: »Die Wahrheit ist aber auch allgemein und abstrakt.« Die partikuläre und individuelle Wahrheit ist der Kern des Gefühls, die allgemeine und abstrakte Wahrheit ist das Auge der Vernunft. Aber Rousseau will ja nicht durch das Gras hüpfen, um dann auf dem Stuhl sitzen zu müssen, und er will auch nicht auf dem Stuhl sitzen müssen, um dann wieder durch das Gras hüpfen zu dürfen. Nein, er will hüpfen, und er will sitzen, wann es ihm gefällt. Und so spaltet er den partikulären Kern des Gefühls und spricht mit der Stimme der Vernunft. Dann blickt er ins abstrakte Auge der Vernunft und spricht mit der Stimme des Gefühls. Rousseau spricht mit sich selbst, und er spricht mit allen anderen, und dieses Sprechen wird zur Entsprechung zwischen seiner eigenen ordentlichen Natur und der natürlichen Ordnung der Welt.

Ja, was ist hier die Wahrheit? Wird etwa die Eigenliebe beseitigt und durch die Selbstliebe emporgehoben und auf höherer Ebene als eine ganz neue Eigenliebe aufbewahrt? Rousseau ist ein Ambigu, sein Weg führt ihn ebenerdig und über Stufen. Er mißtraut der dreifachen Aufhebung, schon auf der Petersinsel hat ihn nur noch das zwiefache Hin und Her gefesselt, der Doppelsinn des Windes und die Zweideutigkeit des Wassers, diese Willkür von Wind und Wasser, die er aushalten mußte, um glücklich zu sein. Wind und Wellen sind sich nicht fremd, auch wenn sie jeder für sich ein eigenes Leben haben. Der Wind küßt die Wellen, aber auch die Wellen sind ganz erregt, und sie küssen den Wind mit ganz besonderer Zärtlichkeit.

Das alles muß Rousseau aushalten: die zweierlei Empfindsamkeit und die zweierlei Wahrheit, das Glück im Gras und die Qualen auf dem Stuhl, den Wechsel von Hüpfen und Sitzen und die Willkür von Wind und Wasser. Er hatte sich vorgenommen, ein Bild von sich selbst und ein Bild von der Welt zu erfinden, er hatte gesagt: »Meine Aufgabe ist, die Wahrheit zu sagen, aber nicht, sie glauben zu machen«, und er hatte dieses Bild mit Hilfe seiner Empfindsamkeit und mit Hilfe seiner Wahrheit erfunden. Es war ein zweideutiges, ein doppelsinniges Bild geworden: der weinende Clown in der lachenden, und der lachende Clown in der weinenden Welt. Da gab es nichts aufzuheben, das alles mußte er aushalten, weil er erfinden wollte. Er sagte: »Meine eigensinnige Natur versteht sich nicht unter die Tatsachen zu beugen.« Und er sagte: »Sie will schaffen.«

Rousseau ist zeit seines Lebens ein Herumtreiber geblieben, ihm bleibt nichts anderes übrig, als sich bis ans Ende seines Lebens herumzutreiben. Dieses Herumtreiben ist nichts anderes als das Aushalten der Widersprüche, es ist die Ambiguität. Ihr kreativen Menschen, ihr jungen Dichter und ihr mittleren Führungskräfte, denkt ihr auch stets an die Ambiguität? Treibt ihr euch Tag und Nacht mit euren Ideen herum, oder laßt ihr es schon bei Sensitivity-Trainings und bei Creativity-Curriculi bewenden? O ihr Dichter und ihr Führungskräfte, wenn der Funke gezündet hat, dann brennt es euch wie Feuer unter dem Hintern. Ja, dann regen sich die Einfälle und die Eingebungen in den hüpfenden Dichtern, und die Führungskräfte können es fast nicht mehr auf ihren Stühlen aushalten vor lauter Dynamik und Flexibilität.

Was ist das für ein Hüpfen im Gras, was ist das für ein Sitzen auf dem Stuhl! Was ist das erst für eine Ambiguität zwischen dem Hüpfen im Gras und dem Sitzen auf dem Stuhl! Eine ganze kreative Welt wechselt verzückt zwischen der grünen Wiese und dem roten Salon hin und her und will sogar die Ambiguität aushalten. Das ist ein Hüpfen und ein Sitzen, daß die dynamischen Potentialien in Rotation geraten, ja, das ist ein Hüpfen und ein Sitzen, daß es nur so seine Art hat! Aber da hüpft der Dichter, der ja eigentlich sitzen und aufschreiben sollte, und da sitzt er und schreibt auf, wo er doch am allerliebsten hinauslaufen und hüpfen möchte. Er muß den Widerspruch aushalten, den die anderen längst aufgehoben haben. Denn die einen dürfen nur noch hüpfen und sind immerzu in Bewegung, und die anderen müssen für alle Zeiten sitzen und rühren sich nicht mehr von der Stelle. Die einen hüpfen gern und wissen gar nicht, daß sie hüpfen dürfen, und die anderen sitzen gern und wissen gar nicht, daß sie sitzen müssen.

»Setz einen Frosch auf einen weißen Stuhl, / er hupft doch wieder in den schwarzen Pfuhl!« sagt der Griechenmüller. »Süßer Taumel im Gras!« ruft Annette, und Faust entscheidet: »Dem Taumel weih' ich mich, dem schmerzlichen Genuß!« Ja, der Kreativitätstaumel ist ausgebrochen, und nun beißt sich alle Welt auf die Zähne, um die Ambiguität auszuhalten. Aber

335

Rousseau wendet sich ab und sagt: »Man genießt nur sich selbst und sein eigenes Dasein. Es wäre übrigens nicht gut, beim gegenwärtigen Stand der Dinge, daß die anderen Menschen diese süßen Entrückungen zu sehr begehren würden und daß ihnen damit das tätige Leben schal erschiene; denn ihre ständig sich erneuernden Bedürfnisse machen es ihnen zur Pflicht, sich umzutun.«

Rousseau wendet sich wieder sich selber zu. Die Stube in der rue Plâtrière ist hell und luftig, die beiden nebeneinanderstehenden Betten sind mit blau-weiß gewürfeltem Baumwollzeug überzogen, der Tisch ist mit einem grünen Tuch bedeckt. Auf dem Tisch liegt sein Notizbuch, auf der Kommode stapeln sich die Herbarien, zwischen dem großen Nußbaumschrank und dem viereckigen Spiegel über dem Kamin hängen ein paar Medaillons. In der Ecke steht das Spinett, an der Decke hängt der Kanarienkäfig. Aus Kästen und Töpfen wächst Grünzeug über die Fensterbank.

Rousseau schiebt den blau-weiß gewürfelten Fenstervorhang beiseite, unten auf der Straße geht das Pariser Volk vorbei, alle diese Verfolger, diese Verleumder, diese Ankläger, die Potentaten, die Aristokraten, die Literaten. Der Barbier schneidet ihm nicht mehr die Haare, der Schuhputzer putzt ihm nicht mehr die Schuhe, der Seineschiffer setzt ihn nicht mehr ans andere Ufer über, nein, das andere Ufer ist für ihn nicht mehr erreichbar.

Er sitzt auf seiner Insel und hegt seine Inselflora, wie Jean Paul am Fenster saß bei seiner Fensterflora. Er war in der calvinistischen Inselstadt Genf geboren worden, er war in höchster Not auf die Petersinsel im Bieler See geflohen, er hatte eine Verfassung für den Inselstaat Korsika entworfen, er würde bald auf der Pappelinsel im Parksee von Ermenonville begraben werden. Rousseau saß im vierten Stock eines Hauses in der rue Plâtrière, auch seine Stube war eine Insel, ja er selbst in all seiner Ambiguität war eine Insel, er hatte sich von aller Welt getrennt.

Der sanfte d'Alembert fürchtete sich vor ihm, und er sagte: »Jean-Jacques ist eine wilde Bestie, die man nur mit einem Stock und hinter Gitterstäben berühren darf.« Der zynische Voltaire haßte ihn, und er sagte: »Ein Arzt müßte an Jean-

Jacques eine Bluttransfusion vornehmen, sein jetziges Blut ist ein Gemisch aus Vitriol und Arsenik.« Nur der sanfte Diderot, der ihm nicht gram sein konnte, er hatte Mitleid mit ihm, und er sagte: »Wie nahe doch berühren sich Genius und Wahnsinn. Den einen sperrt man ein und legt ihn in Ketten, dem anderen errichtet man Bildsäulen.«

O ja, zuerst würde Rousseau fliehen müssen, um nicht eingesperrt zu werden, und hundert Jahre später würden die Menschen ihm Bildsäulen errichten. Aber er selbst würde noch in seinem Brief an den Erzbischof von Paris schreiben: »Wenn es in Europa eine einzig wahrhaft aufgeklärte Regierung gäbe, sie würde den Autor von ›Emil‹ öffentlich ehren, sie würde ihm Statuen errichten. Ich kenne die Menschen zu gut, um solche Anerkennung zu erwarten; ich kannte sie nicht gut genug, um das zu erwarten, was sie getan haben.« O ja, lieber Jean-Jacques, die Menschen würden dir Statuen errichten, und sie haben es auch getan.

In Genf sitzt er auf der kleinen Insel am Ausfluß der Rhone zwischen Pappeln und Platanen. Er hat die Hemdsärmel aufgekrempelt, er hält ein Buch auf den Knien und die Feder in der Hand. Da sitzt er auf einem bronzenen Empiresessel, dessen Beine mit dicken Folianten unterstützt sind, die Möwen und die Schwäne ziehen ihre Kreise und ihre Bahnen, und Rousseau sagt: »Mein ganzes Leben ist nur eine lange Träumerei gewesen, von meinen täglichen Spaziergängen in Kapitel eingeteilt.« Als Flaubert die kleine Insel betrat, ertönte Musik, und er notierte: »Deutsche Musiker spielten auf ihren Instrumenten zart und sehnsuchtsvoll.« Flaubert schreibt es in sein Tagebuch. »Wie er die Musik liebte, dieser Jean-Jacques! Ich habe viel an ihn gedacht; ich wollte mit ganzer Seele und allen meinen Gedanken bei ihm sein. Als nachher die Fanfaren erklangen, mußte ich an den Abend denken, wo er außer sich durch die Gänge lief. Welch ein Mensch! Welch eine Seele! Welche Glut und welche Geisteskraft! Alle Genfer sind erstaunt gewesen, Herrn Rousseau nicht in Schnallenschuhen und französischer Tracht zu sehen. Man hält also bei den Leuten, die man bewundert, sehr auf die Kleidung.«

In Chambéry schreitet er von einem Hügel herab. Da wachsen Bäume in Jurakalk, Rousseau hat seine Wanderschuhe angelegt, und vorsichtig setzt er einen Fuß vor den anderen. Er tritt vom Fels in den Wald, seine Rockschöße wehen, er ist jung und schlank, und er braucht den Spazierstock nur, um nicht auszugleiten auf dem glatten Stein. Die Rechte hat er in die Rocktasche gesteckt, sie hält ein Buch eingeklemmt, in dem er lesen wird. Von den Schuhen und vom Stock ist Grünspan in den Kalk gedrungen, aber Rousseau denkt unentwegt an die schönen Tage in »Les Charmettes«, und er sagt: »Hier beginnt das kurze Glück meines Lebens, hier kommen die friedlichen, aber raschen Augenblicke, die mir das Recht gegeben haben zu sagen, daß ich gelebt habe.«

In Ermenonville sitzt er auf einem Stein. Noch einmal hat er seine Schnallenschuhe angezogen, die Genfer können es aber nicht sehen. Es ist in seinen Mantel gehüllt, und den unentbehrlichen Stock trägt er in der Linken. Hinter ihm aus dem Laubwerk schaut eine nackte Frau, es kann keine irdische sein, denn ihr sind Flügel gewachsen, vielleicht ist es jemand aus der fernen Zukunft, und Rousseau sagt: »Der Tag wird kommen, und ich vertraue fest darauf, an dem die rechtschaffenen Leute mein Gedächtnis segnen und über mein Schicksal weinen werden.«

O ihr Denkmäler, ihr Statuen, ihr Marmorbilder, ihr seid allesamt so dauerhaft und unversehrbar, und wenn selbst der Marmor verwittert und die Bronze rostet, so lieben die Menschen den Schmelz und die Patina, sie schwärmen für das verrottete Venedig, und sie lieben den römischen Edelrost. Ihr Menschen, denkt besser an die Statue des Glaukus, wie sie Rousseau als das Ebenbild der menschlichen Seele beschrieben hat. Wie gut hatte es Glaukus, als er noch keine Statue war. Da saß er am Meer und fing Fische, und als er die halbtoten Tiere auf den Strand warf, da fielen sie auf ein wundersames Kraut, das ihnen das Leben wieder zurückgab. Da aß auch Glaukus von diesem Kraut, und er stürzte sich ins Meer und wurde der Gott der Meeresstille und der Meeresbläue.

Rousseau und Glaukus sind einer und derselbe. Aber die Zeit, das Wasser und die Stürme haben ihn so entstellt, daß sie weniger einem Gott als einem wilden Tiere gleichen. O diese Verderbtheit der Gesellschaft, die die Einfachheit in die Doppeltheit verwandelt hat! Auf der einen Seite gibt es das unsägliche Denken, und auf der anderen Seite gibt es das ansprechende Schwärmen. Descartes hatte gedacht, er hatte sich an den Kopf gefaßt, worin es die grauen Zellen gibt. Aber Rousseau hat gefühlt, er hat seine Hand an das Herz gelegt, worin das Blut fließt. Descartes hatte gesagt: »Ich denke, daß ich will.« Aber Rousseau sagt: »Ich denke, daß ich mich erinnere.« Rousseau sagt: »Ich fühle meine Seele.«

Aber das Denken denkt nicht, und das Schwärmen schwärmt nicht, nein, das Denken schwärmt, und das Schwärmen denkt, und man findet nichts auf der Welt als diesen schrecklichen Gegensatz. Ganz in der fernen Zukunft steht der Dichter Knut Hamsun, er steht unter Herbststernen, ihn fröstelt, und laut ruft er aus: »Meine Herren Neurastheniker, wir sind schlechte Menschen, und zu irgendeiner Art von Tieren taugen wir auch nicht.«

Rousseau hat über Jean-Jacques gerichtet. Nein, »die menschliche Natur entwickelt sich nicht zurück; niemals gelangt man wieder rückwärts in die Zeiten der Unschuld und Gleichheit, wenn man sich einmal von ihnen entfernt hat. Auch das ist eine der Grundwahrheiten, auf die er den größten Nachdruck legt. Seine Absicht konnte es also nicht sein, die volkreichen Nationen und die großen Staaten zu ihrer ursprünglichen Einfalt zurückzuführen, sondern nur die, deren Kleinheit und günstige Lage sie noch bewahrt hat vor einer so raschen Entwicklung auf die Vervollkommnung der Gesellschaft und damit auf die Verschlechterung der Rasse hin, in diesem Entwicklungsgang aufzuhalten.« Ja, die Inseln, ja, die entfernten Länder, Arkadien, Galatien, Saarabien, sie allein sind die guten Modelle für die zukünftige Welt!

Rousseau wendet sich nach der einen Seite und ordnet seine Gedanken im Kopf. Jean-Jacques wendet sich nach der anderen Seite und dämpft seinen Blutdruck im Herzen. Es kribbelt im Bauch, die Gespräche sind geführt. Rousseau fertigt eine Kopie der »Gespräche« an. Er hat langsam und besonnen gedacht, und er hat lebhaft und heftig gefühlt. Nur das Kribbeln im Bauch läßt nicht nach. Da steht geschrieben: »Ich bin allein auf Erden, ohne Schutz, ohne Verteidiger! Von einer ganzen Generation beschimpft, verspottet, geschmäht, verworfen; seit fünfzehn Jahren das Opfer einer Verfolgung, die schlimmer ist als der Tod.« Er schreibt auf den Umschlag der Kopie: »Der Vorsehung übergebenes Depositum«.

Es ist ein Samstagnachmittag im Februar des Jahres 1776, da tritt Rousseau in die Kirche Notre Dame ein. Er trägt das Depositum unter dem Arm und geht damit auf den Hochaltar zu. Aber das Gitter zwischen dem Chor und dem Kirchenschiff, das sonst immer geöffnet ist, es ist an diesem Samstagnachmittag geschlossen. Rousseau rüttelt an dem Gitter, er zerrt an den Staketen der Seiteneingänge, aber das Gitter und die eisernen Pforten bleiben fest verschlossen. Der liebe Gott sitzt im Himmel und hat kein Einsehen. Nein, die Vorsehung holt das letzte Vermächtnis des braven Jean-Jacques nicht ab.

Rousseau ist bis ans Ende seines Lebens gegangen und noch ein Stück darüber hinaus, aber es war niemand mehr da, der sich seiner angenommen hätte, nicht einmal der liebe Gott. Er hatte sich nicht für den Staat geopfert wie der Minister aus der Geschichte, sondern für sich selbst. Er hatte auch nicht mit großen Schmerzen ein offizielles Ordenskreuz tragen müssen wie der Minister, sondern sein eigenes Kreuz. Aber das ständige Abarbeiten des eigenen Kopfes und das unablässige Tragen des eigenen Kreuzes hatten auch die Harmonie seines Ganglien- und Cerebralsystems zerstört. Auch, die Harmonie, dieser pythagöreische Zusammenklang der Himmelskörper, diese wohltönende Gegeneinanderbewegung der Kräfte, dieses fröhliche Miteinander der Bewegungs- und der Empfindungsnerven, o die Harmonie, dieser ausgleichende Strom in den Nerven- und in den elektrischen Leitungen, der ja im Großen und im Kleinen fließen muß, wenn es nicht zu prostatahyperthrophischen und zu arteriosklerotischen, zu nephritischen und zu urämischen Katastrophen kommen soll: die Harmonie, was ist das für ein erstrebenswerter Zustand!

Rousseaus Leitung war defekt, und alle äußeren und inneren hinteren so wie alle äußeren und inneren vorderen Säfte ergossen sich schwanzwärts in sein Hypochondrium.

Rousseau

und Robespierre tanzen unter dem Maibaum

Wie glücklich du, Mensch der Natur!
Der zage, falsche Mensch ist fern dir, der du nur
ein kleines Feld bebaust, und, wenn der Abend nahte,
in stiller Rast und Ruh in deiner dunklen Kate
das Brot verzehren kannst, das unter Tages Last
in hochgemutem Werk du stumm geerntet hast.
Du blickst und schaust vergnügt nach Frau und Kindern aus,
sie richten fleißig dir mit ihren lieben Händen
   die schlichte Speise und das Haus
und deine Kleider her: so hat es sein Bewenden.

   Wie reich und glücklich ist der Mann,
   der in der Armut leben kann.
   Er sein Gebet zum Himmel kehrt?
   Die Hoffnung hat es ihn gelehrt.

   Ist es erhört mit Recht und Fug?
   So kommt er dankbar zu dem Schluß:
   Ich lebe, Gott, das ist genug.
   Was brauche ich den Überfluß?

   Es hat sein reines Herz wie Glas
die Ängste und die Qual des Geizes nie entfacht.
Wenn ihn der Arbeitszeit bedrohlich Übermaß
ermüdet und erschöpft, dann hofft er auf die Nacht:
   sie macht die Last des Tags zu Staub.
Er wird in seinem Traum vom Schreckensbild gemieden,
   von schlimmer Mordtat und von Raub.
   Er wacht als Weiser, schläft in Frieden.

Der helle Glanz des Taus bedeckt und überstreicht
   noch Frucht und Grün und Blumenflor,
   da schlägt er schon die Augen auf,
   er kommt dem Morgenrot zuvor.

Er grüßt den neuen Tag, der schon den Himmel bleicht,
und fängt die Arbeit an, den frohen Tageslauf.
So fällt er nicht zum Raub an die Gewissensbisse,
  nicht das Verbrechen, nicht der Schrecken
kann einen Augenblick die reine Lust beflecken.
Allein das Bild des Glücks entdeckt ihm das Gewisse.

  Er lebt, den Seinen ist nicht bang.
Hat er noch einen Wunsch? Mitnichten, nie und nimmer.
Er lebt und werkt und singt sein ganzes Leben lang:
nur er kann glücklich sein, und er nur ist es immer.

Es ist der 28. Mai des Jahres 1778. Rousseau hat noch sechs-
unddreißig Tage zu leben. Längst ist die alte Levasseur, drei-
undneunzigjährig, längst ist der König, vierundsechzigjährig,
und längst ist auch der treue Sultan gestorben. Rousseau ist der
Einladung des Grafen von Girardin nach Ermenonville gefolgt,
und er wohnt mit Therese im Hause des Kastellans. Es ist
Frühling, Rousseau spaziert durch den Park und beobachtet die
Vögel, er umwandert den See und betrachtet die Pappelinsel,
er liegt in der Wiese und schaut in den Himmel. Die Vögel
zwitschern, die Pappeln rauschen, der Himmel tönt vor lauter
Sphärenharmonie. Rousseau lebt mit seinem Bauch, er werkt
mit seinem Kopf, und er singt mit seiner Brust, eigentlich müßte er glücklich sein.

Aus den Bekenntnissen waren Geständnisse geworden, und
aus den Geständnissen wurden Träumereien, die »Träumereien
eines einsamen Spaziergängers«, und Rousseau schreibt sie alle
auf. Das einzige, was er jetzt noch braucht, sind seine Wanderschuhe und die Hefte, die er überall mit hingenommen hat. Auf
der Truhe liegen die Herbarien und die Musikalien, ja, da liegen alle seine vielen Hefte, und Therese läuft herum und hat
nur ein einziges seidenes Kleid. Rousseau unterrichtet den Knaben des Grafen in Botanik und das Mädchen in Musik, wie es
sich gehört. Er spricht mit Zärtlichkeit von den Pflanzen, aber
er spricht mit Bitterkeit von den Menschen. Er liebt die Botanik, aber er haßt die Anthropologie. Aber die Pflanzen haben
ihn nicht verstanden, und die Menschen haben ihn mißverstan-
den, warum soll er noch weitergehen?

Therese hält die Kinder der Nachbarn auf ihren, und Rousseau hält die Schafe der Nachbarn auf seinen Knien, vielleicht verstehen sie ihn besser als die Menschen. Guter Jean-Jacques, du bist ja so unpraktisch! Ach, könnte der Mensch erst einmal ohne dieses immerwährende Gegeneinanderspiel von Bauch und Brust, von Bauch und Kopf, von Brust und Kopf sein, wie wäre da das Leben schön! Wenn die tiefen Neigungen, wenn der hohe Blutdruck und wenn die plötzlichen Eingebungen einmal nicht mehr diese rauschhafte Betäubung im Bauch, dieses heftige Herzklopfen in der Brust und diese augenblickliche Atemnot im Kopf verursachen, sondern ein angenehmes und lustvolles Miteinanderspiel in Gang setzen würden, aus dem das schönere zukünftige Leben entspringt: das wäre des Immerweitergehens wert! Und Rousseau, mit seinem verhängnisvollen Leitungsdefekt, sagt: »Ich ersehne den Augenblick, da ich, befreit von den Fesseln des Leibes, ohne Widerspruch und ungeteilt, ich sein werde, und nur meiner selbst bedarf, um glücklich zu sein.«

Da steht ihm an einem Morgen im Juni ein junger Mann im Weg, bückt sich nach einer Primel und reicht sie ihm. Rousseau nimmt die Blume in seine Hand und sagt: »Sie verstehen sich schon gut aufs Schmeicheln, junger Mann. Schlimm für Sie.« Der junge Mann antwortet: »In meinem Alter schmeichelt man nicht. Da fühlt man alle Glut der Begeisterung und läuft zehn Stunden zu Fuß.« Rousseau sagt: »Zehn Stunden zu Fuß? Gute Beine müssen Sie haben, junger Mensch. Das ist viel und lange gegangen, zehn Stunden Fußmarsch. Ich verstehe nämlich etwas vom Gehen.« Der junge Mann antwortet: »Ich bin so weit und so lange gegangen, damit ich Sie endlich einmal gesehen habe«, und er wendet sich ab, um die Tränen in seinen Augen zu verbergen. Der junge Mann heißt Maximilian Robespierre, und er schreibt in sein Tagebuch: »Ich habe Jean-Jacques gesehen, den Bürger von Genf, den Größten unter den Lebenden. Edler Mann, du hast mich gelehrt, die Großheit der Natur zu erkennen und die ewigen Prinzipien der gesellschaftlichen Ordnung. Ich werde deiner Spur folgen. Das alte Gebäude zerfällt. Wir werden, deinen Lehren getreu, die Hacke gebrauchen, es völlig zu zerstoßen, und die Steine herbeitragen, ein neues Haus aufzurichten.«

Aber Rousseau kann ihm nicht mehr widersprechen. Einige Tage später, nur ein paar Minuten nach dem Frühstück, verspürt er wieder das arge Grimmen im Bauch, das heftige Klopfen in der Brust und das gräßliche Stechen im Kopf. Als Therese in die Stube tritt, liegt er am Boden, neben dem Lehnstuhl mit der geflochtenen Sitzfläche. Über seinem rechten Auge klafft ein tiefer Riß. Es ist Donnerstag, der 2. Juli des Jahres 1778, elf Uhr vormittags. Rousseau ist tot.

Hat er einen Schlaganfall erlitten, oder hat ihn ein urämisches Koma ereilt? Hat er einen Knollenblätterpilz verspeist, oder hat ihm sein Schwager die Axt über den Schädel geschlagen? Ja, ist er auf die harte Sessellehne gefallen, oder hat ihn ein Axthieb getroffen? Hat nun der finstere Jean-François gesagt: »Liebe Schwester, mach das Fenster zu, damit ich ihm die Axt über den Schädel schlage«, oder hat der brave Jean-Jacques gesagt: »Liebe Frau, öffne das Fenster, damit ich noch einmal das Grün sehe?« Weiß der Teufel, ist er nun in die Hölle, oder weiß Gott, ist er in den Himmel gefahren?

Es ist hellichter Mittag, als er in den elysischen Gefilden anlangt. Sokrates, Plato und der urämische Montaigne breiten die Arme aus und empfangen ihn mit liebevollen Worten. Diogenes schiebt den großen Alexander aus der Sonne und bläst seine Laterne aus. Endlich kommt der langersehnte Mensch! Es ist hellichter Tag im Elysium, und mit einem Male werden die Gefilde noch grüner, als sie immer schon waren.

In Ermenonville ist es Nacht. In der Mitte des Himmels leuchtet der Mond, am Ufer des Parksees leuchten die Fackeln. Drei Kähne gleiten über das Wasser, der erste trägt den Sarg mit den leiblichen Resten Rousseaus, der zweite trägt die Trauergäste, und der dritte trägt den Grabstein mit der Inschrift: »Dem Manne der Natur und der Wahrheit«. Die Menschen stehen still. Es ist Sommer, die Grillen zirpen, die Frösche quaken, die Enten schnattern. Sie lassen es sich nicht nehmen, sie sind Wesen der Natur und keine zivilisierten Theaterfiguren. Sie dürfen zirpen, sie dürfen quaken, und sie dürfen schnattern, wann es ihnen gefällt. Die Natur ist immer dieselbe geblieben, und die Tugend und die Wahrheit auch. Aber die ganze Welt ist anders geworden, die Tugend hat sich in das Laster und die Wahrheit hat sich in die Unterhaltung verkehrt. Ach, was ist aus der Welt geworden? Eine vermummte Trauergesellschaft rudert auf eine Pappelinsel und begräbt dort einen geliebten Toten. Die heitere katholische Gesellschaft ist auf einmal still geworden, nur die Natur zirpt und quakt und schnattert.

Ist die Welt nun ein großes Theater, womöglich ein Affentheater, in dem ein paar Männer die Hauptrolle spielen, oder ist sie ein Volksfest, in dem es nur kleine Rollen gibt und wo jeder sein eigener Herr sein darf. Es ist Revolutionszeit, aber es werden nicht nur Bastillen erstürmt und Köpfe abgehackt, wobei man ja die großen Männer und das ganze Volk benötigt, nein, es geht ganz ohne Aufsehen zu, und das Schauspiel ist eher die Moritat einer Wanderbühne.

Es ist Revolutionszeit, Goethe betrachtet den Vorhang des Leipziger Theaters, den Öser gemalt hat, und was er sieht, das ist ein Mann in leichter Jacke. Er sieht nicht die dramatischen Gesten und die gewaltigen Gebärden, nein, er sieht den Mann in der leichten Jacke. »Ein Mann in leichter Jacke ging zwischen beiden oben gedachten Gruppen, ohne sich um sie zu kümmern, hindurch.« Rousseau und Jean Paul hatten die leichten Jacken getragen, als sie mit Emil und Levana vor die Haustür traten, als sie zuerst auf dem Boden der Tatsachen standen und dann über das Gewölke des Lebens drangen.

Aber nein, dieser Mann in leichter Jacke war noch vor ihnen aufgestanden, er war früh aufgebrochen, früher noch als sie. Auch er hatte den frischen Wind in der Nase, »mich dünkt, ich witt're Morgenluft«, hatte auch er gesagt, und er hatte sowohl die großen Männer als auch die kleinen Rollen ins Welttheater gesetzt. Goethe sah nur diesen Mann in der leichten Jacke und sagte: »Dieser nun sollte Shakespeare bedeuten, der ohne Vorgänger und Nachfolger, ohne sich um die Muster zu bekümmern, auf seine eigene Hand der Unsterblichkeit entgegengehe.«

Da gibt es auf der einen Seite das Affentheater der großen Männer, und auf der anderen Seite gibt es die Wanderbühne der kleinen Rollen. Aber Shakespeare kümmert sich nicht um die Muster, er trägt seine leichte Jacke, die womöglich eine Jakobinerjacke ist, und geht zwischen den Gruppen hindurch. »Herakles erkennt man an seinem Fuß«, sagten die Römer, und die Griechen sagten: »Der Mann ist seine Kleidung.« Die

Franzosen haben Shakespeare Spitzen und Stickereien umgehängt und einen Federbusch übergestülpt, sonst aber ist er ein Wilder ohne Frisur und Kniehosen geblieben, erzählt der Baron von Grimm; die Deutschen haben ihn zu einem schwärmerischen Romantiker gemacht, aber Shakespeare selbst fühlt sich in seiner leichten Jacke am wohlsten.

Es ist Revolutionszeit, und alle Welt wittert auf einmal die Morgenluft, die Shakespeare lange vorher schon gewittert hatte. Ja, jetzt ist die Zeit, wo jedermann die heftigen Bewegungen nach vorne und nach hinten bemerkt, jetzt ist die Zeit, wo der Fortschritt und wo der Rückschritt und wo das Auf-der-Stelle-Treten am besten zu unterscheiden sind. Da gibt es Robespierre und die Jakobiner, da gibt es Condorcet und die Girondisten, und da gibt es den Tischler Duplay und die Sansculotten. Die einen schreiten fort, die anderen schreiten zurück, und die dritten treten auf der Stelle. Robespierre und die Jakobiner sind radikal, sie schließen die Augen, damit sie nicht nach links und nach rechts schauen müssen, und schreiten fort. Condorcet und die Girondisten sind gemäßigt, sie schließen die Augen, damit sie das Unheil der Jakobiner nicht zu sehen brauchen, und schreiten zurück. Duplay aber und die Sansculotten können die Augen ganz beruhigt schließen, denn sie sind schon wieder saturiert. Duplay, der Wirt von Robespierre, bezieht 10 000 Pfund Rente aus seinen Vermietungen, und er verbietet seinen Arbeitern den bürgerlichen Tisch.

Robespierre ruft am 18. Floréal des Jahres II: »Die Welt hat sich verändert, und sie muß sich noch einmal verändern. Was gibt es Gemeinsames zwischen dem was ist und dem was war? Zivilisierte Nationen sind wilden gefolgt, die in Wüsten umherirrten; fruchtbare Ernten sind an die Stelle der Urwälder getreten, die die Erde bedeckten.« Und er ruft: »Die Hälfte der Revolutionierung der Welt ist bereits geleistet, die andere Hälfte muß noch vollendet werden.« Er ruft nach Rousseau so laut, daß der ganze Wohlfahrtsausschuß erzittert. Er ruft aus: »Rousseau, Lehrer des Menschengeschlechts!« Und schließlich ruft er: »Ach, wer kann daran zweifeln, daß sein edler Sinn mit der größten Begeisterung die Sache der Gerechtigkeit und Gleichheit verteidigt hätte, wenn er Zeuge der Revolution hätte sein können.«

Aber da dreht sich Rousseau in seinem Grabe um. Er dreht sich auf die andere Seite und sagt: »Nein.« Hatte er nicht schon die Arbeitsgeräte scheel angesehen und den Buchdruck verdammt, hatte er nicht das Reisen geschmäht und die unselige Arbeitsteilung mißbilligt? Rousseau war zeit seines Lebens weder blindlings fortgeschritten, noch war er blindlings zurückgeschritten, und er war auch nicht mit geschlossenen Augen auf der Stelle getreten.

Er fragte: »Wozu nützt es?« und antwortete: »Wenn es mir nützt, daß ich davon glücklich werde, dann werde ich es tun.« Und so schritt er fort, wenn es nützlich war fortzuschreiten; so schritt er zurück, wenn es nützlich war zurückzuschreiten; und so trat er auf der Stelle, wenn es nützlich war, auf der Stelle zu treten. Nur wenn er davon gesund und frei sein würde und seinen angemessenen Lebensunterhalt erwerben könne, dann würde er das eine Mal fortschreiten, das andere Mal zurückschreiten, und das dritte Mal auf der Stelle treten, je nachdem.

Es ist Floréal, der Blütenmonat, Rousseaus Jahreszeit. Und da steht der wirre Robespierre und will immer noch weiter fortschreiten. Warum will er nicht die Blume blühen, die Tiere in Ruhe, die Menschen in Frieden und den lieben Gott einen guten Mann sein lassen? Ach, was wird jetzt aus den Menschen werden! Die Menschen sollten doch keine Ameisen werden, die unter ihnen geblieben sind, sie sollten Vögel werden, die über sie hinweggekommen sind. Das wäre der rechte Fortschritt. Rousseau springt aus seinem Grab, er biegt die Pappeln auseinander, die den Sarkophag umsäumen, und eilt schnurstracks in den Wohlfahrtsausschuß.

Ach, wie schön wäre es gewesen, wenn die Menschen sich in Vögel verwandelt hätten, aber leider sind sie nur Ameisen geblieben. Sie werden zwar zu den geselligen Hautflüglern gezählt, aber sie fliegen nicht mit ihren Flügeln, und ihre Geselligkeit ist nur ein kollektives Arbeitsverhalten. Die Arbeiter sind geschlechtslos gewordene Weibchen, sie besorgen den Nestbau, die Ernährung und die Brutpflege, sie haben es nicht anders gewollt. Sie bauen Erdnester, Holznester und mit chemischen Bindemitteln aufgemauerte Steinnester, je nach Bildungs- und Entwicklungsstand. Sie halten sich Läuse wie Vieh und melken sie, als seien es Milchkühe. Sie paaren sich beim Schwärmen, und es sieht für einen Augenblick lang so aus, als vergäßen sie ihren unangenehmen Betätigungstrieb. Aber dann betten die Arbeiter wieder die Puppen um, begeben sich wieder auf Kriegs- und Raubzüge und erziehen ihre Jungen zur gleichen widerwärtigen Unrast.

Es sind hinterlistige Geschöpfe, sie beißen nach vorne und spritzen nach hinten, und nie hat man eine Ameise gesehen, die Mitleid oder gar Barmherzigkeit gezeigt hätte. In Gemeinschaft fühlt sie sich besonders stark und angriffslustig; auf sich selbst gestellt, ist sie feig und weicht den Konflikten aus. Ihre Soldaten sind großköpfig, was ja einerseits zu denken gibt, andererseits aber nicht weiter verwunderlich ist, weil die Kopfgröße nicht in ein kausales Verhältnis zum Umfang des Gehirns gesetzt werden darf. Sie verfügen zwar über ein Erkennungs- und ein Mitteilungsvermögen, aber diese Eigenschaften nutzen sie nur zu ihrer tayloristischen Arbeitsteilung. O Robespierre!

Es gibt die weißen Ameisen, und es gibt die schwarzen Ameisen. Es gibt die roten Ameisen, und es gibt die grünen Ameisen. Es gibt die braunen ackerbautreibenden Ameisen, und es gibt die blauen Ameisen, die sogar in Reih und Glied gehen können. Ja, die Ameisen leben in staatenähnlichen Gemeinschaften, aber die Geselligkeit, die man ihnen nachsagt, ist nur Gesellschaftlichkeit, denn sie leben ja nicht in freiwillig zusammengeschlossenen Gruppen, sondern in erzwungenen Ständen, und der unselige Taylorismus ist bei ihnen besonders stark ausgeprägt.

Die Politiker und die Pädagogen, die Tierväter und die Philosophen tun so, als seien die ameisenhafte Tapferkeit und Enthaltsamkeit, als seien die ameisenhafte Umtriebigkeit und Gesellschaftlichkeit keine Laster, sondern Tugenden. Die Ameise aber, für die der Tiervater Brehm und der Philosoph Plutarch eine so große Hochachtung zeigen, daß sie sogar soweit gehen, sie für das Sinnbild des Fleißes und den Spiegel der Tugend zu halten, die Ameise ist ein armes Geschöpf. Hat man je eine Ameise auf dem Rücken liegen und in den Himmel schauen sehen? Nein, die Menschen sind keine Vögel geworden, sie sind leider armselige Ameisen geblieben.

O Robespierre, du wolltest die Menschen frei und gleich machen, aber du hast sie nur Ameisen sein lassen. Die Freiheit und die Gleichheit schließen sich leider aus. Wer frei ist, der möchte auch anders sein, aber wer anders ist, der ist nicht mehr gleich. Wer gleich ist, der möchte nicht anders sein, denn wer anders ist, ist ja frei und nicht gleich. Nein, ein Vogel ist keine Ameise. Wer frei ist, kann nicht gleich sein, und wer gleich ist, ist nicht mehr frei.

Rousseau ist aus seinem Grab gesprungen, und nun steht er mitten zwischen den Revolutionären. Ja, auch er will die Moral an die Stelle des Egoismus, die Redlichkeit an die Stelle der Ehre, die Herrschaft der Vernunft an die Stelle der Tyrannei der Mode, die Verachtung des Lasters an die Stelle der Verachtung des Unglücks, die Seelengröße an die Stelle der Eitelkeit, die Liebe zum Ruhm an die Stelle der Liebe zum Geld, die guten Leute an die Stelle der guten Gesellschaft, das Verdienst an die Stelle der Intrige, das Genie an die Stelle des Schöngeists, die Wahrheit an die Stelle des schönen Scheins, den Reiz des Glücks an die Stelle der Langeweile der Wollust, die Größe des Menschen an die Stelle der Kleinlichkeit der Großen, ein großherziges, glückliches und mächtiges Volk an die Stelle eines liebenswürdigen, frivolen und elenden Volks, auch er möchte, mit anderen Worten, alle Tugenden und Wunder der Republik an die Stelle aller Laster und Lächerlichkeiten der Monarchie setzen, genau wie Robespierre, auch mit diesen großen Worten Robespierres, die vielleicht sogar viel zu groß sind, um die Anmut und die Einfachheit seiner Wünsche zu beschreiben.

Aber eines will er nicht, was Robespierre ins Auge gefaßt hat, er will nicht die kategorischen Forderungen der heiligen sieben Argumente triumphieren lassen, nein, er will nicht diese abgezogenen Notwendigkeiten anerkennen, die den einzelnen Menschen mißachten. Er will nicht die Prinzipien an die Stelle der Bräuche, und er will auch nicht die Pflichten an die Stelle der Schicklichkeiten setzen. Die Bräuche und die Schicklichkeiten, das sind die natürlichen Tugenden, sie sind von unten her allmählich gewachsen, die Prinzipien aber und die Pflichten, sie sind die gesellschaftlichen Laster, die von oben her über die Köpfe der Menschen gestülpt worden sind. Und so nimmt er

Robespierre bei der Hand und führt ihn aus der prinzipienfesten und pflichttreuen Ameisenwelt hinaus ins Freie. Rousseau trägt die leichte Jacke, die schon Shakespeare getragen hatte, aber schaut euch nur den zugeknöpften Robespierre an! Wie grell sind die Farben, wie kühn sind die Muster seiner Weste! Seine Halsbinde ist schneeweiß und korrekt geknüpft, seine Spitzenmanschetten sind frisch gestärkt und seine Frisur ist dick gepudert. Er trägt die grüne Brille und den schwarzen Hut, ja, er hat sich noch nicht einmal von seinen Kniehosen getrennt. Will Robespierre etwa ins Theater gehen, wo die Bretter so viel bedeuten und wo die großen Männer Geschichte spielen? Es ist Revolutionszeit, aber ist das große Theater nicht doch ein Affentheater? Robespierre will ins Theater gehen, aber Rousseau führt ihn ins Freie.

Rousseau sagt: »Braucht denn eine Republik gar keine Schauspiele? Im Gegenteil, sie braucht viele. Die Republik war ihre Wiege, und in ihrer Mitte sieht man sie in wahrhaft festlichem Glanze strahlen. Aber wir wollen diese eng beschränkten Schauspiele nicht einführen, die eine kleine Zuschauerzahl trübselig in eine finstere Höhle eingekerkert hatten. Stellt mitten auf den Platz einen blumenbekränzten Pfahl, ruft das Volk zusammen, und ihr habt ein Fest! Oder noch besser: bietet die Zuschauer einander zur Schau: macht sie selbst zu Schauspielern; sorgt dafür, daß jeder sich in seinem Nebenmenschen selbst erkenne und liebe, damit alle dadurch um so inniger verbunden seien.«

Rousseau und Robespierre sind im Freien angelangt, da gibt es keine Prinzipien, und da gibt es auch keine Pflichten, hier im Freien sind die Menschen keine Ameisen, keine schwarzen und keine weißen, keine grünen und keine roten, und schon gar keine blauen Ameisen. Hier im Freien sind die Menschen zum Aufschwung bereit, sie rühren ihre Flügel, sie sind fast schon zu Vögeln geworden.

Da sitzen sie alle in einer Reihe, Frauen und Männer, Burschen und Mädchen, nicht auf Sesseln weit auseinander wie in Ratskellern oder bei deutschen Gastwirten, sondern eng beisammen auf Bänken wie in Weingärten oder bei lothringischen Patrons; nicht beim steifen städtischen Festessen vor Bergen von Silber und vor Beeten von Papierblumen, sondern beim fröhlichen ländlichen Mahl mit tiefen Tellern und geblümten

Mundtüchern; nicht in Begleitung von Marionetten und Damen in Reifröcken, sondern in Gesellschaft von lustigen Freunden und Frauen mit offenen Miedern. Ja, was geht über Fleisch und Gemüse, was geht über die gute Sahne und die braven Menschen?

Mitten auf dem Platz ist der Maibaum aufgestellt, hoch ragt er empor, und er ist mit Blumen bekränzt, genau so, wie Rousseau es dem theaterbeflissenen d'Alembert empfohlen hatte. Rousseau erhebt sich von seiner Bank, er geht auf Robespierre zu, faßt ihn bei der Hand, Robespierre schüttelt kokett seine Spitzenmanschetten, o wie schüchtern ist er doch, sieh nur, wie geziert er sich bewegt! Rousseau führt ihn auf die Wiese, und alle Männer und Frauen, alle Mädchen und Burschen fassen sich bei den Händen. Sie hüpfen und springen, sie tanzen einen Reigen.

Nun ist ein Reigen nicht einfach nur ein regelloses Hopsen und Tollen, Gott bewahre, nein. Ein Reigen ist ein schönes stetiges Schreiten, ein anmutiges gleichfüßiges Springen, ein fröhliches Tanzen im Kreis. Rundum die ganze Wiese ist mit Gänseblümchen übersät, aus den Obstgärten duften Äpfel und Birnen, die Tänzer und die Tänzerinnen singen: »Anemone und Zitrone!« Sie haben sich bei den Händen gefaßt und werfen die Beine. Der Vortänzer wirft die Beine aber noch höher und singt noch lauter und heller als die übrigen Tänzer und Tänzerinnen. Sie singen: »Anemone und Zitrone!« und jedes Mal, wenn dieser Kehrreim erklingt, tritt der Tänzer, der sich zur Rechten des Vortänzers befindet, in den Kreis und küßt ein Mädchen oder einen Burschen seiner freien Wahl. »Anemone und Zitrone!« singen die Burschen und die Mädchen, und der Geküßte faßt nun den Vortänzer bei seiner Linken.

Das ist ein Hüpfen und ein Springen, und es hat erst ein Ende, wenn alle aus der Reihe in die Mitte getreten und geküßt worden sind. Ja, erst wenn alle den Vorzug genossen haben, einmal auf der Rechten und einmal auf der Linken des Vortänzers gesprungen zu sein, dann ist der Reigen zu Ende.

Die Jakobiner schreiten fort, die Girondisten schreiten zurück, die Sansculotten treten auf der Stelle, Rousseau und Robespierre aber tanzen unter dem Maibaum. Sie springen einmal nach vorne, und sie springen das nächste Mal wieder zurück, und dann treten sie auf der Stelle. Einmal geht es links herum, einmal geht es rechts herum, gerade wie Rousseau es für geboten hält.

Rousseau ist kein guter, aber er ist ein kluger Tänzer. Er ist ja auch nicht mehr jung wie die anderen Tänzer, im Gegenteil, er ist ja des Tanzens wegen aus dem Grab gesprungen, er ist sogar etwas korpulent, aber er bewegt sich mit aller Anmut des natürlichen Menschen. Hast du jemals den Milchmann Tevje, hast du den Schauspieler Jean Gabin, hast du den Dichter Günter Bruno Fuchs je einmal gehen, ja hast du sie einmal tanzen sehen? Wie graziös ist das Tanzen der dicken Menschen, sie fühlen ihren Körper, wie hölzern ist dagegen das Tanzen der Dünnen, die erst einmal Gewichte an den Händen brauchen, damit sie sie spüren! Wie weit ist es mit den Menschen gekommen, seit die Amerikaner das Ideal der tanzenden dünnen Menschen über die ganze Erde verbreitet haben!

Rousseau und Robespierre tanzen einen Reigen. Beim Reigen geht es nicht um Kunstfertigkeit wie beim Ballett im Theater, beim Reigen geht es um nichts anderes als um ein fröhliches Hüpfen im Kreis. Robespierre hüpft fröhlich mit. Er kommt einmal rechts, und dann kommt er wieder links von Rousseau zu stehen, aber dort darf er ja nicht verweilen, auch wenn er gerne für alle Zeit immer nur links von Rousseau stehen wollte.

Nein, beim Reigen geht es rund, und Robespierre kann froh sein, wenn sich immer wieder jemand findet, der ihn umarmt und küßt, damit auch er wieder einmal links von Rousseau zu stehen kommt. Die Burschen und die Mädchen singen zwar nicht mehr: »Anemone und Zitrone!« sie singen: »Hoch dem Tone der Kanone!« was nicht dasselbe ist, aber es ist Revolutionszeit, und sie singen und tanzen die Carmagnole. Sie singen noch nicht die Marseilleise, die den eiligen Marschtritt erfordert, sie singen die Carmagnole, die im Sechsachtel-Takt geht und im Reigen getanzt wird.

Da tanzen sie alle, das kragenlose Jakobinerhemd hängt ihnen über die Pluderhose, lauter lothringische Bauern, und Rousseau, der das arkadische Zungen-R rollt, ist fast ein Saarländer geworden. Sie hüpfen und springen und begehen ihr ländliches Fest. Sie wandeln und schreiten, sie stampfen und tappen, sie trampeln und trippeln, mit ihren Füßen begehen sie das Fest und sind noch nicht einmal müde geworden vom vielen Begehen.

Robespierre tanzt fröhlich mit, niemand würde ihm den Terroristen ansehen, wie er graziös seinen linken Fuß vor den rechten setzt. Es ist zwar immer der linke Fuß, den er vor den rechten setzt, aber beim Tanzen ist ja der linke Fuß kein radikaler Fuß. Und der unermüdliche Rousseau? Rousseau hat nicht Hände genug am Leib, um alle Robespierres, um alle diese Terroristen zum Tanz zu führen. Oh, Rousseau hätte nur lange genug mit ihnen tanzen müssen, sie wären gar nicht dazu gekommen, Terroristen zu sein.

Wie rasch wirft man einem Menschen den Terroristen vor, und dabei ist er nur vom Tanzen abgehalten worden. Seht her, wie sie tanzen! Schon hüpfen sie wie die Vögel, und es fehlt nur ein weniges, dann heben sie vom Boden ab und fliegen und brauchen keine Ameisen mit Pflichten und Prinzipien zu sein.

Es öffnen sich die Tore der Bastille, die Gefangenen sind auf freien Fuß gesetzt. Sie gehen, und sie schreiten, sie hüpfen, und sie tanzen, sie benutzen ihren freien Fuß, sie begehen ein Fest. Aus den Kniehosen sind lange Hosen geworden, aus der heiteren Rokokogesellschaft ist die ernste bürgerliche Gesellschaft geworden, und damit ist die Zukunft angebrochen.

Nun gibt es aber die gemußte Zukunft, die gewollte Zukunft und die gesollte Zukunft. Die gemußte Zukunft ist naturnotwendig, es ist die vergangene Zukunft; die gewollte Zukunft ist erwartet, es ist die gegenwärtige Zukunft; die gesollte Zukunft ist gefordert, es ist die zukünftige Zukunft, und sie allein ist mit dem Schrecken verbunden, weil sie gefordert und gesollt ist. Im Namen der gesollten Zukunft steht Robespierre neben dem Henker und sagt: »Nur der Schrecken zwingt die Menschen zu ihrem Glück, der Schrecken ist die Tugend.« Schrecklicher Robespierre, du hast dich vom Tanzen abgewandt, und du wendest dich dem Töten zu!

Rousseau ist der Schwärmer, er tanzt, und er ist liebenswert. Robespierre aber ist der Täter, er tötet, und er ist verabscheuenswert. O nein, du zwingst den Menschen nicht zur Freiheit, du zwingst den Menschen nicht zum Glück! Du unbestechlicher

Täter, du hattest dem unbestechlichen Schwärmer ins Auge geblickt, aber du hast ihn nicht gesehen. Du hast ein Gedicht geschrieben und ihn den Landmenschen genannt, der lebt und werkt und singt und deshalb glücklich ist, aber du selbst hast nicht leben und nicht werken und nicht singen wollen wie er, und die ganze Französische Revolution ist ausgebrochen aus mangelnder Schwärmerei für Rousseau.

O du neue Empfindsamkeit, was haben die Menschen auf einmal nicht alles getan! Die einen sprangen ins Wasser, die anderen stiegen auf die Berge. Die Väter sammelten mit ihren Kindern Gänseblümchen auf der Wiese und Immergrün im Wald, die Mütter stillten ihre Säuglinge in der Oper zwischen den Arien. Die Männer, mit den Blümchen in der Hand, weinten vor Rührung. Die Frauen, mit den Kindern an der Brust, fielen in Ohnmacht. Oh, wie so empfindsam ist die neue Natur! Faust rief: »Gefühl ist alles!« Herder rief: »Komm, Rousseau, sei mein Führer!« und Tolstoi trägt ein Medaillon mit dem Bildnis Rousseaus um seinen ausgezehrten Hals. Der sanfte Hölderlin springt auf die jakobinische Barrikade, er ruft: »Und fliegt, der kühne Geist, wie Adler den Gewittern, weissagend seinen kommenden Göttern voraus.«

Aber Rousseau hat gar nicht den Adler im Sinn, er denkt nicht an den künstlichen gestickten Vogel im Fahnentuch. Nein, er hat nur den gallischen Hahn im Sinn, er denkt an den natürlichen scharrenden Gockel unter dem Maibaum. In seinem Gehirn ist die Natur entsprungen. Schon als zehnjähriger Knabe, beim Pfarrer Lambercier in Bossey, hatte er mit seinem Vetter nicht Politiker, sondern Gärtner gespielt. Am Ende seines Lebens schrieb er: »Wir bestärkten uns in dem sehr natürlichen Gedanken, daß es schöner sei, einen Baum auf eine Terrasse als eine Fahne auf eine Bresche zu pflanzen.«